COLLECTION
ROGER-BERNARD

«Ontarois, on l'est encore!»

DE LA MÊME AUTEURE

Le Suicide dans la Rome antique, Montréal/Paris, Bellarmin/Les Belles Lettres, coll. «Noêsis/Études anciennes», 1982, 325 p. Préface de Pierre Grimal.

Anthologie de textes littéraires franco-ontariens, textes choisis et présentés par Yolande Grisé, Montréal, Fides, 1982, 4 vol. Vol. 1 : *Parli, parlo, parlons*, 143 p., préface de Jacqueline Martin; vol. 2 : *Les Yeux en fête*, 201 p., préface de Germain Lemieux; vol. 3 : *Des mots pour se connaître*, 220 p., préface de Séraphin Marion; vol. 4 : *Pour se faire un nom*, 332 p., préface de Gisèle Lalonde.

Le Monde des dieux. Initiation à la mythologie gréco-romaine par les textes, textes choisis, présentés et commentés par Yolande Grisé, Montréal, Hurtubise/HMH, 1985, 334 p.

Les Textes poétiques du Canada français, 1606-1867. Édition intégrale annotée par Jeanne d'Arc Lortie, s.c.o., avec la collaboration de Yolande Grisé, Pierre Savard et Paul Wyczynski, Montréal, Fides, vol. 2 (1806-1826), 1989, lxxiii, 739 p.

Les Textes poétiques du Canada français, 1606-1867. Édition intégrale par Yolande Grisé et Jeanne d'Arc Lortie, s.c.o., avec la collaboration de Pierre Savard et Paul Wyczynski, Montréal, Fides, vol. 3 (1827-1837), 1990, lix, 743 p.; vol. 4 (1838-1849), 1991, lxxvi, 1047 p.; vol. 5 (1850-1855), 1992, liii, 781 p.; vol. 6 (1856-1858), 1993, lxii, 791 p.; vol. 7 (1859), 1994, lxi, 591 p.; vol. 8 (1860), 1995, lxxi, 577 p.; vol. 9 (1861-1862), 1996, xc, 797 p.; vol. 10 (1863-1864), 1997, cv, 843 p.; vol. 11 (1865-1866), 1999, ciii, 877 p.; vol. 12 (1866-1867), 2000, cv, 717 p.

La Poésie québécoise avant Nelligan, textes choisis et présentés par Yolande Grisé, Montréal, Fides, coll. «Bibliothèque québécoise», 1998, 369 p.

Yolande Grisé

«Ontarois, on l'est encore!»

Le Nordir

LA COLLECTION ROGER-BERNARD est ainsi nommée en hommage à ce sociologue, dont le manuscrit *De Québécois à Ontarois* fut à l'origine de la fondation du Nordir, et dont les travaux ont marqué la vie intellectuelle canadienne-française. Il est décédé en juillet 2000, à l'âge de 55 ans.

Catalogage avant publication de la Bibliothèque nationale du Canada
Grisé, Yolande, 1944-
   «Ontarois, on l'est encore!» / Yolande Grisé
(Collection Roger-Bernard)
Comprend des réf. bibliogr. et un index.
ISBN 2-89531-028-9
   1. Canadien français – Ontario. 2. Littérature canadienne-française –
Ontario – Histoire et critique. 3. Littérature canadienne-française –
XXᵉ siècle – Histoire et critique. 4. Canadien français – Éducation –
Ontario. 5. Ontario – Civilisation. 6. Français (Langue) –
Aspect politique – Ontario. I. Titre. II. Collection.
FC3100.5.G77   2002   305.811'40713   C2002-905128-2
F1059.7.F83G77   2002

Correspondance :
Département des lettres françaises, Université d'Ottawa
60, rue Université, Ottawa, Ontario K1N 6N5
Tél. (819) 243-1253 – Téléc. (819) 243-6201
lenordir@sympatico.ca

Mise en pages : Robert Yergeau
Correction des épreuves : Jacques Côté

Le Nordir est subventionné par le Conseil des arts du Canada, par le Conseil des arts de l'Ontario et par la ville d'Ottawa. De plus, Le Nordir reconnaît l'aide financière du gouvernement du Canada par l'entremise du Programme d'aide au développement de l'industrie de l'édition (PADIÉ), pour ses activités d'édition.

Photo de la couverture : «M. William Davis, [...] Je suis Franco-Ontarien, fier de mon héritage culturel et je veux à tout prix le préserver [...]» : 5 000 élèves d'Ottawa écrivent au premier ministre de l'Ontario pour demander que les francophones puissent administrer leurs propres institutions scolaires, initiative soutenue par la Fédération des élèves du secondaire franco-ontarien (aujourd'hui Fédération de la jeunesse franco-ontarienne). Leurs représentants : Serge Arpin, Daniel Gaudreau, Roselyne D'Aoust, Sylvie Bourbonnais, Dany Crousette, Josée Périard, Chantal Bourbonnais, Ulla Kourany et Yves St-Pierre, janvier 1981. / Université d'Ottawa, CRCCF, Fonds Fédération des élèves du secondaire franco-ontarien (C107), Ph214-1/22.

Dépôt légal : quatrième trimestre 2002
© Yolande Grisé et Le Nordir, 2002
ISBN 2-89531-028-9

À la jeunesse ontaroise, de toute origine;
à ses éducateurs et éducatrices.

REMERCIEMENTS

Je remercie le Centre de recherche en civilisation canadienne-française de l'Université d'Ottawa pour l'aide qu'il m'a apportée dans la réalisation du manuscrit, en particulier Isabelle Lachance, Michel Lalonde, Monique Parisien Légaré et Bernadette Routhier. Je remercie également Jocelyne Gaumond du Département des lettres françaises pour son aide toujours appréciée.

Mes remerciements s'adressent aussi à la Faculté des arts pour son soutien financier dans la publication de l'ouvrage.

Robert Yergeau des éditions du Nordir voudra bien trouver ici l'expression de ma gratitude pour son appui, sa patience et son aménité. De même, le réviseur Jacques Côté, pour ses commentaires, suggestions et corrections aussi éclairés qu'appropriés, ainsi que le graphiste Christian Quesnel, jamais à court d'inspiration.

Enfin, sans l'appui des fonds publics, peu d'ouvrages comme celui-ci pourraient espérer accéder à la publication. Merci aux organismes subventionnaires pour leur engagement envers les maisons d'édition; merci à leur personnel qui fait, aux yeux des auteurs, un des plus beaux métiers au monde!

L'histoire de l'identité perdue et retrouvée
est le fondement de toute littérature.
Northrop Frye, *Pouvoirs de l'imagination*

TABLEAU DES SIGLES

Association canadienne-française de l'Ontario (ACFO)
Association canadienne-française pour l'avancement des sciences (ACFAS)
Association des enseignantes et des enseignants franco-ontariens (AEFO)
Association des universités partiellement ou entièrement de langue
française (AUPELF)
Centre de recherche en civilisation canadienne-française (CRCCF)
Centre d'études franco-canadiennes de l'Ouest (CEFCO)
Centre franco-ontarien de folklore (CFOF)
Centre franco-ontarien de ressources pédagogiques (CFORP)
Centre national des arts (CNA)
Chaire pour le développement de la recherche sur la culture d'expression
française en Amérique du Nord (CEFAN)
Conseil de promotion et de diffusion de la culture (CPDC)
Conseil de recherches en sciences humaines du Canada (CRSHC)
Conseil des arts de l'Ontario (CAO)
Conseil des arts du Canada (CAC)
Coopérative artistique du Nouvel-Ontario (CANO)
Éditions de l'Université d'Ottawa (EUO)
Institut québécois de recherche sur la culture (IQRC)
Librairie d'Action canadienne-française (LACF)
Office national du film (ONF)
Presses de l'Université d'Ottawa (PUO)
Rapport sur les arts dans la vie franco-ontarienne (RAVFO)
Société des universitaires de langue française de l'Ontario (SULFO)
Société Radio-Canada (SRC)
Université des réseaux d'expression française (UREF)
Télévision éducative de langue française en Ontario (TFO)
Télévision éducative de l'Ontario (TVO)
Théâtre du Nouvel-Ontario (TNO)

INTRODUCTION

S i «l'esprit français est celui des batailles, de la révolution»[1], personne ne peut nier que cet esprit est profondément ancré en Ontario depuis que Champlain et ses compagnons se sont aventurés, à contre-courant, en des cours d'eau «sur lesquels l'homme blanc n'avait jamais navigué»[2], jusqu'à la baie Georgienne de la Mer douce[3] en Huronie, où il passa l'hiver 1615[4].

Le quart de siècle écoulé en Ontario depuis l'année 1977, marquée par les débuts du conflit scolaire de Penetanguishene[5], jusqu'à l'année 2002, consacrant la victoire de la cause Montfort devant les tribunaux[6], illustre éloquemment que la «tradition française de combat et de vigilance»[7] y demeure indéracinable, avivée par les obstacles de toutes sortes que les Ontarois et Ontaroises surmontent avec vaillance et ténacité.

Je suis arrivée à Ottawa en 1975. C'était l'année où Gérard Lévesque[8] promettait dans un débat public de se laisser pousser la barbe tant que la région d'Ottawa-Carleton n'obtiendrait pas un conseil scolaire homogène[9] de langue française. Mᵉ Lévesque s'est rasé en 1988[10]. Il aura fallu treize années de lutte soutenue pour que les citoyens de langue française de cette région, qui est aussi le site de la capitale nationale, obtiennent gain de cause. Il aura fallu une autre décennie pour que les citoyens de langue française de l'Ontario acquièrent, en 1998, le droit de gérer leurs écoles et l'autonomie de leurs conseils scolaires[11]... sans toutefois avoir encore obtenu de financement approprié, à la veille de la rentrée scolaire de 2002[12].

En cette même année 1975, était conçu à l'Université Laurentienne de Sudbury le drapeau franco-ontarien[13], que le gouvernement ontarien allait reconnaître officiellement quelque 25 ans plus tard, le 29 juin 2001[14].

Fraîchement débarquée donc sur la rive ontarienne de l'Outaouais en cette époque mémorable, je venais de compléter quatre années d'études à Paris dans le domaine de la civilisation gréco-romaine. J'ignorais presque tout de mon nouvel univers et, plus encore, je n'avais pas le moindre pressentiment que les circonstances allaient m'éloigner de l'Antiquité et orienter mes recherches vers l'actualité du fait français en Ontario.

La cinquantaine de textes recueillis dans le présent ouvrage couvre une période de 25 ans d'écriture à ce sujet. Ils témoignent d'un engagement personnel et professionnel – modeste, mais attentif – dans l'affirmation, la reconnaissance et le rayonnement de la langue française et d'une culture d'expression française en Ontario, au cours des années que j'y ai vécu. Ils ont été réunis à l'invitation des éditions du Nordir, spécialisées dans la publication d'œuvres littéraires et de travaux liés principalement à l'Ontario français.

Le titre *«Ontarois, on l'est encore!»* se réfère à la devise arborée par le Festival franco-ontarien en juin 1980 sur son affiche publicitaire[15] de même que sur les tee-shirts promotionnels portés par les bénévoles qui veillaient au bon déroulement de l'événement et par de nombreux festivaliers. Elle mettait en valeur la nouvelle appellation formulée quelque temps auparavant pour dénommer les francophones de l'Ontario : les *Ontarois*.

Par un savoureux jeu de mots populaire – On-ta-rois>On'ta't rois>On était rois – l'organisation du Festival rappelait haut et fort la détermination des francophones de l'Ontario de s'affirmer comme tels sur la place publique, de prendre leur place au soleil et de faire rayonner la culture française en Ontario. Plus qu'un simple slogan, c'était un cri de ralliement. C'était aussi un coup d'envoi pour la décennie 1980 qui allait connaître d'importants développements pour la communauté ontaroise. L'un d'eux devait survenir en 1986 avec l'adoption par le gouvernement libéral de David Peterson de la *Loi sur les services en français*[16], parrainée par le ministre des Affaires francophones de l'époque, Bernard Grand-maître.

Pareil titre allait de soi, à mon avis, pour coiffer une collection d'écrits souvent *militants*, bien que la polémique en soit absente. Ces textes expriment mes convictions et exposent la perspective selon laquelle j'ai exercé ma profession, soit l'enseignement de la langue française et des littératures d'expression française dans un milieu universitaire partiellement de langue française. Ils ont été élaborés dans un contexte nord-américain et une société contemporaine où l'attrait du conformisme, de la pensée unique et du mercantilisme ébranle jusqu'aux fondements de l'institution de haut savoir qui devrait y échapper, en osant le démasquer et l'affronter : l'université. Car j'ai toujours cru que la vieille expression qui désignait cet établissement d'éducation supérieure comme «le *temple sacré* de la connaissance» en confirmait non pas l'autorité transcendantale, mais la triple mission au service de la vérité, de l'humanité et de la liberté.

Ces textes empruntent la forme, le style et les thèmes que les circonstances, parfois inopinées, leur ont inspirés. Ils abordent des sujets comme la langue française, l'éducation à tous les niveaux, la culture, les arts, le patrimoine, la recherche en études humaines et en sciences sociales, ainsi que le combat des femmes pour obtenir une place équitable dans la société.

Leur nature est aussi variée que les événements qu'ils ont soulignés; aussi spécialisée ou générale que les buts qu'ils ont visés; aussi éclectique que les auditoires qui en ont accueilli les propos; aussi diversifiée que les imprimés qui en ont diffusé des pages. Quelques-uns ont bénéficié d'une large audience, parfois même au-delà de l'Ontario, voire en Europe.

L'écriture y varie au fil des pièces. Il y a des textes d'information qui s'accommodent d'un style journalistique, comme la relation du colloque sur «Les "autres" littératures d'expression française en Amérique du Nord» tenu à Cornwall ou encore la présentation de chercheurs et d'écrivains (Séraphin Marion, Germain Lemieux, s.j., Hélène Brodeur) ou d'œuvres méconnues (dont *François Duvalet*). D'autres, en revanche, adoptent le style universitaire pour l'étude de sujets littéraires, dont certains peuvent paraître à première vue saugrenus («La Belle Perdrix verte»). Plusieurs de ces écrits restituent le texte de discours inédits à ce jour («Vision de l'avenir», «L'Université à l'aube de l'an 2000»); quelques-uns reproduisent des recensions d'œuvres littéraires publiées dans des magazines culturels (par exemple, «Les Derniers seront les premiers»), des travaux universitaires parus dans des revues spécialisées (ainsi, «Dynamisme de la recherche sur le fait français en Ontario») ou encore de courtes préfaces à des œuvres littéraires (parmi lesquelles «Singulier Protée...») ou artistiques (entre autres, «La Peinture ontaroise»).

Bref, on y trouve un peu de tout, parce que je n'ai refusé aucune avenue ni aucune tribune pour appuyer l'affirmation de l'héritage français en Ontario; en stimuler la reconnaissance publique; en favoriser le déploiement le plus large possible au bénéfice de ses ayants droit, les Ontarois et Ontaroises; et encourager toutes les instances concernées à assurer l'usufruit de ce patrimoine civilisateur au profit de tous. Je l'ai fait comme simple citoyenne francophone en Ontario quand j'ai manifesté avec 10 000 personnes criant d'une seule voix «Montfort, fermé? Jamais!» lors du grand ralliement du 22 mars 1997 organisé à l'instigation de la présidente du mouvement «S.O.S. Montfort», Gisèle Lalonde, contre la fermeture du seul hôpital universitaire entièrement de langue française en Ontario.

J'ai témoigné aussi de la vitalité française en Ontario dans tous les postes qui m'ont été confiés, dans toutes les fonctions que j'ai occupées au cours de ce quart de siècle pour servir la francophonie : professeure de lettres à l'Université d'Ottawa[17]; responsable du projet de la première anthologie de textes littéraires de l'Ontario français, réalisée sous le patronage du Centre franco-ontarien de ressources pédagogiques (CFORP)[18]; directrice du Centre de recherche en civilisation canadienne-française (CRCCF)[19] à l'Université d'Ottawa; directrice, cochercheuse et coauteure de l'édition intégrale des *Textes poétiques du Canada français, 1606-1867*[20]; présidente du Groupe de travail pour élaborer une première politique culturelle pour les francophones de l'Ontario, mandatée par le ministre de la Culture et des Communications de l'Ontario, Rosario Marchese[21]; présidente du Conseil d'administration du Conseil des arts de l'Ontario (CAO), nommée par le Premier ministre de l'Ontario, Bob Rae[22]; membre de l'Académie des lettres et des sciences humaines à la Société royale du Canada[23]; membre du Comité ad hoc pour le français dans les communautés francophones et acadienne du Canada[24], auprès du Conseil de la langue française du Québec; et membre du Comité directeur de la Chaire pour le développement de la recherche sur la culture d'expression française en Amérique du Nord (CEFAN) à l'Université Laval[25].

14

Les tribunes se sont montrées aussi nombreuses que ces avenues pour exposer mes idées. Il a donc fallu opérer un choix parmi des contributions de toutes sortes : ne sont retenus ici que des *textes* proprement dits, c'est-à-dire des pièces écrites. Les interventions orales, aussi nombreuses qu'éphémères, que j'ai eu l'occasion de faire sous des formes et en des lieux les plus divers – ateliers, forums, salons du livre, tables rondes[26] ou communications et causeries[27] devant des groupes associatifs, littéraires ou autres – ont été écartées. De même, à l'exception d'une entrevue et d'un «billet» rédigé expressément pour les ondes, sont exclus de l'ouvrage la plupart des entretiens et des commentaires sur l'Ontario français accordés à la presse[28] ou livrés à la radio[29] ou à l'écran[30].

Les textes sont classés selon l'ordre chronologique de leur composition au fil des invitations, des activités et des événements auxquels ils sont liés. Chacun est précédé d'une notice explicative, plus ou moins brève, dictée par la stricte nécessité d'en situer le propos; des notes le complètent.

Dans cette compilation d'écrits qui couvrent un quart de siècle, certaines répétitions de faits ou d'idées sont inévitables, bien que j'aie tenté de réduire autant que possible les redites sans nuire cependant à l'intégrité des textes originellement livrés à la presse ou prononcés de vive voix. Aussi, ne devrait-on pas s'étonner de relire ici et là des réalités ou des convictions que je me suis appliquée à présenter devant des auditoires variés. Je prie à l'avance les lecteurs de ne pas m'en tenir rigueur. On comprendra que ce livre n'est pas un roman, même si l'aventure humaine en est l'héroïne, mais un ouvrage d'intérêt pluridimensionnel, aussi bien historique et culturel que sociologique ou politique. On peut donc le lire au hasard des textes qui en constituent autant de chapitres, sans crainte de perdre le fil du propos.

J'ai accepté de réaliser cet ouvrage afin de faciliter le travail des chercheurs, des professeurs, des étudiants et des personnes d'ici et d'ailleurs qui s'intéressent à la vitalité de la francophonie du Canada en général et de l'Ontario en particulier. Cette collection de pièces d'archives ravivera peut-être le souvenir de qui a vécu de près ou de loin les moments évoqués, lu les ouvrages recensés ou encore débattu les questions soulevées au gré des jours. À vrai dire, les raisons qui m'ont convaincue de repêcher ces textes épars dans des imprimés variés ou de livrer à la publication des inédits, sont celles-là mêmes qui m'avaient fait prendre la plume dès l'abord. D'une part, instruire de son histoire la jeunesse, l'inciter à réfléchir par elle-même et surtout l'inspirer à s'engager dans la vie qui l'appelle sans jamais rien céder de son héritage français, un patrimoine vital de valeurs universelles. D'autre part, encourager les parents, les amis et les maîtres à développer chez les jeunes une conscience éclairée des exigences d'une identité assumée, d'une fierté bien trempée.

Pour le bénéfice de quiconque s'interrogerait sur les motivations qui ont amené une universitaire d'origine montréalaise, latiniste de surcroît, à refuser la tour d'ivoire de l'observation dite objective des êtres et des choses pour s'engager dans ce que j'appelle la *justa causa* française en Ontario, quelques éclaircissements doivent être ici fournis. Pour cela, il me faut reprendre aussi brièvement que possible les choses par leur début, car je demeure fermement convaincue que c'est dans le commencement de toute chose que réside son aboutissement : «Rien ne se perd, rien ne se crée», comme l'a scientifiquement démontré le chimiste français Lavoisier, le créateur de la chimie moderne.

On a parlé français en Ontario (1615) avant même la naissance de Molière (1622)[31]. Trois ans avant l'établissement officiel de l'Académie française (1635) et dix ans avant la fondation de Ville-Marie (Montréal) en 1642, les Jésuites, ces éducateurs des grands de l'Europe, implantent une importante mission dans la Huronie où ils érigent, sept ans plus tard, l'imposante résidence centrale de Sainte-Marie-au-pays-des-Hurons, «l'un des sites historiques les plus renommés de l'Amérique»[32]. Un projet de civilisation française venait de prendre racine en Ontario : une réalisation authentiquement humaine et à portée universelle. L'éducation en était le noyau fondateur.

Depuis, le défi est lancé à la postérité.

Le dernier tiers du XXe siècle a connu sa part d'échecs et de réussites dans l'affirmation du fait français en Ontario. Frappés par une vague de changements depuis le début des années 1960, les Canadiens français de l'ensemble du pays ont vu, à partir de 1967, leurs habitudes de vie et de pensée bousculées de fond en comble et, pour nombre d'entre eux, basculées par-dessus bord. La politique du bilinguisme instaurée en 1969 par le gouvernement libéral de

Pierre Trudeau pour «désamorcer la bombe indépendantiste du Québec avec René Lévesque»[33] avait créé de grands espoirs chez les Franco-Ontariens : ils voyaient dans cette reconnaissance officielle du statut égalitaire de la langue française un appel d'air, stimulant leur avancement, et un appui considérable à l'amélioration de leur condition. D'un côté, tout compte fait, eux seuls étant bilingues en Ontario, ils entrevoyaient une plus large accession à la fonction publique fédérale; de l'autre, ils espéraient que l'exemple fédéral forcerait le gouvernement provincial conservateur de John P. Robarts, déjà enclin à une politique d'ouverture en matière d'éducation en français et de développement des services en français dans l'appareil gouvernemental, à suivre la même direction. Cette *Loi sur les langues officielles* (projet de loi C-120) était aussi un véritable baume pour ceux-là mêmes qui venaient de vivre, contre leur gré, le traumatisme des États généraux du Canada français (23-26 novembre 1967). Ces assises, «lieu d'affirmation de l'identité des francophones du Québec»[34] (selon des critères territoriaux, linguistiques et culturels), ont mis en lumière l'éclatement de la nation canadienne-française et annoncé l'atomisation de l'identité culturelle des Canadiens français. En cherchant à dénouer le problème cornélien du drame constitutionnel canadien, les Québécois avaient renvoyé les Canadiens français des autres provinces, les mains nues, devant le nœud gordien de l'écheveau politique.

Ce que les Franco-Ontariens semblaient avoir gagné sur le front fédéral, ils devaient en payer le prix dans leurs relations avec «l'autre solitude»[35] sur le terrain provincial. J'ai, à mon tour, expérimenté dès le premier mois de mon arrivée à Ottawa, où mon compagnon et moi-même avions installé nos pénates, les retombées insolites de la mise en œuvre de la *Loi sur les langues officielles* dans les relations quotidiennes des habitants de la capitale nationale. Au cours d'une visite de courtoisie rendue à un couple d'anglophones résidant dans l'ouest de la ville, l'hôte, un fonctionnaire fédéral qui suivait des cours de français pendant ses heures de travail et recevait pour cette formation une prime annuelle au bilinguisme d'un millier de dollars, se montra fort contrarié de cette «contrainte professionnelle» au point de profiter de la présence d'une simple «étrangère» (il croyait que mon compagnon m'avait ramenée d'Europe dans ses bagages!) pour laisser éclater dans la langue de

Shakespeare ses très nombreuses frustrations, blâmer la fameuse *Loi* et… les Canadiens français. Alice au pays des merveilles n'aurait pas été plus ahurie par le comportement de ce *civil servant* de Sa très gracieuse Majesté que je ne l'ai été ce soir-là devant ce citoyen aussi dévoué à la chose publique et aussi reconnaissant envers les contribuables canadiens.

Puis, vint la victoire du Parti québécois du 15 novembre 1976… Un événement qui, de ce côté-ci de la frontière, où la rivière des Outaouais a longtemps uni étroitement les habitants de ses deux rives, a créé plus d'un tiraillement existentiel : l'événement réjouit et affligea tout à la fois nombre de Franco-Ontariens. D'un côté, on se montrait rempli d'espoir devant le programme émancipateur du nouveau gouvernement québécois. De l'autre, on craignait le ressac des bigots ontariens, mais on redoutait par-dessus tout une rupture définitive avec le Québec : le sort des communautés canadiennes-françaises à l'extérieur du Québec serait alors abandonné au bon plaisir des gouvernements provinciaux et fédéral. Enfin, on s'indignait ouvertement et souffrait sans espoir de consolation des tirs à répétition provenant, depuis le début de la Révolution tranquille, de la citadelle mère du Québec : qu'on se rappelle tous les gros mots proférés par des personnages en vue contre la vitalité des «minorités déclinantes»[36] dans les autres provinces canadiennes, depuis «la Confédération, tombeau des minorités» de Marcel Chaput[37] jusqu'à «l'état lamentable de la francophonie canadienne»[38] de Josée Legault en passant par les «*dead ducks*»[39] de René Lévesque et le «cadavre encore chaud»[40] d'Yves Beauchemin. En Ontario français, la complexité de la situation politique entre les mains de la sacro-sainte trinité gouvernementale (niveaux fédéral, ontarien et québécois) engendrait beaucoup d'incertitude.

Sur le front culturel, en revanche, la scène franco-ontarienne connaissait depuis la fin des années 1960 un essor sans précédent, stimulée par de nouvelles institutions artistiques et de nombreux projets collectifs financés par les différents paliers de gouvernement[41]. À l'été 1975, le Bureau franco-ontarien du CAO, par exemple, faisait le bilan de ses cinq années d'activité depuis sa fondation en soulignant «l'urgence d'une nouvelle[42] étude en profondeur de la vie culturelle et artistique des Franco-Ontariens». Ce fut le signal d'une vaste enquête sur les arts dans la vie franco-ontarienne, qui allait donner lieu à la publication du *Rapport Savard*[43] deux ans plus tard. De leur côté, les artistes franco-ontariens secouaient les barreaux de la cage, particulièrement dans le Nord de l'Ontario, où l'ouverture d'écoles secondaires de langue française en 1969 avait suscité chez les jeunes une ébullition culturelle[44] qu'on n'avait encore jamais vue : on assista à la création du Théâtre du Nouvel-Ontario (TNO) par d'anciens élèves du Collège du Sacré-Cœur des Jésuites à Sudbury, dont André Paiement, qui allait animer la Coopérative des artistes du Nouvel-Ontario (CANO), un mouvement amorcé la même année à l'Université Laurentienne. L'acronyme CANO – une jolie trouvaille – identifiait bien la vitalité du groupe qui devait donner naissance à CANO-musique. Empruntant au verbe latin *cano* le sens de «je chante», ce sigle évoquait l'élan aventureux du «canot» des voyageurs d'autrefois qui sillonnaient les lacs et les rivières «Au nord de notre vie», selon le titre d'un poème-culte de Robert Dickson. Ce professeur de littérature à l'Université Laurentienne fut l'un des fondateurs avec Gaston Tremblay des éditions Prise de parole, nées à cette époque, alors que s'ouvrit aussi la Galerie du Nouvel-Ontario à Sudbury.

C'est également en 1975 que l'Office de la télécommunication éducative de l'Ontario produisit le microsillon *Chez nous*. Ce disque me fit entendre pour la première fois la voix et les compositions de François Lemieux («Le Train», «Ma mère», «Trois, quatre claques») et de Robert Paquette («En passant», «Si tu venais», «Le Soleil et la pluie»). Il me révéla, surtout, l'œuvre du folkloriste Germain Lemieux, s.j. Ce dernier dirigeait alors le Centre franco-ontarien de folklore à l'Université de Sudbury : il travaillait depuis plusieurs années déjà à sauver une partie du patrimoine oral de l'Ontario français, dont de vieux refrains populaires («Vous voulez me faire chanter», «C'était un p'tit bonhomme», «La Vie pénible des cageux», «Le Veuf joyeux») transmis de mémoire, d'une génération à l'autre, par des femmes et des hommes originaires, pour la plupart, du Québec.

Il me faut avouer, à ma grande honte, qu'avant de m'établir en Ontario cette année-là, hormis des connaissances historiques, j'étais peu informée de l'Ontario contemporain dans son ensemble et encore moins de la vitalité des communautés de langue française dispersées dans cette province. Il me trottait bien dans la tête de vagues paroles d'une chanson[45] interprétée par Dominique Michel évoquant des chantiers l'hiver en Ontario, d'où de nombreux travailleurs québécois revenaient, au printemps, «les poches ben bourrées d'argent» qu'ils s'empressaient de dépenser dans des endroits mal famés. C'était limité. Mais c'était tout de même un début.

Je venais, moi aussi, du Québec. Je comptais, à mon tour, gagner ma vie en Ontario, mais dans le chantier universitaire, lequel offrait, en revanche, peu de perspectives d'enrichissement hélas! pour une diplômée de la Sorbonne en études anciennes[46]. En fait, le doyen de la Faculté des arts de l'Université d'Ottawa, établissement où je m'étais adressée en premier lieu, m'avait vite fait comprendre qu'on cherchait plutôt à réduire au nombre d'une dizaine les seize postes réguliers d'enseignement que comptait alors le Département des études anciennes, où le latin et le grec étaient enseignés dans les deux langues officielles... du Canada. Aujourd'hui, ce département n'existe plus : il a été fusionné avec le Département de sciences religieuses pour former le Département d'études anciennes et de sciences des religions, un amalgame à tendance postmoderne où les traditions classique, judéo-chrétienne, amérindienne, inuit, islamique, bouddhique, hindouiste, africaines et autres font avec l'archéologie, les femmes, la sorcellerie et la mort le plus commun des ménages sous la bonne gouverne universitaire : *O tempora! O mores!*

Il fallait tout de même vivre. J'entrepris dès lors d'aller frapper à la porte du Département des lettres françaises, où l'on me chargea pour la durée d'un trimestre, à l'automne 1976, de corriger des devoirs d'étudiants inscrits à des cours de littératures française et canadienne-française offerts par correspondance et administrés par le Service de l'éducation permanente. Ce n'était pas le Pérou[47], comme on dit. Toutefois, bien qu'ingrate aux yeux de ceux qui me déconseillaient de l'accepter, cette tâche me donna l'occasion de reprendre contact avec les milieux universitaire et canadien-français tout en mettant à profit mon expérience d'enseignante (français et latin) à la Commission des écoles catholiques de Montréal[48]. Cette besogne de tâcheron m'a été utile aussi dans la mesure où elle m'a renseignée sur l'état de la langue française écrite par des étudiants établis en différentes parties du Canada, tout en m'éclairant sur les programmes d'enseignement littéraire au niveau du baccalauréat.

INTRODUCTION

En janvier 1977, le Département des lettres françaises reconduisait mon contrat de correctrice en y ajoutant une responsabilité additionnelle : la coordination d'un nouveau cours sur la littérature outaouaise et franco-ontarienne. Il s'agissait, en fait, d'une sorte de «banc d'essai» pour le département, qui avait reçu des fonds du ministère des Collèges et Universités de l'Ontario pour développer l'étude de la littérature régionale[49]. Cette offre, inattendue, me plongea d'abord dans une profonde perplexité. Premièrement, je n'y connaissais rien! Ensuite, on m'informa que ce cours de littérature n'était pas ouvert aux étudiants de la concentration et de la spécialisation en lettres françaises! Enfin, on offrait le cours pendant l'hiver de 19 h à 22 h, donc après une journée normale de travail, ce qui n'avait rien d'attrayant à mes yeux pour attirer les amateurs.

J'aurais eu tort cependant de ne considérer dans cette affaire que les inconvénients. Réflexion faite, cette proposition recelait deux atouts majeurs. Le premier, c'était la nouveauté même de l'objet d'étude. Il ne devait pas exister de spécialistes du domaine, sinon aurait-on confié la chose à une personne aussi peu avertie que je ne l'étais : nous étions tout de même à l'université! Ensuite, il me paraissait plausible de croire que la matière elle-même devait être relativement limitée, puisqu'on incluait dans un même cours (d'à peine une quarantaine d'heures, soit moins de deux jours!) toute la production littéraire couvrant deux «territoires» distincts : d'un côté, la région de l'Outaouais; de l'autre, l'ensemble de l'Ontario. La réunion de ces deux corpus prouvait à mes yeux de néophyte que ni l'un ni l'autre ne suffisait à remplir seul le programme. J'allais donc pouvoir explorer rapidement, pensai-je, la production littéraire de l'Outaouais vu les limites relativement restreintes de la région. De même en serait-il de ma prospection des œuvres littéraires de l'Ontario français : bien que le territoire en soit étendu, l'activité littéraire devait y être clairsemée, compte tenu de la faible proportion des citoyens de langue française (quelque 6 % à l'époque) dans la plus populeuse des provinces canadiennes.

À ces naïves cogitations et téméraires déductions qui m'apportaient un certain réconfort, s'ajoutait le fait que la littérature était tout de même un domaine qui ne m'était pas étranger : je venais de compléter un studieux programme de recherches qui m'avait engagée à lire de près, entre autres, toute la littérature latine et une grande partie de la littérature grecque classique, des sources auxquelles se sont formées la littérature française et la littérature canadienne-française.

Quant au second atout, il était d'un tout autre ordre. On m'indiqua que le journal *Le Droit* allait reproduire le compte rendu de nos séances hebdomadaires dans sa page littéraire («Entre les lignes») du samedi. Du coup, la salle de classe explosait : elle allait accueillir des milliers d'étudiants et étudiantes! C'était ce qu'on appelle un défi! Un défi, et une aventure. *Alea jacta est*, me suis-je dit : si «tous les chemins mènent à Rome» comme le veut un vieux dicton, en retour, Rome mène à tout! C'est ainsi que je me suis lancée avec un rien d'appréhension dans l'exploration de l'Ontario français par la voie royale de la littérature. Une vie et un travail passionnants m'y attendaient… à mon insu.

Sur le chemin qui s'ouvrait devant moi, j'allais croiser des gens remarquables et vivre des situations inédites.

Au cours des deux trimestres où la coordination du cours me fut confiée, j'engrangeai beaucoup d'informations grâce aux conférenciers – des écrivains, des critiques littéraires, des chercheurs autonomes et autres universitaires – pressentis pour alimenter les rencontres. La réponse empressée de tous ces invités de même que l'attention et les questions de la trentaine de braves, des jeunes et des adultes, qui composaient l'auditoire démontraient sans équivoque non seulement un intérêt pour le sujet, qu'on n'aurait pu soupçonner de prime abord vu le caractère expérimental du cours, mais une soif réelle pour l'exploration de la littérature «d'ici».

J'en eus la preuve indubitable quand, le 25 novembre 1978, me tomba sous les yeux un avis publié dans le journal *Le Droit* et se lisant comme suit : «Le CFORP est à la recherche d'une personne qui prendrait charge du projet d'une *Anthologie franco-ontarienne* à partir de janvier 1979 pour la durée d'une année.»

Je ne connaissais pas ce centre qui en était à quelques années à peine d'existence, mais je présumai que son mandat n'incluait pas directement le milieu universitaire. Néanmoins, dans la description du poste, un mot retint mon attention : on y mentionnait, en premier lieu, une tâche de «recherche» de documents. J'y vis une occasion inespérée de mettre à profit le résultat de mes premières prospections dans le domaine et, surtout, de les poursuivre. Je décidai sur-le-champ de présenter ma candidature.

Le 13 décembre, j'étais convoquée par la directrice du CFORP, Gisèle Lalonde, à une entrevue avec le comité de recrutement : on m'exposa que l'Association des enseignantes et des enseignants franco-ontariens (AEFO) voulait disposer d'un instrument littéraire pédagogique authentiquement franco-ontarien destiné aux élèves de «nos écoles élémentaires et secondaires». Par cette initiative, l'AEFO cherchait à développer chez les jeunes francophones de l'Ontario un sentiment de fierté et d'appartenance à leur communauté. Le projet sortait de l'ordinaire tant par le but visé – créer un ouvrage à l'usage des écoles de langue française en Ontario – que par le double défi littéraire qu'il constituait : dépister les critères de l'identité *franco-ontarienne* et concevoir une *anthologie* à partir d'une littérature dont les auteurs et les textes demeuraient pour la plupart méconnus. L'entreprise m'emballa au point que j'assurai les membres du comité de ma collaboration quelle que soit leur décision : j'étais prête à mettre à la disposition du projet le résultat des recherches que je menais depuis deux ans.

Ma candidature fut retenue. Je me mis au travail au début du mois de janvier 1979 et me lançai dans une vaste prospection de documents littéraires de tous genres, qui allait m'amener à fouiller les bibliothèques, les centres d'archives, les maisons d'édition et, surtout, à rencontrer sur leur propre terrain, aux quatre coins de l'Ontario, des auteurs, des artistes, des enseignants, des chercheurs, toute une communauté de langue française accueillante, fière de collaborer à ce projet innovateur, et aguerrie. Ce fut, en vérité, une expérience exaltante. Avec cette première anthologie de textes littéraires de l'Ontario français, je désirais vivement que tous les élèves des écoles françaises découvrent qui ils sont et ce qu'ils sont afin d'être en mesure de s'affirmer et de pouvoir réaliser leurs rêves. En un mot, je souhaitais qu'ils «s'empaysent», un verbe que j'ai formé[50] alors pour les besoins du projet, à partir de son contraire le verbe «dépayser». Il exprime le souhait – toujours renouvelé – que, grâce à la lecture et à l'étude de textes ontarois, les jeunes de l'Ontario français, sans considération d'origine, prennent racine dans ce milieu de vie, se gorgent de sa géographie et de son histoire, s'imprègnent de sa culture, la connaissent mieux, la valorisent, la partagent avec autrui, l'enrichissent, bref, la respectent et la fassent respecter.

C'est au cours de l'élaboration de cette *Anthologie franco-ontarienne* que le vocable *Ontarois*[51] a surgi, en réponse à cette quête de l'identité franco-ontarienne que je poursuivais dans le cadre du projet certes, mais que je décelais aussi dans la communauté elle-même, disséminée sur un vaste territoire et nouvellement investie par l'afflux de francophones de toutes origines et de cultures diversifiées (européennes, africaines, maghrébines, asiatiques, antillaises, etc.) au sein de villes comme Toronto et Ottawa. Il m'apparaissait clairement que la communauté franco-ontarienne subissait, depuis le grand déchirement de 1967 aux premiers États généraux du Canada français, une métamorphose identitaire qui la rendait vulnérable. Ce terme, *Ontarois*, était une tentative «poétique» de forger son propre destin, c'est-à-dire de s'arracher à un sort déterminé par autrui et de se projeter dans l'avenir à bâtir. Ce mot n'oublie rien, ne détruit rien. Au contraire, il cherche à affranchir la communauté du douloureux sentiment d'abandon ressenti depuis les troisièmes États généraux du Canada français en 1969 et amplifié par le tournant politique de 1976. Il veut répondre à ce «manque», guérir la blessure, rassembler et mobiliser tous les membres, anciens et nouveaux, de la communauté, créer en somme une force d'attraction innovatrice qui renforcerait le poids de la francophonie ontarienne. Celle-ci risque l'atomisation non seulement par sa dispersion sur un vaste territoire et l'implantation de nouveaux ferments dans le giron traditionnel des Canadiens français de l'Ontario, mais aussi par l'effet centrifuge de la pluralité même des cultures de langue française qui lui apportent du renfort.

Cette nouvelle appellation cherchait en même temps à montrer une voie d'*avenir* pour enrayer le sentiment d'exclusion véhiculé dans la nocive dénomination collective de «francophones hors Québec» employée pour désigner les francophones vivant en milieu minoritaire au Canada. Selon moi, cette expression vouait à la géhenne de l'indétermination (francophones) et de l'exclusion (hors de) l'existence de milliers de Canadiens français. Il fallait sortir de cette double trappe et affirmer son existence, son originalité, sa différence en même temps qu'une volonté commune pour qu'un avenir puisse advenir. *Ontarois*, c'était, à mon avis, le sésame pour sortir de l'impasse identitaire; pour trouver non une simple «sortie de secours», mais une artère vitale qui pourrait, enfin, restaurer chez les Franco-Ontariens à l'échelle de leur propre territoire et à l'intérieur de leur propre vie l'unité perdue; et pour inclure dans le projet de cet avenir tous les nouveaux arrivants de langue française dans la province, parmi lesquels je me comptais, il va sans dire.

J'étais donc «embarquée» dans la cause de l'Ontario français et j'éprouvais nettement le sentiment que je devais «ramer à [mon] tour [dans] la galère de mon temps»[52] et de mon nouveau milieu de vie, universitaire et communautaire. Au cours de ces 25 années, je n'ai ménagé ni efforts, ni temps, ni activités, ni loisirs pour appuyer le développement et le rayonnement du fait français en Ontario et ce, en parfait accord avec le mandat législatif particulier imparti à l'établissement d'enseignement supérieur où je travaille.

L'Université d'Ottawa n'est pas la seule université bilingue de service public en Ontario; mais la charte dont le gouvernement l'a dotée depuis 1965 lui confère une mission spécifique d'envergure provinciale : «préserver et développer la culture française en Ontario»[53]. C'est dans le plus grand respect de ce mandat que j'ai cru de mon devoir d'alerter des collègues, des chercheurs et des amis du CRCCF quand on m'a fait part, le 27 avril 1997, des recommandations du rapport d'un comité ad hoc de la Faculté des arts, qui proposait ni plus ni moins, dans les faits, le démembrement de ce Centre et la création d'un nouvel Institut d'études canadiennes / *Institute of Canadian Studies*. Grâce notamment à l'intervention rapide, efficace et conjuguée, auprès des autorités universitaires et des médias[54], de nombreux représentants de la communauté ontaroise – en particulier, le Regroupement des organismes du patrimoine franco-ontarien et l'Association canadienne-française de l'Ontario (ACFO) –, la sauvegarde de l'intégrité du CRCCF, un organisme de recherche universitaire qui accomplit depuis 1958 une œuvre unique en Ontario, a été assurée. Devant cette levée de boucliers, l'Université a prudemment fait marche arrière quant aux recommandations de la Faculté des arts visant le Centre dans ce rapport. Fait paradoxal dans cette affaire, au moment où le Centre était traité avec la plus grande désinvolture dans le giron même qui l'a vu naître et grandir, le Gouverneur général du Canada, le très honorable Roméo LeBlanc, soulignait, lors d'une réception offerte le 6 mars 1997 à Rideau Hall pour célébrer les plus récentes publications du Centre, l'importance de la mission du CRCCF «pour tout le pays»[55]!

Cette expérience montre que, plus que jamais, la «tradition française de combat et de vigilance» des Ontarois demeure capitale au sein même des établissements «partiellement bilingues» qui les servent, spécialement ces institutions d'éducation supérieure si essentielles à l'avenir de la communauté, mais que les jeunes Ontarois et Ontaroises sont encore trop peu nombreux à fréquenter. N'est-ce pas aussi parce que l'hôpital Montfort constitue le seul lieu de *formation universitaire* en langue française en Ontario qu'il a su résister aux coups de bélier de ses opposants?

On a cru naïvement dans la dernière décennie du XXe siècle que l'économie était une panacée alors qu'elle n'est qu'un secteur de l'activité humaine, indispensable certes, mais limité. On s'est empressé d'adapter tant bien que mal toute la vie de la société en fonction de l'hydre économique. Pour un grand nombre de nos concitoyens, les résultats demeurent désastreux : pendant des années, des jeunes ont fait en vain le pied de grue devant des portes fermées afin de trouver un emploi stimulant pour leurs capacités, leur formation professionnelle et leurs aspirations. On a modulé le système d'éducation vers des secteurs qu'on disait plus «rentables», dont les «nouvelles» technologies et la «nouvelle» économie. Mais, force est de constater qu'au début du 3e millénaire, des milliers d'hommes et de femmes continuent de perdre leur emploi dans ces secteurs de pointe pendant que d'autres, à la veille de prendre leur retraite, voient, dans la débâcle boursière, disparaître avec leurs économies l'assurance d'une pension décente pour leurs vieux jours. Au même moment, les services publics, rongés par les coupures draconiennes de gouvernements successifs, fonctionnent au ralenti, truffés d'employés à «durée déterminée» interminable (cinq ans à la fonction publique fédérale), dont on s'empresse de se débarrasser avant qu'ils ne se qualifient pour une «durée indéterminée», c'est-à-dire la permanence.

La qualité de vie de l'ensemble des Canadiens français, durement acquise depuis les années 1960, s'effrite dangereusement. On aura compris que ce n'est pas avec des économistes, des comptables et des courtiers qu'on peut construire un avenir durable pour la société. Seule *l'éducation* de chacun des membres de cette société peut assurer à long terme le bien-être de tous. C'est la meilleure solution que l'être humain ait trouvée à ce jour pour améliorer la dure condition humaine. Une éducation accessible à tous et toutes, aussi approfondie et variée que les aptitudes et les talents de chacun et chacune le leur permettent, demeure un objectif plus valable que jamais en ce XXIᵉ siècle. Le travail accompli par la génération qui a précédé la mienne a réalisé ce rêve pendant les années 1960 et 1970 pour un grand nombre de jeunes issus des couches moins favorisées de la société. J'en ai moi-même bénéficié, et je sais pertinemment qu'ils sont nombreux les universitaires de famille modeste et peu scolarisée, qui ont eu également la chance de compléter leurs études grâce au soutien des fonds publics.

Ce rêve, nous devons le poursuivre parce que nous en avons les moyens. La preuve est établie. Le Canada n'a jamais été aussi riche que maintenant : on sait puiser d'imposantes sommes dans les deniers publics quand les circonstances l'exigent, comme ce fut le cas à la suite des tragiques événements du 11 septembre 2001[56]. L'ignorance, l'indifférence et le laisser-faire sont de graves dangers – sans doute les plus graves – qui menacent la sécurité d'un pays. On doit se mobiliser et ne pas hésiter à investir toutes les ressources nécessaires pour les repousser. C'est avec la jeunesse que l'avenir d'un pays se forge. Une jeunesse formée – et informée des vrais enjeux – apte à assurer l'avenir de la planète.

Le projet civilisateur par excellence, c'est l'éducation accessible à toute la population. À l'exemple des Jésuites en Huronie, les Ontarois et Ontaroises ont compris, depuis longtemps, cet enjeu essentiel à la vitalité et au rayonnement des collectivités, grandes ou petites. Malgré des difficultés épiques, ils travaillent à défendre sur tous les fronts l'éducation de langue française en Ontario, qu'ils ont réussi à garantir pour tous, de la garderie au collège, sans oublier l'alphabétisation des adultes.

Reste le bastion de l'éducation supérieure. Une université *entièrement* de langue française en Ontario encouragerait les jeunes à entreprendre et à poursuivre des études spécialisées, afin de parfaire leur formation et d'apporter leur contribution à la résolution des problèmes inédits qui surgissent et se multiplieront, tout en assurant leur pleine participation à la société ontarienne.

Un tel projet ne date pas d'hier : l'ACFO en a fait son cheval de bataille depuis longtemps. À son assemblée générale annuelle de juin 1988, elle recommandait que «le ministère des Collèges et Universités s'engage fermement à garantir l'accès des francophones à une gamme complète de programmes universitaires des trois cycles en français, de façon permanente, *dans une université franco-ontarienne*»[57]. À sa 40e Assemblée générale tenue du 16 au 18 juin 1989 à Midland à l'occasion du 350e anniversaire de l'établissement de Sainte-Marie-au-pays-des-Hurons, elle en faisait l'une de ses priorités : elle procéda à diverses études sur la question et constitua un groupe de travail stratégique dans ce dossier, composé d'une vingtaine de personnes issues des milieux universitaire, professionnel et communautaire. Au même moment et sur les mêmes lieux, la Société des universitaires de langue française de l'Ontario (SULFO) voyait le jour afin de promouvoir l'éducation universitaire de langue française en Ontario. Formée de quatre SULFO régionales, cette Société se dota d'un bulletin d'information, *Notre tour d'y voir*, afin de faire connaître son existence, ses objectifs et ses activités. L'éducation universitaire de langue française en Ontario était un sujet d'actualité au tournant de la décennie 1990. Au printemps 1991, la radio de Radio-Canada organisait un forum sur le thème «Une université sur mesure pour les 500 000 francophones de l'Ontario» et y consacrait une émission de deux heures (!), au cours de laquelle «les intervenants et intervenantes ont tenté de faire le portrait de l'université idéale pour les francophones de l'Ontario»[58].

La cité idéale n'étant pas de ce monde, reste à inventer, face à l'«économie» totalitaire, une université de langue française qui soit humaine, dynamique, responsable et solidaire. Une université qui soit conçue à l'image de celles où le conseil d'administration n'est pas dominé par des gens d'affaires ou des gouvernements intéressés à rogner sur les fonds publics en ouvrant toutes grandes les portes de ces institutions aux intérêts privés des grandes entreprises pharmaceutiques, technologiques ou industrielles, alléchées par la seule rentabilité de recherches contractuelles ad hoc. Une université où des domaines d'études et de recherches comme les études anciennes, les sciences et les lettres, la philosophie, la science politique, les sciences sociales – qui sont, en fait, à l'origine même de la culture française – pour ne nommer que ceux-là, ne seraient pas marginalisés dans la formation intellectuelle des jeunes. Une université vraiment autonome, où l'esprit critique et la démocratie s'exerceraient pleinement pour débusquer les préjugés, interroger les processus, les résultats et les systèmes établis : une institution qui serait au service du bien commun. Une université entièrement de langue française tiendrait compte de ses racines civilisatrices et des talents de toutes et de tous afin de façonner pour la communauté ontaroise un avenir à la fine pointe du questionnement scientifique, éthique, social et environnemental.

Ce projet n'est pas une chimère, pas plus que ne l'a été, dans un tout autre ordre d'idées certes, le projet de la nouvelle Europe pour le visionnaire Hugo, dont cette année 2002 marque précisément le bicentenaire de la naissance. Le projet d'une université autonome entièrement de langue française en Ontario n'est pas une utopie, mais un défi. Un défi lancé à la communauté ontaroise elle-même d'abord, ensuite aux citoyens et citoyennes de l'Ontario, la province canadienne la mieux pourvue; enfin, au gouvernement du Canada entier, si fier des racines historiques de ce pays, l'un des plus favorisés de la planète.

La vie est mouvement, élan, accomplissement. Le secret de la vitalité des êtres et des choses réside dans la métamorphose : se transformer pour devenir ce qu'on est *fondamentalement*, c'est-à-dire réaliser le projet de ses commencements. Lancés sur les eaux tumultueuses de l'Ontario, pleins d'allant dans leurs canots, bravant le courant, les rapides et les remous, les «voyageurs» de jadis nous ont montré la voie : «Envoyons d'l'avant, nos gens! Envoyons d'l'avant!»

Yolande Grisé
le 31 août 2002

29

Notes

1   Jean-Claude Carrière, «L'Esprit de combat», *Revue des Deux Mondes*, janvier 2002, vol. 1, n° M 2486, p. 61.

2   Wilfrid Jury et Elsie McLeod Jury, *Sainte-Marie-aux-Hurons*, traduction de Louis-Bertrand Raymond, Montréal, Bellarmin, 1980, p. 22.

3   L'actuel lac Huron, ainsi nommé par Champlain : *Voyages et Descouvertures faictes en la Nouvelle France depuis l'année 1615, jusqu'à la fin de l'année 1618*, dans *Œuvres de Champlain* publiées sous le patronage de l'Université Laval par l'abbé C.-H. Laverdière, 2ᵉ éd., t. IV, Québec, 1870, p. 513; Montréal, Éditions du Jour, t. II, p. 25.

4   Robert Choquette, *L'Ontario français, historique*, Montréal, Études vivantes, coll. «L'Ontario français», 1980, p. 15.

5   Sur cette question, voir : Paul-François Sylvestre, *Penetang : l'école de la résistance*, Sudbury, Prise de parole, 1980, 105 p.

6   Sur l'important mouvement d'opposition à la fermeture du seul hôpital d'enseignement universitaire de langue française en Ontario, se reporter en particulier au *Mémoire des intimés. Appel principal et Appel incident* formulant la requête soumise à la Cour d'appel de l'Ontario (dossier n° C33807) le 31 octobre 2000. On y présente l'ensemble des faits et des positions des requérants (Gisèle Lalonde, Michelle de Courville Nicol et Hôpital Montfort) de même que l'ordonnance recherchée par les avocats et procureurs des intimés dans l'appel, Mᶜ Ronald F. Caza et Mᶜ Pascale Giguère (NelliganPower, LLP), 65 p. et deux *Annexes* (A, 3 p. et B, 1 p.). Dans le dossier de presse, voir l'article de Jean-Paul Soulié, «La Personnalité de la semaine : Gisèle Lalonde», *La Presse*, 10 février 2002, p. A-14.

7   Jean-Claude Carrière, *loc. cit.*

8   Avocat, natif de la Basse-Ville d'Ottawa.

9   Une expression utilisée à l'époque, mais qu'on a laissé tomber vu l'ambiguïté du terme.

10 Michel Gratton, «La Révolution tranquille des Franco-Ontariens», *La Presse*, 23 avril 1988, p. B-4.

11 Depuis «le tristement célèbre Règlement 17» qui interdit en 1912 l'usage du français dans les écoles de l'Ontario (Robert Choquette, *op. cit.*, p. 177-196), la francophonie ontarienne a connu des crises scolaires à répétition (Sturgeon Falls, Cornwall, Windsor-Essex, Penetang) avant d'obtenir de la Cour suprême du Canada la confirmation du droit des minorités francophones

à l'éducation dans leur langue maternelle (1984) et du gouvernement ontarien le droit d'administrer leurs écoles et de former leurs propres conseils scolaires (1998). Sur cette épineuse question, voir : Odile Gérin, *D'un obstacle à l'autre : vers le Conseil scolaire de langue française*, Vanier, Éditions Interligne, 1998, 233 p.

12 Murray Maltais, «L'Assimilation», *Le Droit*, 1er août 2002, p. 16.

13 Le drapeau franco-ontarien fut officiellement hissé au mât de l'Université Laurentienne à Sudbury le 25 septembre 1975 et adopté par l'ACFO en 1977. Au sujet de sa conception et de sa description, voir dans Internet : http://192.75.156.68/DBLaws/Statutes/Franch/01f05_f.htm.

14 Jean-Marc Lalonde, député provincial de Glengarry, Prescott et Russell, a été le parrain de la Loi 18, chap. 5, art. 2 de l'année 2001, qui reconnaît le drapeau franco-ontarien comme l'emblème officiel de la communauté francophone de l'Ontario.

15 On trouve un exemplaire de cette affiche dans les archives de l'ACFO conservées au CRCCF de l'Université d'Ottawa.

16 Elle est classée dans le registre L.R.O. [Lois refondues de l'Ontario] 1990, C. [chapitre] F-32. Adoptée en 1986, cette loi est entrée en vigueur le 19 novembre 1989.

17 Depuis 1980.

18 Voir, en particulier, les textes 17-20.

19 De 1985 à 1997.

20 Publiée conjointement avec Jeanne d'Arc Lortie, s.c.o., avec la collaboration de Pierre Savard et Paul Wyczynski : Montréal, Fides, 1987-2000, en 12 volumes.

21 Voir l'Annexe A.

22 Pour un mandat de trois ans : 1991-1994. Ce conseil d'administration comptait 12 membres bénévoles. C'était une agence gouvernementale qui opérait à distance («*arm's length*») du pouvoir politique; le conseil désignait lui-même le directeur exécutif (contrairement au Conseil des arts du Canada [CAC], où le président et le directeur sont tous deux nommés par le Premier ministre du Canada en conseil). Il administrait des fonds publics d'une valeur de 44 000 000 $ et avait créé une fondation publique dont les fonds s'élevaient, à cette époque, à quelque 13 000 000 $.

23 Depuis 1996.

24 De 1992 à 1994, sous la présidence de Pierre-Étienne Laporte, président du Conseil de la langue française du Québec. J'ai participé aux délibérations de ce comité à titre d'un des deux mem-

bres de l'extérieur du Québec invités à y siéger, l'autre étant Edgar Gallant, un Acadien de l'Île-du-Prince-Édouard, qui s'était distingué dans des postes de haute responsabilité tout au long de sa carrière à la Fonction publique du Canada. Les autres membres du comité ad hoc siégeaient au Conseil de la langue française, comme Charles Taylor et Angéline Martel, ou relevaient de son bureau de recherche.

25   Depuis 1997. J'avais d'abord été membre du Comité scientifique de la CEFAN de 1991 à 1997.

26   Voir l'Annexe B.1.

27   Voir l'Annexe B.2.

28   Voir l'Annexe B.3.

29   Voir l'Annexe B.4.

30   Voir l'Annexe B.5.

31   Comme se plaît à le souligner Royal Galipeau, administrateur à la Bibliothèque publique d'Ottawa, sous l'éloquente inspiration d'Antonine Maillet.

32   Wilfrid Jury et Elsie McLeod Jury, *op. cit.*, p.15.

33   Sur le contexte politique de la situation franco-ontarienne de 1967 à 1986, voir l'article de Sylvie Guillaume, «Politique provinciale et identité franco-ontarienne», *Études canadiennes/Canadian Studies,* revue interdisciplinaire des études canadiennes en France, 1988, n° 25, p. 67-73.

34   Marcel Martel, avec la collaboration de Robert Choquette, «Présentation», *Les États généraux du Canada français, trente ans après*, textes réunis par [...], Ottawa, CRCCF, 1998, p. 6-7.

35   Allusion au roman de Hugh MacLennan, *Deux solitudes* (1963), dans lequel l'écrivain originaire de Halifax met en scène des personnages appartenant aux deux communautés de langues officielles du Canada et à deux religions distinctes. Tous deux cherchent à survivre, à surmonter leur solitude respective et à s'affirmer dans un même espace inhospitalier où ils tentent de créer une société commune.

36   Expression attribuée à Yves Beauchemin par la Fédération des francophones hors Québec lors de la comparution de ce dernier devant la Commission sur l'avenir politique et constitutionnel du Québec, présidée conjointement par Michel Bélanger et Jean Campeau. Voir le fonds C84-25/11/26 FCFAC (p. 10 : IV. «Ce qui a été dit par d'autres» A- Yves Beauchemin), Archives conservées au CRCCF de l'Université d'Ottawa.

37   Formule citée par Marcel Martel, *Le Deuil d'un pays imaginé. Rêves, luttes et déroutes du Canada français. Les Rapports entre*

le Québec et la francophonie canadienne (1867-1975), Ottawa, CRCCF/Les Presses de l'Université d'Ottawa (PUO), coll. «Amérique française», n° 5, 1997, p. [17].

38 *Le Devoir*, 30 août 1995, p. A-6; cité par Marcel Martel, *loc. cit.*

39 Marcel Martel, *loc. cit.*

40 Voir le Procès-verbal des présentations faites devant la Commission sur l'avenir politique et constitutionnel du Québec, le 20 novembre 1990, p. 508 : «[...] je vais peut-être vous sembler cruel, mais pour moi, les francophones hors Québec, ça me fait penser à un cadavre encore chaud.»

41 Sur toute cette question, voir Robert Choquette, «L'Encadrement et l'essor de la vie culturelle franco-ontarienne (1969-1973)», *op. cit.*, p. 209-233.

42 En mai 1967, à la demande de l'ACFO, le ministère de l'Éducation de l'Ontario avait chargé Roger Saint-Denis de mener une enquête sur la vie culturelle des Franco-Ontariens. Le rapport final fut déposé en janvier 1969 : *La Vie culturelle des Franco-Ontariens. Rapport du comité franco-ontarien d'enquête culturelle*, Gouvernement de l'Ontario, Ottawa, 1969, 259 p. Polycopié.

43 Rhéal Beauchamp, Pierre Savard, Paul Thompson, *Cultiver sa différence. Rapport sur les arts dans la vie franco-ontarienne* (RAVFO), Toronto, CAO, 1977, 255 p. Polycopié.

44 Sur «l'explosion culturelle» dans le Nord de l'Ontario dans les années 1970, voir : Sheila McLeod Arnopoulos, *Hors du Québec point de salut?*, traduit par Dominique Clift, Montréal, Libre Expression, 1982, p. 43-66.

45 Il s'agit de la chanson «La Famille», paroles et musique de Raymond Lévesque, 1951; autres interprètes : Dominique Michel (1951) et Monique Leyrac (1966). Voir le site «ABC de la chanson francophone» dans Internet : http://www.paroles.net.

46 J'y avais obtenu une maîtrise en 1972. Mes études de doctorat terminées, je rédigeais une thèse sur «Le Suicide chez les Romains», sous la direction du regretté Pierre Grimal, quand je dus rentrer au pays pour des raisons familiales. C'est à Ottawa, où je me suis établie en juin 1975, que j'ai complété la rédaction de cette thèse, soutenue le 22 février 1977 en la vieille Sorbonne (Université de Paris-IV).

47 Pour la petite histoire de l'éducation en Ontario, signalons que la rétribution était de 5 $ la copie, le plus souvent une dissertation d'une dizaine de pages en moyenne.

48 De 1965 à 1968 : à l'École secondaire classique Sainte-Croix, puis à l'École secondaire classique Henri-Bourassa.

49   Le développement des études sur l'Ontario français au niveau universitaire a pris forme au CRCCF de l'Université d'Ottawa qui, dès 1969, accueillait dans ses ressources documentaires de nature archivistique «le premier versement du fonds de l'Association canadienne-française de l'Ontario (ACFO)» (*Rapport annuel 2000-2001 du CRCCF*, août 2001, p. 8). Depuis, les principaux organismes de l'Ontario français, de quelque secteur d'activité que ce soit, confient leurs archives au CRCCF, de sorte qu'«à ce jour, les deux tiers de la masse documentaire conservée au Centre portent sur l'Ontario français» (*ibid.*, p. 16). Une documentation de sources primaires était cruciale pour le développement de la recherche et de l'enseignement sur l'Ontario français. En 1975, une première bibliographie spécialisée sur l'Ontario français voyait le jour au Département de science politique de l'Université d'Ottawa, initiative du professeur Jean-Pierre Gaboury assisté d'un étudiant, Benjamin Fortin : *Bibliographie analytique de l'Ontario français*, Ottawa, Les Éditions de l'Université d'Ottawa (EUO), coll. «Les Cahiers du CRCCF», n° 9, 1975, xii, 236 p.

50   Voir le texte 19.

51   Voir le texte 13.

52   Expression empruntée à Albert Camus (*Discours de Suède* – décembre 1957, *Essais/Albert Camus*, édition établie et annotée par Roger Quillot et Louis Faucon, Paris, Gallimard, coll. «Bibliothèque de la Pléiade», 1984, xiv, 1975 p.) et citée par Pol Gaillard et Claude Launay, *Le Résumé de texte*, Paris, Hatier, coll. «Profil Formation», n°ˢ 303-304, 1975, p. 95.

53   Conformément à l'article 4 (c) de la charte de l'Université d'Ottawa.

54   Denis Gratton, «Un deuxième Montfort». L'Université d'Ottawa rayerait une autre institution francophone», *Le Droit*, 28 juin 1997, p. 10; Dianne Paquette-Legault, «Le Centre de recherche en civilisation canadienne-française est sauvé. L'Université d'Ottawa n'a pas endossé les recommandations du rapport Major», *Le Droit*, vendredi 8 août 1997, p. 11.

55   «Discours de Son Excellence le Très Honorable Roméo LeBlanc, gouverneur général du Canada, à l'occasion d'une réception pour célébrer le lancement annuel 1996-1997 des publications du Centre de recherche en civilisation canadienne-française de l'Université d'Ottawa, Rideau Hall, 6 mars 1997», *Rapport annuel 1996-1997*, Ottawa, CRCCF, juin 1997, p. 30.

56   L'attentat terroriste contre les deux tours du World Trade Center à New York et le Pentagone à Washington.

57   C'est moi qui souligne. Voir le document d'orientation de l'ACFO : «Une université de langue française : un outil pour la communauté franco-ontarienne» préparé par Anne Gilbert, coordonnatrice de la recherche, en mars 1989, p. 2.

58   SULFO, *Notre tour d'y voir*, vol. 2, n° 1, hiver 1992, p. 9.

L'étude de la littérature franco-ontarienne fit son entrée à l'Université d'Ottawa en janvier 1977[1], soit une trentaine d'années après la fondation du Département des lettres françaises (1949) et quelque vingt ans après la création du Centre de recherche en littérature canadienne-française (1958) – devenu à partir de 1969 le CRCCF.

Ces débuts furent modestes. Le Département des lettres françaises confia l'organisation d'un premier cours à une «coordonnatrice», une recrue «à temps partiel» et une latiniste convaincue, qui ignorait tout du sujet, mais aimait les défis : si tous les chemins mènent à Rome, inversement, conclut-elle, Rome mène à tout. Le cours s'adressait à des étudiants du baccalauréat général, qui n'en obtenaient aucun crédit pour leur diplôme : pour ces ouvriers et ouvrières de la première heure, primait le plaisir d'apprendre. La matière du cours se partageait entre la littérature de l'Ontario français et la littérature de l'Outaouais québécois. L'entreprise, tout expérimentale, connut un écho inattendu auprès du public grâce au journal *Le Droit*. Dès la première session, le quotidien accueillit en ses pages un compte rendu de ces rencontres hebdomadaires.

Les six premiers textes qui ouvrent le présent recueil (1-6) appartiennent à cette première exploration de la littérature ontaroise dans le cadre universitaire[2].

1

EXISTE-T-IL UNE LITTÉRATURE PROPREMENT FRANCO-ONTARIENNE?

Voilà la délicate question à laquelle tentera de répondre le nouveau cours de littérature outaouaise et franco-ontarienne offert par le Département des lettres françaises de l'Université d'Ottawa dans le cadre de son programme d'enseignement destiné aux étudiants du baccalauréat ès Arts général et ouvert au grand public. Subventionné par le ministère des Collèges et Universités de l'Ontario pour la planification des cours, ce cours s'adresse, en effet, non seulement aux étudiants concernés, mais à toute personne intéressée par les multiples facettes de la vie française en Ontario, et plus particulièrement à tous ceux et celles qui réfléchissent sur le problème de l'identité franco-ontarienne dans le domaine littéraire.

Ayant débuté le 5 janvier courant en la salle 432 du pavillon Simard situé au 165 rue Waller, ce cours trimestriel est présenté tous les mercredis, de 19 h à 22 h, jusqu'au 6 avril prochain.

À vrai dire, il s'agit d'une première expérience dans un domaine trop peu exploité et pour lequel il n'existe pas encore de véritable spécialiste. Aussi, tout en palliant cette regrettable absence d'experts en la matière, le cours de littérature outaouaise et franco-ontarienne délaisse la classique formule du cours magistral et propose plutôt une série de conférences au cours desquelles seront présentées, d'une semaine à l'autre, l'exposition et la description de problèmes divers relatifs à la littérature de la région outaouaise et de l'Ontario français et où seront étudiées les œuvres d'auteurs nombreux et variés.

Ainsi la première conférence qui a été prononcée le 12 janvier dernier par le père Paul Gay, professeur au Département des lettres françaises de l'Université d'Ottawa et spécialiste de la littérature canadienne-française, concernait l'œuvre romanesque et les contes d'Yvette Naubert, originaire de la ville de Hull; un bref exposé d'un étudiant complétait cet aperçu sur l'auteure des *Pierrefendre*.

Aux prochaines semaines est réservé le programme que voici : le 19 janvier, André Lapierre, professeur de linguistique à l'Université d'Ottawa, exposera certains aspects de la langue franco-ontarienne et illustrera sa causerie au moyen de quelques témoignages sonores du parler français en Ontario. Vu l'importance du phénomène linguistique en littérature, orale ou écrite, deux autres conférences seront consacrées à ce sujet, le 26 janvier et le 2 février suivants : l'orateur invité sera alors Benoît Cazabon, professeur au Département de linguistique de l'Université Laurentienne, qui ébauchera une rapide étude de quelques notions linguistiques fondamentales et de certains termes particuliers, le mot «habitant» par exemple, avant de faire un tour d'horizon des textes «expliquant» et surtout «disant» la situation de la langue dans l'Ontario français, puis d'entretenir son auditoire des particularités de la langue franco-ontarienne et d'évoquer à ce sujet le problème du bilinguisme.

Suivra, le 9 février, une conférence de Suzanne Lafrenière, professeur au Département des lettres françaises de l'Université d'Ottawa, qui aura pour objet l'examen de l'œuvre de quelques poètes outaouais parmi les plus anciens : Henry Desjardins, Alfred Garneau, Antonio Pelletier, Jules Tremblay.

Suspendues pendant la semaine d'étude du 16 février, les conférences reprendront le 23 février, date à laquelle les auditeurs auront le plaisir d'entendre le professeur et historien de la région outaouaise, Robert Choquette, qui parlera du développement de l'identité franco-ontarienne, par le biais de l'étude de *L'Appel de la race* de Lionel Groulx (Alonié de Lestres). Au programme du 28 février, figurera la question de l'enseignement de la langue française et des littérature française et canadienne-française en Ontario.

Le 7 mars, une conférence traitera de la littérature orale franco-ontarienne – conte, légendes et chansons. À ce sujet, Yolande Grisé, professeur au Département des lettres françaises de l'Université d'Ottawa et coordonnatrice du cours de littérature outaouaise et franco-ontarienne, présentera l'œuvre admirable, gigantesque et fort originale du père Germain Lemieux, s.j., directeur du Centre de folklore à l'Université de Sudbury, à qui l'on doit l'étonnant essor que connaît actuellement auprès des jeunes et des moins jeunes l'intérêt pour les contes et les chansons du répertoire franco-ontarien.

C'est le 16 mars que Robert Vigneault, professeur au Département des lettres françaises de l'Université d'Ottawa et spécialiste de l'œuvre de Claire Martin, exposera les principaux thèmes développés dans les nombreux ouvrages de cette romancière bien connue. Robert Vigneault sera invité à nouveau le 23 mars et parlera, cette fois, de l'œuvre de l'essayiste et critique littéraire non moins connu, Jean Éthier-Blais, originaire de Sturgeon Falls.

Le 30 mars, André Renaud, du CAC, présentera l'œuvre de quelques poètes outaouais plus près de nous comme Madeleine Leblanc, Pierre Mathieu et Serge Dion.

Enfin, le père Paul Gay clôturera cette série de causeries par l'étude d'ouvrages de Jean Ménard, professeur et écrivain.

Appliquée à la littérature, l'épithète «franco-ontarienne» forme une expression qui est loin d'être claire pour tous – l'histoire du mot lui-même reste à faire – et qui n'est pas sans soulever une double question d'identité, à savoir celle de l'auteur, d'une part, et celle de son œuvre, d'autre part. À cet égard, ce projet de conférences-discussions a pour but d'amener les auditeurs à se demander, par voie de comparaison avec la littérature québécoise par exemple, dans quelle mesure l'identité de l'écrivain franco-ontarien se révèle par ses œuvres et son écriture. Peut-être alors parviendrons-nous, grâce à l'examen de la chose littéraire d'ici, à jeter un nouvel éclairage sur l'identité de la collectivité franco-ontarienne elle-même.

(«Littérature outaouaise et franco-ontarienne, 1»,
Le Droit, 15 janvier 1977, p. 16.)

Notes

1   Des fonds publics octroyés par le ministère des Collèges et des Universités de l'Ontario et le Secrétariat d'État du Canada avaient appuyé l'initiative.

2   Après quelques années de rodage, le cours prit forme : en janvier 1982, à la demande du Département des lettres françaises, Paul Gay produisait avec la participation de la première coordonnatrice du cours un document de soutien pour l'enseignement de la littérature ontaroise : FRA 2566M Littérature ontaroise, 104 f. Quelques années plus tard, il publiera son manuel *La Vitalité littéraire de l'Ontario français : premier panorama* (Ottawa, Éditions du Vermilllon, collection «Paedagogus», n° 1, 1986, 239 p.)

2

À 80 ANS, SÉRAPHIN MARION S'INTERROGE SUR LA SURVIE DES FRANCO-ONTARIENS

C'est un jeune homme de quatre-vingts ans qu'avait le privilège d'accueillir, en la personne de Monsieur Séraphin Marion, l'auditoire réuni le 2 mars dernier en la salle 432 du Pavillon Simard de l'Université d'Ottawa, pour entendre la septième conférence inscrite au programme du cours de littérature outaouaise et franco-ontarienne.

D'origine franco-ontarienne – c'est à Ottawa que M. Marion a vécu «ses premiers quatre-vingts ans» –, cette figure peu ordinaire de la région outaouaise continue de se distinguer par ses multiples talents de plume et de parole et par son dévouement immense à l'essor de la vie française en Ontario. Autrefois professeur à l'Université d'Ottawa où il enseigna pendant plus de trente ans, M. Marion suscita plusieurs vocations littéraires et autres dans le domaine des lettres canadiennes-françaises, dont il demeure l'illustre pionnier. Ne fut-il pas, en quelque sorte, l'inspirateur de la fondation du CRCCF installé au 6ᵉ étage de la bibliothèque de l'Université? Critique littéraire et essayiste prolifique (qui ne connaît et n'apprécie la précieuse collection de ses *Lettres canadiennes d'autrefois*?), ce spécialiste de la littérature canadienne-française du XIXᵉ siècle s'est fait, toute sa vie durant, le défenseur et le promoteur de la culture canadienne-française en Ontario, au moyen de nombreuses conférences, qu'il a encore l'énergie de prononcer même lorsque celles-ci se prolongent tard dans la soirée. Le secret de son indomptable vitalité? La jeunesse. «Toute ma vie, je me suis adressé aux jeunes. C'est la jeunesse qui me garde jeune. Elle est ma fontaine de Jouvence», nous confiait, en souriant derrière son binocle, l'aimable gentilhomme.

Mais sa voix se fit plus grave pour interroger l'avenir réservé à cette même jeunesse rassemblée pour l'écouter. «La survie des Québécois et des Franco-Ontariens est-elle assurée?» annonçait le titre de son entretien, faisant ainsi dépendre le sort du «bastion franco-ontarien» du destin de la «place forte québécoise».

Avant de répondre à la troublante question qu'il venait de soulever, M. Marion dressa d'abord, en homme clairvoyant, une sorte de bilan du passé franco-ontarien. Qui mieux que lui serait en mesure de comparer et de soupeser avec expérience et connaissance l'actif et le passif des biens matériels, culturels et spirituels de la société francophone de l'Ontario depuis les années 1900? Sur le plan matériel, il est indéniable qu'une somme importante de gains doit être portée à l'actif des Franco-Ontariens. Alors que vers 1900 la grande richesse était inconnue dans ce monde composé de petits fonctionnaires, de pauvres agriculteurs et d'ouvriers plus dépourvus encore, aujourd'hui, l'Ontario français jouit du développement de sociétés industrielles, de l'implantation de banques canadiennes-françaises, de la naissance de caisses populaires, voire même de la présence au sein des siens de quelques millionnaires! Quant au domaine culturel, il a connu un progrès incontestable en dépit des «cent ans d'injustices» infligées à la communauté francophone ontarienne par des gouvernements malhonnêtes, tant sur le plan de l'instruction primaire et secondaire que de l'enseignement universitaire. Que l'on songe qu'il existe aujourd'hui, en Ontario, deux universités partiellement francophones (Ottawa et Sudbury) – certains savent que c'est là une heureuse étape accomplie –, un important journal francophone, *Le Droit*, et certains journaux locaux, sans compter les 125 ans de l'Institut canadien que nous fêtons cette année, les nombreuses associations de langue française et la multiplication des activités culturelles qui voient le jour autour de nous. Oui, l'acquisition des biens culturels reste sans doute la plus énorme. Pourtant l'actif considérable de nos biens matériels et culturels parvient à peine, de l'avis de M. Marion, à compenser le lourd passif de nos biens spirituels constamment menacés. Il faut voir les choses telles qu'elles sont et non, comme certains persistent à le faire, telles qu'on aimerait qu'elles soient.

À cet égard, l'aveuglement de Pierre E. Trudeau, qui écrivait à la page 187 de son ouvrage sur *Le Fédéralisme et la société canadienne-française* «Les jeux sont faits au Canada : il y a deux groupes ethniques. Chacun est trop fort pour écraser l'autre», paraît total pour M. Marion. Car, s'il est évident que le bloc anglophone, fort de l'appui de bon nombre de millions d'individus américains, n'a rien à craindre d'un petit groupe de quelque six millions de personnes, ce dernier, en revanche, risque fort d'être écrasé par ses puissants voisins. Cela tombe sous le sens. Aussi, d'après M. Marion, si elle veut survivre, la communauté francophone tout entière certes, mais surtout la société francophone du Québec puisque c'est du sort de cette dernière que dépendra l'épanouissement ou le déclin des minorités francophones du Canada, en particulier l'Ontario français, doit résoudre trois problèmes majeurs : le problème de ses immigrants, le problème de sa dénatalité et, enfin, le problème de sa religion.

Par le biais de la question de l'immigration au Québec, M. Marion, qui se considère à son âge comme un homme parfaitement libre, dépourvu d'intérêts, d'ambition et de préjugés, fut amené à émettre quelques considérations générales sur la loi 22. C'est ainsi que, faisant remarquer que ni les Italiens qui s'installent en France ni les divers groupes ethniques qui vivent aux États-Unis ou au Canada anglais n'ont le choix d'envoyer leurs enfants à des écoles spéciales, M. Marion constatait avec stupeur que cette règle scolaire souffre pourtant au Québec une exception qui n'est acceptée nulle part ailleurs, encore moins par les provinces anglophones du Canada! Aussi invite-t-il les Italiens qui veulent des «écoles anglaises» à s'installer partout au Canada, mais pas en un lieu où ils ne désirent pas devenir des résidents à part entière. Depuis longtemps, ajouta-t-il, les Canadiens français du Québec ont assimilé bon nombre d'anglophones : bien des Johnson, des Reid et combien d'autres encore parlent à peine l'anglais. Aujourd'hui, cependant, sur dix immigrants qui vivent au Québec, neuf s'anglicisent et ce, dans une province francophone!

Le problème de la fécondité des Québécois a longuement retenu l'attention du conférencier. M. Marion a rappelé, en effet, la revanche des berceaux, qui avait assuré la survivance de nos foyers. Il a souligné, à ce sujet, qu'il serait utopique de vouloir substituer à celle-là «la revanche des cerveaux» comme le désireraient certains «esprits libres». À ceux-là, il signale en passant que la démocratie doit obéir à la loi du nombre! À quoi serait donc vouée une armée sans simples soldats, fût-elle composée des plus brillants officiers? Sans le «remuement des berceaux», déclarait M. Marion, tous les cerveaux sont promis à «l'immobilité des tombeaux». Depuis la Conquête, jamais le pourcentage de la population francophone n'a été aussi bas au Canada. De 1760 à 1860, les Anglais ont remué ciel et terre pour échapper à la prépondérance numérique des francophones : immigration britannique, loyaliste, étrangère, Acte d'Union, Confédération, immobilisme fédéral devant la saignée francophone vers les États-Unis, etc. L'année la plus désastreuse pour le Canada français fut, au dire de M. Marion, celle de 1850 lorsque, pour la première fois depuis la Conquête, les Canadiens français se sont trouvés en minorité; depuis cette époque, leur nombre baisse dangereusement. Aujourd'hui, d'après de récentes statistiques, le taux de natalité des Québécois est le plus faible au Canada. Le Québec doit pratiquer une politique favorable à la natalité.

C'est en abordant le problème religieux que M. Marion s'est montré le plus pessimiste quant à la survie de la communauté francophone. Depuis 1960, le patrimoine spirituel des Canadiens français s'est amenuisé, détérioré et, en certains cas, volatilisé. Alors qu'en 1900, 95 % de notre population était catholique, en 1977, celle-ci est devenue une société pluraliste. Ce phénomène est d'autant plus grave que le catholicisme vit des heures menaçantes dans le monde entier. Rappelant de douloureuses déclarations de Mgr Marcel Lefebvre pour lequel il ne cache pas son admiration, M. Marion constatait qu'ici même à Ottawa, les deux séminaires, le grand et le petit, ont disparu, de même qu'ont disparu certains couvents. Depuis huit ans, il n'y a pas un seul nouveau prêtre séculier francophone dans le diocèse. Cet état lamentable de la spiritualité catholique a, à son avis, de désastreuses influences sur l'état de la société canadienne-française qui ne connaît plus ainsi ce facteur d'unité qui, autrefois, assurait sa survivance en lui enseignant l'espérance : «Le Canadien français s'est toujours agrippé à l'espérance; il a espéré contre toute espérance!»

Refusant de sombrer plus avant dans un pessimisme qu'il se garde bien de répandre, M. Séraphin Marion a terminé son entretien en citant une parole de Guillaume le Taciturne, qui lui est chère et qui résume, selon lui, le devoir de l'heure qui incombe à chaque francophone : «Il n'est pas nécessaire d'espérer pour entreprendre ni de réussir pour persévérer.» «Le 15 novembre dernier, ajouta-t-il, une immense espérance a illuminé le ciel québécois. Le Canadien français a-t-il retrouvé son âme? Chose certaine, le Canada ne sera plus jamais le même. Que notre maxime soit : "Fais ce que dois, advienne que pourra". Comme l'annonce le Chanteclerc d'Edmond Rostand, "C'est la nuit. Qu'il est beau de croire à la lumière!".»

Tel fut le message de ce jeune homme de quatre-vingts ans sur le chemin de l'avenir.

(«Littérature outaouaise et franco-ontarienne, 8»,
Le Droit, 12 mars 1977, p. 18.)

3

À LA RECHERCHE DE L'ÂME FRANCO-ONTARIENNE, UN JÉSUITE FAIT ŒUVRE DE BÉNÉDICTIN

Il était une fois la Société historique du Nouvel-Ontario...
En 1948, cette perspicace Société confiait au père Germain Lemieux, s.j., qui était alors professeur de langues classiques et de littératures française et canadienne au collège Sacré-Cœur de Sudbury, la tâche de procéder à un sondage auprès de la population paysanne du Moyen-Nord de l'Ontario afin de rendre compte jusqu'à quel point celle-ci avait conservé l'esprit français de ses origines. Le résultat de ces premières enquêtes fut si fructueux qu'on décida de publier dans la collection des Documents historiques de ladite Société plusieurs chansons et contes populaires recueillis au cours de cette cueillette et rassemblés en quatre fascicules. Ces publications successives, de 1949 à 1958, attirèrent à leur auteur-compilateur nombre de commentaires élogieux de la part de folkloristes et d'historiens prestigieux du Canada français, en la personne de Luc Lacourcière, directeur-fondateur des Archives de folklore de l'Université Laval de Québec, et en celle du chanoine Lionel Groulx. Folkloristes belges et écrivains français eurent des lignes non moins admiratives. Revues et journaux du Québec et de l'Ontario joignirent leurs éloges à ce concert d'encouragements. L'élan était donné. Le mouvement folklorique franco-ontarien venait de naître. Occupé comme «un chien de récollet», l'opiniâtre jésuite allait s'atteler à un véritable travail de bénédictin : trente ans de labeur patient consacré à la sauvegarde, parfois désespérée (l'un après l'autre, les vieux paysans ont malheureusement tendance à passer l'arme à gauche), du patrimoine oral franco-ontarien.

Dix ans plus tard, la nouvelle Université de Sudbury acceptait la charge du Centre de recherches folkloriques ébauché par la Société historique. La direction du nouvel Institut de folklore, qu'elle fonda en 1961, échut naturellement au père Germain Lemieux qui venait de compléter deux stages d'études spécialisées auprès de maîtres renommés en ce domaine : Luc Lacourcière, naguère disciple du grand Marius Barbeau, et Mgr Félix-Antoine Savard, doyen, professeur et écrivain réputé. Outre le titre de Docteur ès Lettres de l'Université Laval qu'il mérita en 1960 grâce à l'excellence de sa thèse intitulée «Sources et parallèles du conte-type 938, Placide-Eustache», le père Lemieux rapporta de son séjour en terre québécoise les fruits d'enquêtes effectuées dans sa Gaspésie natale. Ceux-ci vinrent enrichir l'abondante collection des Archives sonores de l'Institut de folklore, qui avaient été gratifiées auparavant de la précieuse collection des 1 500 pièces folkloriques franco-ontariennes offertes par le curé de Lavigne (Ontario), l'abbé Lionel Bourassa.

En 1972, l'Institut de folklore faisait place au Centre franco-ontarien de folklore (CFOF) de l'Université de Sudbury qui jouit, depuis lors, d'un statut légal. Le père Lemieux assume la direction et l'animation de l'organisme qui abrite une bibliothèque et un petit musée, dans lesquels prend place une collection de documents sonores, qui compte plus de 700 récits, contes et légendes et pas moins de 6 000 versions de chansons folkloriques et plusieurs reliques du passé destinées à reconstituer la façon de vivre d'autrefois en Ontario.

En plus des cours de folklore qu'il donne à l'Université de Sudbury, le père Lemieux a participé à de nombreuses émissions radiophoniques concernant la recherche folklorique. La publication d'articles de revues et de journaux, l'enregistrement de cassettes (extraits de contes, de chansons, de gigues) dans un but pédagogique, la publication des deux volumes du *Chansonnier franco-ontarien* et la nouvelle série *Les Vieux m'ont conté* qu'il a entrepris d'éditer en 1973 – comptant diffuser en dix ans au-delà de 400 contes populaires, en trente volumes (huit d'entre eux ont déjà vu le jour) –, s'ajoutent aux quelque 450 heures d'enquêtes faites «sur le terrain», à temps partiel, par cet infatigable collectionneur.

Membre de l'International Folk Music Council de Londres (Angleterre), de la Société canadienne de musique folklorique d'Ottawa et de l'Association canadienne de linguistique, le père Lemieux trouve le temps de se prêter à la préparation de colloques savants et culturels. Il participe aussi à des conférences dans les écoles secondaires et se débat pour obtenir des subventions trop maigres et trop rares par les temps qui courent. Bref, le père Germain Lemieux se présente comme un homme déterminé à prouver qu'il existe une littérature orale franco-ontarienne.

Car, à son avis, il y a bel et bien une tradition orale propre à l'Ontario français. Menées sur un territoire qui s'étend de Mattawa à Sault-Ste-Marie, en direction est-ouest, et de la rivière des Français à Timmins, Kapuskasing et Earlton, dans l'axe sud-nord, les enquêtes du père Lemieux ont retracé nombre de pièces folkloriques dont l'origine remonte, il est certain, à leur ascendance québécoise ou, plus exactement encore, française (et même à l'Inde antique par le truchement de la Grèce classique), mais qui révèlent avec un style original, un vocabulaire différent, une prononciation particulière, des refrains typiques, des «arrangements» spéciaux ou encore le traitement de thèmes locaux, une RÉALITÉ franchement FRANCO-ONTARIENNE.

On sait que la tradition orale fait partie d'un vaste ensemble de connaissances qu'un groupe ethnique apprend de ses ancêtres et qu'il transmet à ses descendants par une voie autre que l'écriture, c'est-à-dire par la parole, par le geste ou par l'exemple. Aussi variées que nombreuses, ces connaissances qui constituent «la science du peuple», soit le Folklore, englobent, entre autres, les chansons, les comptines, les contes, les légendes, les récits, les proverbes, les dictons qui forment la littérature orale populaire et qui portent l'empreinte de l'esprit de cette masse de gens analphabètes ou de peu de culture scolaire dont tous, plus ou moins, nous sommes issus au Canada français. Dans cette sorte de littérature, point d'auteurs connus, point de textes consignés. Car celle-ci s'est transmise de bouche à oreille, sous le signe de l'anonymat. Ce sont là les traits essentiels de nos pièces dites «folkloriques». Ce qui fait que ces chants et ces récits sont folkloriques, ce n'est ni leurs mélodies ni leurs thèmes : c'est qu'ils ont été chantés, contés, rechantés, racontés, détériorés ou améliorés pendant plusieurs générations par des gens qui les reçurent de leur père ou de leurs grands-pères qui les tenaient eux-mêmes de leurs ancêtres, et qui ne savaient ni lire ni écrire. C'est là le premier signe de l'appartenance : la fidélité.

La chanson franco-ontarienne traite, d'une part, des grands thèmes universels exploités par les poètes français du Moyen Âge et de la Renaissance : la joie, la tristesse, l'amour, la guerre, les départs, les retrouvailles, etc. Ces thèmes se développent dans une géographie européenne, au sein d'une société paysanne, sous un régime monarchique. D'autre part, tout en s'inspirant de vieux airs, les chanteurs d'ici ont exploité des thèmes authentiquement canadiens voire franco-ontariens : les chantiers en forêt, la drave, la vie des «cageux» qui s'ennuient sur leurs trains de bois flottant, la vie misérable des «voyageurs», ces paysans qui quittent leur ferme à l'automne et vont louer leurs bras à un entrepreneur de coupe de bois, les aventures des coureurs de bois parmi les Indiens, les corvées d'équarrissage ou de foulage, les banquets de corvées avec leurs rondes et leurs danses carrées, les banquets de noces ou de fêtes, le Nouvel An, les sucres, etc. À ces thèmes, il faut ajouter les chansons ironiques sur les maris et les chansons satiriques à caractère politique. Les chants communautaires ont eu la préférence des ancêtres canadiens qui ont cultivé fort longtemps la formule de la corvée : chansons à répondre, chansons doublées, chansons casse-cou, chansons de table, chansons à boire et... chansons d'ivrogne. Dans tous ces chants, nos ancêtres se sont peints tels qu'ils étaient : artistes pleins d'humour, de fougue et de gaieté, raffinés certes, mais avec une inclination certaine pour la gauloiserie de bon aloi! L'invention prodigieuse des rythmes nouveaux accordés à la réalité de l'aviron, de la rame, de la hache, des mailloches et des différents travaux des champs, la multiplication des refrains issus de données originales comme le canot, les longs voyages sur mer et rivières ou en forêt font classer ces chansons folkloriques parmi les plus riches de l'Occident.

Le répertoire des contes recensés par le père Lemieux montre la richesse non moins exceptionnelle du patrimoine mythologique franco-ontarien. Des centaines de contes, parfois très longs (certains durent plus de deux heures, mais la moyenne varie entre 45 minutes et une heure et demie), nous sont parvenus par l'entremise de paysans âgés de plus de 60 ans et même de 90 ans! Certains d'entre eux arrivent à se rappeler une légende ou un récit qu'ils n'ont pas évoqué depuis 25, 35 et, en certains cas, 50 ans! Que dis-je? UN récit? Ne s'agit-il pas bien souvent de plusieurs contes, sans compter les 40, 50, voire 60 chansons dont ils se souviennent et qu'ils chantent «par cœur».

Pour la plupart des conteurs, à l'âge où ils ont appris ces contes, soit dans leur famille, soit «sur les chantiers», c'est-à-dire entre 15 et

20 ans environ, il suffisait d'une demi-heure d'attention pour fixer à jamais dans leur mémoire le canevas du récit. Certains d'entre eux sont restés pendant plus de vingt ans «sur le billochet», comme ce M. Émile Roy, vieux conteur de Cache Bay (Ontario), qui explique cette expression dans le sens d'être «conteur officiel dans un chantier»; le «billochet» désignait «un tronçon de gros billot, de la taille d'un seau, spécialement utilisé comme siège officiel du conteur dans un camp de bûcherons». En effet, quand arrivait la période du choix des bûcherons, l'entrepreneur devait trouver un conteur de talent, car nombre d'hommes refusaient de s'engager s'ils n'étaient pas assurés de la présence d'un de ces bons «jongleurs» (comme les appelle si bien le père Lemieux, accordant à ce mot son sens moyen-âgeux d'amuseur) pour tuer l'ennui et la longueur des froides soirées d'hiver désœuvrées, loin des femmes!

Quand il ne «racontait pas», ce qui lui arrivait trois ou quatre soirs sur sept, le conteur – il y avait aussi des conteuses, mais la plupart d'entre elles remplissaient le rôle de sages-femmes dans les campagnes –, s'occupait à la cuisine du camp ou à d'autres travaux manuels. L'été, il s'embarquait volontiers sur un cargo pour distraire l'équipage au cours des longs voyages.

En général, chaque conteur avait un répertoire adapté à sa personnalité et à son talent. Vu l'énorme brassage de populations opéré dans les camps de bûcherons, et les contacts fréquents établis entre conteurs franco-ontariens et autres, gaspésiens, acadiens, franco-américains, irlandais... il se produisit un échange de répertoires, des ajouts, des emprunts de descriptions ou d'épisodes mineurs, des réductions qui expliquent la multitude des contes et leurs nombreuses variantes.

Il serait long et fastidieux d'énumérer la liste des contes enregistrés par le père Lemieux au cours de ses enquêtes. Pour n'en citer que quelques-uns, parmi les plus connus, notons *La Perdrix verte*, *La Bête-à-sept-têtes*, *Poil et Plume*, *La Vache démorphosée*, sans oublier toute la série de l'impayable *Ti-Jean-la-force* ou *Ti-Jean-la-ruse* qui demeure le personnage le plus caractéristique de ces contes, descendant en droite ligne des héros Gilgamesh et Enkidou, ancêtres de l'Héraclès grec.

Devant le gigantesque travail accompli par le père Lemieux depuis trente ans, qui a mis au jour un trésor culturel d'une richesse insoupçonnée, on ne peut que souhaiter avec lui que cette révélation «soit une véritable source d'inspiration pour plusieurs artistes dans les domaines du cinéma, du théâtre, de la littérature et, pourquoi pas, soit un point de départ pour produire une œuvre d'envergure peut-être nationale!». Si l'Acadie possède désormais sa Sagouine, pourquoi l'Ontario n'aurait-il pas son Ti-Jean-sans-Peur? La littérature orale franco-ontarienne recèle des richesses innombrables où peuvent puiser non seulement les artistes, les poètes et les écrivains, mais les linguistes, les sociologues, les musiciens et tous les Franco-Ontariens en quête de leur âme.

(«Littérature outaouaise et franco-ontarienne, 10»,
Le Droit, 26 mars 1977, p. 25.)

4

IMAGE FRAGILE ET PROBLÉMATIQUE D'UNE LITTÉRATURE À LA RECHERCHE D'ELLE-MÊME

On se souviendra qu'à pareille date l'année dernière, nous nous proposions de partir à la découverte de la littérature outaouaise et franco-ontarienne dans le cadre de rencontres hebdomadaires organisées par le Département des lettres françaises de l'Université d'Ottawa avec l'aide du ministère des Collèges et Universités de l'Ontario et du Secrétariat d'État du Canada.

En l'absence de tout véritable spécialiste dans le domaine et ayant accepté de coordonner ces «soirées littéraires», nous invitions un groupe de conférenciers (Suzanne Lafrenière, Séraphin Marion, Robert Choquette, André Lapierre, Benoît Cazabon, André Renaud, Jean-Pierre Duquette et le R.P. Paul Gay) à venir nous parler d'œuvres et d'auteurs rattachés de quelque manière à la région outaouaise et à l'Ontario français. Car nous n'étions pas sans savoir qu'un nombre impressionnant d'auteurs francophones de tous genres, anciens et modernes, avaient vécu ou vivent en ces lieux, bien que tous n'y soient pas nés. À cet égard, on se rappellera certainement qu'à l'occasion du Centenaire de la Confédération, s'était tenu à l'hôtel de ville de Hull un salon du livre canadien-français qui réunissait pour la première fois les noms les plus connus des écrivains de la région outaouaise. C'est là que furent honorés au nombre des pionniers de nos lettres la mémoire des romanciers Antoine Gérin-Lajoie, auteur de *Jean Rivard le défricheur* et de *Jean Rivard l'économiste* (récemment réédité), et Joseph Marmette, auteur prolifique de romans historiques dont *Le Chevalier de Mornac*, qui vient d'être réédité; de même que le souvenir des poètes Alfred Garneau, fils du célèbre historien, François-Xavier Garneau, et grand-oncle d'un poète non moins célèbre, Hector de St-Denys Garneau, Henry Desjardins, Antonio Pelletier et Jules Tremblay, pour ne citer que ceux-là. Parmi les auteurs contemporains dont les œuvres furent exposées, figuraient Léo-Paul Desrosiers (*Les Engagés du Grand Portage*) et Michelle Le Normand (*La Plus Belle Chose du monde*), Robert Charbonneau (*Ils posséderont la terre, Fontile,* toponyme sous lequel se cache le nom de Hull), Robert Élie (*La Fin des songes*), Claire Martin (*Dans un gant de fer, La Joue droite*), Yves Thériault (*Agaguk*), Adrien Thério (*Les Brèves Années, Ceux du chemin Taché*), Paul Toupin (*Souvenirs pour demain*) et d'autres encore, pour ne nommer que des romanciers.

Or, depuis dix ans, en dépit des nombreux revers qu'il lui a fallu essuyer, l'activité littéraire outaouaise et franco-ontarienne connaît un rythme qui pour ne pas être des plus trépidants n'en est pas moins croissant. Ainsi, s'agissant du domaine de la littérature orale, on aura tôt fait de reconnaître que le travail colossal du folkloriste Germain Lemieux, s.j., a opéré sinon inspiré une renaissance imprévue et bienfaisante de la tradition orale dans la région de Sudbury. «Tous dans l'même bateau», poètes (Gaston Tremblay, Denis St-Jules, Placide Gaboury, Jean Lalonde, Robert Dickson et combien d'autres), musiciens (en particulier le groupe Cano), chansonniers (Robert Paquette, Lougarou, 33 Barrette, François Lemieux, etc.), dramaturges (Nicole Beauchamp, Claude Belcourt) et comédiens (ceux des troupes de théâtre nombreuses et actives en Ontario) ont soudainement surgi «Au nord de notre vie».

La production littéraire écrite, quant à elle, a connu durant la même période, au travers de mille et une misères, dont le tragique cancer linguistique, un essor inattendu. En effet, des ouvrages de toute nature – depuis l'introspection littéraire et littérale de Jean Éthier-Blais, originaire de Sturgeon Falls (*Signets I, II, III, Dictionnaire de moi-même*), jusqu'aux élucubrations tonitruantes de Papartchu Dropaôtt, résidant à Ottawa (*Du pain et des œufs, L'Histoire louche de la cuiller à pot*) – ont vu et voient le jour. De part et d'autre de la rivière des Outaouais, l'imagination s'avive, le goût d'écrire se développe. Des talents certains, d'autres incertains, se manifestent; des écritures vierges ou «palimpsestueuses» se découvrent. C'est ainsi que peu à peu notre littérature se constitue. En poésie, des voix nouvelles se mêlent aux voix d'hier : parole cosmique de Madeleine Leblanc (*J'habite une planète*), mots et jeux de Pierre Mathieu (*Les Mots dits québécois*), saisons et jours de Serge Dion (*Mon pays a la chaleur et l'hiver faciles*) ainsi que les *Cannelles et craies* de Cécile Cloutier. À ce chœur poétique, répond toute une gamme de romanciers, conteurs, nouvellistes, narrateurs et autres auteurs parmi lesquels se distinguent Yvette Naubert, Jacques

Lamarche, Jean-Paul Filion, Bernard Assiniwi, Guillaume Dunn, Normand Rousseau, Lise Lacasse et Safa Wakas, sans oublier des dramaturges telles que Gaby Déziel-Hupé et Jacqueline Martin.

Nombre d'activités paralittéraires sont entrées, elles aussi, dans la ronde. Ainsi deux maisons d'édition ont été créées : dans le Nord, les éditions Prise de parole fondées en 1973 par les étudiants de l'Université Laurentienne de Sudbury; au sud, du côté québécois, la maison Asticou fondée en juin 1975 par André Couture. L'une et l'autre se sont mises au service d'écrivains de talent et, n'étaient les sempiternels problèmes d'ordre financier, publieraient encore plus de livres excellents parmi les nombreux manuscrits qu'elles reçoivent. En plusieurs endroits, des revues sont apparues, bien que toutes n'aient pas survécu : *La Pulpe*, *Graffiti*, *Ovul*, *Ébauches*, etc. En Ontario, des journaux de langue française ont pris avec beaucoup de courage la relève des frères disparus. Par exemple, le rêve ambitieux du *Toronto Express*, qui veut créer une chaîne de journaux francophones pour l'Ontario français et une revue à orientation culturelle, semble prendre forme peu à peu avec l'apparition du *Hamilton Express* à Hamilton et des deux cents boîtes du *Toronto Express* jouxtant fièrement celles du *Globe and Mail* dans les rues de Toronto.

D'autre part, dix ans après la tenue du premier salon du livre à Hull, une première Foire du livre, organisée par la section d'Ottawa-Hull de la Société des écrivains canadiens, a remporté un vrai succès aux Galeries de Hull en juin dernier, incitant ses organisateurs à renouveler l'expérience cette année. Cette heureuse initiative s'inscrivait dans le sillage d'une série de lectures publiques patronnées par les Services à la collectivité de l'Université du Québec, qui viennent d'élargir cette activité au-delà de la région hulloise afin de répondre au désir de plusieurs collectivités intéressées à rencontrer leurs écrivains. De même, l'année qui vient de se terminer aura connu, sous les auspices de l'AEFO, le premier Festival de la culture franco-ontarienne. C'est dans ce cadre que fut lancé un concours de poésie destiné aux élèves du cours secondaire. L'année 1977 aura vu également la création d'un premier prix dans le domaine culturel, à savoir le prix Henry-Desjardins, ainsi nommé pour rendre hommage au poète originaire de Pointe-Gatineau et attribué à la dramaturge Gaby Déziel-Hupé pour le mérite de son œuvre. S'agissant de prix, rappelons en passant que c'est un Gatinois, Normand Rousseau, qui s'est vu décerner le prix Jean-Béraud, cette année, pour son roman *À l'ombre des tableaux noirs*, récit d'une enfance qui sans être autobiographique n'en est pas moins personnel. Heureux présage qu'au terme de sa neuvième année d'existence, ce prix du Cercle du Livre de France couronne l'enfance imaginaire d'un écrivain d'ici!

Mais toute médaille a son revers et ce bref regard accordé à la littérature d'ici ne peut s'y poser sans le voir. L'image qu'il découvre est fragile et problématique. Fragile, parce que depuis bien plus de dix ans nous assistons quasiment impuissants à la désintégration de notre moyen d'expression; la famille, l'église et l'école, les trois piliers traditionnels de notre langue, éclatent, s'effondrent, disparaissent sans offrir d'autre appui qu'un bilinguisme étriqué. C'est ainsi qu'ici, en Ontario, tandis que le français se meurt, le «froglecte» coasse. Or, s'il est vrai que «la langue d'un peuple est à elle seule son histoire»... et sa littérature, nous n'avons plus qu'à nous voiler la face pour ne pas voir la laideur qui nous attend. Image problématique aussi, comme toute politique. Alors que l'Outaouais est désormais québécois, l'Ontario français est livré à lui-même. Certains Franco-Ontariens cherchent à entrevoir sous les lambeaux d'un passé tuméfié et derrière le rideau d'un présent humilié une réalité qui soit bien la leur, mais le plus grand nombre, hélas! sombre indifférent dans la médiocrité de l'inconscience. Tôt ou tard, le peuple francophone d'ici devra choisir sa langue, et l'écrivain, ses mots. L'Ontario français aura les écrivains qu'il mérite.

Voici la liste des entretiens prévus dans le cadre des Mercredis littéraires outaouais et franco-ontariens offerts aux étudiants et au public par le Département des lettres françaises de l'Université d'Ottawa. Comme l'année passée, ces séances auront lieu de 19 h à 22 h dans la salle 432 du Pavillon Simard situé au 165, rue Waller. Cordiale invitation à tous.

Dates	*Sujets*	*Conférenciers*
18 janvier	La langue franco-ontarienne	André Lapierre
25 janvier	Poètes d'autrefois	Suzanne Lafrenière
1er février	Poètes d'aujourd'hui	André Renaud
8 février	Le drame de Jean Ménard	Pierre-Hervé Lemieux
15 février	Semaine d'études	

22 février	Jean Éthier-Blais, poète et romancier	Jean-Pierre Duquette
1er mars	La vie culturelle des francophones dans le Nouvel-Ontario	Robert Dickson
8 mars	Contes et romans d'Yvette Naubert	Paul Gay
15 mars	Le théâtre de Gaby Déziel-Hupé	André Fortier
22 mars	Jean-Paul Filion, romancier	André Renaud
29 mars	Naissance d'une écriture : *Au défaut de la cuirasse*	Lise Lacasse
6 avril	Un écrivain et son métier : *À l'ombre des tableaux noirs*	Normand Rousseau

(«Littérature outaouaise et franco-ontarienne, 1»,
«Malgré les revers, la croissance continue»,
Le Droit, 14 janvier 1978, p. 18.)

5

FOSSILISATION DU FRANÇAIS EN ONTARIO?

C'est une salle comble et fort intéressée qui, le 18 janvier dernier, a accueilli et applaudi le linguiste André Lapierre, professeur à l'Université d'Ottawa. M. Lapierre était le premier invité
des Mercredis littéraires de cette université, réservés à l'exploration
de la littérature outaouaise et franco-ontarienne et de ses moyens
d'expression. À son auditoire aussi nombreux qu'attentif, le conférencier a choisi de parler de l'épineuse question du sort de la langue
française en Ontario. Question qu'il a abordée dans une perspective
volontairement objective, puisque la fonction de tout linguiste
consiste à décrire la langue telle qu'elle est et non telle qu'elle devrait être, rôle dévolu plutôt aux grammairiens, professeurs et autres
esthètes du langage. M. Lapierre a donc brossé un tableau des origines et de l'histoire du français en Ontario avant d'en présenter un
bref aperçu synchronique par une exposition bien documentée de
ses différents aspects phonétiques, morphosyntaxiques et lexicaux,
lesquels ne relèvent pas dans leur ensemble d'une spécificité typi-
quement franco-ontarienne.

Sous le Régime français

Première langue occidentale parlée en Ontario, le français a laissé sa
trace le long des routes du Nord et du Sud empruntées par les premiers explorateurs, colons et autres voyageurs parmi lesquels on
trouve Samuel de Champlain, Étienne Brûlé et Nicolas du Vigneau.
C'est à cette première présence française en Ontario que sont dus
les toponymes connus de la rivière Rideau, des chutes de la Chau-
dière, du lac des Chats, de l'île aux Allumettes, de la rivière des
Français (French River), de Detroit, de la rivière Canard, de Sault-
Ste-Marie et j'en passe. Héritier de la *lingua francesa* des *Serments de
Strasbourg*, elle-même issue d'un étrange amalgame de gaulois et de
latin populaire, le français de la Nouvelle-France descendait en
droite ligne de dialectes d'oïl importés surtout des régions côtières
du nord et de l'ouest de la France : dialectes de Picardie (2 %), de

Normandie (19 %), du Poitou (12 %), de l'Aunis (11 %) et de la Saint-Onge (6 %); mais aussi de l'Île-de-France (12 %) ou encore de la Bretagne, de la Bourgogne, de la Champagne ou de la Lorraine (38 %). Aussi ne faut-il pas s'étonner si, échoués en terre canadienne, tous ces petits «peuples de la mer» ont conservé dans leur langue de nombreux termes maritimes ou s'ils les ont adaptés aux objets et aux êtres de leur existence nouvelle. Par exemple, on trouve encore en certains lieux d'ici une expression aussi jolie qu'«elle est à l'ancre» pour désigner une jeune femme qui n'a pas encore d'enfant.

Sous le Régime britannique

La coupure survenue entre la colonie française et la mère patrie en 1760 eut pour la Nouvelle-France les désastreuses conséquences qu'on sait. Désormais, le Canada français, qui déjà bien avant la France elle-même avait réalisé son unité linguistique, vit sa langue évoluer en vase clos dans les campagnes ou se transformer au contact de l'anglais à la ville. Dès 1764, on repère dans *La Gazette bilingue de Québec* les premiers anglicismes : «la malle (*mail* = courrier) partira ce soir», «Le Wellington laissera (*will leave* = quittera) Québec ce soir».

En Ontario, au lendemain de l'Indépendance américaine, un premier groupe d'immigrés francophones venus de Detroit traversait le détroit pour venir s'établir à Windsor, à Belle Rivière, à Pincourt ou aux alentours, dans les comtés actuels d'Essex et de Kent. Mais cette vague d'immigration francophone fut bientôt submergée par l'arrivée massive de loyalistes anglophones à partir de 1783, qui allait compromettre le développement linguistique français dans le Haut-Canada.

Un second peuplement francophone eut lieu peu après l'échec de la Rébellion de 1837-1838. On oublie effectivement que ces malheureux événements ont été un facteur d'émigration québécoise vers l'Ontario pour différentes raisons : densité de la population dans les deux grandes villes de l'époque, Montréal et Québec, pauvreté du sol, mais surtout instabilité socio-politique créant un sentiment d'insécurité. Déjà, on fuyait le Québec à la recherche d'un monde meilleur... Ainsi progressivement on assista au peuplement francophone de l'Est ontarien, qui se répandit jusqu'à la Basse-Ville de Bytown (Ottawa). Phénomène unique dans les annales du Canada français : l'installation de ces nombreux francophones provoqua le retrait de plusieurs occupants anglophones vers l'ouest de la province; il y en eut même qui n'hésitèrent pas à traverser la rivière des Outaouais pour aller s'installer du côté québécois! De sorte qu'il ne fut pas rare de voir en terre ontarienne des toponymes anglais se transformer en toponymes français (Beaverbrook devint Limoges) et des villages à consonance anglaise se développer en plein pays québécois.

Le troisième grand mouvement migratoire francophone s'opéra entre les années 1880 et 1936 et, cette fois, dans trois directions différentes. À la fin du XIXᵉ siècle, des Québécois vinrent s'établir dans le Nord ontarien (Hearst-Kapuskasing-Timmins) pour travailler dans l'industrie forestière ou à la construction du chemin de fer. D'autres préférèrent s'établir dans le Moyen-Nord (North Bay-Sudbury-Sturgeon Falls), attirés par l'offre d'emplois dans les mines de la région. Enfin, un bon nombre vint gagner son pain dans le sud-ouest du pays où l'industrie métallurgique et l'industrie automobile se développaient.

Vers 1881, la population francophone de l'Ontario s'élevait à environ 100 000 habitants (en chiffres absolus). En 1911, elle en comptait 200 000; en 1931, 300 000; en 1971, 707 000! Actuellement, la population franco-ontarienne est la minorité francophone la plus importante à l'extérieur du Québec. Malheureusement, il se trouve que, d'après une enquête statistique récente, le taux d'assimilation des francophones est tel en Ontario qu'on est en droit de parler de la fossilisation de la langue française dans cette province. Ainsi, alors que ce taux est de 56 % pour l'ensemble des Franco-Ontariens, on compte un taux d'assimilation de 19 % dans l'Est ontarien, un taux de 20 % dans le Nord et le Moyen-Nord; une autre région franco-ontarienne atteint en certaines localités un taux d'assimilation galopante qui va jusqu'à 78 %!

Un avenir défavorisé

Il y a lieu de s'inquiéter et, à l'exemple d'André Lapierre, d'être fort troublés devant les proportions alarmantes de la désintégration de la langue, cette «demeure de l'être» selon la juste expression d'André Breton. Bien qu'il n'appartienne pas aux linguistes de prédire l'avenir du français en Ontario, M. Lapierre s'interroge avec anxiété sur la volonté de survivance des Franco-Ontariens et constate avec amertume que parmi les jeunes le taux d'assimilation est plus élevé. Par exemple, à Toronto, les trois quarts des enfants francophones d'âge scolaire fréquentent des écoles anglaises; et, sur un nombre total de 100 000 francophones, 50 000 «avouent» leur origine franco-phone tandis que 25 000 seulement parlent français. Nombreux sont les facteurs qui jouent contre la langue française en Ontario. D'abord, il y a une anémie culturelle qui s'installe un peu partout au moment même où, de plus en plus, certains Franco-Ontariens parmi les plus avertis se disent fatigués de «quémander». Ensuite, l'ambiguïté du pacte politique est défavorable à l'épanouissement du français : alors qu'au niveau fédéral, on appuie une politique «bilinguiste», au palier provincial, on refuse de faire du français une langue officielle. De plus, le français est dépouillé en cette province de toute valeur socio-économique au point qu'il est même impos-sible d'y mourir en français... D'autre part, il y a ce grave problème de dénatalité à peu près insurmontable, dussions-nous, selon l'amu-sante remarque de Pierre Bourgault, «passer les trente-six pro-chaines années au lit»! Enfin, on ne peut ignorer la fragilité d'un système scolaire si chèrement acquis à tous les niveaux : il n'y a pas d'université entièrement de langue française en Ontario.

L'Ontario français est en train de traverser, selon André Lapierre, le moment le plus critique de son histoire : les années qui viennent seront difficiles d'autant plus qu'il ne faut plus compter avec la quantité, mais avec la qualité, et, en ce qui concerne la qualité de la langue française en Ontario... Et si, paradoxalement, il est vrai qu'on assiste à une sorte de renaissance culturelle en certains en-droits, il y a tout lieu de se demander avec André Lapierre s'il s'agit d'une renaissance authentique ou du chant du cygne. Les jeux ne seraient-ils pas déjà faits?

(«Littérature outaouaise et franco-ontarienne, 2»,
Le Droit, 11 février 1978, p. 16.)

6

PAS D'EXISTENCE ASSURÉE SANS L'ÉCRITURE

B ien qu'il eût décidé de ne pas s'en mêler une fois le travail terminé, Pierre Savard n'a pas voulu refuser de venir présenter et
commenter, le 8 février dernier[1], le texte du RAVFO (communément appelé le *Rapport Savard*), «vu l'importance particulière de ses
auditeurs». Directeur du CRCCF et professeur au Département
d'histoire de l'Université d'Ottawa, M. Savard était l'invité des
«Mercredis littéraires outaouais et franco-ontariens» de cette université. À titre d'auditrice et de coordonnatrice de ces rencontres
hebdomadaires, j'aimerais relever ici et commenter, parmi les
nombreux points traités dans ce rapport et repris au cours de cette
causerie, ceux qui m'ont semblé toucher plus spécialement, directement ou indirectement, le phénomène littéraire franco-ontarien.

Cultiver sa différence

Au terme d'une étude qui aura duré vingt et un mois, l'équipe des
trois auteurs (Pierre Savard, Rhéal Beauchamp et Paul Thompson)
de cette vaste enquête, qui dépasse largement le cadre étroit des arts
entendus au sens strict de «beaux-arts», résume sa position face à la
situation déplorable faite à la société francophone de l'Ontario,
dans un titre-choc qui proclame sans ambiguïté son parti pris en faveur du développement de la culture française en Ontario : *Cultiver
sa différence*. Titre vraisemblablement audacieux pour les chastes
oreilles de nos journalistes de la presse et de l'information, si l'on
considère le silence prudent qu'ils semblent bien avoir tacitement
convenu d'entretenir autour de lui alors que celui-ci constitue l'es-
sence même du volumineux rapport de 225 pages que peu de gens
auront le temps ou l'occasion de lire, étant donné que son patron et
éditeur, le CAO[2], a cru bon (par souci budgétaire?)[3] de le publier
avec parcimonie.

Quoi qu'il en soit, que cela plaise ou non, c'est un fait établi
désormais : il existe en Ontario deux groupes linguistiques d'importance (anglais et français) qui présentent des différences socio-

culturelles fondamentales. C'est pourquoi, plutôt que de chercher à étouffer leur «différence» (considérée par plusieurs Franco-Ontariens comme une tare) dans le grand tout anglophone environnant qui agglutine de plus en plus d'éléments de la minorité francophone, les auteurs du rapport exhortent les Franco-Ontariens de tous les coins de la province à la reconnaître, à l'assumer, à la redécouvrir, à l'exprimer et à la respecter. Avec un titre pareil, *Cultiver sa différence*, cette étude est plus qu'un simple rapport d'informations sur les arts dans la vie franco-ontarienne, destiné aux autorités gouvernementales anglophones. C'est l'expression d'un choix, une incitation à l'action, une sorte d'enseignement, presque un mot d'ordre : un cri de ralliement pour les Franco-Ontariens!

Mais quelle différence?

Cette différence à laquelle le *Rapport Savard* se réfère n'est nulle autre que l'originalité de la «culture française» telle qu'elle est vécue en Ontario dans un contexte anglophone bien sûr, mais aussi dans la société francophone nord-américaine et européenne, voire internationale. Cependant, l'interprétation attribuée à l'un et l'autre de ces termes, «culture» et «française», dans le *Rapport Savard* est loin d'être restrictive comme on pourrait peut-être s'y attendre. D'une part, il est dit dans le texte :

> La culture est entendue ici au sens large et de plus en plus répandu dans ce genre d'étude, soit une manière globale d'être, de penser, de sentir : c'est un ensemble de mœurs et d'habitudes, c'est aussi une expérience commune : c'est enfin un dynamisme propre à un groupe qu'unit une même langue.

On peut lire, d'autre part, ces lignes :

> [la] culture française dont il est question dans ce rapport doit être entendue dans son sens le plus large. Les Franco-Ontariens se rattachent à la tradition culturelle de la France par la langue, par la littérature et bien des formes d'art comme le théâtre. Ils possèdent en commun avec les Québécois et les autres francophones du pays le fonds culturel canadien-français. C'est pourquoi la culture québécoise actuelle ne peut les laisser indifférents. Enfin, ils ont développé en terre onta-

rienne une sensibilité propre qui s'exprime dans des manifestations artistiques que l'on qualifie volontiers de «franco-ontariennes». La culture française en Ontario ne saurait être réduite à l'une ou l'autre de ces composantes sans se condamner à vivre artificiellement ou à dépérir.[4]

Les Franco-Ontariens existent : on les a comptés!

Constitué de cinq chapitres, 44 recommandations, cinq appendices (dont la liste des travaux particuliers qui ont été confiés à des spécialistes en divers domaines)[5], 22 tableaux statistiques et quatre cartes géographiques régionales, le *Rapport Savard* a réuni des informations précieuses sur un phénomène que nombre de gens, anglophones et francophones, ignorent encore ou s'entêtent à nier, à savoir l'existence des Franco-Ontariens. Car refuser de reconnaître officiellement la langue française en Ontario, n'est-ce pas tout simplement nier l'existence d'une partie des membres de la société ontarienne dont la langue maternelle est le français? Et s'obstiner à ne voir dans cette population française de l'Ontario que de «pôvres» parents québécois en exil, parce que la langue française qui est parlée en Ontario est très proche de celle qui est pratiquée au Québec, n'est-ce pas faire bon marché de l'expérience particulière d'un groupe minoritaire francophone dispersé sur un territoire anglophone? Or il y a un fait indiscutable : les Franco-Ontariens existent; on les a rencontrés, on les a écoutés parler, on les a comptés! Bien que les rapporteurs admettent volontiers qu'il n'est pas facile de quantifier un phénomène culturel et que, très souvent, les statistiques soient plus près de la précision que de la «vérité», il leur a été possible de mesurer la présence française en Ontario à partir de données issues des plus récents recensements. C'est ainsi qu'en 1976, sur une population globale de 8 264 465 habitants, on dénombrait 460 075 Ontariens dont la langue maternelle était la langue française, soit 5,5 % de l'ensemble; alors qu'en 1971, sur un total de 7 7000 000 personnes, on comptait 482 000 Ontariens dont le français était la langue maternelle, soit 6,3 % de la population entière de l'Ontario. Il s'agit d'une minorité très réduite certes, mais bien réelle et vivante, qu'il serait insensé d'ignorer. Au livre récent qui étudie sous un titre aux allures de science-fiction (*The Invisible French*)[6] la trop discrète présence de 60 000 Franco-

Ontariens de Toronto, il conviendrait d'ajouter un second volet qui arborerait un titre plus réaliste : *The Blind Majority.*

L'école française : une imposture?

Il y a toujours eu de l'enseignement en français en Ontario. Mais la grande lutte a été d'obtenir des écoles publiques de langue française. Il aura fallu se battre quinze ans pour que le Règlement 17 de triste mémoire soit abrogé en 1927 et plus de trente ans pour qu'il disparaisse des statuts provinciaux en 1944. Pendant ce temps, l'Ontario français s'était doté d'un système d'éducation secondaire et collégial privé qu'il n'a pas hésité à sacrifier lorsqu'il est apparu nécessaire de rassembler les effectifs scolaires francophones et de miser sur une éducation secondaire française gratuite. C'est ainsi qu'en 1969, la plupart des écoles secondaires privées françaises sont devenues des écoles secondaires publiques. Mais, tout en suivant de bonne foi le vieil adage selon lequel l'union fait la force, les Franco-Ontariens mettaient, en fait, tous leurs œufs dans le même panier. Et, au moment même où l'on pouvait croire achevé le combat pour l'obtention d'écoles françaises, un problème de taille s'est présenté : le panier était percé. C'est désormais de l'intérieur que les établisse-ments scolaires francophones, secondaires et même primaires, sont menacés. Devenues en de nombreux cas de véritables nids d'assi-milation en raison de l'anglicisation qui s'y propage sous l'influence de divers facteurs, dont l'immersion de jeunes anglophones en quête d'apprentissage d'une langue seconde à peu de frais, les écoles françaises espèrent recouvrer leur caractère francophone par la création de conseils scolaires homogènes qui permettraient aux Franco-Ontariens de contrôler complètement leurs établissements d'enseignement. Si de telles mesures ne sont pas prises très bientôt, la mauvaise posture actuelle de l'école française en Ontario ne risque-t-elle pas de tourner à une malheureuse imposture?

Sudbury, la ville des espoirs déçus

Sur le plan géographique, l'Ontario français, c'est l'Ontario à l'en-vers. Autrement dit, les Franco-Ontariens sont dispersés sur un territoire immense dont ils occupent principalement la périphérie :

il y a environ 150 000 francophones dans le nord de la province et à peu près le même nombre dans les régions de l'Est. Or, bien que cet isolement ait favorisé jusqu'ici la survie d'une culture française laissée à elle-même loin des centres d'assimilation, l'éloignement a coupé du même coup les Franco-Ontariens des forces vives de la province, concentrées dans les villes industrielles du Sud.

Dans les années 1960, une région du moins avait semblé maîtriser ce lourd handicap quand de grands espoirs se sont créés autour de Sudbury, qui se voyait comme la future métropole culturelle de la francophonie ontarienne du Nord. Toutes sortes de surgissements sociaux et culturels laissaient effectivement présager que la ville de Sudbury était appelée à devenir ce pôle d'attraction tant souhaité par tous : la fondation de l'Université Laurentienne et de sa composante catholique, l'Université de Sudbury, où s'était établi le Centre franco-ontarien de folklore; la présence stimulante de la Société historique du Nouvel-Ontario, du Centre des jeunes et de la culture; l'activité de cinq écoles secondaires françaises; la souplesse linguistique du Collège Cambrian d'arts appliqués et de technologie; l'implantation bénéfique de médias francophones d'information; la création et le dynamisme du mouvement CANO; sans compter la conversion de la salle paroissiale en salle de théâtre (La Slague) et l'éclosion de nombreux talents dramatiques, musicaux, artistiques, cinématographiques et autres. Et pourtant... Réduits à affronter des problèmes économiques insurmontables, les Franco-Ontariens de Sudbury n'ont pas été en mesure de répondre à ces espoirs. Le milieu social n'avait pas les moyens de se lancer dans la haute culture. Condamnée en partie au travail ingrat et difficile de l'exploitation minière et forestière ou aux aléas de la construction, jeune et trop mobile, la population de cette région s'est montrée peu «réceptive» au travail des artistes et, parallèlement, a souffert de l'exode de sa jeunesse, surtout de ses jeunes créateurs, vers les centres plus prometteurs du Sud ou d'ailleurs. À long terme, cette saignée des forces de renouvellement affaiblira considérablement le potentiel réel de la vie culturelle du Nord.

Le désert de l'écriture

Alors que la musique, les chansons et le théâtre connaissent une vitalité certaine dans le domaine des disciplines artistiques pratiquées dans l'Ontario français, l'écriture demeure largement sous-développée. À cet égard, les quatre petites pages consacrées à ce problème dans le rapport sont fort éloquentes[7]. Ce n'est guère étonnant quand on songe aux antécédents historiques (tradition orale, luttes scolaires) et sociologiques (nombreux transferts linguistiques, classes sociales défavorisées, conditions de vie incompatibles ou hostiles à l'épanouissement de la vie intellectuelle et, par conséquent, d'une littérature écrite) des Franco-Ontariens, auxquels s'ajoute l'essor ambivalent de la radio et de la télévision, qui s'opère au détriment des moyens traditionnels de communication que sont les journaux et les livres. Le ressac actuel de la civilisation orale dans une société qui n'en est jamais tout à fait sortie n'est pas favorable à la création littéraire écrite. D'ailleurs, à l'instar des Québécois, les Franco-Ontariens lisent peu et, lorsqu'ils s'adonnent au plaisir de la lecture, rien ne permet d'affirmer qu'ils le fassent en français!

Mis à part une production de combat et de survivance qui constitue la majeure partie des écrits franco-ontariens, l'écriture «gratuite» attire peu d'adeptes en Ontario français. Rares sont les ouvrages proprement littéraires. Mais l'édition préliminaire d'une bibliographie de la littérature outaouaise et franco-ontarienne[8] préparée sous la direction de René Dionne, directeur du Département des lettres françaises à l'Université d'Ottawa, nous permettra sans doute de découvrir et d'ajouter aux noms connus de Séraphin Marion, Jean Ménard et Jean Éthier-Blais d'autres noms d'auteurs franco-ontariens dont ne manqueront pas de profiter les Mercredis littéraires qui, pour la deuxième année consécutive, encouragent l'étude d'œuvres d'ici[9].

Si l'éclosion d'une vocation d'écrivain franco-ontarien n'est pas chose aisée en Ontario, que dire de la naissance d'un auteur? Si peu de débouchés s'offrent au produit de la plume franco-ontarienne! Outre la presse quotidienne (*Le Droit* d'Ottawa) et hebdomadaire ou bimensuelle (*Le Voyageur* de Sudbury, *Le Nord de Hearst*, le *Toronto Express*), quelques périodiques à vocations multiples et à tirage réduit (*Ébauches*, *Co-incidences*, *Le Boréal*, *Revue de l'Université Laurentienne*, *Ovul*, etc.) publient des textes poétiques ou des pages de prose, quand ils parviennent eux-mêmes à se tirer d'affaire.

Du côté de l'édition proprement dite, les efforts des PUO sont limités à la publication pluridisciplinaire universitaire. Les jeunes créateurs doivent s'adresser ailleurs. Il y a quelques années, est née à Sudbury une maison d'édition axée sur la création littéraire franco-ontarienne. Depuis trois ans, l'équipe bénévole de Prise de parole a réussi à publier une quinzaine d'ouvrages poétiques, romanesques et dramatiques. Moins commercial que social, le rôle qu'entend jouer cette jeune maison d'édition en est un «d'animation des arts litté-raires chez les francophones de l'Ontario»[10]. Aussi invite-t-elle les jeunes écrivains à lui soumettre des manuscrits, à faire appel à son aide pour corriger ceux-ci, les réviser et les préparer pour l'impres-sion. Tâche féconde mais immense, que le seul travail bénévole de quelques-uns ne peut mener à bien sans de sérieuses difficultés. Dans une telle aventure, plusieurs textes ne peuvent atteindre l'éta-pe de la publication. Il faudrait des moyens autrement importants et une équipe plus nombreuse. Voilà un domaine où pourrait intervenir le CAO et, plus précisément, le Bureau franco-ontarien dudit Conseil.

Devant des moyens de reproduction aussi limités, et insuffi-sants, certains auteurs n'ont pas hésité à prendre des initiatives et à publier à compte d'auteur : ainsi, Georges Tissot et Pierre Pelletier d'Ottawa et Réginald Bélair de Kapuskasing. Mais cette solution individuelle ne saurait assurer le développement littéraire d'une collectivité.

Une politique du livre ou de la lecture?

Ces problèmes de création et d'édition se greffent sur le problème plus complexe de la diffusion du livre «français» en Ontario par l'entremise des librairies et des bibliothèques. Voici ce que le *Rap-port Savard* exprime à ce sujet :

> Le problème de la diffusion culturelle s'étend aussi à la distribution du livre français. Devant le nombre restreint de points de vente, il faut que les bibliothèques publiques fassent un effort particulier pour rendre le livre français accessible à leur population francophone. Les efforts entrepris en ce sens depuis quelques années dans le Nord ont démontré l'intérêt du public pour de telles initiatives et devraient in-citer les responsables à accélérer leur travail.[11]

Ce court paragraphe laisse le lecteur sur sa faim. En effet, n'aurait-il pas été important d'approfondir ces questions en tirant parti de la consultation du *Rapport Bowron* sur les bibliothèques publiques de l'Ontario[12], d'une part, et, d'autre part, en s'interrogeant sur l'existence, la localisation, la clientèle, le chiffre d'affaires, la marchandise, les sources d'approvisionnement, le dynamisme littéraire et l'engagement possible dans le milieu franco-ontarien des librairies francophones de l'Ontario? Voilà autant de points qui auraient pu trouver leur place dans un rapport sur les arts dans la vie franco-ontarienne.

Bien entendu, ces quelques lignes ne prétendent pas rendre compte des controverses que connaît actuellement au Québec toute la politique autour de la distribution du livre québécois chez lui et ailleurs et qui concerne par ricochet l'Ontario français. Enfin, le problème ontarien du livre français s'inscrit aussi dans le contexte plus large de la distribution du livre en Amérique francophone où s'affrontent des intérêts économiques divers. C'est pourquoi, devant l'enchevêtrement de questions commerciales presque insurmontables, les Franco-Ontariens gagneraient à développer, par l'intermédiaire des bibliothèques scolaires, paroissiales, publiques ou universitaires, des centres culturels ou sociaux et des organismes franco-ontariens régionaux, une politique régionale de la lecture qui valoriserait l'écriture, sans laquelle il serait illusoire de croire à une existence assurée dans l'espace et dans le temps. *Verba volent, scripta manent!*

(«Littérature outaouaise et franco-ontarienne, 6»,
Le Droit, 25 mars 1978, p. 19.)

Notes

1   Nous nous excusons auprès du public pour les changements que nous avons dû apporter à la dernière minute au programme du 8 février.

2   Le CAO fut créé en 1963. C'est une agence gouvernementale qui reçoit ses subsides du gouvernement ontarien. Au début de 1970, le CAO s'est doté d'un Bureau franco-ontarien. La préparation du *Rapport Savard* a été faite à la demande du CAO.

3   En 1977, le budget du CAO était jugé considérable : 9 000 000 $.

4   *Cultiver sa différence.* RAVFO par Pierre Savard, Rhéal Beauchamp, Paul Thompson, Toronto, CAO, septembre 1977, p. 3-4.

5   Tous les documents qui ont servi à la préparation du RAVFO peuvent être consultés par le public au CRCCF situé au 6ᵉ étage de la Bibliothèque centrale de l'Université d'Ottawa. [En 2002, le CRCCF est situé au 2ᵉ étage du Pavillon Lamoureux, 145, rue Jean-Jacques Lussier, Ottawa, K1N 6N5.]

6   Thomas R. Maxwell, *The Invisible French. The French in Metropolitan Toronto*, Waterloo, Wilfrid Laurier University Press, 1977.

7   RAVFO, p. 128-132.

8   Cet ouvrage a été lancé le 24 février lors du colloque sur la vie franco-ontarienne tenu à l'Université d'Ottawa. Il est disponible à la Librairie universitaire.

9   Signalons, en passant, la parution d'un premier tome de *Propos sur la littérature outaouaise et franco-ontarienne* recueillis par René Dionne et publiés par le CRCCF.

10   RAVFO, p. 131.

11   RAVFO, p. 157.

12   Albert Bowron, *The Ontario Public Library : Review and Reorganization*, Toronto, Information, Media and Library Planner Ed., 1975.

7

CONTES ET COULEURS
DE L'ONTARIO FRANÇAIS

Ce texte présente la provenance de la collection d'aquarelles acquises de Claire Guillemette Lamirande par le CFORP[1] en 1979. Originaire de Timmins, cette artiste s'est inspirée de neuf contes recueillis dans le Nouvel-Ontario par le folkloriste Germain Lemieux, s.j., et restitués dans le premier volume de la série *Les Vieux m'ont conté*[2].

Longtemps boudée par les intellectuels et inconnue du grand public, la littérature orale connaît à l'heure actuelle une étonnante résurgence dans le monde. On ne compte plus les recueils folkloriques en tous genres qui, tant en France qu'ailleurs en Occident, envahissent le marché de l'édition littéraire.

Dans ce joyeux foisonnement de la parole populaire, la tradition orale franco-ontarienne se taille en Amérique une place importante. Et cela, grâce aux recherches considérables entreprises, il y a un peu plus de trente ans maintenant, par le directeur-fondateur du CFOF de l'Université de Sudbury : le père Germain Lemieux.

«Occupé comme un chien de récollet», ce jésuite accomplit en Ontario un véritable travail de bénédictin. Comment décrire autrement, en effet, ces longues, patientes et minutieuses enquêtes menées en solitaire, aux heures de loisir, été comme hiver, auprès d'une population paysanne parfois très avancée en âge, installée souvent en des campagnes reculées et, plus fréquemment encore, prudemment retirée en elle-même?

Mais, en dépit d'obstacles inévitables ou inattendus, cet inlassable voyageur-enquêteur a recueilli dans les milieux francophones du Nouvel-Ontario, vaste superficie de terres criblées de lacs, de rivières et de forêts que se partagent au nord de la province, depuis Mattawa jusqu'à Sault-Ste-Marie et de Rivière-des-Français à Hearst/Kapuskasing, des localités variées et dispersées, plus de sept cents versions de vieux récits, de contes et de légendes.

Pour le plus grand plaisir des spécialistes et des amateurs de folklore, le père Lemieux a commencé, en 1973, à transcrire cette abondante documentation sonore dans sa version originale doublée d'une version littéraire, plus commode à lire. Procédé utile, d'une sagesse toute populaire, qui sait contenter son monde. La publication de ces contes franco-ontariens a été confiée à la maison d'édition Bellarmin, qui les diffuse dans la belle série *Les Vieux m'ont conté*. Celle-ci compte aujourd'hui treize volumes, et l'on en prévoit une trentaine.

Une grande partie de ces pièces folkloriques a été apprise, à la fin du siècle dernier, dans les chantiers de l'Ontario, voire des États-Unis, de conteurs québécois, acadiens, franco-américains ou même irlandais. Car, l'hiver, dans les camps de bûcherons ou les campements mobiles échelonnés le long de la voie ferrée, les soirées étaient longues et les distractions plutôt rares. Aussi le conteur trouvait-il sur le billochet[3] une place officielle et privilégiée pour tromper la fatigue des travailleurs et distraire la compagnie. Malheur, d'ailleurs, à l'entrepreneur qui ne savait pas choisir cet homme : on refusait alors de s'engager chez lui!

Ces chantiers, bien entendu, attiraient des gens de tous les coins. De sorte qu'il s'y opérait un énorme mélange de populations favorable aux échanges de contes, de blagues, d'anecdotes et de facéties de toutes sortes. Les conteurs en profitaient pour enrichir et améliorer leur répertoire, empruntant aux uns, prêtant aux autres. Dans ce fructueux va-et-vient de paroles, les contes se transformaient, se métamorphosaient comme ces monstres merveilleux qu'ils décrivent.

Cependant, jamais le conteur ne touchait à la structure du conte; seuls en variaient les éléments accessoires tels que le cadre, les circonstances, les situations, les personnages, habilement adaptés à la personnalité du conteur et à la psychologie de ses auditeurs. Par exemple, reprise par un narrateur franco-ontarien, la parole du conteur gaspésien tout enchevêtrée de mâts d'artimon ou de misaine, d'images et de détails techniques propres aux récits de naufrage et aux voyageurs de la mer, délicatement ornée d'onduleuses descriptions marines, a subi d'ingénieuses modifications chez l'homme des grands bois du Nord, peu familier avec le voisinage du vaste océan ou du majestueux Saint-Laurent et plus à son aise dans le monde fantastique des géants, des fées et des magiciens.

Mais, en règle générale, la matière première des contes franco-ontariens remonte à la nuit des temps. En fait, elle appartient au riche substrat mythologique indo-européen qui a fourni au monde

71

occidental, au cours des âges, ce répertoire fabuleux que se sont transmis dans maints pays des générations d'artistes-paysans analphabètes à l'invention généreuse, colorée et remplie d'audace. En comparant des épisodes de nos récits folkloriques avec certains passages de contes orientaux, on découvre que le personnage le plus populaire et le plus caractéristique de ces aventures extraordinaires, le fameux Ti-Jean, accuse au-delà de son ascendance québécoise une parenté indirecte avec des modèles plus anciens, que ce soit les courageux héros de l'antique Sumer, Gilgamesh et Enkidou, ou leur descendant méditerranéen, l'Hercule gréco-romain.

Toutefois, malgré leur origine millénaire, les contes de *La Bête-à-sept-têtes*, de *Barbaro-les-grandes-oreilles*, de *Poil et Plume*, etc. sont bien de chez nous. Car, bien que la tradition orale occidentale ait procuré au conteur franco-ontarien, comme du reste à ses compères gaspésiens, saguenéens, mauriciens et beaucerons, le canevas de ses contes, ce conteur n'en reste pas moins le véritable créateur, à défaut d'en être l'auteur. Car n'est pas conteur qui veut. Il existe bel et bien un art de conter; et, tant par sa voix, ses gestes, sa mimique que par sa langue, son vocabulaire, son accent et sa verve, en un mot son style, le conteur franco-ontarien faisait œuvre originale d'artiste.

Outre cela, nombre de pièces narratives ont été créées en milieu franco-ontarien. Le Nouvel-Ontario possède, en effet, ses légendes, d'origine indienne, ses souvenirs, ses thèmes et ses personnages locaux; certains détails de narration sont teintés de la présence étrangère; des rythmes lui sont propres; des environnements, typiques; des situations, personnelles; des traits, spécifiques. Autant de particularités qui le distinguent et affirment son identité culturelle.

Désormais assurée par la mémoire technique du matériel audiovisuel de plus en plus perfectionné, qui a su capter au fil des entretiens les propos et les portraits d'anciens jongleurs[4] du billochet et autres maîtres conteurs, et par le support historique de la restitution écrite, la survivance du patrimoine littéraire oral franco-ontarien nécessite, pour ne pas rester parole et lettre mortes, l'expérience vivifiante d'initiatives culturelles régionales et l'expression féconde des écrivains et des artistes d'ici.

À cet égard, une artiste de Timmins, Claire Guillemette Lamirande, vient de créer une œuvre visuelle authentiquement franco-ontarienne en exploitant la veine de la tradition orale ancestrale. Il s'agit de neuf aquarelles aux tons vifs et clairs qui illustrent les neuf contes rassemblés dans le premier volume de la série *Les Vieux m'ont conté* : *Ti-Jean Peau-de-morue, Barbaro-les-grandes-oreilles, Tommy et Mary* (*Paysan et princesse*), *Ti-Jean Poilu, Ti-Jean-joueur-de-tours, Jean-le-paresseux, Le Petit Soleil... et la petite étoile d'or, Pacte avec le Diable.* Le public en trouvera les reproductions réunies dans cet album. L'artiste se propose d'illustrer la suite au moyen de divers procédés.

Afin de familiariser les jeunes francophones de l'Ontario avec le conte traditionnel, qui demeure, à de rares exceptions près au dire des experts, le type d'histoire «le plus enrichissant et le plus satisfaisant» dans toute la littérature pour enfants, le CFORP a décidé d'acquérir la collection de cette artiste. Il entend la faire connaître dans les établissements scolaires de la province et veut promouvoir la valeur pédagogique de la littérature orale.

Naïfs en apparence, les contes de fées et d'aventures tirés du folklore sont riches de poésie et d'enseignement : ils apprennent à l'enfant, et à l'adulte, «un tas de choses sur les problèmes intérieurs de l'être humain et sur leurs solutions, dans toutes les sociétés»[5]. Sous le couvert d'histoires plus extraordinaires les unes que les autres, le conte traditionnel véhicule les vieux mythes de l'humanité qui témoignent de la difficulté d'être et du bonheur d'exister. Où donc trouver une meilleure source d'apprentissage de la vie si ce n'est dans ce réservoir inépuisable où fermente, depuis des siècles, la folle imagination du monde?

(*Contes et couleurs de l'Ontario français*, Ottawa, CFORP, 1979, 5 p.)

Notes

1   Voir aussi : Michel Ouimet, «Rendre au peuple ce qui lui appartient», *Le Droit*, 4 octobre 1979, p. 45. Organisme sans but
lucratif, le CFORP a été fondé à Ottawa en janvier 1974. La première directrice en a été Gisèle Lalonde. Le Centre «a pour
mission principale d'assurer l'échange des ressources didactiques
françaises entre les différents conseils scolaires de l'Ontario. Son
action s'étend également à la création et au développement d'un
matériel pédagogique conforme aux programmes du ministère de
l'Éducation et approprié aux besoins de l'apprentissage scolaire
des jeunes Francophones de la Province.» Depuis juillet 2002, il
est situé au 435, rue Donald à Ottawa, K1K 4X5.

2   La série compte 33 volumes : Montréal/Paris, Bellarmin/Maison-
neuve et Larose, 1973-1993.

3   Le billochet était «un tronçon de gros billot, de la taille d'un
seau, spécialement utilisé comme siège officiel du conteur dans
un camp de bûcherons» : Germain Lemieux, *Les Jongleurs du
billochet*, Montréal, Bellarmin, 1972, p. 12.

4   Terme utilisé par Germain Lemieux, dans «son sens médiéval
d'amuseur ou de diseur de fabliaux ou de contes», *Les Jongleurs
du billochet*, p. 12.

5   Bruno Bettelheim, *Psychanalyse des contes de fées*, Paris, Robert
Laffont, 1976, p. 15.

8

UNE ENTREPRISE GIGANTESQUE
«Cher père Lemieux,
c'était votre tour de vous laisser parler d'amour!»

Cet écrit de circonstance rend compte de la cérémonie organisée par la Société historique du Nouvel-Ontario à Sudbury le 4 novembre 1979 pour rendre hommage au folkloriste Germain Lemieux[1], s.j.

Pour célébrer «une entreprise gigantesque qui n'a guère d'équivalent dans le Nouveau Monde» – l'œuvre exceptionnelle du folkloriste Germain Lemieux, s.j. –, près de trois cents personnes se sont réunies dans la matinée du 4 novembre à l'Université de Sudbury à l'invitation de la Société historique du Nouvel-Ontario.

Ce fut une vraie fête : chaleureuse, sincère, sans ostentation. Tout y était : le cœur, la musique, les cadeaux, les hôtes d'honneur, les hommages, les remerciements, un petit goûter, deux réseaux de télé et, sur toute cette joie, de la couleur, beaucoup de couleur!

En sa qualité de maître de maison et de cérémonie, le R.P. Lucien Michaud, recteur de l'Université, a accueilli le héros de la fête, Germain Lemieux, et ses invités par un mot de bienvenue qui a su donner au ton des réjouissances une nuance de fierté et de reconnaissance collectives pour l'œuvre de l'éminent folkloriste.

Il y eut, suivant les exhortations du poète, «de la musique avant toute chose» : de belles mélodies des Pays-d'en-Haut (*La Noyade du draveur, Les Réjouissances des voyageurs, Le Petit Mari, Mich'tan, Mich'tou, Mon merle, Trois beaux canards*, etc.); les mâles accents d'un beau «chanteur» de chez nous, Guy Lemieux; les cent vingt petites voix séraphiques de la chorale du collège Notre-Dame, guidées par le talent de sœur Rachel Watier; et, au piano, les accompagnements choisis de Viviane Leblanc et d'Alcide Gaboury. La gaieté était dans la place comme l'oiselet dans son nid.

À la fin du concert, le père Robert Toupin, secrétaire de la Société historique du Nouvel-Ontario, s'est plu à évoquer «la collaboration suivie, intense et constante» de celui qui, depuis 1949, par ses écrits et ses conférences sur la tradition orale du Nord de l'Ontario et d'ailleurs, en fut «l'âme véritable», à l'œuvre d'histoire de cette société fondée par le regretté père Lorenzo Cadieux. Puis, on procéda à la remise des cadeaux en invitant d'abord le directeur, Gaétan Gervais, à présenter au père Lemieux, au nom de la Société, une œuvre littéraire et historique : une collection des *Cahiers des Dix*.

Conviée pour l'occasion à l'exposition, dans le grand hall de l'Université, de ses merveilleuses aquarelles – collection privée du CFORP[2] – inspirées des vieux récits franco-ontariens recueillis par le père Lemieux et restitués dans la belle série *Les Vieux m'ont conté*, une artiste originaire de Timmins, Claire Guillemette Lamirande, vint offrir, en témoignage de son admiration pour l'œuvre de l'homme qui a sauvé de l'oubli notre patrimoine oral, un tableau créé d'après un conte tiré du treizième volume de la série : «Rêves des chasseurs». Bonne conteuse, au surplus, l'artiste a amusé les grands et les petits en narrant brièvement le conte.

La parole fut cédée ensuite à l'invité d'honneur, Luc Lacourcière, gracieusement présenté par sa nièce, Suzanne Lacourcière. Lié au père Lemieux par plus d'un attachement (vaguement parental, professionnel et amical), l'illustre folkloriste québécois a profité de cette circonstance unique «pour régler avec lui quelques comptes amicaux». Aussi, en réponse à l'élogieux témoignage de reconnaissance de son ancien élève, récemment paru dans les *Mélanges offerts à M. Luc Lacourcière*, celui-ci a-t-il voulu donner la contrepartie de ceux qui accueillirent naguère Germain Lemieux à l'Université Laval de Québec à titre d'étudiant et, au terme de l'épreuve «remarquablement réussie» de deux thèses, comme professeur, éloquente attestation «de la grande estime où l'on tenait ses travaux».

Et, pour symboliser ces trente années d'amicale collaboration à l'édification d'une œuvre commune – le folklore canadien-français – le fondateur du Centre des archives de folklore de l'Amérique française a tenu à donner au disciple choisi un cadeau symbolique qui, à son avis, était «mérité». Dans un geste empreint de la rude affection et de la grave simplicité de nos ancêtres, Luc Lacourcière a remis alors à Germain Lemieux, comme un père honoré à son fils spirituel, le digne insigne de ses fonctions professorales : sa longue toge noire bordée d'hermine. Moment sublime de cette fête, où tous les cœurs s'émurent... Et, comme pour alléger la tâche ainsi confiée, avec un grain d'humour, il fut recommandé à l'héritier «de la sortir de temps à autre des boules à mites pour s'en revêtir».

«ONTAROIS, ON L'EST ENCORE!»

Les remerciements d'usage furent prononcés par le père Hector Bertrand, président de la Société historique du Nouvel-Ontario, qui a rappelé avec le même humour le bon temps où le père «Microbe», talonné par d'incessants besoins de petites sommes pour continuer ses cueillettes de chansons d'autrefois et de vieux contes, ne le lâchait pas d'une semelle. Entêtement de prospecteur et patience de vieux pêcheur qui a porté fruit!

Ému et heureux par cette célébration et les hommages reçus, le père Germain Lemieux s'adressa enfin à l'auditoire pour lui signifier sa joie et son émotion.

Par la suite, illuminée par les feux croisés de deux chaînes de télévision (la télévision éducative de l'Ontario [TVO] et Radio-Canada de Toronto), la fête s'est poursuivie autour d'un léger goûter avant de prendre fin sous les pétarades d'un feu d'artifice prophétique : celui des éblouissantes couleurs des aquarelles de Ti-Jean dressées dans le hall d'entrée comme des phares enchantés dans la nuit tombante...

(*Le Droit*, 17 novembre 1979, p. 18.)

Notes

1   Douze ans plus tard, le Département de folklore de l'Université de Sudbury en collaboration avec le CFOF organisera un colloque international pour marquer le 50ᵉ anniversaire de la carrière franco-ontarienne exceptionnelle de ce chercheur et l'achèvement de sa colossale série *Les Vieux m'ont conté*, composée de 33 volumes. Les actes de cette rencontre tenue à l'Université de Sudbury les 31 octobre, 1ᵉʳ et 2 novembre 1991 ont été publiés : *L'Œuvre de Germain Lemieux, s.j., Bilan de l'ethnologie en Ontario français*, sous la direction de Jean-Pierre Pichette, Sudbury, Prise de parole et CFOF, collection «Ancrages», 530 p.

2   Le CFORP exposait en permanence cette collection dans ses anciens locaux de la rue Wilbrod à Ottawa. Il distribue également, sous forme d'album, les reproductions des neuf aquarelles de la collection. On peut se les procurer à sa nouvelle adresse.

9

LA TRANQUILLE RÉVOLUTION CULTURELLE
DE L'ONTARIO FRANÇAIS

Texte d'un «reportage», intitulé initialement «Ti-Jean du Nord», sur l'œuvre du folkloriste Germain Lemieux, s.j., qui a sauvé *in extremis* une importante partie du patrimoine oral de l'Ontario français, et du rayonnement de cette œuvre dans le domaine culturel.

Tout a commencé il y a une trentaine d'années, dans les Pays-d'en-Haut de l'Ontario.

En ce temps-là, un sage professeur de grec et de latin, en son collège de Sudbury, le père Germain Lemieux, était loin de se douter de l'extraordinaire aventure qui l'attendait. Et s'en fût-il douté qu'il se serait levé encore plus tôt, ce matin-là, pour arracher de justesse aux beaux «chanteux» et aux vieux conteurs, que la mort guettait, un héritage culturel irremplaçable.

Qui, en effet, aurait pu imaginer qu'en se présentant par un beau matin chez les paysans, ses voisins, pour tâter le pouls de la francité de Sudbury et des alentours, Germain Lemieux partait pour un voyage plein de détours au pays des géants et des fées, à la conquête de la Bête-à-sept-têtes sur les pas de Ti-Jean-le-Rusé?

Car, de ses visites répétées aux vieux paysans d'ascendance québécoise implantés dans le Nouvel-Ontario, plus précisément sur le territoire qui s'étend, d'est en ouest, de Mattawa à Sault-Ste-Marie et, du sud au nord, de Rivière-des-Français à Timmins, Kapuskasing, Hearst et Earlton, l'infatigable voyageur-enquêteur a récupéré un trésor inestimable : une authentique tradition orale franco-ontarienne truffée de contes, de récits, de légendes, de chansons, de proverbes, de dictons et de croyances diverses dont vécurent les aïeux du Nord-Ontario.

Sur les traces de son héros, Ti-Jean-Patient, le père Lemieux a accompli l'exploit peu commun de sauver de l'oubli et de l'indifférence l'art de vivre des anciens jours. Grâce à la curiosité de l'homme et à la persévérance du jésuite, l'intrépide mémoire des ancêtres de l'Ontario français repose désormais sous le toit du

CFOF de l'Université de Sudbury. La collection d'archives sonores que le folkloriste Lemieux y rassemble depuis 1948 est l'une des plus importantes en Amérique du Nord. Plus de sept cents récits, contes et légendes et pas moins de six mille versions de chansons ont été ainsi, par ses soins, enregistrés, sélectionnés, classifiés avant d'être peu à peu confiés au papier.

Bien qu'issu, il va sans dire, du riche patrimoine oral occidental (dont l'origine remonte à l'Inde antique, en passant par la Grèce), ce vaste répertoire folklorique n'en est pas moins propre à l'Ontario de chez nous. En effet, un style original, des mots distinctifs, une prononciation particulière, des refrains typiques, un tempo nouveau, des «arrangements» spéciaux, le choix de thèmes locaux, l'évocation de personnages singuliers, un voisinage indien ou anglophone sont autant d'éléments qui caractérisent le folklore franco-ontarien et le différencient du folklore acadien, gaspésien, saguenéen, mauricien ou beauceron.

Chose renversante, cette masse imposante de pièces folkloriques enrichies au fil des générations, le long des cours d'eau et des «routes de bois», dans les nuits désœuvrées des forêts enneigées ou au rythme cadencé des travaux saisonniers, s'est transmise, comme un secret, de bouche à oreille, sous le signe de l'anonymat, par des gens qui, bien souvent, ne savaient ni lire ni écrire. Quelle leçon pour la postérité scolarisée!

Afin de les soustraire aux billochets (gros billots qui servaient de sièges aux conteurs officiels dans les camps) désormais muets et à un siècle mécanisé qui détruit le rêve, Germain Lemieux a entrepris de diffuser les contes dans la magnifique série *Les Vieux m'ont conté*. À l'heure actuelle, treize volumes sur les trente tomes prévus ont vu le jour aux éditions Bellarmin, à Montréal (et Maisonneuve et Larose, à Paris); quatre autres doivent paraître sous peu. Mais c'est également pour réjouir les enfants, les petits et les grands, et surtout pour mettre à la portée des artistes de tout poil en mal d'inspiration une source utile et indispensable pour réaliser une œuvre originale que cet homme s'est donné tant de peine. Peine qui, d'ailleurs, n'aura pas été vaine.

En effet, les mélodies d'autrefois et les vieux récits franco-ontariens sont incontestablement devenus un puits d'inspiration artistique en Ontario. Nombreux sont les artistes de tous genres qui se laissent gagner par leur poésie. Par exemple, l'explosion de la production musicale franco-ontarienne des dernières années est marquée au coin de la tradition orale. Les Robert Paquette, François Lemieux et Balise, les groupes Cano, Garolou, Purlaine et 33 Barette puisent à pleines mains dans le réservoir ancestral. Séduit par la vie, la couleur et le rythme endiablé de la «parlure» de jadis, le jeune théâtre franco-ontarien a tiré des vieux contes un spectacle pour enfants, *Ti-Jean de mon pays*, signé Nicole Beauchamp, qui a valu à la troupe du TNO un succès éclatant. La télévision éducative provinciale a emboîté le pas en diffusant pour ses jeunes téléspectateurs *Ti-Jean-fin-voleur*, une autre création dramatique du TNO. Cet automne, l'Ontario des tout-petits a retrouvé, au petit écran, son héros favori dans une série de treize émissions consacrées aux exploits merveilleux de Ti-Jean. Charmé par les *Trois poils d'or sur le nez du serpent*, l'Office national du film (ONF) du Canada a réalisé un film fixe, d'après le conte du même titre, pour susciter l'enchantement des enfants d'ici et d'ailleurs.

De son côté, la littérature enfantine ne manque pas d'exploiter cette mine de documentation. Ainsi, depuis 1974, qui parmi les jeunes amateurs de bandes dessinées ne fait pas ses délices des aventures de *Jean-le-paresseux*, de *Barbaro-les-grandes-oreilles*, de la *Bête-à-sept-têtes*, d'*Étoile et Soleil d'or* ou de *La Belle Perdrix verte*? Sous une formule adaptée ou remaniée qui en facilite la lecture, des auteurs tentent de familiariser le public des jeunes avec le conte traditionnel tel qu'exprimé dans *Les Vieux m'ont conté*.

À cette riche moisson artistique née du folklore manquait, jusqu'à tout récemment encore, son fruit le plus chatoyant : une œuvre picturale. Une artiste, Claire Guillemette Lamirande, vient de produire cette œuvre. Tant par le mélange de ses origines que par la source de son inspiration, cette artiste est on ne peut plus franco-ontarienne. Née à Timmins d'un père originaire d'Astorville, petite localité voisine de North Bay, et d'une mère partie jeune de son petit village outaouais, Claire est le deuxième enfant d'une famille qui en compte huit, et la seule fille, soit dit en passant.

Grand-père Philémon Guillemette, émigré en Ontario dès l'âge de trois ans, venait de Stoke, près de Sherbrooke, localité dont son grand-père, «John» comme l'appelaient les «Anglais», fut le fondateur. Originaire des Escoumins et apparentée aux Montagnais, grand-mère Anna Dion-Guillemette reste à 96 ans une femme peu ordinaire. Jamais elle n'a cessé, bien qu'aveugle depuis l'âge de 24 ans, de tisser, tricoter, voyager et observer... Son savoir sur les propriétés médicinales des plantes impressionnerait le naturaliste Pline l'Ancien lui-même. Comme la plupart de leurs compatriotes à l'époque, les deux aïeuls quittaient la ferme, l'hiver, pour aller «au camp» travailler au moulin ou dans «l'bois». Du reste, comme bien de ces hommes, mais plus chanceux que certains d'entre eux, ils y laissèrent, à eux deux, plus de doigts qu'il n'en faut pour manier la hache ou tenir le marteau. Cette singularité physique frappa la jeune Claire, mais elle l'interpréta comme l'attribut normal des grands-pères. Fantaisie d'enfant qui en dit long sur la dure condition de la vie de bûcheron.

De la rencontre de cette petite-fille de la forêt-mangeuse-de-doigts, venue au jour du fond des mines d'or de l'industrielle Timmins, avec les frustes récits à saveur médiévale des artistes-paysans de l'Ontario, a jailli, comme eau du roc, un monde éblouissant de couleurs qui éclaboussent de leurs feux rouges, bleus, verts et ocre les yeux et l'imagination. Rencontre fatale, à la vérité, quand le désir de peindre remonte à l'enfance; quand les parfums des sous-bois d'un Joseph Delteil, écrivain et fils de bûcheron, titillent vos racines à chacune des pages de son œuvre; quand le rêve est aussi nécessaire à votre vie que la réalité à l'univers : quand, un beau jour, une amie vous parle, sans raison, du folkloriste Germain Lemieux, et qu'au hasard d'une lecture dans l'introduction des *Vieux m'ont conté*, vous tombez sur l'exhortation que le folkloriste lance aux artistes et que cela vous frappe comme un boulet de canon.

C'est ainsi que Claire Guillemette Lamirande est entrée dans les contes de fées. Sous le coup d'une forte intuition, elle s'est mise à dessiner comme ça, de façon spontanée, neuf aquarelles inspirées des premiers contes des *Vieux m'ont conté*. Il y a du Ti-Jean là-dessous...

Expérience artistique unique pour elle : l'adulte a retrouvé la grâce de l'enfant; la citadine, la vigueur de ses racines; l'artiste, l'audace de ses aïeux.

Depuis leur création, ces peintures obtiennent la vive faveur des enfants de tout âge. C'est que, tant par le vague des formes que par la vivacité des couleurs, elles séduisent, piquent la curiosité, réveillent la mémoire, excitent l'imagination, appellent le rêve. Chacune contient les éléments essentiels du conte qu'elle illustre. Aussi, l'enfant qui connaît le conte a-t-il le plaisir d'en découvrir le sujet, tandis que celui qui l'ignore peut, à partir de personnages, de paysages ou d'objets entrevus, inventer une histoire nouvelle. Mais, trait remarquable entre tous, les uns et les autres se retrouvent en pays connu : le dessin d'enfant. Il est rare qu'un adulte puisse réussir avec autant de talent et d'aisance la facture du dessin d'enfant.

L'emballement aussi imprévu que soutenu des jeunes pour ces aquarelles a incité l'artiste à proposer à un organisme qui aurait à cœur de le mettre au service des enfants ce premier chapitre d'une collection qui devrait en compter autant qu'il y a de contes appelés à figurer dans la série du père Lemieux. Le hasard a superbement servi son dessein. Le CFORP, auquel Claire Guillemette Lamirande s'est adressée, s'est porté acquéreur sur-le-champ de ce bien culturel franco-ontarien. Son intention est d'en faire une exposition itinérante. Celle-ci circulera dans les écoles de l'Ontario afin de familiariser les jeunes avec leur patrimoine littéraire et artistique.

Fondé depuis à peine cinq ans, ce Centre prend, grâce à une équipe dynamique d'enseignants expérimentés dirigée par une femme hardie, Gisèle Lalonde, un essor aussi solide qu'inattendu en ces temps d'incertitude et d'inquiétude. Aussi est-ce à cet organisme qu'on a tout naturellement confié la réalisation d'un projet original et unique dans l'histoire de l'Ontario français : la création d'une première anthologie franco-ontarienne destinée à l'usage des écoles primaires et secondaires. Cet ouvrage comportera quatre volumes. Chacun des recueils sera abondamment illustré au moyen de reproductions de dessins d'enfants et d'œuvres visuelles d'artistes franco-ontariens. Il est à parier que les contes du père Germain Lemieux et les aquarelles de Claire Guillemette Lamirande y trouveront la place qu'ils méritent.

Foi de Ti-Jean, l'Ontario français est plus vivant que jamais!

(*Perspectives/La Presse*,
semaine du 24 novembre 1979, vol. 21, n° 4, p. 8, 10-11.)

10

«FEMMES ET RELIGIONS» :
UN POINT DE DÉPART

Recension du collectif *La Femme et la religion au Canada français : un fait socio-culturel. Perspectives et prospectives*, textes édités par Élisabeth J. Lacelle, Montréal, Bellarmin, coll. «Femmes et religions», 1979, 232 p.

L es éditions Bellarmin viennent de lancer une collection nouvelle qui constitue une première dans le monde de l'édition canadienne et qui secouera sans doute les esprits par trop rassis. Il s'agit de la collection «Femmes et religions» qui, de l'avis même du directeur de la maison, «a sa place toute trouvée chez nous». L'initiative de ce projet de publications est due à une Ontaroise de Hawkesbury : Élisabeth J. Lacelle, qui en assumera la direction.

De conception universitaire et d'inspiration féministe, cette collection proposera des études multidisciplinaires et pluralistes écrites en français et en anglais par des femmes (de préférence) qui œuvrent au Québec ou au Canada. Les sujets abordés seront traités autant que possible par thèmes et concerneront d'une manière ou d'une autre «le milieu culturel d'ici», sans que soient exclues pour autant des études importantes dont l'ordre ou l'intérêt déborderaient ce milieu. Sera également privilégiée la représentation de différents domaines de recherche : académique, professionnel, pratique, théorique, etc. Ainsi conçue, la collection est appelée à devenir un important instrument de référence pour les études sur les femmes et sur la culture canadienne. Puisse-t-elle aussi inciter les femmes à se lancer dans l'action, grande ou petite!

Le premier volume de la série vient de paraître sur le thème de *La Femme et la religion au Canada français : un fait socio-culturel. Perspectives et prospectives*. D'emblée, il se situe dans la lignée de l'inventaire et de la recherche, et frappe à toutes les portes. Il intéressera tous ceux et celles qui se préoccupent de la condition féminine.

Cet ouvrage reproduit, en fait, les Actes d'un colloque organisé à l'Université d'Ottawa au mois de mars 1978 par Jeanne Sabourin, directrice du Centre des femmes, et Élisabeth J. Lacelle, animatrice du Groupe d'études interdisciplinaires sur la femme et la religion au Canada. L'originalité de l'événement avait attiré plus de 150 participants et participantes venus de plusieurs régions francophones du pays et représentant un éventail culturel et religieux de milieux divers.

Généreux par son intention, le titre, pourtant, promet plus qu'il ne tient. En effet, bien que dans l'introduction la présentatrice s'interroge, à bon escient, sur la religion et le religieux, aucun texte ne situe véritablement, dans un premier temps, l'influence de la religion sur la société ni, dans un second temps, la nature particulière de l'influence chrétienne catholique sur la société canadienne-française. Car, on l'aura compris, il est question surtout de la religion catholique tout au long de cet ouvrage. Pour compléter cette remarque, ajoutons que l'ensemble des travaux se rapporte marginalement à une société canadienne-française globale et à ses femmes : ou bien on parle d'une femme désincarnée ou bien on brosse le tableau de la condition des Québécoises, et encore de milieux restreints. Enfin, pour en terminer avec le titre, disons que celui-ci semble s'inscrire hors du temps alors qu'en réalité, des époques différentes sont survolées (la Nouvelle-France, le roman contemporain, les dix récentes années, etc.), sans souci apparent, il est vrai, de l'évolution des idées et des mœurs, de sorte que l'esprit a tendance à renâcler devant cette espèce de «patchwork» dont l'unité lui échappe. Mais n'est-ce pas là un des risques des études multidisciplinaires? Quoi qu'il en soit, la condition féminine suscite des questions trop nombreuses pour rendre compte de toutes à la fois. Il faut bien connaître tous les aspects du terrain avant d'endiguer les courants pour une action commune efficace. Il y a là du courage, du travail et du talent qui réussiront.

Le plan de l'ouvrage est ordonné autour de quatre axes principaux. Chacun caractérise une étape essentielle du cheminement accompli dans cette première recherche collective sur la situation de la femme et le fait socio-religieux : 1) Mise en place d'une problématique par Élisabeth J. Lacelle, Michèle Jean, Jean-Pierre Rouleau, Suzanne Parenteau-Carreau; 2) Proposition de quelques perspectives par Marie Couillard, Norman Pagé, Colette Moreux, Monique Dumais; 3) Pistes de prospectives par Nicole Brossard, Diane Davidson, Réginald Richard, Marguerite Jean, Yvette Rousseau, Danielle Juteau-Lee, Naomi E.S. Griffiths, Georges Tissot; 4) En guise de réflexions ultérieures par Claire Guillemette Lamirande,

Reinhard Pummer, Claire Dumouchel, Thomas R. Potvin, Marie-France James. Une vingtaine d'articles de types différents y trouvent place : analyses, exposés, propositions, témoignages, comptes rendus d'ateliers, etc. Tous ces textes sont introduits par un avant-propos de l'éditrice qui expose les grandes lignes du livre. Saluons en passant l'excellente qualité de son travail d'édition. En conclusion, un appendice dresse la liste des principales responsables de la rencontre et présente une brève notice biographique des conférenciers, des commentateurs et des animateurs d'atelier ainsi que le programme de la réunion. Enfin, deux courts poèmes d'Andrée Lacelle-Bourdon ouvrent et ferment le livre «dans un mouvement d'immanence et de transcendance printanières».

L'illustration de la couverture est d'un sobre symbolisme. Elle a été conçue par Claire Guillemette Lamirande et réalisée par Antoine Pépin. D'une série de cercles circonscrits bordés d'une gangue noire et où alternent le bleu et le magenta, se détache, en noir, le symbole biologique de la femme, qu'accentue la taille inaccoutumée de la croix souscrite sous le cercle éternel de la germination. Figure endeuillée de la lignée des corps féminins soumis à la génération, eux-mêmes générés de ventre en ventre au fil du temps; cercle vicieux d'où s'échappe désormais une femme régénérée...

La liste des auteurs cités plus haut est intéressante tant par la diversité de leur lieu d'origine que par la qualité des personnes : spécialistes des sciences religieuses, historienne, sociologue, artiste, écrivaine, psychologue, psychothérapeute, haute fonctionnaire, médecin, professeur, juriste. On s'étonne, toutefois, de ne point découvrir au sein de cette variété de prises de parole sur la femme la voix considérable des milieux populaires. De même, on peut se demander si la forte proportion (plus du tiers) des spécialistes des sciences religieuses (théologiens, sociologue de la religion, psychologue de la religion, canoniste, méthodologue de la religion, ecclésiologue, etc.) préserve vraiment l'approche multidisciplinaire qu'on s'était fixée. D'autre part, on aurait lu avec plaisir et semblable intérêt la contribution de Canadiennes françaises hors du Québec sur les femmes et les conflits religieux dans les provinces ou encore un article sur les femmes et la superstition dans les milieux ruraux et urbains. Un texte sur les femmes et les sciences occultes n'aurait pas été dédaigné non plus. Car cela aussi fait partie du domaine religieux, sans parler des croyances populaires. Ce sont là des suggestions pour un prochain colloque.

La participation masculine fut importante dans ces premières assises féminines sur le sujet : six textes sur vingt et un en témoignent. Pour expliquer sa présence, un des conférenciers cite le dépliant qui l'invitait à se joindre au groupe :

> Dans ce texte, on réfère aux groupes sociaux qui, en plus de chercher à «expliciter la conscience que la femme prend d'elle-même», veulent favoriser des pratiques relationnelles nouvelles – dans le public et en privé – en vue d'un nouvel ordre des rapports humains. Cette définition du projet du colloque explique et justifie qu'on y ait admis des hommes et qu'on ait même fait appel à leur participation au niveau de la réflexion. (p. 44)

Si tous se montrent, en général, sympathiques à la cause des femmes, quelques-uns, néanmoins, expriment bien maladroitement leur appui. En effet, quelques malheureuses paroles auront le don d'aiguillonner la moins farouche des Amazones; par exemple, cette comparaison douteuse :

> Personne, à mon avis, ne peut mieux parler de la condition féminine que les femmes elles-mêmes. Ce sont elles qui possèdent le matériau sur ce sujet et essayer de l'exprimer à leur place risquerait de nous amener à de graves contresens analogues à ceux des premiers ethnologues étudiant les sociétés dites primitives à la lumière de leur propre système de valeurs occidentales. (p. 44)

Parmi les travaux insérés dans l'ouvrage, trois textes retiennent spécialement l'attention. D'abord, «Le Féminisme et la désacralisation» de Colette Moreux, remarquable de lucidité. S'appuyant sur une étude menée en milieu rural québécois, la sociologue montre les dangers (inévitables?) qui guettent l'émancipation de femmes membres d'une société canadienne-française traditionnellement «féminine» et exposées à la dérive idéologique du modernisme :

> Singulière situation que celle de la femme canadienne-française qui, pour avoir si bien coïncidé durant plusieurs siècles avec une culture faite à son image, est peut-être condamnée à se perdre avec elle : incapable, malgré son grand désir, de s'intégrer à des modèles nouveaux dont elle ne peut saisir le sens véritable, elle n'est pas davantage apte à s'en forger agressivement de nouveaux, toute murée dans ses réflexes culturels. (p. 110)

L'étude de Marie Couillard, professeure de lettres, sur «La Femme et le sacré dans le roman contemporain» éclaire avec intelligence l'ambivalence du sacré qui a contribué à former les deux archétypes dans lesquels la tradition patriarcale judéo-chrétienne a enfermé la femme : Ève et Marie. Aussi l'auteure réclame-t-elle le dévoilement, par et dans l'écriture, de la spécificité féminine par la remise en question des symboles, des mythes et des archétypes préalablement établis qui «s'avèrent inefficaces à décrire l'expérience propre à la femme» (p. 83), expérience spécifique qui passe par son corps. Défi de taille qui stimulera, enfin, la critique littéraire.

Dans son article «Femme, féminité et religion», Réginald Richard, psychologue de la religion, met en garde la société canadienne-française dont la culture récente a délogé le féminin comme «rapport au corps vécu» pour se complaire dans un discours spéculatif masculin appauvrissant. Son propos sur le style féminin de l'expérience religieuse mystique bouleversera certains préjugés :

> La féminité peut être sensible aux traces que laisse dans le corps la saisie par le divin. Sa parole prendra davantage appui sur l'expérience et la manifestation, sur l'événement qui s'impose avec son réel inouï et évident, alors que la «révélation» ne se donne que sur le développement d'une pensée logico-rationnelle. Ce style féminin ne privilégie pas le regard du masculin qui spécule froidement sur les choses de loin, mais rend la figure tactile, touchable, proche du divin. Le style féminin se nourrit de l'effervescence des choses et fait éclater toute forme, toute figure, toute idée, tout concept qui tente de rigidifier l'inarticulable. Son lieu est souvent le silence... (p. 146)

On peut ne pas être d'accord avec toutes les opinions exprimées dans cet ouvrage, mais aucun texte ne laisse indifférent. *La Femme et la religion au Canada français* est un livre qui interroge, et c'est pourquoi il faut le lire.

Le deuxième volume de la série «Femmes et religions» devrait paraître à l'automne 1980. Il portera sur le thème de l'expérience religieuse des femmes, en tant qu'expérience traversée par le corps. Longue vie à la collection! Longue vie à l'écriture des femmes!

(*Le Droit*, 2 février 1980, p. 20.)

Yolande Grisé

11

UN «FRENCHY» À CHAPLEAU
AU TEMPS DE LA CRISE

Recension d'un roman ontarois méconnu : Maurice de Goumois, *François Duvalet*, Québec, Institut littéraire du Québec, 1954, 263 p.

Il y a 25 ans environ, paraissait aux éditions de l'Institut littéraire du Québec un roman qui, comme d'autres sans doute, ne fit pas beaucoup de bruit à l'époque : né dans l'ombre, mais «sous une bonne étoile», le *François Duvalet* de Maurice de Goumois sortit des presses au début de mars 1954[1], dans le sillage de l'*Alexandre Chênevert, commis* de Gabrielle Roy. Tôt ou tard, l'heureux augure de ce célèbre voisinage devrait s'accomplir.

Un film? Pourquoi pas?

En ce temps-là, cependant, le roman dont l'intrigue se déroule dans le nord-ouest de l'Ontario, plus précisément dans la région de Chapleau, pendant les sombres années de la dépression passa presque inaperçu, comme la vie elle-même. Mais des recherches récentes menées par le CFORP en vue de réaliser la première anthologie de textes littéraires «ontarois»[2] voudraient remédier à l'insouciance de la critique littéraire de naguère en révélant au public des écoles et des lecteurs curieux les traits et attraits d'un roman original qui mériterait de connaître un sort plus glorieux. Un esprit délié trouverait, effectivement, dans les touffues 263 pages du livre matière à faire la fortune d'un film d'envergure ou, mieux encore, d'une série d'épisodes télévisée qui surpasserait sans hésitation le succès canadien d'un *Why shoot the teacher?*, par exemple, ou contrerait l'implantation par trop navrante de piètres émissions de télévision étrangères; sans parler du précieux atout de l'abri fiscal qu'un pareil projet cinématographique pourrait constituer! Avis donc aux amateurs qui ont de l'imagination, de l'initiative, de l'audace. François Duvalet, quant à lui, n'en manquait pas. Il est vrai qu'on est en présence d'un homme «assoiffé de risque et d'action», un brin rôdeur comme nos remonteurs de courants d'autrefois et, surtout, si plein de son rêve : se tailler au Canada une place à sa mesure...

La terrible initiation de l'émigration

Toujours est-il qu'avide de refaire sa vie, le jeune émigrant français François Duvalet décide un jour de quitter un modeste emploi de comptable dans une banque parisienne, où il «se languit», et débarque à Montréal. Impatient de se tirer rapidement d'affaire dans ce «pays de cocagne» dont on lui a tant vanté les ressources, il s'engage comme bûcheron, faute de trouver mieux en cet automne de 1928. Il part donc avec d'autres compagnons pour les chantiers de la North-Star Lumber Company installés à une quarantaine de milles au nord de Chapleau, rêvant déjà d'accéder un jour à la tête d'une grande compagnie de bois. Mais, en attendant le succès, il se cogne à un monde de sapins et d'endurcis. Une suite de désillusions et de déboires refroidissent brutalement son enthousiasme et désamorcent son courage. L'épithète de *Frenchy* que, partout, on lui accole ulcère un orgueil qu'il porte bien. Mais Duvalet est un brave. Il tâtera de tous les métiers dans ce damné pays où «le vrai maître est le climat». Il sera, d'abord, bûcheron, puis aide-cuisinier, *helper* dans un hangar de locomotives, trappeur, coupeur et vendeur de bois de poêle, voyageur sur la Pagwa et l'Albany, cheminot et charpentier à Fort William, sarcleur de pommes de terre près de New Liskeard, enfin livreur à Chapleau, où le ramènent irrémédiablement ses sombres équipées. Car, en dépit de sa bonne volonté, de son acharnement et de ses callosités, le pays se refuse à lui. Impuissant à prendre pied quelque part, fourbu de frustrations face au mauvais sort qui semble le poursuivre, Frenchy décide au bout de seize mois d'insuccès de plier bagage et de rentrer à Paris, pas plus riche qu'il en est parti, mais délivré, pour sûr, de son envie d'agir. Au moment de régler un vieux compte dans la «Carthage des Grands Lacs» (Toronto), la chance enfin lui sourit, comme si, au bout de tant d'épreuves, commençait alors la véritable aventure.

Une galerie de portraits

Un des aspects les plus intéressants de ce roman constitué, en fait, d'un fourmillement d'épisodes, qui ne peuvent être tous cités ici, est certainement l'aspect sociologique, auquel se greffent quelques aperçus historiques et, vraisemblablement, des éléments auto-biographiques. Le lecteur découvre, en effet, de nombreux traits du vécu quotidien dans le Nord ontarien au temps de la crise, quand on gagnait cinquante cents l'heure pour décrasser les locomotives ou encore lorsqu'on contournait la prohibition par une ordonnance médicale au lieu de risquer de devenir aveugle en consommant de l'alcool de bois. Mais, surtout, le roman présente de la société cos-mopolite, du travail exclusif et des mœurs distinctes du lieu et de l'époque un tableau typique certes, mais combien vivant! Il y a, d'abord, ce foisonnement bigarré d'individus recrutés parmi toutes les nations qui ont fourni au Canada une première génération de muscles pour ouvrir ses forêts du Nord et dompter ses contrées inhospitalières : Murphy le *foreman* irlandais; Jacob Druten, un boutiquier luxembourgeois d'origine hollandaise; Weiser, un déser-teur allemand surveillé par la Gendarmerie royale; Jimmy l'Italien; le vieil Écossais McIntosh; Chinick l'Ukrainien; le major anglais; Chin Lee du restaurant chinois; le Toulousain Bréguet, marié avec une sauvagesse; Olaf Gotelius, le grand Finlandais; Igor le Russe; les deux Polonais, Karl et Kivi; Andersen et son équipe de Scandinaves; la douce et malheureuse compatriote de France, Clarisse de Cham-pel, que la guerre a unie à un simple et fruste libérateur «canadien»; sans oublier les Canadiens français du coin tels que le *cook* du chantier, Jo-Jo Tranchemontagne, et ses redoutables compères, Boucher-«Boutcher» l'anglicisé et la famille du cantonnier Courte-manche, ni les Indiens «plumeurs» de bêtes ou farouches écumeurs de rivières. Tout ce monde s'accroche tant bien que mal à la vie, tra-qué par la bête économique de l'heure entre une immensité «gran-diose et terrifiante» où le voisin «tout proche» loge «à seulement deux cent cinquante milles» et Chapleau, petite localité perdue qui, «faute de tradition ancienne, n'est ni un bourg ni un village, mais tout simplement un préau ferroviaire, où tous les hommes bien nés sont au service du chemin de fer» et où l'on parvient «uniquement par le mince tracé transcontinental reliant l'Atlantique au Pacifi-que».

Des temps difficiles

Car les conditions de survie imposées à la dignité, au courage et à l'imagination de tous ces hommes et ces femmes sont spécialement pénibles en 1929 : on voit alors la misère «du pas de sa propre porte» et le rare et dur travail «n'est plus supporté [*sic*] par l'espoir». À certains moments, les relations humaines sont d'autant plus compromises que la communauté de Chapleau est petite et isolée et que les chômeurs encombrent la région. La crise engendre l'inquiétude, qui fait naître la méfiance : des jalousies apparaissent, des haines se développent, des drames éclatent. Duvalet vient près de tuer un voisin tandis qu'Igor le Russe, devenu fou, se suicide.

Aux événements tragiques succèdent en contrepoids des situations cocasses, voire franchement ironiques, comme seule la vie peut en fournir. Ainsi, à deux reprises, la pauvre dépouille du trop discret Igor (acculé au suicide par sa fonction de recruteur pour le Parti communiste) est retirée de la boîte de bois que ses compagnons de travail lui ont généreusement confectionnée au moyen de caisses de savon, de céréales et de lait condensé pour trouver, finalement, le sommeil du juste sur les soyeux coussins d'un magnifique cercueil de chêne offert par des camarades communistes «à Igor Petrolieff, martyr de l'oppression capitaliste»!

Un style accordé

Mésaventures et péripéties sont racontées dans une langue diversifiée qui tente d'accorder une juste part à la parole de chacun, narrateur et protagonistes : défi littéraire difficile à relever quand il s'agit d'exprimer un milieu et des gens aussi disparates que ceux que pouvait offrir au début du siècle la vaste opération du mélange de populations et d'idiomes sécrété au sein de ce champ clos de chantiers et de voies ferrées. Par ailleurs, les descriptions de la nature environnante sont particulièrement enlevées quand on y sent passer le souffle du poète, comme dans le long paragraphe d'introduction à la deuxième partie de l'ouvrage, où le printemps donne le signal de départ des grandes expéditions de ravitaillement vers le nord, jusqu'aux confins de la Terre de Baffin :

> Sur le vaste plateau laurentien qui s'étend des plaines du Saint-Laurent à la Baie d'Hudson et à l'Océan Arctique, pour se prolonger vers

l'ouest jusqu'aux lacs Winnipeg, Grand Esclave et Grand Ours, le printemps ne se glisse pas à pas de loup; il y éclate comme un miracle. Après les longs mois d'hiver, la terre se secoue soudainement de sa léthargie en annonçant qu'elle entend rattraper le temps perdu. Le silence est subitement rompu. Lacs, fleuves, rivières et ruisseaux gonflés des détritus de la carapace de glace qui les étreignait rompent leur sommeil dans un soulèvement titanesque. Un nouveau-né gigantesque et encore tout humide ouvre des yeux étonnés sur un monde entièrement neuf, où tout est à refaire; un monde étrange qui ne ressemble en rien au sombre isolement de ses propres entrailles. (p. 143)

De Chapleau à l'Expo

Tout au long du roman, l'inspiration est à ce point authentique que le lecteur a tôt fait de comprendre que le récit prend sa source dans la vie même du jeune émigrant Maurice de Goumois, alias François Duvalet (du Valais?). En effet, né en 1896 à Colmar, localité de ce coin de France alsacienne voisine de la frontière suisse, d'un père suisse, d'ailleurs, Maurice de Goumois émigra au Canada en 1920[3]. Et c'est précisément en Ontario, dans cette région de Chapleau où reposent les mânes de son compatriote Louis Hémon (l'auteur de *Maria Chapdeleine*), qu'il fit, à une rude époque, l'âpre apprentissage de la vie d'émigrant avant de s'installer, quatre ans plus tard, dans la ville de Québec où l'attendait une longue carrière dans les assurances. Plus tard, il occupa un poste de haut fonctionnaire au ministère de l'Industrie et du Commerce de la province de Québec. Cette fonction l'amena à participer à l'ouverture des premières «Maisons du Québec» en Europe. Lors de la tenue de l'exposition universelle à Montréal, en 1967, il fut nommé commissaire du Pavillon des industries du Québec.

Outre *François Duvalet*, Maurice de Goumois a écrit au cours des années 1950 et 1960, et de façon épisodique, des textes pour des «revues» d'actualité et la radio ainsi que deux romans : *Destin de femme*, publié à Québec en 1953, et *A World Goes by*, publié à compte d'auteur à New York et inspiré de sa jeunesse européenne.

Maurice de Goumois est décédé à Montréal en 1970. Que sa mémoire trouve ici une sorte d'hommage posthume et son *François Duvalet* quelque avenir hardi!

(*Le Droit*, 19 avril 1980, p. 18.)

Notes

1 L'ouvrage connaîtra une seconde édition 35 ans plus tard en 1989 : voir le texte 38.

2 Néologisme proposé en réponse au film de Paul Lapointe, *J'ai besoin d'un nom*, qui pourrait identifier avec fierté tous les francophones de l'Ontario s'il était accepté par la communauté. Voir les textes 13 et 21.

3. Ces renseignements biographiques ont été obtenus auprès d'un des fils de l'auteur : Michel de Goumois, sous-secrétaire d'État suppléant au ministère des Affaires extérieures à Ottawa.

12

LA SAGA DU NOUVEL-ONTARIO

Texte d'une communication présentée le 14 novembre 1980 lors d'un colloque sur «La Littérature franco-ontarienne» organisé par le CRCCF en collaboration avec le Service d'animation communautaire de l'Université d'Ottawa. Il a été publié quelque temps après dans un périodique spécialisé en histoire littéraire du Québec et du Canada français, dans un numéro consacré à «la littérature régionale». Après une brève exposition des travaux de Germain Lemieux, s.j., l'auteure brosse une description générale des contes traditionnels de langue française recueillis par le folkloriste dans le Nord de l'Ontario et s'attarde plus spécifiquement à la catégorie des contes «merveilleux». Ceux-ci mettent en scène des animaux fabuleux et font souvent état du phénomène de la métamorphose. L'auteure propose ici une lecture «universelle» de ces contes «régionaux» qui expriment la peur devant l'identité menacée, la difficulté d'être et la quête du bonheur.

Longtemps boudée par les intellectuels et méconnue du grand public, la littérature orale connaît à l'heure actuelle une étonnante résurgence dans le monde. À cet égard, on ne compte plus les recueils folkloriques de toutes sortes qui, tant en France qu'ailleurs en Occident, envahissent le marché de l'édition littéraire[1].

Parmi ce foisonnement de la parole populaire, la tradition orale de l'Ontario français se taille en Amérique une place de choix. Et cela, grâce aux recherches considérables menées, depuis plus d'un quart de siècle, par le directeur-fondateur du CFOF à l'Université de Sudbury : le père Germain Le-mieux, s.j.

À son arrivée dans sa province d'adoption en 1948, ce Gaspésien d'origine, professeur de langues classiques et de littératures française et canadienne-française au Collège du Sacré-Cœur de Sudbury, musicien par surcroît, fut vite attiré par les contes et les chansons à saveur médiévale qu'il découvrit chez les vieux pionniers d'ascendance québécoise implantés dans le Nouvel-Ontario.

Depuis, «occupé comme un chien de récollet», ce jésuite s'est attelé à une véritable tâche de bénédictin : recueillir, classer, annoter et transcrire une collection exceptionnelle de plus de sept cents récits, contes et légendes et près de six mille versions de chansons, vieux airs et refrains d'autrefois, tirés de justesse de la mémoire d'une génération paysanne avancée en âge, essaimée aux quatre coins de la campagne nord-ontarienne et, plus encore, retirée en elle-même. Cet immense répertoire constitue un riche héritage culturel pour la collectivité franco-ontarienne, en même temps qu'un apport de premier plan au folklore canadien-français «à peu près sans égal en Amérique du Nord».

En 1973, Germain Lemieux entreprit de publier aux éditions Bellarmin le «trésor des contes» de ses archives sonores dans la belle collection *Les Vieux m'ont conté*[2]. Aujourd'hui, la série compte dix-sept volumes indépendants les uns des autres qui rassemblent plus de quatre mille pages; elle comprendra, dans les prochaines années, un ensemble d'au moins trente volumes réunissant plus de six cents pièces narratives.

Ces ouvrages se présentent sous une forme particulièrement bien soignée, adaptée à différents besoins et orientée vers divers intérêts.

En premier lieu, l'illustration de la couverture annonce, à elle seule, l'objectif du projet : redonner au peuple ce qui lui appartient. Aussi s'est-on plu à évoquer sous la figure symbolique d'une bête fabuleuse, d'origine marine, se délectant des bribes de la tradition orale, la capture quasi miraculeuse de ce patrimoine littéraire happé par le ruban magique des bandes magnétiques qui, tels deux yeux fascinés par l'écoute du merveilleux qui imprègne le monde, depuis le fond des abîmes jusqu'aux tourelles des châteaux, le fixent hors du temps, dans la mémoire de l'avenir.

Encouragé par les maîtres dont il se réclame – Luc Lacourcière et Félix-Antoine Savard – et qui reconnaissent dans les préfaces des deux premiers volumes l'importance et la valeur de l'entreprise ainsi que les mérites de son auteur, Germain Lemieux a conçu un travail savant en même temps que passionnant.

J'en veux pour preuve sa formule de rédaction de ce répertoire oral, qui s'adresse à la fois à différentes catégories de lecteurs : linguistes, sociologues, folkloristes chevronnés, public averti, amateurs de récits populaires, artistes ou bouquineurs de la dixième heure. En effet, par souci de clarté et de vérité, le folkloriste Lemieux s'est imposé la tâche, combien délicate et fastidieuse, de transcrire le plus fidèlement possible chaque conte dans sa teneur originale, en utilisant une écriture syllabique distincte du système phonétique international, impropre, à son avis, à restituer la langue parlée par nos conteurs. Cette reconstitution est enrichie, dans chaque cas, d'une version remaniée qui la précède; plus littéraire, celle-ci se révèle plus commode à lire et plus apte, donc, à contenter les plus friands. Bien qu'il ait été critiqué dans certains aspects de son application[3], ce procédé paraît, jusqu'à présent, le plus utile.

En outre, afin d'ouvrir ses pages aux lecteurs étrangers, Germain Lemieux émaille ses textes de notes infrapaginales qui expliquent, traduisent ou précisent certains mots ou certaines expressions locales. Chaque volume accumule à la fin un lexique abondant au service de l'intelligence des textes originaux et offre aux chercheurs familiers du domaine un index analytique fort détaillé des thèmes folkloriques traités dans les récits. Sans doute ajoutera-t-on, au terme de la série, des index généraux qui faciliteraient la consultation rapide en regroupant, par exemple, sous un même intitulé les différentes versions d'un seul récit.

En règle générale, les pièces sont classées selon le répertoire des conteurs et apparaissent, au fil des volumes, dans un «certain ordre chronologique» de cueillette, à quelques rajustements pratiques près. Toutefois, alors que les sept premiers tomes renferment le répertoire varié de plusieurs conteurs, les suivants présentent par bloc le répertoire d'un seul conteur ou encore d'une seule famille de conteurs.

Chaque conte est ordinairement précédé d'une brève présentation : des notations sur l'âge, l'occupation, l'origine géographique du conteur et les sources du conte éclairent ainsi les lecteurs. Des numéros de classification renvoient, au surplus, les intéressés aux archives sonores de l'enquêteur et aux contes types de l'Index international d'Aarne et de Thompson, précisions appréciables lorsqu'on veut repérer et identifier un conte donné. Toutefois, quand un répertoire remplit une partie importante d'un volume, le conteur bénéficie d'un petit traitement de faveur : une présentation plus détaillée de sa biographie, ornée de sa photographie!

La nature des pièces répertoriées est variée. On y trouve surtout des contes et des récits où flamboie le merveilleux, mais où se retrouvent également des légendes, des historiettes, des anecdotes, des croyances, des mémoires, des facéties de toutes sortes dans lesquelles s'aiguise la verve de nos Anciens.

Ces «vieux», que racontent-ils?

Si l'on se reporte aux titres échelonnés dans les tables des matières, on découvre, au premier abord, des narrations aussi connues que *Le Chat botté*, *La Belle et la Bête*, *Peau d'âne*, *Le Petit Poucet*, *Cendrouillon* [*sic*] ou *Cendrillonne*, *Barbe-Bleue* et d'autres encore colportées par la tradition orale européenne. Certains écrits, par ailleurs, tels que *La Poule noire*, *La Chasse-galerie*, *Les Feux follets*, sont des légendes réputées au Canada français. C'est ainsi que, au hasard de la lecture, on constate que nombre de titres originaux recouvrent, en fait, des versions régionales de légendes québécoises : l'aventure de Rose Latulippe, pour citer celle-là, témoigne à diverses reprises de tels emprunts. Quelques titres, au contraire, conservent la marque de l'authenticité locale, comme la légende de Kitchekewana, qui rend raison de la géographie de la Huronie. On remarque, d'autre part, dans la liste des contes d'un même informateur ou d'une même famille de conteurs, que des titres relativement semblables sont utilisés pour désigner une matière passablement distincte, tandis que, sous des titres différents, se brodent souvent des épisodes tout à fait similaires. La comparaison de ces récits révèle l'étendue de la finesse et de la richesse des versions locales et des adaptations personnelles. Leur étude approfondie permettrait sans doute de discerner dans l'apport du milieu celui de l'individu et de son origine.

Cela dit, on se demandera peut-être dans quelle mesure on peut parler, en l'occurrence, de contes franco-ontariens. Bien entendu, comme dans la majorité des contes occidentaux, dont ils procèdent d'ailleurs, la matière de ces contes remonte à la nuit des temps. Elle appartient, en réalité, au riche substrat mythologique indo-européen qui a fourni à notre monde occidental, au cours des âges, ce répertoire fabuleux que se sont transmis, dans maints pays, des générations d'artistes paysans analphabètes. Toutefois, malgré leur origine millénaire, les contes des *Vieux m'ont conté* s'«ensouchent» bien dans le Nord ontarien. Car, bien que la vieille tradition orale de l'Occident ait procuré au conteur franco-ontarien, comme du reste à ses compères gaspésiens, saguenéens, mauriciens ou beaucerons, le canevas de ses pièces, celui-ci n'en demeure pas moins le véritable créateur, à défaut d'en être l'auteur. En effet, n'est pas conteur qui veut! Il existe bel et bien un art de conter; et, tant par sa voix, ses gestes et sa mimique que par sa langue, son vocabulaire, son accent, ses expressions et sa verve, en un mot son style, le conteur franco-ontarien a fait œuvre originale d'artiste.

Outre cela, même s'ils retouchaient rarement la structure d'un conte, les conteurs n'hésitaient pas à en varier habilement les éléments accessoires, le cadre, les circonstances, les situations, les personnages, qu'ils adaptaient talentueusement à leur tempérament, à leur personnalité, à leur environnement ainsi qu'à la psychologie de leurs auditeurs. Voilà pourquoi il ne faut pas s'étonner si, reprise par un narrateur franco-ontarien, la parole du conteur gaspésien, tout enchevêtrée de «mâts d'artimon» ou de «misaine», brossée d'images et de détails techniques propres aux récits de naufrage et aux voyageurs de la mer et délicatement ornée d'onduleuses descriptions marines, subit chez l'homme des grands bois du Nord, peu familier avec le voisinage du vaste océan ou du majestueux Saint-Laurent et plus à l'aise dans le monde fantasmagorique des géants, des fées, des monstres et des magiciens, d'ingénieuses modifications.

De plus, nombre de pièces narratives ont été créées en milieu ontarien. Le Nouvel-Ontario possède, en effet, ses légendes, d'origine autochtone, ses souvenirs, ses thèmes préférés, ses personnages locaux. Certains détails sont teintés de la présence «étrangère». Des rythmes lui sont propres, des environnements typiques, des situations personnelles, des traits spéciaux. Autant de particularités qui distinguent ces contes et affirment leur appartenance franco-ontarienne.

D'ailleurs, le plus souvent, à l'image des conteurs et des auditoires qu'ils reflètent, les titres des narrations affichent des images vives (*La Belle aux mains coupées, Tord-Chêne, Brise-Canne et Tranche-Montagne, Ti-Jean le cuisinier ou la sauce m'étouffe*); une poésie fruste (*Ti-Jean Peau-de-morue, Barbaro-les-grandes-oreilles, Le Corps sans âme*); un goût pour le fantastique (*Le Panier qui chante, La Princesse démorphosée en pommier, Apparition d'un homme sans tête*); une verve malicieuse (*À la recherche d'une femme moins folle, Marie Bibite, Le Curé timide, L'Habitant à demi fou qui devient prêtre, Le Gros Prêtre qui demande un vicaire*); ils sont parfois d'un cru que Rabelais lui-même n'eût pas désavoué (*Chie-l'âne, Trois poils d'or sur la fesse gauche, Cul-dur, Corne-en-cul et Corne-en-pet*).

On le voit, la matière de ces contes est immense : l'index analytique des thèmes folkloriques en fait foi. Si l'on s'en tient, pour les besoins du sujet, au volume 14, qui représente avec ses 39 narrations un excellent échantillonnage des 326 textes de la série actuelle, on y découvrira les traits caractéristiques qui suivent.

Il ne fait aucun doute que le héros de cette saga franco-ontarienne, où défile une sarabande de rois et de princesses, de fées et de sorcières, de géants et d'animaux fabuleux, de surhommes et de loques humaines, d'artisans et de paysans, de pauvres gens et de bien nantis, d'esprits bêtes et d'astucieux génies, de bienfaiteurs et de malfaiteurs, de démons et de vicaires, n'est nul autre que l'impayable Ti-Jean, descendant direct d'un heureux croisement d'ancêtres grecs : le fin Ulysse et le fort Héraclès.

Le plus souvent petit, chétif, jeune et sans le sou, mais bardé de forces surnaturelles assurément fidèles, Ti-Jean le valeureux résiste aux pires supplices, délivre les princesses, qu'il va jusqu'à épouser contre la volonté royale, détruit les mauvais génies, fait pleurer les cœurs durs... à coups d'oignons, et rire les mélancoliques par d'étranges processions; il défie les rois, affronte les géants, tronçonne les durs-à-cuire, capture les monstres, dupe les naïfs, machine, enfin, mille stratagèmes. C'est, en somme, le symbole du courage invaincu et de la ruse impénétrable : le type même du Héros.

Affamé d'une justice sans limite, il venge par d'insensés exploits la misérable condition humaine empêtrée dans l'impuissance, la paresse et la peur. Par la force de ses bras et l'audace de son esprit, Ti-Jean montre en effet aux hommes, ses semblables, qu'ils peuvent venir à bout des plus rudes entreprises et devenir, par conséquent, les artisans de leur destin. Fantaisie salutaire de l'imagination humaine qui développe chez l'individu un sentiment de confiance dans la vie, au milieu même de la misère... Car, dans leur ensemble, ces contes ne sont guère moralisateurs; ils évitent, le plus souvent, un découpage manichéen entre les bons et les méchants. Entièrement tournés vers l'homme, ils s'attachent plutôt à montrer ce dernier aux prises avec des difficultés qu'il parvient toujours à surmonter par son courage, son intelligence et sa détermination. S'il fallait tirer une morale de ces contes, ce serait bien une morale de l'action : action qui délivre l'homme de la fatalité et lui procure avec la liberté l'irremplaçable joie de vivre.

À côté de ce truculent héros, les contes des «vieux» mettent très souvent en vedette toute une ménagerie de bêtes enchantées, qu'il s'agisse, comme c'est le plus souvent le cas, d'animaux domestiques (poulette, chatte, cheval, chien, bœuf, vache, etc.) ou sauvages (les loups), exotiques (lion, serpent) ou franchement mythiques (dragon, licorne). Tantôt complices de l'entreprise humaine, tantôt hostiles à l'homme, ces bêtes sont douées de vertus ou de pouvoirs extraordinaires, dont celui de la parole. Fréquemment, d'ailleurs, elles cachent sous leur apparence extérieure une femme ou un homme ensorcelés qui seront délivrés grâce à une série d'exploits ou de gestes accomplis ou posés par le héros, ou son substitut. Parfois, il suffit d'une simple expression de sympathie pour déclencher la métamorphose. Il arrive aussi que les animaux se fassent objets de convoitise pour tromper la bêtise humaine (comme les bœufs aux cornes d'or, qui mystifient le roi).

Le sens de ces présences animales au sein des contes populaires véhiculés dans un monde paysan, peut paraître assez clair : familiarité des hommes et des bêtes, voisinage des forêts, etc. Mais, en y regardant d'un peu plus près, il y a plus : comme un secret désir chez l'homme de renouer avec les autres êtres de la création des liens sacrés qu'il sent confusément avoir été rompus dans des temps immémoriaux, quand les relations entre tous les êtres vivants étaient, pour ainsi dire, fraternelles. N'y aurait-il pas dans cette société d'hommes et de bêtes une grande affirmation de «convivialité», en même temps qu'une attirance, voire une tendance, vers cet état d'innocence qu'on prête si volontiers au temps passé?

D'autre part, les multiples métamorphoses d'hommes en bêtes ou vice versa semblent témoigner à leur tour de l'étrange fascination que ce monde animal exerce sur l'homme au point de lui inculquer ce goût de la transformation, du passage dans la peau de l'autre, de la participation, en quelque sorte, à une autre nature que la sienne. Serait-ce encore le troublant désir de rétablir le contact perdu ou celui de rompre la solitude du corps, de l'esprit, d'une nature muette, d'une espèce humaine inquiète?

Ce sortilège fascinant de la métamorphose est en même temps répugnant, si l'on considère la menace de perte d'identité qu'elle constitue pour ceux qui en sont victimes, qu'ils soient coupables ou innocents. Cette prise de possession de soi par l'«autre» est angoissante. La perte de sa différence consacre l'anéantissement de sa nature humaine, de son individualité, de son existence même. Ambivalente métamorphose qui séduit, mais terrifie... Car le sentiment qui domine cette «fréquentation» des bêtes, c'est bien la peur. L'invention de bêtes malfaisantes comme la Bête-à-sept-têtes, qui pointe ses museaux dans plusieurs versions de ces contes où elle se fait croqueuse de jeunes gens ou de princesses, et la fabrication d'histoires de revenants, de morts, de fantômes et de diables enfumés ne prennent-elles pas leur source dans le besoin qu'éprouve l'être humain de se délivrer de la peur fondamentale qui hante tous les mortels? Pour surmonter son angoisse et ses craintes, l'homme se plaît à imaginer des monstres et des situations épouvantables qu'il affronte en des combats et en des aventures épiques qui le rassurent, lui procurent un sentiment de sécurité et l'inondent de cette joie de la délivrance dont a parlé Tolkien[4].

Il est remarquable à ce propos qu'une grande partie de ces pièces folkloriques franco-ontariennes aient été apprises, à la fin du siècle dernier, en pleine époque de transformation industrielle, dans les chantiers ou les campements solitaires d'un pays de forêts, de grands froids, d'immenses espaces et de longues nuits. En effet, c'est surtout pendant leurs séjours dans les camps de bûcherons ou les campements mobiles échelonnés le long de la voie ferrée que les conteurs prenaient place sur le «billochet»[5], les soirs d'hiver, pour tromper les soucis des travailleurs et chasser l'ennui dévastateur. C'est sans doute sous le toit de ces cabanes de bois, où se terraient des hommes de toutes espèces, abrutis de fatigue et hébétés de solitude, que s'opéra la plus extraordinaire des métamorphoses : la transformation, au terme de rudes journées et par la seule magie du verbe, de corps sans âme en âmes sans corps!

Sort merveilleux qui guette de même les lecteurs qui prêteront l'oreille à ces *Vieux*. Sous le couvert d'histoires naïves ou incroyables, ces conteurs initient les jeunes générations d'une époque sans rêves aux plus anciens mythes de l'humanité : ceux qui témoignent de la difficulté d'être et de la soif inextinguible du bonheur. Où donc trouver un meilleur élan vers la vie si ce n'est dans ce réservoir inépuisable de jouvence où fermente, depuis des siècles, la folle imagination du monde?

(«La littérature régionale», *Revue d'histoire littéraire du Québec et du Canada français*, Montréal, Bellarmin, coll. «Histoire littéraire du Québec et du Canada français», n° 3, 1982, p. 17-23.)

Notes

1   Les travaux de Vladimir Propp (*Morphologie du conte* suivi des *Transformations des contes merveilleux*) et de E. Mélétinski (*L'Étude structurale et typologique du conte*) traduits en français et publiés au Seuil, Paris, 1965 et 1970, et ceux de Bruno Bettelheim (*Psychanalyse des contes de fées*, Paris, Robert Laffont, 1976) ne sont pas étrangers à ce courant.

2   Germain Lemieux, *Les Vieux m'ont conté*, Montréal/Paris, Éditions Bellarmin/Maisonneuve et Larose, coll. «Publications du Centre franco-ontarien de folklore (Université de Sudbury)»,1973-1980.

3   [Anonyme], *Les Vieux m'ont conté*, *Le Livre canadien*, vol. 5, octobre 1974, n° 289.

4   Tolkien, *Fäerie* (traduction française), Paris, Christian Bourgeois, coll. «10/18», 1974, p. 199.

5   Le «billochet» était un tronçon de gros billot, de la taille d'un seau, que le conteur officiel dans un camp de bûcherons utilisait comme siège officiel. De là, le titre poétique donné par Germain Lemieux à son livre sur sa méthode de cueillette des contes : *Les Jongleurs du billochet*, Montréal/Paris, Éditions Bellarmin/Maisonneuve et Larose, coll. «Documents historiques», n°s 61-63, 1972, 134 p.

13

À LA DÉCOUVERTE DE L'IDENTITÉ FRANCO-ONTARIENNE PAR LA CRÉATION PÉDAGOGIQUE

Texte d'une conférence inaugurale prononcée à l'invitation du CFORP lors d'un grand rassemblement d'enseignants, de représentants du monde scolaire et du ministère de l'Éducation de l'Ontario – Perspectives 80 – au Château Laurier (Ottawa) le 7 novembre 1980 devant «600 participants, venus pour la plupart des quatre coins de l'Ontario, mais aussi du Québec, du Manitoba, du Nouveau-Brunswick et même de la Saskatchewan et de la Nouvelle-Écosse». Ce fut l'occasion pour la conférencière de lancer le nom *Ontarois* pour désigner les francophones de l'Ontario afin de relever le défi d'une nouvelle étape dans l'histoire des communautés de langue française de cette province, qui compte la plus importante population de langue maternelle française à l'extérieur du Québec. Majoritaires jusque-là dans la francophonie ontarienne et intrinsèquement identifiés à la «grande famille canadienne-française», les Canadiens français de l'Ontario se montraient inquiets de leur avenir depuis la rupture historique du Canada français survenue lors des États généraux du Canada français au tournant des années 1970; face à la victoire du Parti québécois aux élections provinciales (1976); et devant les effets pervers des politiques fédérales du bilinguisme et du multiculturalisme sur les plans économique et culturel, favorisant sur un marché du travail saturé la présence grandissante d'une population «francophone» plus largement composite. À l'aube d'une nouvelle décennie, l'air du temps en Ontario français laissait percevoir un urgent besoin d'affirmation identitaire et d'expression culturelle.

Il y a des moments dans la vie qui ne sont pas comme les autres. Des moments exceptionnels et par les circonstances qui les suscitent et par les gens qui les vivent. Ce sont des moments privilégiés, rares, uniques, qui pourraient justifier presque à eux seuls, si besoin était, l'existence humaine. De tels moments sont visités par une joie si profonde, une énergie si intense, une espérance si grande qu'ils sont, pour ainsi dire, le «comble» de la vie.

L'Ontario français vit à l'heure actuelle un de ces moments importants de son existence. Comment cela? me demanderez-vous, la mine curieuse, dubitative ou vaguement incrédule. Il suffit d'ouvrir les yeux et de se mettre à l'écoute de la francophonie d'ici depuis les

cinq dernières années, par exemple, pour découvrir ce qui en est.
Car n'est-il pas extraordinaire, vraiment, qu'en dépit :
- des sombres pronostics qu'on accumule généreusement au tableau noir de son avenir;
- des savantes statistiques qui tranchent impitoyablement dans le vif de son présent pour balayer d'un revers de chiffres ses chances de survie;
- d'un pessimisme ravageur qui entame jusqu'aux courages les plus sûrs;
- de l'aveuglement sournois de tous ceux qui s'obstinent encore, à cette heure même, dans cette province, à nier contre tout bon sens l'originalité d'une culture «ensouchée» dans le sol ontarien depuis exactement trois cent soixante-dix ans;
- des déclarations récentes d'un politicien prétendument libéral qui cherche à réduire effrontément cette originalité et son histoire à la dimension étroite d'un «folklore tricoté serré»;
n'est-il pas extraordinaire, dis-je, qu'en dépit de tous ces obstacles et de toutes ces oppositions aussi injustes qu'ingrates, l'automne de cette neuve décennie 1980 voie s'accomplir en Ontario un phénomène inouï : l'affirmation haute et fière d'une identité franco-ontarienne :
- trop longtemps méprisée, méconnue ou mal-aimée;
- complètement transfigurée parce qu'elle prend, enfin, conscience d'elle-même et réclame de plus en plus la parole pour exprimer ouvertement qui elle est et ce qu'elle est;
- qui, désormais, pour ne plus être considérée comme «rien», se nomme et se désigne par un vocable tout neuf comme la vie qui l'habite : l'identité ONTAROISE!

C'est à la découverte de cette identité renouvelée que mon propos voudrait, d'abord, vous inviter.

Depuis quelques mois, en effet, le terme *Ontarois* est dans l'air. Grâce à ses deux lettres toutes rondes et à sa consonance si française, il roule et danse sur bien des lèvres – presque à leur insu. Ainsi, veut-on ouvrir la bouche pour annoncer quelque réalisation franco-ontarienne, discuter de la difficile condition franco-ontarienne ou esquisser les grandes lignes de l'avenir franco-ontarien qu'aussitôt, plus fringant, plus ouvert, plus sonore, le mot *Ontarois* se glisse sur le bout de la langue, prêt à courir dans la conversation sans qu'on puisse le retenir, frais comme un vent d'été, léger comme un baiser, ardent comme un souhait d'enfant.

Car, suivant l'exemple du brave Ti-Jean de nos contes, à peine né, ce nouveau mot s'est élancé à la conquête de nos cœurs et du monde. Partout déjà retentit l'éclat de sa joie de vivre : il s'ébroue familièrement sur nos ondes radiophoniques, éclate en pleine rue à nos oreilles étonnées, pirouette lestement à la une de nos journaux. Partout, il s'insinue avec des airs de triomphe : il accroche l'attention des jeunes, qui l'adoptent spontanément; il charme, déconcerte ou choque parfois l'habitude des aînés, que la liberté de ses manières peut effrayer ou rebuter; il se répand comme un ouragan dans le Nord, dans l'Est et dans l'Ouest – et entend conquérir le Sud – ; il pique la curiosité des uns, ébranle les certitudes des autres, perce, enfin – et c'est merveilleux – le mur de l'indifférence commune!

Bref, *Ontarois* s'installe en Ontario comme chez lui, heureux comme un roi!

Heureux, ce mot *Ontarois* l'est assurément de naissance. N'a-t-il pas vu le jour, il y a près d'un an maintenant, au beau milieu de gens de parole réunis à l'automne 1979 dans la Ville-Reine (Toronto!) pour célébrer l'épanouissement de plus en plus prometteur d'une culture franco-ontarienne en pleine ébullition? Car c'est bien au sein de ce premier grand rassemblement de poètes, de paroliers, d'enseignants, d'auteurs, de critiques, de femmes et d'hommes de théâtre, de télévision, de cinéma et d'arts visuels, venus échanger leurs idées et exprimer leurs aspirations à «Contact 79», que le mot a jailli comme un cri dans la nuit : cri qui délivre, parole féconde qui rassure, réconforte, inspire. De l'enthousiasme et de la ferveur d'un contact fraternel et professionnel des artistes ontarois est née cette réponse du cœur à l'appel angoissé que lançait, à l'écart sur un mur, la grande affiche solitaire du film de Paul Lapointe : *J'ai besoin d'un nom.*

Pourtant, me direz-vous, pourquoi réclamer un nom quand nous en avons déjà un? Pourquoi en proposer un autre? Et pourquoi celui-là?

Il semble, en premier lieu, que le nom *Franco-Ontarien*, dont on ignore encore la provenance précise, se soit peu à peu imposé aux Canadiens français de l'Ontario à une époque qui appartient désormais au passé, plus précisément à cette époque où leur exis-

tence fut tragiquement menacée par les basses manœuvres du Règlement 17. Il semble, en second lieu, que cette expression n'ait pas
fait, à son apparition, l'unanimité qu'on eût souhaitée pour rallier
l'ensemble de la communauté francophone originaire de l'Ontario;
on peut, d'ailleurs, retracer des réticences encore de nos jours... À
l'époque, cette nouvelle appellation consacrait, en somme, une sorte
de rupture psychologique de la collectivité francophone de l'Ontario avec l'ensemble de la communauté canadienne-française du
pays, et nombreux sont ceux qui s'y opposèrent; en même temps,
elle affligeait, et continue d'affliger, nos oreilles françaises d'une
tournure anglaise[1]. Car, enfin, si dans la langue française usuelle on
parle volontiers d'accords, d'ententes, de relations ou d'échanges
franco-allemands, franco-italiens, franco-chinois et autres, où les
partenaires sont équitablement représentés et mutuellement respec-
tés, il faut se rendre à l'évidence que l'expression *Franco-Ontarien*
est, à cet égard, mal choisie pour désigner les Canadiens de langue
française nés en Ontario.

D'autre part, cette appellation, tournée vers le passé, est de
moins en moins populaire auprès d'une certaine jeunesse de plus en
plus soucieuse du sort qui lui est réservé en Ontario aujourd'hui et
demain, et qui voit dans l'expression *Franco-Ontarien* le symbole de
l'aliénation de la minorité francophone de l'Ontario sans cesse à la
remorque d'une majorité anglophone qui confond à souhait
infériorité du nombre et médiocrité de l'espèce pour mieux
dominer. Aussi, afin de se libérer du piège de l'infériorité et de la
mentalité minoritaire qui en résulte, qui paralyse son action, sabote
sa personnalité, défigure son image, écrase son génie, cette jeunesse
en état d'alerte croit-elle nécessaire de se donner un nouveau nom
susceptible de revaloriser son identité à ses propres yeux et, du
même coup, aux yeux des autres, et cela, au moment précis où
l'Ontario vit une période particulièrement florissante de son histoire culturelle.

Pourquoi précisément ce mot-là : *Ontarois*?

Parce qu'il est beau certes; parce qu'il est français; parce qu'il ne
dérive pas d'une traduction et qu'il ne peut pas être traduit; mais
aussi parce qu'il correspond à une réalité nouvelle. En s'appelant
Ontarois, les francophones de l'Ontario montrent qu'ils sont déter-
minés à ne plus être définis en fonction de la majorité anglophone,

mais par rapport à leurs racines françaises et à leur culture, qui s'y rattache.

Mais il y a plus. Comme tout être vivant, une communauté humaine naît, s'adapte, évolue et se transforme au gré des événements et des lieux. Implantée au Canada vers le milieu du XVIe siècle, la culture française s'est transformée au cours des ans et selon les régions et doit, pour continuer de vivre, non seulement subir, mais poursuivre et entretenir ces transformations. C'est ainsi qu'en Ontario, l'aventure française dans le Nouveau Monde s'est transformée au cours des trois siècles et demi de son existence en rude expérience. Cette mutation profonde imposée aux êtres et aux choses par les exigences de la réalité d'ici s'est manifestée dans le temps par le nom que ceux et celles qui l'ont vécue et la vivent, ont utilisé pour se désigner et se définir. Ainsi, aux Français de jadis, ont succédé les Canayens d'autrefois, voyageurs infatigables lancés à l'assaut des Pays-d'en-Haut, puis les Canadiens français de l'Ontario de naguère, qui travaillèrent avec acharnement les terres ontariennes et s'attaquèrent aux immenses forêts, à la construction des chemins de fer ou encore à l'exploitation des mines. Ceux-ci tiraient alors leur identité de cette grande communauté canadienne-française du pays, ordonnée autour des coutumes et des valeurs traditionnelles de la Famille, de l'Église et de l'École. Mais, au début du siècle, de longues luttes scolaires ont poussé ces Canadiens français de l'Ontario à s'identifier plus directement à la province qu'ils habitent et où ils doivent affronter tous les jours des problèmes particuliers. Ces conflits scolaires les ont incités à se définir comme Franco-Ontariens.

Aujourd'hui alors que la pratique du nationalisme a amené, à leur tour, les Canadiens français du Québec à se redéfinir (les Franco-Ontariens leur avaient ouvert la voie!) par rapport au territoire qu'ils occupent en se nommant Québécois, il est nécessaire, à mon avis, pour les Franco-Ontariens de se redéfinir par rapport à cette nouvelle réalité s'ils veulent échapper à la nouvelle menace qui les guette, à savoir : la réduction de leur statut de francophones à un état minoritaire par rapport, cette fois, à la majorité francophone du Québec. Coincés entre deux puissantes majorités – l'anglaise chez eux et la française au Québec –, il y a danger pour eux de se retrouver sur la voie de garage des francophones hors Québec, sorte de mélange anonyme de francophones de seconde classe, rejetés hors du groupe principal, sans voix au chapitre de la culture québécoise. C'est pourquoi il m'apparaît urgent de distinguer au plus vite l'originalité de la culture française de l'Ontario dans un nom bien à elle, qui puisse définir l'identité des membres de sa communauté comme des individus à part entière tant aux yeux de la majorité anglophone de l'Ontario qu'à ceux de la majorité francophone du Québec. De sorte que, lorsqu'on dira *Ontarois*, on affirmera clairement et dignement, en Ontario, la présence de concitoyens francophones et, au Québec, l'existence de compatriotes.

Ainsi donc, sans renier le passé dont elle est issue, l'identité ontaroise se tourne résolument vers le présent et positivement vers un avenir pour la réalisation duquel elle n'a jamais bénéficié d'aussi bons atouts.

Et l'avenir de l'Ontario repose, pour une part importante, sur sa jeunesse. Or cette jeunesse, c'est à nous, enseignants et enseignantes, qu'elle est confiée. C'est à nous donc qu'il appartient de transmettre aux jeunes Ontarois et Ontaroises cette nouvelle image d'eux-mêmes, d'éveiller leur conscience, de ranimer leur fierté, de les familiariser avec cette nouvelle appellation propre à développer chez eux un profond sentiment d'appartenance à un groupe dynamique et à une culture vivante en même temps qu'un solide sentiment de solidarité, sans lequel toute action individuelle sur ce vaste territoire est vouée à l'échec.

Comment y parviendrons-nous?

D'abord et avant tout, en parlant français. Car l'enseignement n'est-il pas le lieu privilégié de la parole? Et n'est-ce pas par la parole que l'homme révèle son existence au monde? La parole n'est-elle pas la première expression de soi-même? L'affirmation de la culture ontaroise repose avant tout sur la pratique quotidienne de la langue française non seulement en privé, mais en public, dans les écoles où notre rôle est si important. Combien d'enseignants ne préfèrent-ils pas, encore, enseigner en anglais, alors que rien ni personne ne les y oblige, sous prétexte que les manuels dont ils disposent sont écrits en anglais? Il est temps que cela cesse, car nous nous faisons les propres agents de notre domination, de notre aliénation, de notre écrasement; nous compromettons ainsi notre droit à l'existence en tant qu'Ontarois, sans compter l'exemple néfaste du mépris pour soi-même que nous offrons aux jeunes. Comment arriverons-nous à inspirer, au contraire, la fierté et à répandre la contagion du français chez les nôtres? En parlant, parlant, parlant... et en parlant en français. Après tout, nous sommes payés pour cela!

La pénurie de manuels scolaires de langue française dans nos écoles n'est plus une objection valable aujourd'hui. Il n'existe pas de manuel en sciences, en biologie, en botanique, en mathématiques? Eh bien, créons-en! Depuis cinq, dix, quinze ans, un enseignant travaille dans un domaine; pourquoi ne serait-il pas alors en mesure de préparer, seul ou avec l'aide de collègues, un manuel d'étude dans sa discipline? Pourquoi toujours traduire les livres des autres et leur donner tout le profit en nous réservant la tâche la plus ingrate, celle de la traduction, et la moins appréciée? De tels manuels seraient au moins conformes à notre esprit, à notre culture et à nos milieux!

Le CFORP a bien compris la nécessité d'une telle solution, lui qui, depuis sa fondation en 1974, favorise la publication et la distribution de documents pédagogiques en français préparés par les enseignants pour venir en aide à leurs collègues des diverses disciplines et des différents cycles scolaires. Il serait long et fastidieux d'en énumérer la liste, mais on n'a qu'à se reporter à son catalogue le plus récent pour apprécier le travail immense qui a été accompli jusqu'ici.

S'il est reconnu, en outre, que l'enseignement est le lieu de la parole et de la transmission de la connaissance du monde et des hommes, il n'est pas moins vrai que l'école doit également être le lieu privilégié de la découverte de soi-même et du groupe auquel on appartient.

Cette fonction de l'école, le CFORP l'a également encouragée depuis quelques années en accordant une priorité au développement de documents pédagogiques orientés vers l'enseignement de la culture ontaroise, entendue dans son sens le plus large, qui recouvre à la fois le culturel proprement dit, le religieux, le social, l'économique et le politique. Parmi les plus récents projets qu'il a développés en ce sens, mentionnons *Le Diaporama sur la vie culturelle en Ontario français* (en préparation), les deux séries PRO-F-ONT consacrées à l'enseignement de l'histoire des localités francophones de l'Ontario, un dossier de travail sur la recherche de l'identité franco-ontarienne et la réalisation de la première *Anthologie de textes littéraires franco-ontariens* (ou plutôt *ontarois*)[2].

Confiée à la maison d'édition Fides, l'*Anthologie* réunit près de mille pages manuscrites, que présenteront quatre préfaces rédigées par Jacqueline Martin de la Faculté d'éducation de l'Université d'Ottawa, Germain Lemieux, directeur du CFOF de l'Université de Sudbury; Séraphin Marion, qui s'est tant dévoué et se dévoue encore si ardemment pour la reconnaissance de nos droits; l'écrivain et critique Jean Éthier-Blais, originaire de Sturgeon Falls et l'une des plus belles plumes avec celle de M. Marion de nos lettres canadiennes-françaises.

Le CFORP n'est pas le seul organisme à s'être intéressé, ces récentes années, à la création de matériel pédagogique consacré à la mise en valeur de notre culture. L'Université d'Ottawa, pour sa part, s'est lancée elle aussi à la redécouverte de la communauté ontaroise, qu'elle a le devoir, comme l'indiquent les statuts de sa charte, de protéger et de servir! C'est ainsi que, depuis 1976, elle a créé dans son Département des lettres françaises un cours de littérature franco-ontarienne confié à l'heure actuelle aux soins du révérend père Paul Gay. Au Département d'histoire, un cours d'histoire franco-ontarienne a été créé par l'historien Robert Choquette et, au Département de science politique, un cours de vie politique franco-ontarienne a été mis sur pied par le professeur Jean-Pierre Gaboury. Consciente qu'il y a encore beaucoup à réaliser de ce côté, l'Université se propose également d'implanter, en janvier prochain, dans son Département de sociologie, un cours sur les Ontarois, dont la charge sera attribuée à Danielle Juteau-Lee, qui vient de mériter le titre de professeur de l'année.

D'autre part, le CRCCF vient de faire paraître, au terme de deux années de travail assidu, une superbe collaboration pédagogique avec la série *L'Ontario français*, qui réunit six beaux ouvrages scolaires sur l'histoire et la géographie de l'Ontario. Publiés par les éditions Études vivantes, ces manuels sont destinés à l'enseignement secondaire. Les livres viennent à peine d'être mis en vente. C'est une première qu'il fallait signaler tout à l'honneur de ceux qui s'y sont dévoués : Pierre Savard, Robert Choquette, Jacques Grimard, Gaétan Vallières et Marcien Villemure.

Enfin, de nombreuses ouvrages pédagogiques sous la responsabilité de divers organismes mériteraient également d'être rapportés ici, tels la petite anthologie de textes de théâtre et le document d'appui à l'usage de l'enseignement du théâtre à l'école, que prépare actuellement l'organisme Théâtre Action.

Comme vous pouvez le constater, tous ces projets montrent bien sûr la ferme volonté d'affirmation collective de la culture ontaroise en 1980, mais s'inscrivent également dans une plus vaste perspective : celle de la PERMANENCE du fait français en Ontario. Cette continuité fragile et difficile, chaque génération l'a fidèlement assurée à sa manière, selon ses moyens et ses contradictions, depuis l'arrivée du premier Français en Ontario : Étienne Brûlé. C'est l'image fière et noble de ce jeune homme, vaillant compagnon de route de Champlain, que j'aimerais que vous emportiez avec vous aux quatre coins de l'Ontario au terme de ce colloque sur notre identité. Âgé de 18 ans dit-on, ce jeune voyageur intrépide n'a pas craint de se lancer, sans guide, sur nos chemins d'eau et de bois pour remonter, contre vents et courants, la rivière des Outaouais et la Mattawan, traverser le lac Nipissing, descendre la rivière des Français pour aboutir au beau pays des Hurons, qui l'accueillirent parmi eux, pendant près d'une année.

Car l'arrivée de ce jeune éclaireur au vaste arrière-pays de la vallée du Saint-Laurent à l'aube du XVIIᵉ siècle, portait déjà en quelque sorte pour les Ontarois d'aujourd'hui la rude promesse d'un avenir à CONTRE-COURANT marqué au double coin de la JEUNESSE et de la DÉCOUVERTE. Et rien ni personne ne peut empêcher l'accomplissement de ce projet-là. On peut le retarder tout au plus. Car on ne refait pas l'histoire, pas plus qu'on n'a le choix d'être ou de ne pas être issu de cette histoire…

(Un extrait de l'allocution a paru sous le titre «L'affirmation de l'identité ontaroise», dans *Le Droit*, 10 novembre 1980, p. 7.)

Notes

1   À ma connaissance, on ignore l'origine historique de l'appellation «Franco-Ontarien». Peut-être s'est-on inspiré de l'expression «Franco-Américain». Ce n'est pas le modèle de l'appellation «Canadien français» qui a servi de référence, car on aurait alors parlé d'«Ontariens français». En anglais, le qualificatif précède le nom, comme dans «French Canadian». L'étude approfondie de l'expression «Franco-Ontarien» reste à faire.

2   Voir les textes 17 à 20.

14

PARLONS DE NOTRE CULTURE.
OUI, PARLONS-EN!

Mémoire préparé à la demande d'Omer Deslauriers, alors président du Conseil consultatif des affaires franco-ontariennes auprès du ministère des Affaires culturelles et des Loisirs de l'Ontario, en réponse à l'invitation lancée à la grandeur du pays (*Parlons de notre culture*) par le Comité d'étude de la politique culturelle fédérale chargé d'examiner, sous la présidence de Louis Applebaum, l'état de la culture au Canada afin d'élaborer une politique culturelle canadienne.

Puisqu'il nous est demandé d'exposer les doléances et les aspirations des Franco-Ontariens en matière culturelle, il importe de bien cerner, au départ, les réalités que ce terme de culture entend recouvrir.

Quelle culture?

Si l'on se réfère à la notion la plus acceptée ces dernières années dans toutes les sciences humaines, on découvre qu'en fait, la culture dépasse largement le cadre étriqué du divertissement intellectuel ou de l'activité folklorique dans lequel certains esprits voudraient si commodément l'enfermer. En effet, la culture est «l'ensemble des institutions, des valeurs et des pratiques qui distinguent une société d'une autre». Comme l'indique l'économiste français Jacques Attali :

> Dans toute société, les rapports de l'homme [entendre ici «individu»] avec son environnement et avec les autres hommes sont régis par un ensemble de représentations, d'attitudes, de comportements communs, leur donnant un sens et constituant, au-delà du sens immédiat du langage, une culture. Un homme agit en fonction de cet environnement symbolique, qui détermine des critères de comportement.

Ainsi, la culture n'est-elle pas seulement un moment privilégié dans la journée d'une personne ni même une partie de sa vie, mais sa vie elle-même et la vie de la société à laquelle elle appartient : en d'autres mots, c'est ce qui l'identifie.

Entendue en ce sens, la société franco-ontarienne connaît à l'heure actuelle de graves atteintes à sa culture, car cette collectivité subit un phénomène d'acculturation, de dépossession de son identité profonde. Ainsi, la langue française qui «reste, aujourd'hui, le signe le plus visible de l'identité des Franco-Ontariens» est dans une position si précaire qu'un chercheur anglophone n'a pas hésité à intituler son ouvrage concernant la présence des francophones dans la grande cité de Toronto *The Invisible French*, et cela en dépit de l'existence de près de 100 000 francophones dans la ville. Que l'on examine la situation démo-linguistique générale de l'Ontario français : selon le recensement de 1971, le français était la langue maternelle de 482 000 personnes en Ontario, soit 6,3 % de la population totale, et la langue d'usage au foyer de 352 000 personnes, soit 4,6 % de la population. Et cela, il y a dix ans! Que l'on regarde, en outre, les conditions déterminantes imposées officiellement à la langue française dans la province : elle ne jouit pas encore d'un statut officiel dans tous les domaines et sa défense et son illustration sont loin d'être assurées dans l'actuel système scolaire ontarien. Chez les Franco-Ontariens, langue et culture sont indissociables. Alors, la culture? Parlons-en!

Ces lourds handicaps, graves sur le strict plan linguistique, deviennent tout à fait tragiques en matière culturelle : ils désamorcent le dynamisme vital de la collectivité francophone de l'Ontario, attentent à l'épanouissement individuel des citoyens francophones de la province, en un mot, mettent en péril l'existence même de la société franco-ontarienne.

I. Une culture vivace et vivante

Il existe bel et bien une société franco-ontarienne distincte de la société anglophone de cette province ou encore de la société francophone de la province voisine. En effet, bien que leurs racines profondes plongent dans l'humus de la tradition culturelle française et qu'ils partagent avec le Québec un fonds culturel auquel ils ne sauraient renoncer sans s'amputer sérieusement d'un organe essentiel à leur vie, les Franco-Ontariens ont développé, depuis trois siècles, sur le sol ontarien une façon de vivre bien à eux, dont ils cherchent de plus en plus à affirmer l'originalité dans des manifestations et des réalisations de toutes sortes.

En effet, les Franco-Ontariens vivent à l'heure actuelle une profonde crise d'identité : leurs institutions, leurs valeurs et leurs pratiques sont menacées par la désintégration de leur société traditionnelle, en même temps qu'il se produit chez les plus lucides une prise de conscience aiguë de leur état d'exploitation et d'aliénation, qui les pousse à vouloir reprendre en main leur propre destin.

Un des signes les plus manifestes de cette crise est apparu en toutes lettres, il y a plus d'un an, sur une affiche publicitaire : *J'ai besoin d'un nom*, annonçait le titre du film de Paul Lapointe, cinéaste franco-ontarien. Quelque temps plus tard, un nouveau mot naissait, en réponse à cet appel au secours : le terme Ontarois. Cri de délivrance (du conservatisme, de l'isolement et de la stagnation), ce mot désigne les francophones nés en Ontario, mais aussi ceux qui y ont transplanté leurs racines françaises, québécoises, acadiennes ou autres, à l'instar des explorateurs de jadis, des «voyageurs» d'autrefois, lancés à l'assaut des contrées inhospitalières des Pays-d'en-Haut, et de leurs descendants, s'attaquant avec acharnement aux terres vierges et aux immenses forêts du Nord ou réalisant à coups de misères et de muscles les grands projets de la construction du chemin de fer, de l'exploitation des mines et de la fabrication automobile dans les usines.

L'apparition de ce nouveau terme est le signe même d'une culture vivace et vivante qui renonce à mourir et embraye sur l'alternative de la création.

II. Le développement culturel

Pour franchir la difficile étape d'une mutation menacée par l'érosion de ses valeurs et de ses structures traditionnelles, l'exode de ses éléments les plus dynamiques vers les grands centres urbains, le vide du leadership et le désarroi de sa jeunesse la plus consciente, la collectivité ontaroise est acculée à la solution unique qui se dessine derrière les sombres perspectives de son avenir : inventer elle-même son mode de vie collective. Le plus grand espoir repose sur l'imagination de chacun et chacune. Les Ontarois doivent explorer eux-mêmes les voies possibles de leur devenir. Deux grands moyens sont à leur portée : l'animation culturelle et la création artistique, qui sont l'une et l'autre les seules sources de renouvellement aptes à éveiller la conscience des gens et à créer de nouveaux rapports entre les êtres. La création culturelle et la création artistique ouvrent le champ du possible, car la création est essentiellement un acte libérateur, donc générateur.

L'engagement culturel de l'individu l'enracine davantage dans sa vie quotidienne, dans son quartier, dans son milieu. Il lui ouvre les yeux sur le monde, élargit sa conscience, lui redonne goût à la liberté.

A) L'animation culturelle

a) Les centres culturels

Il nous apparaît donc d'une importance capitale pour l'épanouissement de la communauté ontaroise de voir sortir de la marginalité, voire de la clandestinité, ses centres culturels afin que ceux-ci deviennent de véritables foyers de ressourcement des forces vitales des membres de la collectivité et des foyers de rayonnement sur le milieu. Or cela est loin d'être actuellement le cas de ces organismes, si l'on se réfère au témoignage du rapport présenté à l'Assemblée des centres culturels de l'Ontario en septembre 1979 par Pierre Pelletier, directeur de l'Animation communautaire de l'Université d'Ottawa, et établi à partir d'une enquête menée sur le fonctionnement de onze centres culturels ontarois : le Centre communautaire francophone de Toronto, le Centre d'activités françaises de Penetanguishene, le Centre des jeunes de Sudbury, le Centre régional des loisirs culturels de Kapuskasing, La Chasse-Galerie de Toronto, La Ronde de Timmins, La Sainte-Famille de Rockland, Le Chenail de Hawkesbury, le Patro d'Ottawa, Les Compagnons des francs loisirs de North Bay, le Centre culturel Les Copains d'Iroquois Falls.

Il ressort de cette étude que les principaux problèmes qu'ont à résoudre les centres culturels ontarois concernent :
- la permanence et la systématisation des structures administratives;
- la formation et le perfectionnement du personnel administratif ou des animateurs;
- la qualité et l'abondance des outils de travail;

- la qualité et la variété d'une programmation susceptible de mobiliser l'ensemble de la population;
- la qualité et l'opportunité des services livrés à la population;
- l'efficacité de la coordination du réseau des centres culturels, noyau du renouvellement du milieu.

Tout semble indiquer que l'existence de centres culturels hors du contexte scolaire soit un élément d'importance primordiale si l'on veut assurer un développement dynamique de tous les groupes de la collectivité désireuse de s'impliquer dans la vie du milieu.

En dehors des centres culturels proprement dits, il existe également en Ontario français d'autres foyers d'animation culturelle. Ceux-ci circonscrivent leurs activités et leur rayonnement autour de centres d'intérêt précis, tels Direction-Jeunesse, Théâtre Action et Prise de parole.

b) Direction-Jeunesse

Cet organisme provincial d'animation auprès des jeunes connaît de sérieuses difficultés d'organisation et d'inspiration, liées en partie à la faiblesse de ses structures, au roulement des dirigeants et des animateurs et, en conséquence, à l'inexistence d'une politique d'action. Toutefois, on ne saurait blâmer l'inexpérience des jeunes et saisir ce prétexte pour leur couper les vivres.

c) Théâtre Action

Cet organisme provincial d'animation théâtrale a développé, depuis sa fondation en 1970, une expérience originale qui devrait inspirer d'autres secteurs de créativité : le théâtre expérimental. Ses apports à la communauté ontaroise sont nombreux tant sur le plan de l'animation (organisation de festivals) que de la formation (stages, échanges) et de l'information (création de la revue *Liaison*). Il serait nécessaire, au terme de dix années d'expérience, que l'organisme accentue ce rôle de liaison entre les divers groupes de population à qui s'adresse le théâtre, de la même manière qu'il cherche à couvrir toutes les disciplines artistiques dans *Liaison*, la première revue culturelle ontaroise. Il serait important que cela se réalise. Bien entendu, le développement que connaît Théâtre Action ne va pas sans problèmes d'organisation ou d'administration.

d) Prise de parole

Cet organisme d'animation littéraire s'est donné pour fonction de promouvoir la création littéraire en dépistant les talents cachés de toutes les régions de l'Ontario français et en procurant aux auteurs un service de «critique» susceptible de les aider et de les encourager. Or, dans les faits, on remarque que, mal nantie, disposant d'un personnel limité et de peu de formation dans le domaine de la critique, de l'édition et du marketing, produisant des textes qui ne s'adressent pas forcément à un vaste public (œuvres poétiques surtout), et ayant à tenir compte de l'indifférence de la population face à la lecture, à l'étroitesse du marché des librairies et des bibliothèques françaises, au problème de diffusion, le groupe Prise de parole semble avoir largement restreint son champ d'action et s'être relativement coupé du milieu qu'il entendait animer.

Ces principaux centres d'animation culturelle dans le milieu ontarois accusent des carences profondes qui tiennent à l'inexistence de systématisation des structures, au manque de formation et de perfectionnement des principaux engagés, l'une et l'autre de ces déficiences étant largement attribuables à la modestie des ressources devant l'énormité des exigences essentielles au bon fonctionnement d'un centre de rayonnement en milieu minoritaire et défavorisé.

B) La création artistique

Le développement de l'animation culturelle de la collectivité va de pair avec la production artistique. L'éveil de la conscience collective des Ontarois, sabotée par un système scolaire qui défavorise leur développement intégral, doit nécessairement passer par l'action artistique. L'artiste, en effet, est un éveilleur de conscience. Il lève un coin du voile qui cache derrière le quotidien le vrai visage du monde. L'art est un moyen extraordinaire, disait quelqu'un, d'unir les gens, de les faire bouger, réagir, découvrir des passions, de leur donner, en un mot, le goût de mordre dans la vie, dans leur vie. Dans tous les pays, à toutes les époques, les artistes ont allumé la vie, lui ont donné cet éclat sans lequel les êtres humains sombreraient dans l'ennui et le désespoir. La culture n'est pas un luxe, c'est une nécessité, surtout chez les minorités défavorisées. Avec la santé, c'est leur unique bien véritable, et l'on veut les en priver! Sans l'expression visible de son imaginaire, une société s'atrophie et meurt comme quelqu'un qu'on empêcherait de rêver serait tôt ou tard condamné à l'hébétude ou à la folie.

Dans une société minoritaire, telle que la société ontaroise, ce rôle dynamique de la création artistique est directement lié à sa survie puisque, pour ne pas disparaître, cette société doit absolument prendre conscience d'elle-même et évoluer. Pour la société ontaroise, le développement de la création artistique est une question de vie ou de mort. Sans renouvellement, pas d'avenir possible.

D'ailleurs, les artistes eux-mêmes ont été les premiers à le comprendre. Ils se sont déjà mis en marche dans cette direction par de nombreuses initiatives personnelles ou collectives. On observe, en effet, depuis quelques années qu'il se passe quelque chose en Ontario français : des talents nombreux cherchent à s'exprimer dans tous les domaines. Cette effervescence correspond à l'éveil de la conscience ontaroise. Toutefois, cette ébullition artistique a du mal à se transmettre à l'ensemble de la communauté. L'éparpillement de la population ontaroise aux quatre coins de la province et les conditions ingrates faites aux artistes ontarois de toutes catégories en sont certainement les raisons les plus immédiates. Des subventions trop maigres n'encouragent bien souvent que le succès commercial plutôt que la créativité. La concurrence extérieure est envahissante. La formation professionnelle reste trop souvent limitée à la seule formation «académique» ou au cadre scolaire. Les rencontres entre artistes de même discipline sont trop rares; et, quand elles ont lieu, elles sont, à l'instar de la rencontre annuelle de Contact (mise sur pied par le Bureau franco-ontarien du CAO), détournées de leur but premier au profit de têtes d'affiche qui ne sont pas d'ici et d'intérêts étrangers aux véritables besoins de nos artistes. Le public ontarois, peu familier avec l'expression artistique, se dérobe : l'éducation artistique demeure un champ vierge chez nous. Voilà quelques-uns des problèmes fondamentaux communs aux différents domaines artistiques. Mais ce ne sont pas les seuls. Chaque discipline en connaît de spécifiques. On ne peut tous les énumérer, bien entendu, mais un bref regard jeté sur les principaux champs d'expression artistique devrait permettre d'en dégager les grandes lignes et nous éclairer.

a) Le théâtre

Le théâtre est sans doute la forme artistique la plus populaire à l'heure actuelle en Ontario. Si l'on distingue entre le théâtre professionnel qui offre au public une programmation permanente et le théâtre communautaire axé sur la création collective, le plus souvent sporadique, on remarque que le premier s'adresse surtout au public anonyme des grands centres urbains (Toronto, Ottawa, Sudbury) et connaît, par conséquent, des difficultés autres que celles avec lesquelles doivent se débattre les troupes d'un jeune théâtre engagé dans un milieu précis, dont il tente d'éveiller la conscience à partir de situations et de problèmes particuliers à la région concernée ou communs à l'ensemble de la société ontaroise : assimilation linguistique des individus, marginalisation des régions, exploitation des groupes (ouvriers, femmes, etc.), évocation des problèmes de l'heure (troisième âge, écologie, etc.), et j'en passe.

La tentation est grande pour l'État de favoriser le développement d'un certain type de théâtre au détriment d'un autre, surtout quand ce dernier, tel le jeune théâtre ontarois, remet en question l'ordre établi. Il est facile alors d'évoquer des raisons officielles pour refuser de l'aide ou réduire celle-ci ou encore la rendre difficile à obtenir. C'est pourtant ce jeune théâtre qui, par la souplesse de ses structures et l'invention de son répertoire, est le plus apte à insuffler à la communauté des petites localités une nouvelle vision du monde et, par conséquent, le dynamisme nécessaire à son renouvellement. L'engagement des jeunes dans leur communauté respective est la condition sine qua non de la formation d'une relève adaptée à ces nouvelles conditions de vie auxquelles doit s'adapter l'ensemble de la société ontaroise pour durer.

b) La musique

Avec le théâtre, la musique est assurément la forme d'expression la plus appréciée – parce que la plus familière – par les différents groupes de la société ontaroise. Musique vocale et musique instrumentale connaissent, en effet, une tradition familiale et scolaire dans ces milieux.

Les chorales sont, à cet égard, un important facteur d'animation communautaire et d'initiation musicale bénéfique à plusieurs groupes d'âges. Elles doivent être encouragées pour ce rôle. On observe, pourtant, une sorte de retrait de ce côté depuis quelque temps.

Les chansonniers et groupes de musiciens à répertoire original se sont créé, dans les centres culturels et les festivals d'été, un public ontarois qu'ils doivent élargir. D'autres tribunes devraient leur être accessibles ici et ailleurs : les cafés, la radio, la télévision, les disques, les salles de concert, les tournées.

En ce qui concerne la musique classique, force est de constater que c'est la parente pauvre des arts musicaux en Ontario français. Des initiatives comme le camp d'été pour les jeunes installé dans une ancienne église de Saint-Raphaël (Ont.) doivent être encouragées à long terme, car elles permettent à la jeunesse de s'initier à la musique en compagnie de maîtres qualifiés tout en vivant une expérience commune en plein air. C'est très souvent ainsi qu'ont débuté les grands centres de formation. L'éducation musicale offerte dans les écoles demeurant insuffisante, il est indispensable que des projets de cette envergure voient non seulement le jour, mais bénéficient d'une aide solide qui puisse leur assurer une permanence, la durée seule permettant d'acquérir une expérience de qualité. D'autre part, de telles réalisations (possibles également en d'autres domaines), parce qu'elles se développent à l'extérieur du cadre scolaire, sortent les artistes et leurs amateurs ontarois du ghetto de l'éducation, où les uns et les autres ont tendance à restreindre leurs talents.

c) Les arts visuels

Sur le plan de la création visuelle, les artistes ontarois manifestent une vitalité certaine tant du côté des arts plastiques (peinture, sculpture, céramique, etc.) que du côté de la photographie et du cinéma.

La ville d'Ottawa, par exemple, est devenue un centre d'animation de plus en plus favorable aux artistes ontarois : de nombreuses galeries s'intéressent à leurs œuvres, un réseau de galeries éducatives y est né, des festivals les mettent en évidence, des groupes les invitent. Cependant, cette dynamique d'animation ne devrait pas se concentrer en un point unique, mais rayonner dans la province, comme elle tend à le faire actuellement, voire à l'extérieur de l'Ontario. Des structures sont à inventer et à soutenir dans ce sens :

programmes d'échanges, rencontres, circuits d'expression, etc. Les organismes culturels fédéraux (Galerie nationale, musées, Radio-Canada, ONF, etc.) doivent, à cet égard, se décloisonner et jouer en ce domaine un rôle nouveau : dans un territoire aussi grand que l'Ontario, avec une population francophone aussi dispersée que la population ontaroise, ces organismes devraient développer une vocation itinérante, pratiquer, à l'exemple de nos ancêtres, la «dé-rouine» (le voyage, le déplacement, l'exploration). D'autre part, les organismes de subvention devraient élargir leurs critères de sélection, trop souvent dirigés vers le succès commercial au détriment de l'esprit d'invention et de la recherche. Le public ontarois doit être sensibilisé aux aléas de la créativité, sinon il risque d'être enfermé dans un rôle aliénant de strict consommateur d'images : sa propre culture et sa propre conscience sont en jeu.

Signalons, enfin, que les procédés de reproduction de certains types d'œuvres d'art (peintures, gravures, photographies) restent inaccessibles à trop d'artistes; c'est un domaine qui demeure inexploité. Les formes plastiques devraient être mises en relation avec d'autres formes artistiques : le livre, l'affiche, la musique (pochette de disque), l'audiovisuel. À une époque branchée sur la démocratisation de l'art, ces décloisonnements sont essentiels à la survie des uns et des autres.

Bien amorcée au début des années 1970, la production cinématographique fait face aujourd'hui en Ontario français à de sérieux obstacles d'expression : coûts de plus en plus élevés de production, pénurie de techniciens francophones, absence d'une politique globale de distribution, sans compter les récents conflits vécus par les cinéastes ontarois dans le cadre de la régionalisation ONF-Ontario. Des projets intéressants de collaboration sont tués dans l'œuf à cause de restrictions budgétaires.

d) L'écriture

Il n'existe en Ontario français aucun organe d'information écrite à l'échelle provinciale, moyen indispensable pour développer chez les Ontarois un sentiment d'appartenance à un groupe précis. *Le Droit* d'Ottawa dessert surtout une population régionale située de part et d'autre de la rivière des Outaouais, chacune se montrant plus ou moins satisfaite de l'intérêt qui lui est accordé dans les pages du journal, et, le plus souvent, envieuse de la part prétendument plus grande réservée à l'une ou à l'autre.

Dans les autres régions de l'Ontario, il existe des quotidiens ou des hebdomadaires francophones locaux qui arrivent à peine à survivre en sacrifiant une large part de leur identité à la publicité. Comment développer une conscience collective sans le support d'un organe de communication écrite? Les paroles s'envolent, mais les écrits restent! Les journalistes francophones de la presse écrite sont pourtant nombreux, en dépit d'une réduction sérieuse des cours de formation professionnelle qui s'adressent aux francophones dans le domaine de la communication dans les collèges et les universités.

Quant aux périodiques, plusieurs sont nés en Ontario français depuis dix ans, mais de plus nombreux projets encore sont morts faute d'aides technique et financière réalistes. Aujourd'hui, la revue *Liaison* sent le besoin de se détacher de l'organisme Théâtre Action afin d'accueillir en ses pages de plus nombreuses disciplines culturelles. Cette initiative doit être fortement encouragée, car cette revue, comme son nom l'indique, sera la seule voix à se faire entendre à l'échelle de la province sur le plan culturel et à informer l'ensemble de la communauté qu'elle cherche à rejoindre.

La création littéraire ontaroise ne trouve que peu d'encouragement. La production littéraire est desservie par la maison Prise de parole, dont nous avons souligné plus haut les difficiles problèmes de fonctionnement et de survie, et la toute nouvelle collection «Astrolabe» des Éditions de l'Université d'Ottawa, jeune encore, est insuffisamment engagée dans le milieu communautaire. Dans ces conditions anémiques, il n'est pas étonnant de découvrir que bien des textes n'atteignent jamais l'étape de la publication. De nouvelles formules doivent être explorées afin que nos jeunes auteurs se sentent stimulés par la perspective d'être lus par les leurs. Le besoin de plus d'un centre de publication attentif à leurs écrits et à leurs intérêts s'impose; il y a là tout un secteur à vivifier.

e) Le patrimoine

Il est un lieu de l'activité artistique ignoré par la majeure partie de la collectivité ontaroise et qui la concerne directement. Nous voulons parler du patrimoine collectif. L'exploration de ce domaine contribuerait à intensifier chez les jeunes Ontarois et Ontaroises le sentiment d'appartenance à une collectivité définie.

À cet égard, la plus grande réalisation à voir le jour est l'œuvre colossale du père Germain Lemieux, s.j., directeur du CFOF à l'Université de Sudbury. Ce folkloriste émérite a entrepris, dès 1948, une vaste enquête folklorique dans le Nouvel-Ontario et a sauvé ainsi un trésor de richesses insoupçonnées dans le rayon de la littérature orale (contes, légendes, chansons, etc.) ainsi que dans ceux de l'ethnographie et de l'artisanat. Une partie du matériel oral recensé par le folkloriste est mise à la disposition du public grâce aux éditions Bellarmin qui publient, depuis 1973, une partie du répertoire des récits dans la série *Les Vieux m'ont conté*. Une gamme d'objets anciens de tous genres ont trouvé refuge dans le petit musée du Centre de folklore fondé par le chercheur. Des fonds spéciaux devraient être débloqués pour la conservation, l'amélioration et la diffusion de ces travaux. Le matériel sonore et visuel reste inaccessible aux chercheurs et au public qui s'y intéressent.

Signalons, en outre, que la Société historique du Nouvel-Ontario œuvre depuis de longues années à faire connaître par la publication de ses quatre-vingts documents historiques le patrimoine historique des Ontarois, non seulement celui de la région de Sudbury mais également celui d'autres parties de l'Ontario français (Penetanguishene, Detroit au XVIIIᵉ siècle, etc.). La formation de sociétés semblables en d'autres localités serait propre à promouvoir l'identité de communautés de plus en plus dépossédées d'elles-mêmes et de leur passé. Des projets pourraient être lancés dans cette voie.

La mise en valeur du patrimoine collectif est nécessaire pour assurer une identité. Jusqu'à présent, on compte peu de réalisations d'envergure dans l'inventaire architectural ou artisanal du passé ontarois. Il y a là un monde à explorer avant qu'il ne soit trop tard. Des projets d'été pourraient occuper une jeunesse attirée par ce genre de prospection historique, sous la direction de personnes compétentes.

C) La diffusion culturelle et artistique

En matière de création culturelle et artistique, on peut distinguer quatre principaux pôles de diffusion aptes à rejoindre l'ensemble de la population ontaroise : les médias (radio, télévision, journaux), les tournées et festivals, les foyers spécialisés (bibliothèques, cinémas, centres culturels, galeries, musées, salles de concert, etc.), les rencontres de tous genres (salons du livre, causeries, colloques, ateliers, stages, expositions, etc.).

En milieu minoritaire, cette diffusion rencontre de nombreux problèmes qui tiennent, d'une part, aux proportions réduites de la clientèle à qui l'on s'adresse et, d'autre part, à l'étalement de cette clientèle sur un vaste territoire et en de multiples localités. Des besoins de coordination et d'organisation continues se font sérieusement sentir pour éviter des pertes d'énergie, d'argent et d'intérêt.

a) Les tournées

Le contact le plus efficace entre les artistes et leur public en Ontario français se fait par l'intermédiaire des tournées. C'est un procédé coûteux mais efficace sur tous les plans quand la responsabilité de l'entreprise est assurée par une structure rodée et non improvisée. Comme ces déplacements sont de plus en plus onéreux, une aide substantielle et continue de l'État s'impose. La prise en charge de l'organisation de ces tournées peut, dans le cas de l'Ontario français, être assumée par des organismes provinciaux ou régionaux et cela, d'une façon permanente. Encore faudrait-il que les ressources techniques et financières puissent leur être garanties à long terme. L'efficacité a besoin de continuité pour se déployer dans ce domaine.

Les différents festivals qui ont cours actuellement à Sudbury (La Nuit sur l'étang), à Ottawa (le Festival franco-ontarien), à Cornwall, à Rockland, etc. doivent être encouragés : ils sont un rare moyen de promotion de nos artistes. Deux remarques à ce sujet. La première concerne le temps alloué à ces réjouissances estivales, qui pourrait être prolongé (nous songeons au festival d'Ottawa, qui attire de nombreux touristes). La seconde a trait à la préférence trop grande accordée aux vedettes francophones de l'extérieur au détriment des talents ontarois. Il faut d'abord investir chez soi; les subventions ne devraient pas être accordées seulement en fonction des «grands noms».

b) Les livres et le film

En milieu minoritaire francophone, la diffusion du livre et du film reste problématique. Le nombre restreint des points de vente pour l'imprimé (il existe peu de librairies de langue française à l'extérieur d'Ottawa) et de salles de cinéma pour le film (on peut compter sur les doigts de la main les salles réservées à la projection de films en français en Ontario) étrangle la diffusion de ces biens culturels nécessaires au ressourcement culturel des Ontarois et au renouvellement des idées. Les sommes d'argent consacrées, par ailleurs, à l'achat d'imprimés en français par les bibliothèques publiques sont une goutte d'eau dans la mer de la nécessité. Des efforts concentrés doivent être poursuivis de ce côté, telles les initiatives entreprises dans le Nord de l'Ontario. N'y aurait-il pas lieu d'instaurer un projet de bibliothèques itinérantes en plusieurs points de l'Ontario où vit une communauté francophone? De même, des ciné-clubs plus nombreux devraient être implantés dans les centres culturels et offerts à l'ensemble de la population. Un réseau pourrait être établi afin de coordonner la programmation et les ressources. Des appuis financiers et techniques pourraient être fournis en ce sens par l'État. On pourrait tirer également un meilleur parti du réseau de distribution établi dans le passé par la Société de développement de l'industrie cinématographique canadienne, lequel réseau rejoint plusieurs provinces.

c) Les médias

La radio et la télévision restent d'importants facteurs d'acculturation en Ontario français. Les postes anglais ou américains gardent, dans une large mesure, l'oreille du grand public francophone de la province. Les quelques stations de radio de langue française s'aventurent bien timidement hors de leur zone habituelle d'opération limitée à la musique populaire et une information régionale réduite. Les émissions culturelles sont rares ou dévalorisées par des formules rebutantes. Les réseaux de télévision d'État alimentent un fort pourcentage de leur programmation à même la mamelle québécoise. En encourageant davantage une production locale ontaroise, la Société Radio-Canada (SRC) pourrait contribuer à attirer plus de téléspectateurs et enrayer l'exode de nos artistes.

Les efforts de la Télécommunication éducative de l'Ontario qui administre le réseau de TVOntario sont appréciés par une certaine tranche de la population, mais ils sont insuffisants si l'on considère l'énorme concurrence que ces émissions à tendance éducative pour une large part doivent subir.

Signalons, en outre, que l'une et l'autre de ces sociétés pourraient se montrer plus favorables à l'engagement d'un personnel issu du milieu ontarois, tant en regard des animateurs, des commentateurs, des réalisateurs que des techniciens et des opérateurs. Les quelques expériences tentées dans cette voie indiquent qu'il existe souvent sur place un personnel qualifié.

Avec un peu d'imagination et l'argent nécessaire, les médias seraient en mesure d'assurer quelque succès au développement culturel ontarois. Car une culture vivante a besoin de s'exprimer avec les moyens de son époque et de se regarder vivre au moyen des médias les plus actifs.

Parmi les médias, celui qui reste le moins connu par les membres de la collectivité ontaroise est peut-être la télévision communautaire. Et pourtant c'est sans doute celui qui pourrait lui être, en un certain sens, le plus accessible si une information au sujet de la disponibilité du matériel technique et des ressources lui était adéquatement fournie. L'accès aux ressources audiovisuelles et à leur contrôle est un instrument de poids dans la diffusion culturelle et la promotion des artistes.

d) Les rencontres

Rien n'est plus favorable à l'éclosion du talent et de l'inspiration artistiques que les rencontres organisées grâce aux «échanges culturels». L'artiste est très souvent un être solitaire : il a un besoin essentiel de communications qui le stimulent, l'encouragent, lui permettent de se mesurer à autrui. Ces échanges peuvent emprunter des formes variées, depuis la simple entrevue jusqu'au grand rassemblement. Ces rencontres peuvent se dérouler entre artistes ou avec le public; les deux types de réunions sont nécessaires, surtout en milieu minoritaire où elles créent des liens et resserrent les rapports de la collectivité en accentuant le sentiment d'appartenance à une souche commune, ontaroise et artistique. Ces gens sont les principaux concernés en matière culturelle. Il importe donc de les rassembler pour qu'ils se parlent et échangent des idées. Bien que ces déplacements s'avèrent parfois coûteux, ils sont, à l'instar des tournées, indispensables à l'enracinement culturel dans le milieu.

Il est bon, en outre, de favoriser une politique d'échanges avec l'extérieur. Aussi, des dispositions doivent-elles être prises à cet égard; cette fois encore, le succès commercial ne devrait pas prendre le pas sur la créativité. D'autre part, il faut veiller à ce que ces échanges ne soient pas unilatéraux : jusqu'à présent, plus d'artistes québécois ont eu la chance de se produire dans les rencontres qui se déroulaient en Ontario que le contraire n'est arrivé. Nos artistes devraient être informés des programmes d'appui aux arts, qui existent ailleurs. La présence de nos artistes doit se manifester partout : chez eux, entre eux et ailleurs.

III. Que faire?

Au terme de cet exposé sommaire de l'état du développement culturel en Ontario français, il convient de proposer à nos gouvernants quelques mesures réalisables pour améliorer la situation culturelle de la collectivité ontaroise. Mais, auparavant, des considérations générales s'imposent.

1. Devant l'effritement culturel et communautaire de la société ontaroise, il importe que cessent l'émiettement des actions incohérentes et chétives, l'appui discontinu et l'éparpillement des efforts. Un travail sérieux de coordination doit être entrepris entre les deux paliers de gouvernement, le provincial et le fédéral, et une politique globale d'aide accrue aux arts et à la culture doit être établie.

2. Il est essentiel, en outre, que, face à la politique de décloisonnement de l'appui aux arts et à la culture, la décentralisation des structures gouvernementales au profit des régions ne se fasse pas au détriment de la minorité francophone dans les provinces. La politique de subventions des services gouvernementaux doit être restructurée et conçue en fonction de la clientèle à desservir plutôt qu'en vertu d'un modèle emprunté aux sciences de la gestion, qui ne tiendrait pas compte des besoins réels du milieu. La décentralisation des budgets et des services en vue d'une répartition régionale est nettement défavorable à la représentation des intérêts francophones, et cela, sur tous les plans.

3. Enfin, la situation économique du pays, à l'heure actuelle, est une source continuelle de préoccupation pour les artistes et les travailleurs dans le domaine culturel. Les coupures de budget, la fermeture de programmes, la cessation de projets contribuent à faire de l'artiste une éternelle victime du chômage. Aussi, des mesures précises devraient être sérieusement envisagées pour permettre aux artistes de subsister. L'introduction d'une politique d'emplois à temps partiel dans les normes du travail et une politique d'allégement fiscal sont indispensables à la survie de la création culturelle et artistique, surtout en milieu minoritaire et dans les localités éloignées des grands centres. D'autre part, le gouvernement pourrait mettre au point un mécanisme favorable aux artistes dans l'attribution des prestations sociales.

Outre ces recommandations générales, nous formulons ci-dessous des recommandations particulières qui découlent des remarques insérées dans notre exposé.

4. Nous recommandons au CAC de se mettre résolument à l'écoute des talents régionaux non seulement en développant des programmes propres à encourager des types particuliers de projets assurés d'un succès commercial, mais également des initiatives dont l'accent soit mis sur la créativité.

5. Nous recommandons au Secrétariat d'État de s'impliquer davantage dans son soutien aux organismes culturels par un appui continu, étalé sur des plans quinquennaux; et ce, afin d'assurer un meilleur fonctionnement des structures de ces organismes et la qualité des services.

6. Nous recommandons au Secrétariat d'État de distinguer dans l'attribution des subventions celles qui sont allouées à la routine administrative et celles qui sont versées pour la réalisation de programmes, et de garantir les unes et les autres en fonction de la croissance des organismes, des besoins de la population desservie, de la participation du public et des entreprises particulières à chaque organisme culturel.

7. Nous recommandons au Secrétariat d'État de favoriser toutes les formes de rassemblement artistique et culturel entre les Ontarois et

de nombreux échanges entre les Ontarois et les autres francophones du pays et de l'extérieur.

8. Nous recommandons à l'ONF de maintenir son programme de régionalisation ONF-Ontario et d'encourager la production ontaroise.

9. Nous recommandons à la SRC de réduire la dépendance des stations ontariennes à l'endroit du Québec en mettant en valeur les auteurs, les artistes, les réalisateurs et les techniciens ontarois afin que la radio et la télévision du réseau national cessent d'être les médias des «autres».

10. Nous recommandons à la SRC d'augmenter le temps d'antenne consacré aux affaires ontaroises, en attendant de mettre sur pied un véritable réseau ontarois de radio et de télévision axé principalement sur Ottawa, Sudbury et Toronto, centres de la présence et de la vie française en Ontario.

11. Nous recommandons au Centre national des arts (CNA) d'ouvrir largement ses portes à la production artistique et culturelle régionale afin d'enrichir la programmation dite «nationale».

12. Nous recommandons à la Galerie nationale de consacrer à la production artistique ontaroise quelques parties de son budget réservé aux achats; et de consacrer quelques-unes de ses initiatives à l'épanouissement culturel des Ontarois, en favorisant les conférences et les projections de films de la minorité francophone.

(Ottawa, le 9 mars 1981)

Documents consultés

1   Robert Choquette, «Arts et culture chez les Franco-Ontariens; aperçu historique de la dernière décennie», mémoire préparé pour le Groupe d'étude sur les arts dans la vie franco-ontarienne présenté au CAO en septembre 1977 par Pierre Savard, Rhéal Beauchamp et Paul Thompson.

2 *Id.*, *L'Ontario français, historique*, Montréal, Études vivantes, coll. «L'Ontario français», 1980.

3 Yolande Grisé, «À la découverte de l'identité franco-ontarienne par la création pédagogique», conférence d'ouverture prononcée au Château Laurier (Ottawa) le 7 novembre 1980 lors du Congrès de Perspectives 80 organisé par le CFORP. Voir le texte 13.

4 *Id.*, «La tranquille révolution culturelle de l'Ontario français», *Perspectives* (magazine dans *La Presse*), Montréal, 24 novembre 1979, p. 8-11. Voir le texte 9.

5 Jean-Paul L'Allier, «Pour l'évolution de la politique culturelle», document de travail, Gouvernement du Québec, ministère des Affaires culturelles, mai 1976.

6 Pierre Pelletier, *Onze centres culturels franco-ontariens. Éléments de trajectoire et d'horizon*, rapport présenté à l'Assemblée des centres culturels franco-ontariens, le 22 septembre 1979.

7 Pierre Savard, Rhéal Beauchamp et Paul Thompson, *Cultiver sa différence*. RAVFO présenté au CAO en septembre 1977.

8 Andrée Tremblay, «Séminaire franco-ontarien 1979», rapport préliminaire, Entraide universitaire mondiale du Canada, 1980.

15

L'ENGAGEMENT DE L'ÉCOLE DANS LE RENOUVEAU CULTUREL ONTAROIS

Texte d'une conférence prononcée le 12 mars 1981, à l'invitation du Comité des affaires ontaroises de la Faculté d'éducation de l'Université
d'Ottawa, devant les étudiants et étudiantes du programme Formation à
l'enseignement à l'occasion de la «Semaine française».

Sous le titre ambigu d'une formule publicitaire, le gouvernement
fédéral vient de lancer une vaste consultation publique sur la
culture au pays. Ainsi peut-on lire sur la brochure préparée en ce
sens par le Comité Applebaum chargé de l'étude : *Parlons de notre
culture!* – comme s'il n'existait qu'une seule culture au Canada!

Puisqu'on nous y invite si généreusement, parlons de NOTRE
culture!

Il est urgent, à mon avis, que les francophones de l'Ontario
prennent conscience de l'envergure et de la portée du réveil culturel
qui s'est produit parmi eux depuis cinq ans grâce, en bonne partie,
aux éléments les plus dynamiques dans leurs rangs : les créateurs, de
toute espèce. Il importe, en outre, que l'école, dernier bastion de la
francité en Ontario, s'empresse non seulement de suivre le mouvement, mais prenne la tête du convoi, si elle ne veut pas être rapidement réduite à regarder passer le train qui emporte les voyageurs. Et
il revient aux forces neuves des jeunes enseignants de donner l'élan
et d'engager l'école avec eux.

Par «renouveau culturel», je ne veux pas seulement faire allusion
à l'abondance et à la variété des activités sociales, communautaires
et artistiques qui se multiplient dans les différentes régions francophones de la province, mais je veux, surtout, faire référence à cette
notion même de culture qui fonde toute société. Car il existe bel et
bien une société franco-ontarienne distincte de la société anglophone de cette province ou encore de la société francophone de la
province voisine. En effet, bien que leurs racines profondes plongent dans l'humus de la tradition culturelle française et qu'ils
partagent avec le Québec un fonds culturel commun auquel ils ne

sauraient, d'ailleurs, renoncer sans s'amputer sérieusement d'une partie d'eux-mêmes, les Franco-Ontariens ont développé ici sur le sol ontarien (en certains lieux, depuis trois siècles; en d'autres endroits, depuis le milieu du siècle dernier) une façon de vivre bien à eux; autrement dit, une culture dont ils affirment, de plus en plus, l'originalité et la vitalité, dans des réalisations de toutes sortes.

Aussi, on aurait tort de croire que la culture, avec ou sans un grand «C», ne recouvre que le cadre étriqué de divertissements intellectuels ou encore de productions folkloriques, dans lequel certains esprits voudraient si commodément l'enfermer. Car, ainsi considérée, la culture ne serait qu'un moment privilégié dans la journée d'une personne, qu'une partie de la vie d'un groupe favorisé ou spécialisé, voire qu'une sorte de métier ou même qu'une stricte entreprise commerciale. Alors qu'en réalité la culture est loin d'être un passe-temps, un loisir, une récréation ou, encore moins, un luxe. En effet, on ne devrait plus ignorer – depuis que les sciences humaines se sont appliquées à le démontrer pendant toutes ces années – que la culture est véritablement «l'ensemble des institutions, des valeurs et des pratiques qui distinguent une société d'une autre». En d'autres mots, la culture est aussi nécessaire à la personne et à la société que la vie : c'est, pour tout dire, ce qui nous identifie individuellement et collectivement.

Entendue dans ce sens, la culture franco-ontarienne connaît à l'heure actuelle des remous, une ébullition déclarent les uns, un éclatement observent les autres : une transformation profonde, en somme, qui semble alarmer ceux qui ne paraissent pas bien saisir que l'unique solution de rechange devant la disparition qui menace est le changement, un changement profond.

Presque à leur insu, donc, les Franco-Ontariens subissent en ce moment une importante crise d'identité culturelle : leurs institutions, leurs valeurs et leurs pratiques leur paraissent s'effriter sous l'ébranlement de la société traditionnelle qui fut longtemps la leur et le chambardement de la société industrielle elle-même à laquelle ils tentent tant bien que mal de s'adapter, en même temps que s'opère chez les plus lucides, les plus attentifs et les plus informés d'entre eux une prise de conscience aiguë de l'aliénation, de l'acculturation et de l'exploitation dont les Franco-Ontariens sont acculés à faire – à trop grand prix – les frais. Cette conscience nouvelle les pousse à vouloir prendre en main leur propre destin, et cela, dans toutes les sphères de l'activité humaine.

Un des signes les plus manifestes de cette crise d'identité collective est apparu en toutes lettres, il y a un an environ, sur un écran cinématographique, lorsque le jeune cinéaste franco-ontarien Paul Lapointe choisit d'intituler *J'ai besoin d'un nom* un de ses films sur la condition franco-ontarienne. Quelque temps après, sans tambour ni trompette, un nom a surgi spontanément, comme un fruit mûr, en écho à cet appel, apportant dans un souffle nouveau une image nouvelle : je veux parler du mot *Ontarois*.

Depuis son apparition, ce mot a fait son petit bonhomme de chemin : il a conquis les uns, dérouté les autres, enchanté des esprits, heurté des habitudes. Comme tout ce qui vit et cherche à s'épanouir, l'implantation du nom *Ontarois* dans les habitudes du langage demande du temps, des soins, de la détermination et, bien sûr, quelques explications, que j'aimerais résumer brièvement ici. Car, enfin, pourquoi cette nouvelle appellation? À quoi correspond-elle?

Le mot *Ontarois* est à la fois le signe, ai-je dit, et le symbole d'un renouveau culturel majeur en Ontario français : un cri de délivrance, certes, mais aussi, et surtout, une promesse d'avenir possible. Ce mot nouveau marque, en effet, non seulement le changement nécessaire qui doit s'opérer dans les mentalités si nous voulons continuer de vivre en français en Ontario, mais encore la transformation radicale qui s'opère dans notre mode de vie actuel malgré nous et malgré tous les obstacles qu'on voudrait lui opposer. On ne peut pas arrêter une idée neuve aussi étroitement liée à des réalités nouvelles : a-t-on pu suspendre la coulée précoce de la sève de nos érables cette année? peut-on empêcher un enfant de grandir? L'apparition du terme *Ontarois*, c'est, si l'on veut, le symbole d'une nouvelle forme de vie ou, si l'on préfère, celui d'une nouvelle forme de lutte qui ne se cantonne plus dans la résistance passive, mais qui, s'adaptant aux besoins d'aujourd'hui, fonce vers l'action par l'affirmation de soi, s'incarne en des projets concrets, se réalise en des gestes positifs, trouve des solutions du côté de l'invention.

Pourquoi donc *Ontarois*?

– Parce que les francophones de l'Ontario n'acceptent plus d'être considérés comme «rien» dans ce coin de pays qu'ils ont

ouvert à coups d'aviron, de hache, de bêche, de pic, de marteau et...
d'épingles à chapeaux;

- parce qu'ils ne veulent plus être maintenus sans cesse à la remorque d'une majorité anglophone qui confond à souhait «minorité» avec «médiocrité» pour mieux dominer;
- parce qu'ils veulent, désormais, se débarrasser d'un sentiment
d'infériorité et d'insécurité entretenu par la peur de déplaire à la
majorité toute-puissante, peur qui paralyse leur action, sabote
leur personnalité, défigure leur image, écrase leur génie;
- parce qu'ils ne veulent plus se définir en fonction de cette majorité anglophone, qui s'obstine à les ignorer, mais par rapport à
leurs racines véritables et à la culture qui s'y rattache;
- parce qu'ils osent, désormais, affirmer fièrement dans ce mot
créé par eux et non imposé par les autres (un mot à consonance
bien française) une identité francophone trop longtemps tenue
en veilleuse comme une tare honteuse, à moitié dissimulée dans
l'expression *Franco-Ontarien*;
- parce que le mot *Ontarois* résiste à la traduction et commande
ainsi à haute voix la reconnaissance et le respect de la différence;
- parce que, face à la majorité francophone du Québec, ils récla-
ment d'être traités comme des francophones à part entière au
lieu d'être considérés comme des francophones de seconde
classe, rejetés du Québec dans un vaste mélange anonyme de
demi-francophones laissés pour compte, sans voix au chapitre
de la culture canadienne-française, désormais québécoise;
- parce qu'en somme, ils ne veulent rien de plus que rappeler
clairement et sans équivoque aux «Ontarians» la présence en
cette province de CONCITOYENS francophones et aux Québécois, l'existence hors de leur territoire de COMPATRIOTES.

Ainsi donc, bien enracinés dans le passé dont ils sont issus, les
Ontarois d'aujourd'hui tournent résolument les yeux vers l'avenir.

Et, ici comme ailleurs, l'avenir c'est la jeunesse. Une jeunesse
qui, comme toute jeunesse, fait l'expérience, souvent difficile, de
l'adolescence aux prises avec l'inquiétante recherche de «soi» et
l'obsédant besoin de s'affirmer. C'est pourquoi il me paraît indispensable que l'école, qui, dans l'état actuel des choses, reste le principal lieu de rassemblement et d'apprentissage des jeunes, offre à cet

âge en quête de soi-même, au milieu du bouleversement général, une image réelle, donc nécessairement nouvelle, de son identité. Une image qui gagne la faveur du jeune, le valorise, lui donne confiance, éveille sa conscience, ranime sa fierté, développe chez lui un sentiment d'appartenance et de solidarité : en un mot, une image qui l'inspire, comme celle que cherche à exprimer le mot *Ontarois*.

Il appartient aux jeunes enseignants appelés à former la jeunesse ontaroise de développer une telle image et, pour cela, de se redéfinir eux-mêmes, en tant qu'Ontarois bien sûr, mais aussi en tant qu'éducateurs dans cette nouvelle société en gestation. À cet égard, je partage l'avis des gens qui affirment que la seule avenue praticable en cette période remplie d'imprévisibles et de puissantes secousses demeure la voie «royale» de l'imagination. Car les vieux sentiers battus, rebattus et bétonnés sont désertés ou envahis par les broussailles, les routes à voies multiples ne se rencontrent jamais, les autoroutes tournent irrémédiablement en rond, des rues débouchent sur des culs-de-sac, des pistes aventureuses aboutissent à des précipices. Mais, du côté de l''invention, deux grandes artères nous invitent aux découvertes stimulantes et enrichissantes : la création pédagogique et l'animation culturelle.

En matière pédagogique, trois secteurs susceptibles de favoriser l'intérêt des jeunes pour leur culture sollicitent l'engagement des enseignants. Il s'agit : 1) du développement de disciplines orientées vers le milieu humain et l'environnement; 2) de la préparation d'outils pédagogiques de diverses natures adaptés à l'exploration de ces nouveaux champs d'intérêt; 3) de la création ou mise en forme de cours, d'ateliers, de travaux pratiques ou, que sais-je? spécialement consacrés à l'étude de la réalité ontaroise. À cet égard, citons quelques réalisations importantes qui innovent dans ces domaines.

La plus considérable demeure, sans doute, la création par le père Germain Lemieux, s.j., du CFOF de l'Université de Sudbury, qui réunit une documentation manuscrite, sonore et visuelle exceptionnelle sur le patrimoine ontarois. Ce matériel reste trop peu connu des enseignants, qui pourraient pourtant y puiser en abondance des informations et des idées pour enrichir leur enseignement.

Le CFORP à Ottawa participe, quant à lui, à la diffusion d'un matériel pédagogique préparé par les enseignants ontarois pour les besoins de leurs collègues, tout en s'intéressant activement à la promotion de la culture ontaroise auprès des enseignants, culture entendue dans son sens le plus large qui comprend à la fois le culturel proprement dit, le religieux, le social, l'économique et le politique. À ce sujet, mentionnons la parution de deux séries de documents PRO-F-ONT consacrés à l'étude détaillée de différents aspects de nombreuses localités ontaroises et, à l'automne prochain, le lancement de la première *Anthologie de textes littéraires ontarois* formée de quatre volumes, chacun s'adressant respectivement à l'un des quatre cycles scolaires. Le Centre lancera également en octobre 1981 un *Diaporama sur la vie culturelle ontaroise* de la dernière décennie. À ces utiles outils pédagogiques, ajoutons la publication récente de la belle série de *L'Ontario français* éditée par la maison Études vivantes et composée de sept ouvrages concernant spécifiquement l'histoire et la géographie humaine et physique de l'Ontario français. Ces volumes ont été préparés par une équipe du CRCCF de l'Université d'Ottawa. Bien qu'ils s'adressent plus particulièrement aux étudiants du cycle supérieur, ces livres peuvent être consultés avec profit par les enseignants des autres cycles. En fait, chaque famille ontaroise devrait en posséder une série.

Du côté de la création de cours axés sur l'étude des réalités ontaroises, les enseignants devraient se prévaloir de l'exemple de l'Université d'Ottawa pour allouer certaines heures de leur enseignement au fait français en Ontario, dans le domaine de la langue française, ou bien des réalités sociales, économiques, politiques, de la condition féminine, etc. Une telle orientation des cours serait certainement appréciée des jeunes, si curieux de la réalité dans laquelle ils évoluent tous les jours.

L'école n'est pas seulement le lieu privilégié de l'apprentissage intellectuel et social, mais aussi celui de l'éveil de la sensibilité, de cette sensibilité qui ouvre des yeux ébahis sur le monde, élargit la conscience et libère l'instinct créateur. Tôt ou tard, je crois, l'école sera appelée à développer plus largement son rôle dans le rayonnement culturel en devenant un authentique foyer d'expression culturelle, comme cela se passe déjà en certaines institutions scolaires, et cela, au prix de sa survie. Car même si, à cette heure en Ontario, la langue française se présente comme le signe le plus visible de l'identité ontaroise, celle-ci n'est pas *toute* la culture. On oublie trop qu'elle n'en est qu'un moyen d'expression, et pas toujours le plus riche...

L'éveil de la conscience des jeunes Ontarois bénéficierait de l'injection systématique d'énergies nouvelles dans le secteur de l'animation culturelle en milieu scolaire. L'expression artistique de tout genre enrichit l'expérience humaine. L'art est un moyen extraordinaire d'atteindre les gens. D'autre part, l'initiation à la pratique d'un art dévoile et développe des talents particuliers, encourage l'originalité, stimule l'esprit d'initiative, avive l'imagination, incite à trouver des solutions nouvelles aux problèmes nouveaux qui surgissent sur les plans théorique, technique ou humain, que ce soit dans le domaine du théâtre, de la musique, des arts plastiques, de la photographie, du cinéma, de la chanson, de la danse, de la poésie ou de la création littéraire.

Au moment où les cordons de la bourse se resserrent dans le monde de l'éducation, où l'on sabre copieusement dans les dépenses jugées inutiles, ce serait une grave erreur, à mon avis, que l'on accepte de couper les vivres à l'animation culturelle dans les écoles. Ces coupures vont bon train, hélas! sous des formes variées, depuis le recyclage d'enseignants dans la mission d'animateurs pour laquelle le plus souvent ceux-ci ne sont pas préparés jusqu'aux plus infimes tracasseries organisationnelles. Les jeunes enseignants sont donc appelés à jouer un rôle primordial dans ce domaine : l'engagement de leur personne et de leurs compétences diverses dans l'épanouissement culturel de leur communauté scolaire sera déterminant. Car, sans la possibilité matérielle de l'expression culturelle, il m'apparaîtrait utopique d'échafauder un plan d'avenir pour assurer l'essor de l'identité ontaroise. Aussi doit-on beaucoup espérer de la nouvelle génération d'enseignants qui se prépare à prendre la relève en Ontario français, d'autant plus qu'il lui a été plus donné qu'aux précédentes. Quoi qu'il en soit, ce ne sont pas les défis qui manquent ni le courage qui fait défaut devant des perspectives d'avenir pour la réalisation desquelles les Ontarois n'ont peut-être jamais bénéficié d'aussi bons atouts. L'avenir n'appartient-il pas aux audacieux?

16

AU PAYS DE L'EXTRÊME

Recension de *La Quête d'Alexandre*, premier tome de la trilogie romanesque d'Hélène Brodeur, *Chroniques du Nouvel-Ontario*, Montréal, Éditions
Quinze, coll. «Prose entière», 1981, 283 p.

> À Porquis Junction, le médecin avait vaqué aux malades puis, se
> voyant encerclé par les flammes, s'était anesthésié au chloroforme
> ainsi que ses proches pour ne pas être brûlé vif. À Iroquois Falls,
> trois wagons de soufre destinés à la fabrication du papier avaient
> brûlé et suffoqué dix personnes. Une jeune fille de seize ans, décou-
> vrant sa famille entière décédée, avait essayé de se suicider en se
> tranchant la gorge mais n'avait réussi qu'à se faire une entaille peu
> profonde. Matheson était complètement détruit. En tout, deux cent
> trente-deux personnes, hommes, femmes et enfants avait péri, au
> compte officiel. Et cela ne comprenait pas ceux qui s'étaient trouvés
> en forêt ce jour-là et dont on n'entendit jamais parler.[1]

Comme l'haleine de feu et de sang qui embrasa soudain le ciel
de Cochrane au matin du 27 juillet 1916, le roman qu'Hélène
Brodeur vient de signer aux éditions Quinze de Montréal ne passera
pas inaperçu.

Sous le couvert de personnages imaginaires, *Chroniques du
Nouvel-Ontario* (dont on nous offre ici une première tranche sous le
titre de *La Quête d'Alexandre*) fait revivre avec réalisme, fougue, humour, tendresse et discernement les aspects multiples du difficile
apprentissage de la vie dans une région et à une époque trop peu
connues : le Nouvel-Ontario du début du siècle, plus précisément
ces vastes étendues de l'Ontario-Nord qui, à North Bay, tournent le
dos aux rives lumineuses du lac Nipissing pour s'enfoncer vers Cochrane, dans «ce paysage inhumain et apparemment sans limites où
les hauts conifères sembl[ent] s'avancer en rangs serrés pour repousser l'intrus qui oserait vouloir y pénétrer».

C'est l'époque révolue où, rêvant de millions, des gens de toutes origines s'entassaient, remplis d'espoir, dans les wagons enfumés
du Northern Ontario Railways, lancés à pleine vapeur dans une

aventure redoutable : la chasse aux fabuleux trésors des gisements d'or et d'argent de Kirkland Lake-Porcupine et des environs.

Parmi cette foule bigarrée accourue de partout, un jeune Canadien français promis à l'Église depuis son jeune âge, Alexandre Sellier, se distingue par ses manières et ses intentions. Parti de son village natal de Ste-Amélie-de-la-Vallée dans les Cantons-de-l'Est, il débarque à North Bay, un jour du printemps 1913, en quête de son frère aîné, François-Xavier.

Comme bien d'autres d'ailleurs avant lui, François-Xavier avait quitté Ste-Amélie quelques années auparavant pour tenter de faire fortune dans le «Klondike» ontarien. Or, le 11 juillet 1911, un incendie terrible ravagea la région et tua 73 personnes outre «les prospecteurs, chasseurs, pêcheurs surpris dans la forêt par le sinistre». Depuis, la famille était sans nouvelles de lui.

Alexandre arrive donc sur les lieux, deux ans plus tard, pour tenter d'éclaircir l'affaire et de retrouver son frère, si celui-ci vit toujours. Au fur et à mesure de son enquête, qui donne, au départ, toutes les apparences de l'insuccès, le jeune séminariste découvre les beautés et les misères d'un milieu rude et imprévisible, d'un «pays sans pitié», tout en opposition. Peu à peu, au contact des choses et des êtres qu'il rencontre, Alexandre prend goût à la liberté sauvage des «forêts illimitées» où la vie humaine est un incalculable défi.

Or, sous les cendres refroidies du pays incendié, couvent d'autres feux... Bientôt, malgré lui, Alexandre connaît les premières ardeurs de la passion auprès d'une jeune orpheline britannique, Rose Brent, émigrée dans le Nouvel-Ontario afin de rejoindre un frère unique. Mais Rose n'est pas libre : peu de temps après son arrivée dans la région, elle a fait la connaissance d'un beau parleur irlandais qu'elle a épousé, pour son malheur.

Ni la vocation d'Alexandre ni le mariage de Rose ne parviennent, cependant, à étouffer l'impétuosité de la jeunesse des amoureux ou à maîtriser l'affolement de leur cœur quand, au printemps excessif de l'année 1916, sonne, pour l'un, l'heure du départ pour Ste-Amélie – devant l'échec de ses recherches – et, pour l'autre, le retour du mari des chantiers d'hiver. L'étincelle fatale se produit, et c'est la grande flambée de l'amour, annonciatrice, en quelque sorte, de l'incendie apocalyptique de l'été qui vient.

Au milieu de la tempête de feu qui s'abat donc une seconde fois sur le pays, le 27 juillet 1916, Alexandre apprend, dans une scène

dramatique, le sort de son frère et formule, au plus fort du cataclysme, un vœu déchirant qui l'arrache à sa maîtresse. Le roman se
termine dans la détresse des corps et des cœurs. Mais, au moment
où tout semble consommé, tout véritablement commence...

Au sortir de cette lecture foudroyante, une première réflexion
vient spontanément à l'esprit. Voici un roman fort bien documenté
qui s'enracine dans l'histoire relativement récente d'un pays neuf
sans toutefois s'enliser dans les muskegs du mythe, de l'anecdote
gratuite ou, pire encore, de l'idéologie dominante d'une époque ou
d'une société. Avec *Chroniques du Nouvel-Ontario*, Hélène Brodeur
ouvre une percée étonnante dans une veine précieuse qui a échappé
jusqu'ici aux prospections historiques et romanesques.

Car il faut le dire : peu d'historiens francophones s'intéressent à
l'histoire du Québec hors des frontières sacro-saintes de la vallée du
Saint-Laurent, même si la plupart des familles québécoises d'alors –
et d'aujourd'hui – comptaient au moins un membre de la parenté,
proche ou lointaine, fixé hors de la belle province, en terre de survie, matérielle ou individuelle. En outre, jusqu'à maintenant, peu
d'écrivains de langue française au pays se sont inspirés profondément de la grande aventure des chemins de fer et des mines pour
réinventer le monde, bien que ce projet colossal eût drainé un im-
posant filon de l'énergie de la population canadienne-française du
temps, sans doute le plus vital. Pour un esprit indépendant, il y a
assurément sur un sujet pareil matière à rêverie, à écriture et à...
succès. Une entreprise littéraire semblable exige, bien sûr, des heures
de recherche, un esprit fécond et dépourvu de préjugés, une imagination abondante et le courage du succès.

L'auteure des *Chroniques du Nouvel-Ontario*, qui a grandi dans
le Nord de l'Ontario, a certainement la trempe d'un esprit peu
commun et une plume généreuse pour avoir osé s'aventurer du côté
des «aventuriers» et plonger aussi directement au cœur d'une Histoire aussi ingrate que la vie qu'elle met en œuvre. Sa ténacité et son
humour n'ont d'égaux que la résistance humaine de ceux qui ont
ouvert le Nord de l'Ontario.

Malgré deux longs retours en arrière nécessaires à l'illustration
de la chronique et à la situation du contexte – mais l'un peut être
trop prolongé, dans le cas de l'évocation du passé de Rose –, la
construction du récit est simple et solide. Pas de structures comple-

xes, pas d'embrouillamini, mais un cheminement progressif poursuivi en crescendo entre les feux de deux bornes tragiques : l'incendie de 1911 et celui de 1916. L'intérêt du lecteur est ainsi maintenu jusqu'à l'aboutissement fatal, et au-delà : atout indispensable quand on aborde une trilogie.

Alexandre et Rose s'imposent avec maîtrise comme les pôles du roman. Ils s'appellent et se répondent alors que tout les oppose : lui, jeune Canadien français catholique, qui découvre la réalité du Nord et l'humaine stature d'un milieu composé d'«étrangers» de toutes sortes, Indiens, Métis, Canadiens d'origines diverses; elle, jeune Britannique protestante, qui s'acclimate au pays, gagnée peu à peu par les façons libres et familières de ses voisins canadiens. Par-delà l'attrait indéniable du personnage d'Alexandre parti, à son insu, à la quête de lui-même sur les traces de son frère disparu; par-delà l'attachant portrait de Rose partagée entre son enthousiasme juvénile, des désillusions successives et une passion dévorante, la sympathie du lecteur s'étend à la personnalité étonnante de certains personnages secondaires : par exemple, le vieux guide métis Joe Vendredi, qui renonce à la vie pour assurer celle des autres; l'original curé de Sesekin, l'abbé Antoine d'Argent, missionnaire à la langue savante, considéré comme un saint par ses paroissiens; toutes ces femmes natives du pays ou pionnières, fragiles mais fortes, tendres mais braves, qui s'exténuent afin de rendre la vie plus légère à leur homme, compagnon de vie, d'amour ou de misère.

Ces femmes, Hélène Brodeur s'attache à nous les montrer dans l'accomplissement des gestes essentiels de la vie. En effet, que ce soit en des scènes d'amour (partagé, refusé ou résigné), de naissance (tragique ou heureuse) ou de mort (comme celle de la vieille Indienne Anna), toujours l'écrivaine, en fine observatrice, donne à voir – on dirait un texte conçu pour l'écran – au moyen d'une expression dépouillée d'artifices :

> Une espèce de frôlement le réveilla. Il faisait nuit mais la portière de la tente avait été soulevée et on distinguait le clair de lune. Ce devait être Tom qui venait se coucher. Il allait se rendormir lorsqu'il devint conscient que deux personnes avaient pénétré dans la tente. Assez de lumière filtrait par le ventilateur pour qu'il pût distinguer la silhouette d'une femme qui précédait la haute carrure de Tom. Suffoqué, Alexandre était maintenant complètement réveillé. Tom déplia la cou-

verture, enleva ses vêtements. La femme s'était couchée. Tom s'étendit près d'elle et l'enlaça. Bientôt il la couvrit de son corps, tandis qu'elle demeurait curieusement passive, résignée, comme la bonne terre qui se laisse fouiller par la charrue, comme l'eau qui s'ouvre devant le canot. L'étreinte fut assez brève. L'homme geignit, puis il glissa de côté et bientôt se mit à ronfler.[2]

Nombreux sont les passages où les mœurs du temps et du lieu étalent toute leur saveur, leur piquant ou leur poésie : qu'on lise les pages décrivant les apprêts du défilé de la Saint-Jean-Baptiste, les conflits épiques entre protestants et catholiques lors de la fête des orangistes, l'alambic funéraire de la veuve Bailey ou le mariage de Joe Vendredi, jamais on ne s'éloigne de la réalité du cru.

Et sur ces vies humaines en pleine fermentation règne une nature farouche et souveraine, aux lois impitoyables. Ce «maudit pays» aux saisons extrêmes qu'on injurie, pille, mais chérit, c'est la terre du Nord, sorte de Circé enchanteresse à qui rien ni personne ne saurait résister :

Alexandre s'étonnait toujours de cette espèce de haine amoureuse qu'Eugène témoignait envers sa terre, envers Sesekun, envers le Nouvel-Ontario. Il l'avait remarqué chez beaucoup de gens qui se plaignaient, rouspétaient, déblatéraient, mais n'abandonnaient pas : les fermiers contre le climat qui ruinait les récoltes; les bûcherons contre la forêt qui leur fournissait du travail mais où des circonstances imprévisibles – froid excessif, tempêtes, dégels inattendus, mouches et moustiques torturants – rendaient leur travail pénible et parfois périlleux; les prospecteurs contre ce sol qui cachait ses richesses, qui faisait miroiter l'or pur en surface, qui parfois donnait sans mesure comme dans le cas de la Dome, la McIntyre, la Hollinger, alors que d'autres fois une veine prometteuse s'arrêtait net sans qu'on sache pourquoi. À vrai dire, beaucoup s'en allaient, mais ceux qui demeuraient semblaient liés par une attirance inexplicable qui se muait en lutte, en corps à corps, où l'homme mesurait son courage à la dureté de ce pays sans pitié.[3]

En quelques images, apparaît sous nos yeux le paysage infortuné de ce pays de fortune. Images de rocs et de lacs «dont les bras comme des tentacules fouill[ent] la forêt»; images d'un sol en friche où se dressent «ces éternelles souches comme des poils de barbe sur

une joue mal rasée», image centrale d'un chemin de fer ombilical...

On doit féliciter l'auteure d'avoir évité l'écueil du cliché patrio-
tique ou linguistique (d'autant plus que l'action du roman se passe
à l'époque des troubles suscités par le Règlement 17) pour fixer son
regard dans le vif de la vie.

C'est un livre de chair et d'os que nous offre Hélène Brodeur :
un roman profondément ontarois. Un roman qui, loin de «donne[r] enfin naissance à la littérature franco-ontarienne» comme l'annonce assez maladroitement le communiqué de presse de l'éditeur,
confirme l'existence de l'écriture en Ontario français et affirme
l'originalité de son dire. Qui l'eût cru?

(*Le Droit*, 20 juin 1981, p. 18.)

Notes

1   Hélène Brodeur, *Chroniques du Nouvel-Ontario*, tome I, *La
        Quête d'Alexandre*, Montréal, Éditions Quinze, coll. «Prose en-
        tière», 1981, p. 278.

2   *Ibid.*, p. 66.

3   *Ibid.*, p. 257.

17

UNE ANTHOLOGIE DE TEXTES LITTÉRAIRES ONTAROIS, TOME I, *PARLI, PARLO, PARLONS!*

En 1979, le CFORP annonçait par la voie de la presse qu'il était à la recherche d'une personne pour réaliser, à la demande des enseignants et enseignantes franco-ontariens, une anthologie de textes littéraires franco-ontariens qui pourrait être utilisée dans la salle de classe comme dans les bibliothèques scolaires. La coordonnatrice du premier cours de littérature franco-ontarienne mis sur pied à l'Université d'Ottawa en janvier 1977 présenta sa candidature; celle-ci fut acceptée. Une première anthologie de textes littéraires ontarois voit donc le jour en quatre volumes aux éditions Fides (1982), chacun des volumes correspondant à l'un des quatre cycles du système scolaire franco-ontarien. Regroupant des textes de tous les genres littéraires sur les sujets les plus divers en empruntant des présentations variées, les ouvrages connaissent des retombées sur le rayonnement du fait français en Ontario et à l'extérieur de cette province. Les textes 17 à 20 reproduisent consécutivement la version intégrale – ou augmentée du plan de l'ouvrage dans le cas du troisième volume (*Des mots pour se connaître*) – de l'introduction générale de chaque volume de la série.

Il n'y a pas tellement longtemps, quand nos grands-pères partaient pendant de longs mois travailler dans le bois ou à la construction des chemins de fer ou dans les mines, ils aimaient, le soir après souper, oublier la fatigue de la journée et la solitude de la nuit en écoutant les belles histoires que leur racontait le conteur officiel du camp ou du campement.

Mais, dans le vacarme général de l'heure et du lieu, celui-ci n'avait pas toujours la tâche facile pour calmer son monde, obtenir le silence et, surtout, créer l'atmosphère nécessaire au drame et au mystère... Aussi, fièrement installé sur un tronc d'arbre, le «billochet», qui lui servait de siège désigné, devait-il faire appel à toute son imagination pour attirer l'attention de ses auditeurs.

En règle générale, l'un de ses trucs consistait précisément à prononcer d'une voix forte et redoutable une suite de formules plus ou moins mystérieuses qui piquaient la curiosité et imposaient le respect. Cette sorte d'opération magique propice à la préparation des esprits était très efficace : les murmures cessaient, le silence s'installait et le conteur pouvait commencer son récit.

Parmi ces nombreuses formules de circonstance, Louis Fréchette en a rapporté une, tirée des histoires de chantiers de l'Outaouais, qui se lit comme suit :

> Cric, crac, les enfants! Parli, parlo, parlons!
> Pour en savoir le court et le long, passez l'crachoir à Jos Violon.
> Sacatabi, sac-à-tabac. À la porte les ceusses qu'écouteront pas!

Voilà donc l'introduction rêvée pour éveiller l'intérêt des petits qui liront ce recueil de textes préparé pour eux. Ils y découvriront des contes et des comptines, des chansons et des poèmes composés sans prétention par des enfants ou des gens de leur région[1].

Orientés vers l'expression orale, le rêve et la fantaisie, ces écrits engagent l'enfant à s'exprimer à haute voix : à chanter, à réciter ou à dialoguer. Car, enfin, l'enseignement de la parole ne serait-il pas le premier enseignement de l'école?

(Montréal, Fides, 1982, p. 9-10. Préface de Jacqueline Martin. Illustration de la couverture : «Pari entre un cordonnier et sa femme», de Claire Guillemette Lamirande, Timmins)

Note

1   Voici la liste des textes et des auteurs selon leur ordre d'apparition dans le volume. *Réveil* (Yvonne Émard, Ottawa); *L'Hirondelle et le nuage* (Monika Mérinat, Toronto); *Inventaire* (Jocelyne Villeneuve, Sudbury); *Midi!* (Francine Landry, Ottawa); *J'ai un beau pays* (Aurore Blimkie, Pembroke); *Ah!* (Michel N., Hearst); *Amaout, grand chasseur* (Claire Roussy-Ménard, Sturgeon Falls); *Picoti-Picotin* (Martine Dubé, Ottawa); *La Légende des tulipes* (Tante Lucille, Ottawa); *Nooka* (Cécile Cloutier, Toronto); *Coucou* (Louise Mullie, Lafontaine); *Oscar et Germaine* (Jeanne Vachon, Rockland); *Oiseau de mer* (Louise LeBel, Ottawa); *En luge* (Monique Landry-Sabourin, Sudbury); *La Rosée* (Cécile Cloutier, Toronto); *Kamo* (collectif, école Sainte-Thérèse de Hearst); *Croquis* (Simone Routier, Ottawa); *Mon ami Ron-ron* (Bernard-A. Poulin, Sudbury); *Alléluia de Noël* (Agathe Legault,

Ottawa); *Et la langue fleurit au jardin du temps* (Berthe Boudreau, Ottawa); *Le Clown* (Monique Comeau, Azilda); *Le Nom
oublié* (Jean-Paul de Lagrave, Ottawa); *Un épouvantail* (Suzanne
Pinel, Orléans); *Chicot ou la Noël des animaux* (Georges Madore,
Ottawa); *Barbaro et la Bête-à-sept-têtes* (conte franco-ontarien re-
cueilli par Germain Lemieux, Sudbury, et adapté par Serge Wil-
son); *Le Vison et la mouffette* (Jocelyne Villeneuve, Sudbury); *Le
Mineur* (Monique Landry-Sabourin, Sudbury); *La Pomme*
(Micheline Saint-Cyr, Toronto); *La Ronde des animaux* (Berthe
Pagé, Ottawa); *Donatina et la Reine-des-belles* (Jacques Flamand,
Ottawa); *Miaou... miaou* (Micheline Saint-Cyr, Toronto); *La Fée
ambitieuse* (Emma-Adèle Lacerte, Ottawa); *Charlemagne ou
Charles le Grand* (Gysèle Brosseau-Poirier, Cornwall); *Le P'tit
Train du musée* (Suzanne Pinel, Orléans); *Un concert peu ordinaire*
(Jeanne Belcourt-Brunelle, Sudbury); *La Chenille* (Louise Mullie,
Lafontaine); *Amargok, le petit loup blanc* (Pierre Paul Karch, To-
ronto).

18

UNE ANTHOLOGIE DE TEXTES LITTÉRAIRES ONTAROIS, TOME II, *LES YEUX EN FÊTE*

Le livre de lecture que nous offrons ici aux écoliers de 4e, 5e et
6e année des écoles françaises de l'Ontario est le premier volume du genre à voir le jour dans cette province. Aussi sa venue
s'annonce-t-elle comme une véritable fête pour les yeux.

Tiré de leur milieu, ce livre est conçu pour répondre aux besoins de ces jeunes. Ils y retrouveront, en effet, une cinquantaine de
textes écrits par des auteurs de tout âge qui sont nés, ont vécu ou
voyagé à différentes époques, ou vivent parmi nous en différentes
localités de l'Ontario[1]. C'est dire que des textes tout neufs (inédits)
voisinent avec des textes plus connus, voire traditionnels. Fécond
voisinage qui développera chez les jeunes la conscience de l'existence et de la continuité d'une tradition littéraire franco-ontarienne
et stimulera le processus d'identification et d'intégration des enfants
à leur culture et à leur milieu.

D'autre part, puisque l'âge des élèves concernés est celui où l'imagination s'affirme comme source de création et de fantaisie, nous avons choisi de leur présenter surtout des contes, des légendes, des poèmes et des chansons. Ces genres littéraires, à notre avis, favorisent davantage la libération des rêves et des désirs, des frustrations et des craintes imaginaires de l'enfant et stimulent, en retour, la spontanéité et l'authenticité de son expression.

Nous avons également choisi de retenir le plus souvent des textes narratifs entiers. Car tout l'art du conte ne tient-il pas précisément au déroulement temporel d'une action (début-développement-fin)? Au surplus, tout en respectant la nature du genre narratif, ce procédé permet de ne pas contrevenir au plaisir de la lecture. Toutefois, afin de ne pas lasser l'intérêt du jeune lecteur, poésie et prose se succèdent alternativement tandis que les textes narratifs s'échelonnent en fonction de leur longueur et des difficultés qu'ils présentent, allant du simple au complexe.

Au point de vue strictement pédagogique, ce répertoire doit être considéré comme un instrument utile non seulement à l'enseignement du français à ces paliers scolaires, mais aussi à celui de différentes disciplines, telles que les sciences de l'environnement (la géographie, l'histoire, les sciences), la religion, la musique, etc. En ce qui concerne plus particulièrement l'enseignement du français, ces textes peuvent être exploités à plusieurs points de vue, soit pour la correction du langage, l'acquisition du vocabulaire, l'apprentissage de la lecture silencieuse ou à vue, l'étude des éléments de la narration et de la description, l'étude de la grammaire, soit pour l'initiation à l'expression orale et écrite ou encore à la création dramatique collective, etc. Nous prévoyons, d'ailleurs, la réalisation prochaine d'un cahier pédagogique orienté en ce sens.

Nous souhaitons, enfin, que ces premières lectures ontaroises suscitent chez nos écoliers un mouvement de fierté à l'égard de leur identité culturelle. Puissent-ils ouvrir sur les pages qui suivent et l'avenir qui s'y dessine de beaux grands yeux en fête!

(Montréal, Fides, 1982, p. 9-10. Préface de Germain Lemieux, s.j. Illustration de la couverture : «Festival de "bicycles" devant l'école Guigues, à Ottawa», de Robert Théberge-Trépanier, Vanier.)

Note

1   Voici la liste des auteurs et des titres selon leur ordre d'apparition
      dans le volume. Cécile Cloutier, Toronto : *Enfant-jardin*; Sté-
      phane Huppé, Ottawa : *L'Origine du sirop d'érable*; Gustave
      Lacasse, Técumseh : *Ci-gît Fifloute*; Dorothée Benge, Ottawa :
      Mbala, l'enfant de la jungle africaine; Tante Lucille, Ottawa : *La
      Légende des chutes Niagara*; Lysette Brochu, Sudbury : *La Pein-
      tresse des enfants*; folklore franco-ontarien, Sudbury : *Laïtou, la
      la!*; Jocelyne Villeneuve, Sudbury : *Les Ennuis de Pierrot*; Gérard
      Bordeleau, Hearst : *Pêche*; Camille Perron, Astorville : *La Légende
      des aurores boréales*; anonyme, Hearst : *La Légende de la tire*;
      Madeleine M. Des Rivières, Ottawa : *Sonia*; conte franco-
      ontarien, Sudbury, adapté par Serge Wilson : *Ti-Jean-joueur-de-
      tours*; Jean-Raoul Fournier, Toronto : *Il court, il court, le train*;
      folklore franco-ontarien, Sudbury : *Ma mère m'envoie-t-au mar-
      ché*; Xavier Marmier, lac Nipissing : *Une bonne action*; Hélène
      Maurice, Perkinsfield : *Douze petits sapins*; Ambroise Arsenault,
      Ottawa : *Le Noël du vieux bedeau*; Claudette Bélanger, Pain-
      court : *Le Cardinal et l'oie*; conte franco-ontarien, Sudbury, adap-
      té par Yolande Grisé : *Barbaro-les-grandes-oreilles*; Georges-
      Léandre Dumouchel, Vanier : *Chanson pour Éric*; Emma-Adèle
      Lacerte, Ottawa : *Le Fils du cordonnier*; René Champagne, Sud-
      bury : *L'Homme qui n'avait pas d'âge*; Micheline Saint-Cyr,
      Toronto : *Vieux rouets*; Daniel Roy, Cornwall : *La Légende des
      vents*; Magnanarelle, Ottawa : *Clair matin!*; Thérèse de La
      Bourdonnaye, Ottawa : *Aimée*; Jean Ménard, Ottawa : *Le Petit
      Chien*; Charles Maurel, Ottawa : *En pays de merveille*; Édouard
      Chauvin, Ottawa : *Le Gai Luron*; Marie-Rose Turcot, Ottawa :
      Souris; Robert Dickson, Sudbury : *Bestiaire*; Claude Aubry,
      Ottawa : *Le Roi des Mille Isles*; Thérèse Daigneault, Cornwall :
      Mon arbre meurt… et vit!; Agathe Legault, Ottawa : *Oncle Pollin-
      Grin*; Jean-Éthier Blais, Sturgeon Falls : *Le Train des vacances*;
      Jacqueline Martin, Timmins : *Bon Bombidou*; Jocelyne Ville-
      neuve, Sudbury : *Les Quatre Saisons*; pot-pourri traditionnel
      adapté par Nicole Beauchamp, Sudbury : *Vive contes et chansons!*

19

UNE ANTHOLOGIE DE TEXTES LITTÉRAIRES ONTAROIS, TOME III, *DES MOTS POUR SE CONNAÎTRE*

C'est aux adolescents de l'Ontario français que nous avons surtout pensé en préparant ce livre. Nous le leur offrons comme un miroir. Ils pourront y entrevoir sinon leurs traits personnels, du moins l'étonnante figure d'une réalité qui les a mis au monde ici et maintenant : la réalité franco-ontarienne. Inquiets, les adolescents l'ont toujours été. N'est-ce pas l'âge où, peu sûr de soi et des autres, on cherche à découvrir qui l'on est? Crise d'identité. Crise de liberté. Crise d'autorité. Le «moi» fondamental de chacun veut s'exprimer sans entrave pour se libérer et s'affirmer tel qu'en lui-même il est : unique et différent.

Aussi, cette anthologie de textes littéraires franco-ontariens est-elle unique : c'est la première fois, en effet, qu'un pareil ouvrage est créé pour ces adolescents de nos écoles secondaires françaises. Différents, les textes que nous leur présentons le sont également par les thèmes qu'ils abordent, les régions qu'ils recouvrent, les auteurs qui s'y expriment, les sujets qu'ils traitent et les époques qu'ils parcourent[1].

C'est pourquoi, croyons-nous, ces pages leur plairont. Car, en disant leur coin de pays et ses saisons, leurs ancêtres et leur passé, leurs familles et leur génération, leurs chansons et leurs rires, leurs affections et leurs afflictions, leurs souvenances et leurs croyances, leurs contes et leurs légendes, les mots rassemblés dans ce livre les renvoient à eux-mêmes. Ils leur apprendront à se mieux connaître pour mieux s'appartenir.

Les voix qu'ils entendront sont des voix familières, aux musiques multiples tirées du répertoire franco-ontarien. Graves ou légères, sonores ou intimes, rudes ou raffinées, la plupart de ces voix sont nées en Ontario, y ont été formées ou encore s'y sont développées; quelques-unes, natives d'ailleurs, appartiennent au même chœur par le chant qui est leur.

Que ces voix surgissent d'un passé trop méconnu, comme celle de l'intrépide Champlain explorant la Huronie au sud de la baie Georgienne, ou qu'elles montent d'un présent impatient, comme celles de nos jeunes poètes interpellant l'avenir, toutes se font l'écho prophétique d'une langue belle et fière, indomptable!

Treize sections se partagent l'ouvrage. Chacune réunit un certain nombre de textes regroupés autour d'une idée-thème qui s'inscrit dans le prolongement du titre : *Des mots pour se connaître*, pour :

I. S'EMPAYSER. *S'empayser*[2], c'est d'abord connaître les moindres replis de sa petite *patrie*. Je suis d'une terre d'eau et de roc où il fait bon vivre.

II. DURER. *Durer*, c'est reconnaître d'où l'on vient pour aller plus loin. Je suis d'une famille où chacun m'a donné la vie qui me fait d'ici.

III. CHANGER. *Changer*, c'est refuser de mourir. Regarde nos saisons. N'ont-elles pas raison?

IV. VOYAGER. *Voyager*, c'est franchir l'espace et le temps; c'est communiquer avec bien des gens. Je suis d'une race de hardis voyageurs à qui les distances et les heures ne faisaient pas peur.

V. S'AFFIRMER. *S'affirmer*, c'est maîtriser le passé pour garantir l'avenir. Je suis d'origine française; je suis de ces hommes fiers et forts, de ce peuple fameux au passé valeureux.

VI. CHANTER ET DANSER. *Chanter et danser*, c'est exprimer la joie d'un cœur où bat le rythme de la vie. Je porte dans mes bagages de vieux airs, de doux refrains, tout un héritage de musiciens.

VII. GRANDIR. *Grandir*, c'est devenir soi-même. Je suis d'un âge difficile qui cherche à s'affranchir.

VIII. SOUFFRIR. *Souffrir*, c'est accepter de vivre. Je suis d'une lignée éprouvée, mais courageuse : prête à affronter l'adversité.

IX. AIMER. *Aimer*, c'est promettre demain. Je suis de cœur tendre et fougueux, espiègle un brin et audacieux.

X. SOURIRE. *Sourire*, c'est éloigner l'orage et repousser l'ennui. Je suis d'une nature joyeuse et malicieuse.

XI. SE SOUVENIR. *Se souvenir*, c'est vivre deux fois. Je suis d'un coin de vie qu'on n'oublie pas.

XII. PRIER. *Prier*, c'est remercier et espérer. Je suis d'une foi rude, entière et généreuse, d'une foi qui ne doute pas.

XIII. RACONTER. *Raconter*, c'est rêver à haute voix. Je suis d'une langue savoureuse, d'une parole éclose dans le sol, d'un verbe de héros qui étonne, effraie, amuse ou cajole.

Autant de verbes qui expriment une identité culturelle franco-ontarienne en pleine action collective : l'exploration de son do-maine littéraire.

Empruntés à des créations de tout genre (poésie, théâtre et prose – contes, légendes, récits, nouvelles, romans, mémoires, etc.) et à des sources variées (ouvrages, revues, journaux, documents inédits), les textes sont, en règle générale, assez courts. Lorsque le contexte ou la compréhension l'exigent, une petite introduction ou un résumé de l'action précèdent les textes et des notes les com-plètent. Quant aux auteurs, leur présentation est reportée à la fin du volume, dans un appendice qui constitue une sorte de petit diction-naire des auteurs : on y trouvera de brèves notes biographiques permettant de les identifier. Une table de référence fournit, en outre, les sources bibliographiques qui serviront la curiosité des lecteurs désireux de poursuivre leurs lectures préférées. Enfin, des illustrations en noir et blanc rehaussent certains textes, tandis que, regroupées au centre du livre, des reproductions en couleur expo-sent un certain nombre de créations visuelles réalisées par des artis-tes franco-ontariens. Ces documents contribuent non seulement à enrichir la présentation graphique de l'ouvrage, mais encore à éveiller, soigner ou affiner la sensibilité artistique des jeunes.

Nous souhaitons que les enseignants trouvent dans ces pages un outil pédagogique efficace adapté à leurs intérêts et à leurs besoins. En attendant que paraisse une démarche pédagogique prévue à cet effet, nous les invitons à exploiter ces textes dans leur classe de fran-çais, soit la compréhension ou la structure du texte, pour l'analyse des phrases, l'acquisition du vocabulaire et de la grammaire, soit pour l'exercice de style, l'apprentissage de la rédaction, du texte d'imitation ou du résumé de lecture, l'étude de la langue, la mémorisation d'un court extrait, la découverte des lois de la versification ou de la liberté du vers, etc.

Puissent les maîtres et les élèves de nos écoles utiliser cet ouvrage avec autant de plaisir que nous avons eu à le concevoir pour eux!

(Montréal, Fides, 1982, p. 13-15. Préface de Séraphin Marion. Illustration de la couverture : «Trois petites faces», de Louise Latrémouille, d'Embrun.)

Notes

1   Voici la liste des auteurs et des titres par section.
        I : Arthur Buies, *La Rivière des Français* ; Maurice Lacasse, *Le Lac Sainte-Claire*; Léo-Paul Demers, *Les Chutes du Niagara* et *Lac Ramsey*; Xavier Marmier, *Le Lac Huron*; Yvette Tréau de Coeli, *Le Canal Rideau*; Les Ailes, 1925, *Mes rochers*; Lionel Séguin, *La Vallée de Chelmsford*. II : Louis-Joseph Chagnon, *Le Lit*; Jean Éthier-Blais, *Grand-mère au salon* et *Les Cousines*; Cécile Cloutier, *Mon grand-père*; Réginald Bélair, *Y avait*; J.-A.-Émile Asselin, *Les Mamans franco-ontariennes*. III : Maurice de Goumois, *Le Printemps au Nord*; Éva Serré-Roy, *Au printemps*; Marie Sylvia, *La Plainte des arbres en automne*; S. Charel, *Neige*; Joseph Marmette, *Le Dieu de l'hiver*; Jocelyne Villeneuve, *Saisons (haïkaïs)*; Agathe Legault, *Le Mois d'août*. IV : baron de Lahontan, *Les Canots d'écorce au Canada*; Arthur Buies, *La Route des «voyageurs»*; Germain Lemieux [enregistrée par...], *Complainte de Cadieux*; Jean-Baptiste Proulx, *Gros paresseux*; Léo-Paul Desrosiers, *Sur le lac Supérieur*; Jean Archambault, *Complainte du bûcheron*. V : Léo-Paul Demers, *Notre histoire*; Luc Bérard et J.-Albert Foisy, *Victoire*; Benjamin Sulte, *Jos Montferrand*; Lionel Groulx, *Panorama*. VI : Jean Ménard, *La Chanson*; René Champagne, *La Danse des bûches*; Pierre Paul Karch, *Parole et musique*; Robert Vigneault, *Songe*; Magnanarelle, *Les Moineaux*. VII : Samuel de Champlain, *Les Petits Hurons*; François Hertel, *Au dortoir des petits*; Yvette Naubert, *Les Garçons*; Gaetan Vallières, *Un conte*; Francine Dignard, *Joe Lutin*; Jean Éthier-Blais, *Un mauvais rêve*; Jacynthe Bordeleau, *Cinq cents milles trop loin*; Oscar Gauthier, *Hommage à l'enfant*. VIII : Rodolphe Tremblay, *La Tragique Naissance de Timmins*; Monika Mérinat, *Lorsque je mourrai*; Jacqueline Martin, *Le Destin tragique de Cavelier de La Salle*; Thérèse de

la Bourdonnaye, *Sépulcre*; Jean-Paul de Lagrave, *La Fuite*. IX : Anonyme, *Fleur de pommier*; Gustave Lacasse, *Rose!*; Germain Lemieux [chanson enregistrée par…], *Corbleur, Sambleur*; Jacynthe Bordeleau, *Je m'ennuie*; Benjamin Sulte, *La Belle Meunière*; Jeannine Bélanger, *Prisons*. X : Jean-Amable Bélanger, *Séraphin*; Paule Saint-Onge, *Fantaisie… sur deux plumes*; Jean Archambault, *Le Vieux Byron*; Germain Lemieux [conte recueilli par…], *Le Meunier Sans-Souci et La Barlingue*; Jean-Raoul Fournier, *Assis devant sa page blanche*. XI : Gustave Lacasse, *Vieux meubles*; Marie-Rose Girard, *Le Puits*; Jean Ménard, *Deux bicyclettes*; Rosa Pineau, *Métisse et Claudia*; Aimé Roy, *Rêverie*; A. Émile Maheu dit Des Hazards, *Les Tempêtes qu'on avait*. XII : Jean de Brébeuf, *Noël huron*; Rose Langlois, *Février, une nuit*; Henri M. Guindon, *Rien d'autre que toi*; Alfred Garneau, *Vent du ciel*; Georges Madore, *Je t'aime*. XIII : Maurice de Goumois, *Sacré George!*; Marie-Rose Turcot, *Le Parrain*; Thomas Marchildon, *La Disparition de Proserpine*; Jean Archambault, *Les Infortunés mariés*; Germain Lemieux [conte recueilli par…], *La Bête-à-sept-têtes*; Rodolphe Tanguay, *Les Vieux Remèdes*; Marceline Decaux, *Le Petit Bois*; Jean-Pierre Choné, *Sorcellerie*.

2 S'empayser : néologisme formé sur le modèle de son contraire : dépayser. Cela voudrait signifier : s'enraciner ou développer des racines. Autrement dit : «s'ensoucher» dans la terre qu'on habite, ou qu'on a choisi d'habiter, pour la faire sienne, pour en faire son pays, pour s'y reconnaître comme chez soi, y être à l'aise…

20

UNE ANTHOLOGIE DE TEXTES LITTÉRAIRES ONTAROIS, TOME IV, *POUR SE FAIRE UN NOM*

Pour la première fois dans l'histoire de l'enseignement français en Ontario, voici que sont réunis des textes de lecture issus du milieu franco-ontarien. Ils veulent répondre aux besoins des professeurs de français au niveau du cycle supérieur des écoles secondaires françaises de cette province.

Bien que ce premier inventaire du corpus littéraire franco-ontarien ne soit ni complet ni définitif, il s'en faut, nous avons cherché à en tracer le plus large contour possible. On trouvera donc représentées dans les pages qui suivent toutes les époques de l'histoire de l'Ontario français, depuis le passage de Champlain en Huronie jusqu'à nos jours.

Si nous avons décidé de remonter aussi loin dans le passé, c'est que le souci didactique de l'ouvrage l'exigeait. En effet, trop souvent, aujourd'hui, hélas! on oublie les formidables racines françaises de l'Ontario, quand on ne les ignore pas totalement. Il importe que les jeunes Franco-Ontariens apprennent qu'il fut un temps où l'Empire français d'Amérique s'étendait de l'Atlantique jusqu'aux Grands Lacs et de la baie d'Hudson jusqu'en Louisiane. Et le cœur économique de cette Nouvelle-France, alimenté par le vaste réseau commercial de la riche denrée de la fourrure, battait dans une île située entre le lac Huron et le lac Michigan, cette «baie du lac Huron» : Michillimakinac. C'est en terre «ontarienne», en quelque sorte, qu'hommes de Dieu et du roi, coureurs de bois et voyageurs d'autrefois, partis novices de la vallée du Saint-Laurent, se sont colletés contre vents et courants au pays neuf qui les a faits hommes d'ici. Et, pourtant, leurs chaudes haleines, leurs fortes sueurs, leur sang répandu, leurs corps raidis ou engloutis hantent, semble-t-il, plus fièrement nos rivières et nos forêts dévastées que notre mémoire.

D'autre part, parce que «rien ne se perd, rien ne se crée», il nous est apparu urgent d'inculquer à la jeunesse d'ici le sentiment de la continuité de l'expression française en Ontario. Continuité fragile, il est vrai, bouleversée par le nécessaire mouvement de toute vie lancée à la poursuite de l'avenir incertain, mais combien plus encore par le joug injuste et malheureux trop longtemps imposé au libre enseignement et à la libre expression de la parole française en cette province, bâillonnée, hier, par de déloyales manœuvres législatives, aujourd'hui, par un intolérable mépris.

En parcourant notre anthologie, les lecteurs auront le plaisir et la surprise de découvrir différentes régions de l'Ontario français : les textes les expriment en des proportions ajustées aux faits connus et aux sources disponibles et consultées. On comprendra, dès lors, qu'une part généreuse du livre ait été dévolue à la région de l'Outaouais, dont la rivière du même nom a longtemps uni les rives au lieu de les séparer, ainsi qu'à celle du Nouvel-Ontario, sans que, toutefois, ni l'une ni l'autre n'occupe, sciemment, plus de place que de raison. Arbitraire comme tout choix, notre choix de textes et d'auteurs s'est exercé à partir de quatre sources distinctes : ouvrages, revues, journaux (quotidiens et hebdomadaires) et documents inédits. Comme l'un des buts de cette anthologie littéraire vise, notamment, à inciter les adolescents de nos écoles à lire et à s'exprimer en français et, par ricochet, à éveiller parmi eux des talents d'écrivain, il nous a semblé que l'occasion était belle d'encourager directement la production littéraire franco-ontarienne en ouvrant notre recueil à des plumes nouvelles ou méconnues. N'est-ce pas là aussi faire œuvre utile d'enseignement?

À peine nées, les recherches consacrées à la littérature franco-ontarienne rencontrent l'épineux problème de l'identité de ses auteurs. À cet égard, notre anthologie ne prétend pas résoudre la question de l'identité franco-ontarienne. Elle s'inscrit, plus modestement, dans ces premiers travaux d'exploration indispensables à toute œuvre d'envergure appuyée sur la reconnaissance et l'épanouissement possible d'une société en quête d'elle-même. Aussi, n'aurait-il pas été prudent, à notre avis, de borner cette première prospection du patrimoine littéraire franco-ontarien à l'unique critère de l'origine géographique des auteurs. Remettons à plus tard, en des temps plus assurés, une sélection aussi stricte. Quant à nous, partons à l'aventure, comme nous y invitent les franches réalités de l'histoire de l'Ontario français qui fut et reste, du moins en ses axes les plus fréquentés, un pays beaucoup parcouru et, pour de nombreux francophones, une patrie d'élection ou une terre de passage plus ou moins prolongé.

Car une compréhension aussi étroite de l'expression «franco-ontarien» risquerait d'accorder, à la limite, plus d'importance aux auteurs qu'aux œuvres elles-mêmes, lesquelles demeurent – on a souvent tendance à l'oublier – l'objet premier de la littérature. C'est pourquoi nous avons choisi d'étendre la notion subjective de l'appartenance franco-ontarienne des auteurs à son corollaire objectif : l'appartenance franco-ontarienne des textes. Autrement dit, nous considérons que relèvent du domaine littéraire franco-ontarien :
a) les textes dont les auteurs sont nés en Ontario;
b) les textes dont les auteurs ont vécu ou vivent en Ontario et dont la création littéraire est liée de quelque manière à leur vie en Ontario;

155

c) les textes qui traduisent quelque aspect de la réalité franco-ontarienne, de quelque auteur qu'ils soient, même si celui-ci n'est pas né ou encore n'a pas vécu en Ontario.

Cela dit, chaque texte est coiffé d'un bref aperçu biographique de son auteur. En général, l'accent est mis sur les liens directs ou indirects qui rattachent ce dernier à la réalité franco-ontarienne et seules ses œuvres proprement littéraires sont mentionnées.

De nature essentiellement littéraire, les textes choisis appartiennent aux genres variés et abondants qui fondent toute littérature : relations, mémoires, journaux, chroniques, souvenirs, lettres, témoignages, chansons, poèmes, contes, légendes, récits, anecdotes, histoires fantastiques, nouvelles, romans, pièces de théâtre. La littérature de combat et d'action, nourrie de mémoires, d'articles retentissants, de rapports et de brochures destinés à la défense des droits des Franco-Ontariens, les écrits historiques, sociologiques ou critiques et les discours de toutes circonstances ont été volontairement omis. Le temps alloué à la recherche et le volume du recueil, d'une part, l'objet de l'ouvrage conçu plus spécialement pour l'apprentissage du commentaire littéraire (un document de travail pédagogique complétera le recueil de textes) des classes de 11e, 12e et 13e année, d'autre part, nous ont contrainte à les négliger ici. Mais leur intérêt et leur valeur, leur qualité et leur importance numérique sont tels qu'il entre dans un de nos projets futurs d'en former le prochain tome de la présente anthologie.

À la diversité des époques, des régions, des sources, des auteurs et des genres, s'associe dans les extraits qu'on va lire la variété des thèmes retenus et des surfaces occupées parfois avec plus d'abondance qu'il n'est coutume. L'éventail de cette distribution a le mérite de piquer la curiosité des lecteurs, d'éviter la monotonie de la lecture ou, au contraire, de satisfaire un penchant particulier; enfin, de plaire à des dispositions et à des goûts différents. De plus, il rend compte d'un des principaux attraits de la littéraire franco-ontarienne découvert au cours de notre enquête : son étonnante diversité. C'est un fait qui frappe quand on prend connaissance, par exemple, des multiples versions de chansons ou de la masse incommensurable de contes, de légendes et de récits recueillis par le père Germain Lemieux, s.j., dans les seules limites du Nouvel-Ontario.

On trouvera également consignés parmi la centaine de textes[1] du recueil un certain nombre d'extraits qui accordent une importance évidente à la langue parlée, à la langue populaire. Nous l'avons voulu ainsi. Juxtaposés à des modèles de langue écrite, ces témoignages parlent d'eux-mêmes. La tradition orale, on le comprendra, a joué un rôle primordial dans la transmission de l'héritage culturel tiré à même la vie (et non l'école) d'un peuple peu nombreux, livré à lui-même, échelonné sur d'impossibles distances dans un environnement étranger à sa langue, à sa foi et à ses habitudes et rivé principalement à des occupations de survie : travaux de la terre, des chantiers, des chemins de fer, des mines ou des usines. Ce phénomène ne pouvait être tu. Chez les nouvelles générations scolarisées, il se répercute, en outre, par une poussée plus vive de créativité en des champs littéraires où prédominent la parole, voire le spectacle, soit : la poésie, la chanson, le théâtre et le récit.

Sélectionnées pour leur intérêt documentaire et éducatif, les illustrations en noir et blanc insérées dans cette anthologie se rapportent, en général, aux textes qu'elles évoquent. Quant aux illustrations en couleur, elles enrichissent la présentation en exposant sous nos yeux quelques réalisations visuelles d'artistes franco-ontariens contemporains et contribuent ainsi à l'initiation artistique des jeunes lecteurs.

Partiellement affranchie de la littérature québécoise, à laquelle elle se rattache sans doute, la littérature franco-ontarienne fait ici le bilan de ses écrits et les offre aux enseignants, aux étudiants et au public intéressé comme autant de lettres de créance propres à lui faire un nom auprès des siens et des autres.

Nous souhaitons que cet ouvrage, le quatrième de la série, dont le projet fut lancé par l'AEFO et patronné par le CFORP, trouve ainsi auprès de la population scolaire, à laquelle il s'adresse surtout, un accueil favorable.

(Montréal, Fides, 1982, p. 13-16. Préface de Gisèle Lalonde. Illustration de la couverture : «En attendant le médecin dans son cabinet», par Yves Larocque, de Sturgeon Falls.)

Note

1   Voici la liste chronologique des auteurs et des textes qui figurent dans le volume : Samuel de Champlain (1570?-1635), *Au pays de la mer douce (le lac Huron)*; Gabriel Sagard (1590?-1636?), *Portrait du Huron*; Les Relations des Jésuites (1632-1672), *La Mort tragique des pères Jean de Brébeuf et Gabriel Lalemant*; François Xavier de Charlevoix (1682-1761), *Cataracoui (Kingston)*; François René de Chateaubriand (1768-1848), *Une nuit à Niagara*; Joseph Mermet (1775-après 1828), *Tableau de la cataracte de Niagara après la bataille du 25 juillet 1814*; Xavier Marmier (1808-1892), *La Rivière des Français*; Joseph-Charles Taché (1820-1894), *Un échange*; Octave Crémazie (1827-1879), *Un homme qui ne peut se marier*; Henri-Raymond Casgrain (1831-1904), *Le Serpent à sonnettes*; Alfred Garneau (1836-1904), *La Rivière*; Louis Fréchette (1839-1908), *Tom Caribou* et *Du whisky en esprit*; Arthur Buies (1840-1901), *Le Nord*; Benjamin Sulte (1841-1923), *Bytown*; Alphonse Lusignan (1843-1892), *Les Poissonniers de l'Ottawa*; Joseph Marmette (1844-1895), *Au pays de la vigne*; William Chapman (1850-1917), *L'Aurore boréale*; Jules-Paul Tardivel (1851-1905), *Jeu parlementaire*; Sylva Clapin (1853-1928), *L'Amour triomphant*; Rodolphe Chevrier (1868-1949), *Désespérance*; Lionel Groulx (1878-1967), *L'Augure*; Jules Tremblay (1879-1927), *La Catalogne* et *Sparks Street*; Lionel Séguin (1886-1963), *Au royaume de Vulcain (Chelmsford)*; Gustave Lacasse (1890-1953), *Genest*; Maurice de Goumois (1896-1970), *Seul dans le bois du Nord*; Léo-Paul Desrosiers (1896-1967), *La Rude épreuve du Nord-Ouest* et *Louison Turenne observe Montour*; Séraphin Marion (1896-[1983]), *L'Institut canadien-français d'autrefois*; Thomas Marchildon (1900-), *Terreur des amoureux!*; Lorenzo Cadieux (1903-1976), *Mythes et croyances des Odjibwés* et *Souvenirs du patriarche de Corbeil*; Robert Choquette (1905-[1991]), *Souvenirs du lac Supérieur*; Paul Gay (1911-), *La Tombe de Louis Hémon à Chapleau*; Charles-Émile Claude (1912-), *Le Fleuve*; Mariline, *Un projet de mariage*; Thérèse Tardif (1913-), *Augustin renvoyant la femme*; Germain Lemieux [chanson et conte recueillis par ...] (1914-), *J'me suis fait une blonde* et *Ti-Jean-sans-peur*; Georgette Lamoureux ([1910-1995]), *Jos Montferrand*; Jeannine Bélanger (1915-), *Deux saisons pour mon cœur (ta présence, l'absence)*; Yvette Naubert (1918-[1982]), *L'Homme à la valise*; Marguerite Whissel-Tregonning (1918-), *Au temps des élections*; Gérard Bessette (1920-), *Entretien nocturne* et

Rêvasseries; Maurice Lacasse (1920-[1996]), *Heureux, si heureux*; Léo-Paul Demers (1922-), *Une maison natale (à Verner)*; Hélène Brodeur (1923-), *Les Amours d'Éphrem Maillot*; Maurice Beaulieu (1924-), *Tout mon sang s'anordit* et *Les Pierres à vivants*; Jean Éthier-Blais (1925-[1995]), *Père*; Adrien Thério (1925-), *Les Deux Amateurs de trous*; Pierre Trottier (1925-), *L'Étoile des Grands Lacs*; Émilien Lamirande (1926-), *Des cris venus de loin*; Jean Ménard (1930-1977), *À Bytown* et *La Vie quotidienne*; Cécile Cloutier (1930-), *Le Monde* et *Les Mots*; Jacqueline Martin (1930-), *Les Murs des autres*; Pierre Mathieu (1933-), *Décembre*; Anonyme (1973), *Hérissements*; Jacques Flamand (1935-), *Est-il une différence?*; Georges Tissot (1935-), *La Marguerite et l'abeille*; Madeleine Dubé (1940-), *Mon futur grand-père*; Pierre Paul Karch (1941-), *Le Docteur Ti-Hi*; Jocelyne Villeneuve (1941-), *La Veuve du dimanche*; Paul Prud'homme (1943-), *Vernissage*; Robert Dickson (1944-), *Au nord de notre vie*; Lysette Brochu (1946-), *Le Discours d'Adam*; Michèle Vinet (1946-), *La Foule*; Doric Germain (1946-), *La Chasse*; Richard Casavant (1946-), *Il est une terre* et *Le Cri d'un peuple*; Pierre Pelletier (1946-), *Offrande*; Basile Marchand (1946-), *Sous le bouleau*; Andrée Lacelle (1947-), *Plainte des os*; Patrice Desbiens (1948-), *Janvier, c'est le mois le plus dur de l'année*; Danielle Martin (1948-), *Drapeau en berne*; Alexandre Amprimoz (1948-), *Silences d'une vie lointaine*; Alain Beauregard (1949-), *L'Enfant*; Réginald Bélair (1949), *À tous les gens du Nord* et *Je me souviens*; Gaston Tremblay (1949-), *Remonte un peu*; Georges-Léandre Dumouchel (1949-), *Ballade pour bientôt*; Robert Paquette (1949-), *Bleu et blanc*; André Paiement (1950-1978), *Retrouvailles*; Clermont Martineau (1951-), *Penetang Blues*; Laurent Grenier (1957-), *Entre-deux*; Jean Marc Dalpé (1957-), *Les Murs de nos villages*; Claire Rochon (1958-), *Sortirons-nous la laine?*; Pierre Albert (1959-), *La Grande Débâcle*; Renée Racicot (1959-), *L'Arbre*; André Leduc (1960-), *Vertige*; Théâtre d'la Corvée (1975), *Non!* et *La Famille*; Garolou (Lougarou) (1975), *Je me suis habillé en plumes*.

21

«ONTAROIS» : UNE PRISE DE PAROLE

Lancé lors du rassemblement de Perspectives 80 à Ottawa[1], le terme *Ontarois* utilisé pour désigner en français les Canadiens français de l'Ontario fut adopté en juin 1981[2] par le Festival franco-ontarien dans la formule «Ontarois, on l'est encore!» qu'il imprima sur son affiche officielle et ses tee-shirts-souvenirs. Cette nouvelle appellation exprimait ouvertement l'appartenance française des Franco-Ontariens et leurs liens communs avec ces voisins québécois dont les choix politiques récents (1976) avaient déchiré des familles, voire des communautés, en Ontario. Divers groupes communautaires invitèrent la «créatrice» du vocable à prendre la parole pour expliquer cette «nouveauté» : à l'occasion de ces causeries, parfois animées, elle développa et précisa sa pensée sur «le mot qui faisait parler les gens». Puis, à l'invitation de la *Revue du Nouvel-Ontario*, elle accepta de rédiger la genèse des circonstances qui avaient présidé à la naissance du terme Ontarois et exposa par écrit des arguments développés jusqu'alors au fil des discussions. L'occasion était des plus favorables : la revue s'apprêtait à saluer les dix premières années de la maison d'édition Prise de parole.

Les éditions Prise de parole de Sudbury ont dix ans. Quoi de plus approprié pour souligner un événement littéraire dans le Nouvel-Ontario que de le célébrer sous le signe d'un terme neuf : Ontarois! Après tout, la création d'un mot ne relève-t-elle pas aussi du domaine littéraire, dans la mesure où sans les mots il n'y aurait pas de littérature? Il faut donc se réjouir que la *Revue du Nouvel-Ontario* ait placé l'apport de la maison d'édition Prise de parole à la littérature de l'Ontario français sous un augure aussi favorable que la création.

Pour célébrer cette première décennie de publication, il convient de prendre la parole afin de souligner le rôle qu'a joué la jeune maison de Sudbury dans cette «prise de parole» collective qui a donné naissance au mot Ontarois pour désigner les francophones de l'Ontario. Car ce mot nouvellement apparu au sein d'une conjoncture dynamique de forces créatrices s'inscrit d'emblée dans la patiente et fervente prise de conscience, morcelée peut-être, mais continue, qui a donné le jour il y a dix ans, à Sudbury, à la création des éditions Prise de parole, après avoir engendré des initiatives comme celles de CANO et du TNO. En ce sens, le surgissement du mot Ontarois ponctue une étape importante dans le cheminement culturel, social et politique des francophones de l'Ontario, au sein des circonstances épiques que connaît la vie française dans cette province. Le mot Ontarois est, en même temps, le point de départ d'une nouvelle conscience de soi et des autres, sans laquelle aucun avenir solide ne paraît désormais possible pour la collectivité de l'Ontario français.

Où et comment est né le mot Ontarois?

Trois catalyseurs privilégiés ont présidé à sa naissance : une pièce de théâtre, une rencontre de créateurs artistiques, un film sur la condition minoritaire.

Pour bien comprendre l'émergence de cette nouvelle appellation, il faut remonter jusqu'en juin 1979, alors qu'une représentation de la pièce *La Parole et la loi* – publiée plus tard par Prise de parole – avait lieu en plein air dans le Parc de la Confédération, à Ottawa, à l'occasion du Festival franco-ontarien. Le sujet : la sombre affaire du Règlement 17, qui interdit de 1912 à 1927 l'enseignement en français en Ontario. Créée par le Théâtre d'la Corvée de Vanier, la pièce revêtait la forme de l'happening psychothérapeutique du jeune théâtre contemporain.

Au dernier tableau de la pièce, se déroule une brève cérémonie au cours de laquelle les comédiens viennent en procession enterrer symboliquement tous les clichés traditionnels qui illustraient jusque-là l'identité collective franco-ontarienne, mais qui, en fait, ne correspondent plus à la réalité vécue par la jeunesse aujourd'hui : boîte de soupe aux pois, vieille ceinture fléchée, grenouille, petit pain, etc. Par ce geste libérateur, la troupe veut signifier le rejet contemporain des vieilles images stériles d'un passé figé, dépossédé de lui-même, et attirer l'attention sur les réalités que doit affronter le Franco-Ontarien d'aujourd'hui sollicité par de nouvelles valeurs, de nouveaux problèmes, une nouvelle existence : la VIE.

La Parole et la loi a certainement touché les spectateurs concernés. Elle en a même troublé plusieurs par la fin quelque peu déroutante qu'elle propose : on dépouille le vieux modèle franco-ontarien des «oripeaux» d'antan, mais sans présenter au public la nouvelle image du Franco-Ontarien actuel, aux prises avec une nouvelle réalité. La pièce reste donc ouverte sur l'avenir, sans directions précises sur ce qu'est, voire ce que devrait être, cette nouvelle identité moderne, contemporaine, actuelle. La seule directive qu'on donna alors aux spectateurs, ébranlés par la mutation du «vieil homme» ainsi figuré, fut de s'acheminer vers la Trinquette (petit bar installé sous une tente) où les attendaient les musiques de Robert Paquette, de CANO, de Garolou. On resta donc en attente, peut-être un peu déçu d'avoir entrevu quelque espérance, insatisfait : quelque chose d'informulé manquait, qu'il fallait combler, prononcer.

Peut-être bien qu'on n'avait pas compris que cette nouvelle identité franco-ontarienne reste à CRÉER. À chacun de la bâtir et de l'exprimer à sa façon. Il n'y a pas de voie unique, de route tracée.

C'est sans doute là, en juin 1979, dans le Parc de la Confédération, que l'idée du mot Ontarois a germé, à l'insu de tous, contenue implicitement dans un manque à combler et dans un avenir à créer. Le nouveau Franco-Ontarien est à créer de toutes pièces... comme la vie : il n'a pas de modèle à partir duquel on puisse le reproduire. Il sera ce que nous serons. En ce sens, aussi, le mot Ontarois est le résultat d'une création collective.

Quoi qu'il en soit, la naissance de l'appellation *Ontarois* n'a pas eu lieu ce jour-là, mais quelques mois plus tard, à Toronto, au sortir d'un atelier de littérature organisé dans le cadre du Contact franco-ontarien.

En effet, le mot *Ontarois* a été formulé pour la première fois lors du premier grand rassemblement culturel franco-ontarien tenu à Toronto, à l'automne 1979, et subventionné par le Bureau franco-ontarien du CAO.

À cette rencontre exceptionnelle, était venue fraterniser une foule de «gens de parole et d'image» : poètes, chansonniers, enseignants, auteurs, critiques littéraires, dramaturges, comédiens, cinéastes, peintres, graveurs, etc. Venus de tous les coins de l'Ontario, ces gens manifestaient le désir d'échanger des idées et d'exprimer leurs aspirations culturelles et professionnelles en tant que francophones. Des ateliers avaient été organisés en ce sens, dans les différents domaines d'expression.

À l'atelier de littérature, auquel participaient, entre autres, les deux représentants de Prise de parole, on discuta d'identité franco-ontarienne, d'écriture franco-ontarienne, de la difficulté d'être et d'écrire en Ontario français.

Ces assises culturelles franco-ontariennes de 1979 avaient pour ainsi dire trouvé leur mot d'ordre dans le titre qu'annonçait alors sur les murs du lieu du rassemblement l'affiche du film d'un réalisateur franco-ontarien, Paul Lapointe : *J'AI BESOIN D'UN NOM!* Ce titre posait en quelque sorte le problème que toutes les discussions d'atelier cherchaient, à leur façon, à identifier et à formuler.

On pourrait dire, en somme, que le mot Ontarois a surgi spontanément au terme de réflexions suscitées, d'une part, par des recherches sur la littérature franco-ontarienne et, d'autre part, par de nombreuses interrogations collectives auxquelles des initiatives comme celles de Contact 79, de Prise de parole, du Théâtre d'la Corvée, de la revue culturelle *Liaison* et d'autres ont collaboré de quelque façon. C'est là aussi une sorte de création collective qui, parvenue à terme, s'est exprimée par le truchement d'une parole individuelle. Autrement dit, l'idée était dans l'air; tôt ou tard, elle devait être formulée. L'ironie du sort, c'est qu'elle le fut à Toronto, à deux pas du bastion de la Ville-Reine : Queen's Park.

Pourquoi donc *Ontarois*? Pourquoi pas *Franco-Ontarien*? Pourquoi proposer un nouveau nom aux francophones de l'Ontario?

Disons tout de suite que ce n'est pas la première fois que pareil changement se produit dans l'histoire d'un groupe humain, et en particulier dans l'histoire de l'Ontario français; ce qui tendrait à montrer, à la limite, que les Franco-Ontariens se comportent comme tout groupement humain. Les Français, par exemple, pour citer un peuple cher, n'ont pas toujours porté ce nom qu'on leur connaît. De même, les Franco-Ontariens ne s'appelaient-ils pas, il n'y a pas si longtemps encore, les Canadiens français de l'Ontario? Ajoutons à leur actif qu'ils ont été les premiers, avant même que les Canadiens français du Québec ne se nomment Québécois, à se distinguer de la grande famille canadienne-française par l'appellation de Franco-Ontariens, qui consacrait leur appartenance provinciale.

Précisons ensuite que ce n'est guère par vil esprit d'imitation que fut créé le mot Ontarois, composé, il est vrai, d'une terminaison semblable à la finale du mot Québécois. En fait, la trouvaille ontaroise a vu le jour en milieu torontois, en pleine Ville-Reine. Qu'on se rassure donc, si besoin est : par sa consonance bien «françoise», comme on avait l'habitude de dire au Moyen Âge, le mot Ontarois ne s'apparente pas plus au mot Québécois que les mots

Chinois, Hongrois, Tonkinois, Aixois, Algérois, Bâlois, Berlinois, Lourdois ou, si l'on préfère, Torontois, Chelmsfordois, Sudburois, Timminois, etc.

Ajoutons enfin, pour clore ces remarques préliminaires, que nos oreilles françaises savoureront, sans doute, davantage la noble finale de «rois» contenue dans le mot Ontarois que le vaste néant du «rien» accolé au mot Franco-Ontarien. Mais de plus sérieuses raisons, on s'en doute bien, motivent la création du mot Ontarois.

Sur le plan linguistique, le mot composé Franco-Ontarien emprunte une tournure impropre en français. En effet, dans la langue française usuelle, on parle volontiers d'accords franco-italiens, de relations franco-allemandes, d'échanges franco-iraniens, etc. Dans ces cas, l'élément «franco» exprime un rapport entre la France et un autre peuple. En français, le sens précis du mot composé Franco-Ontarien désignerait un rapport entre la France et l'Ontario, dans la mesure où les Ontariens seraient considérés comme un peuple. D'autre part, en français, l'élément «franco» ne peut être employé que dans un adjectif composé. Il ne peut donc apparaître dans la formation d'un nom. Sur le plan linguistique, donc, tout porte à croire que le mot Franco-Ontarien ne convient pas pour désigner en français le nom des Canadiens de langue française nés en Ontario. Un autre mot apparaît donc nécessaire pour exprimer ce nom.

Sur le plan historique, on ignore vraisemblablement l'origine exacte du mot Franco-Ontarien. Il semblerait, toutefois, que ce mot se soit imposé aux Canadiens français de l'Ontario à une époque d'affirmation collective où ceux-ci sentirent le besoin de se définir en fonction de leur double appartenance culturelle (Franco) et provinciale (Ontariens), peut-être au moment si aigu des conflits linguistiques de la crise du Règlement 17, au début du siècle. Quoi qu'il en soit, en même temps que ce mot Franco-Ontariens exprimait la double appartenance, il consommait, du même coup, une rupture psychologique entre la communauté canadienne-française de l'Ontario et l'ensemble de la communauté canadienne-française du pays, dont la mère patrie : la province de Québec.

Il paraît bien que cette initiative n'ait pas connu l'approbation de tous les membres de la collectivité franco-ontarienne et qu'une faille interne de taille se soit manifestée dans l'homogénéité idéologique du temps : certains rejetèrent cette nouvelle appellation, croyant, en l'acceptant, renier leurs racines canadiennes-françaises, et trahir ainsi la grande famille canadienne-française du pays. De nos jours encore, on peut constater qu'il y a des gens qui refusent catégoriquement de se considérer comme des Franco-Ontariens : ils s'identifient comme des Canadiens français – parmi ceux-là, toutefois, certains se rallient à cette dénomination parce qu'ils la trouvent plus commode, étant donné qu'ils ne sont pas nés en Ontario. Plus tard, quand le Québec s'est défini en fonction de son appartenance provinciale québécoise, quittant, à son tour, du moins nominalement, la grande famille canadienne-française du passé, dont elle constituait le cœur, les «fidèles» de l'appellation canadienne-française en Ontario ont sans doute vécu plus douloureusement que d'autres cette sorte d'«abandon». Car cette affirmation singulière du Québec consommait, cette fois, une rupture psychologique d'autant plus traumatisante que c'est la «mère» qui quittait le foyer, abandonnant la famille, et livrant à lui-même l'enfant ontarien, qui l'avait d'abord quittée. Plus qu'un abandon, ce geste a pu être considéré comme une «punition».

D'autre part, chez plusieurs Franco-Ontariens qui se désignent comme tels, on peut remarquer que cette rupture dans les termes de désignation collective a laissé des traces en créant une sorte de sentiment de culpabilité face au Québec quitté, pour ainsi dire, une seconde fois.

L'étude des relations Ontario français/Québec reste à faire. En éclairant l'ambiguïté de ces comportements culturels, de type familial, une pareille analyse permettrait peut-être à l'Ontario français de se mieux définir, de couper enfin un cordon ombilical passéiste, atrophié et desséché, de se débarrasser, une fois pour toutes, de la vieille défroque culturelle parentale, pour se lancer dans la vie en adulte autonome, apte à créer un nouveau type de relations d'«homme à homme» avec les compatriotes du Québec.

Le nom *Ontarois* cherche à réconcilier ces deux visions internes, conservatrice et progressiste, de l'Ontario français, qui divisent, plus profondément qu'on pourrait le croire, la collectivité : les tenants de l'appartenance culturelle canadienne-française et ceux de l'appartenance provinciale ontarienne. Comment ce nom *Ontarois* peut-il inspirer une telle unité? Par l'unité même de sa formation linguistique, qui réussit à affirmer en un seul mot l'expression française et l'origine/originalité ontarienne du citoyen francophone de l'Ontario.

Sur le plan provincial, le choix du mot Franco-Ontarien ne paraît guère plus heureux pour affirmer l'appartenance ontarienne des francophones de l'Ontario à titre de citoyens à part entière. En effet, l'appellation de Franco-Ontariens stigmatise l'aliénation socio-politique que connaît le Franco-Ontarien, traité dans les faits comme un citoyen de deuxième ordre par la formation politique de droite que connaît le gouvernement ontarien depuis fort longtemps.

Comment ce mot, Franco-Ontarien, consacre-t-il une telle aliénation? En tant que mot composé où la «francité» du citoyen est non seulement tronquée dans l'élément «franco», mais aussi refoulée, écartée, mise en quelque sorte à l'écart, à la remorque d'une majorité ontarienne qui refuse, en fait, de composer vraiment avec la réalité. Car, dans la réalité, cette majorité d'«Ontariens» tend, au contraire, à confondre, chez la minorité franco-ontarienne, infériorité du nombre et médiocrité de l'espèce, pour mieux dominer ces Francos qu'elle écrase dans l'appellation «Franco-Ontariens» de tout le poids de son nombre et de son nom.

Aussi, afin de se libérer officiellement du piège de la minorité et de la mentalité «minoritaire» qu'il recèle – qui paralyse l'action, défigure l'image de soi, écrase le génie et excite littéralement l'injustice d'autrui –, il est nécessaire que le francophone de l'Ontario se donne un vrai nom français. Par l'unité qui le compose, le mot Ontarois rétablit et exprime aux yeux de tous la pleine appartenance civique de l'Ontarien d'expression française, lequel affirme ainsi par cette prise de parole ses droits de citoyen à part entière dans sa province.

Ontarois/es, c'est l'unité retrouvée, la dignité rendue, la parole inventée pour vivre en accord avec soi-même et librement avec les autres. C'est la reconnaissance de la singularité du fait français en Ontario et le respect de son originalité. C'est l'affirmation du droit à l'existence du francophone de l'Ontario et à la libre expression de sa différence avec l'Ontarien anglophone et avec le Québécois francophone.

Un mot, c'est peu de chose, mais c'est beaucoup quand il s'agit d'un NOM. Car nommer la réalité, c'est l'identifier, la reconnaître, la marquer de son empreinte singulière. Nommer, c'est une prise de parole qui conduit nécessairement à une prise en main de son destin humain. L'unité retrouvée au moyen d'un nom indique déjà une voie à suivre pour l'action de vivre : un regroupement de tous les éléments de la collectivité ainsi nommée; la mise en commun de toutes les énergies dans une lutte commune; un projet collectif d'intérêt commun qui réaliserait enfin l'union de tous les fronts sur lesquels les Ontarois combattent aujourd'hui pour vivre. Sans union fondamentale, toute parole demeure vaine, aussi vide que le vent qui la produit.

Dans ce sens, la maison d'édition Prise de parole de Sudbury doit être une INSPIRATION au profit de nos gens de parole : en s'ouvrant sur toutes les réalités de ceux qui écrivent en français ici; en stimulant la création littéraire par son ouverture d'esprit; en améliorant la qualité de la culture littéraire par ses exigences professionnelles; en concevant un plan d'ensemble pour les activités de ses prochaines années en fonction de la vivification de la langue française en Ontario, de l'animation de la culture par l'expression originale de la littérature ontaroise, du réveil des consciences assoupies par l'engagement de textes critiques.

C'est, croyons-nous, à ces conditions seulement que pourra s'imposer une littérature ontaroise accordée avec la vie qui pousse, libre et libérée.

(«Littérature sudburoise : Prise de parole 1972-1982», *Revue du Nouvel-Ontario*, n° 4, 1982, Sudbury, Institut franco-ontarien, 1982, p. 81-88.)

Notes

1   Voir le texte 13.
2   Un exemplaire de l'affiche est conservé dans les archives de l'ACFO provinciale confiées à la garde du CRCCF. Voir aussi l'article de Daniel Marchildon dans *La Rotonde* [journal des étudiants francophones de l'Université d'Ottawa], 20 novembre 1980, p. 8.

22

LA CLIENTÈLE SCOLAIRE DES ANNÉES 1980 : SES BESOINS ET SES EXIGENCES

Texte d'une allocution prononcée le 6 mai 1982 devant près de 1 700 enseignants et enseignantes francophones lors du Congrès 82 de l'Association des enseignants francophones du Nouveau-Brunswick (AEFNB), tenu à Edmundston, capitale des «Brayons»[1], au printemps 1982 sur le thème «Se définir…dans une réalité nouvelle». La conférencière avait été invitée à ce vaste regroupement d'enseignants dans le cadre de ses responsabilités dans la réalisation d'une première anthologie de textes littéraires ontarois.

Il y a dans les traditions culturelles du Canada français une coutume, une sorte de vieille habitude inaliénable, qui remonte sans doute jusqu'au temps des vieux Gaulois, ou plus haut encore, à l'époque reculée des Celtes anciens. Le soir, dans les bois, après le souper qui rassemblait les familles et les tribus, perdus dans les vapeurs du rêve, le murmure assoupi des conversations et les dernières lampées de cervoise dorée, on aimait à jongler, regroupés autour de l'ancêtre, qu'on écoutait gravement raconter le passé.

Les temps changent, les êtres passent, les sociétés humaines se transforment, mais, heureusement, les bonnes coutumes demeurent.

Ainsi, ce soir, en 1982, à Edmunston, en plein «pays des Brayons», voici un nombre impressionnant d'enseignants francophones du Nouveau-Brunswick réunis, après un bon souper, non pour jongler avec le passé, cette fois, comme les Anciens, mais rassemblés pour parler d'avenir, pour rêver l'avenir : leur avenir et l'avenir de la jeunesse qui leur sera confiée au cours des prochaines années.

Mais quel avenir la décennie actuelle nous réserve-t-elle? Voilà un grave sujet à aborder après un bon repas.

Pour les pessimistes – et ils sont nombreux –, cet avenir se présente très sombre, sous le triple signe de la catastrophe économique, de l'hécatombe d'une Troisième Guerre mondiale et de l'apocalypse d'une gigantesque explosion nucléaire.

Pour les optimistes – ils sont aussi nombreux –, l'avenir s'annonce, au contraire, on ne peut plus bienveillant et désirable, sous le triple aspect de la précision, de l'efficacité et de la rentabilité de la haute technologie providentielle qui, de ses milliers de petits boutons polis et sophistiqués, comblera nos envies les plus folles comme nos caprices les plus secrets.

Mais, pour tous les autres, pour ceux qui subissent l'escalade astronomique des prix, la dégringolade fantastique de leurs espoirs et la bousculade dramatique du quotidien, que reste-t-il de l'avenir riche et généreux qu'on nous a fait entrevoir, il y a vingt ans (au début des années 1960), sous le signe prophétique de l'éducation pour tous, à tous les niveaux? Il reste de cet avenir : le chômage, l'inflation, la dégradation des rapports sociaux, l'abandon de l'école par près de 50 % de jeunes Québécois qui, à ce qu'il paraît, ne finissent pas leur secondaire, et j'en passe.

Cependant, fort heureusement, pour tous il reste encore l'avenir, un avenir rempli de projets à entreprendre : grâce à Dieu, tout n'a pas encore été réalisé! Si toutes les promesses avaient été tenues, on aurait raison de se plaindre, de prendre panique et d'entrevoir un sombre avenir pour l'école des années 1980. Mais ce n'est pas le cas. Qu'on se rassure, il y a un avenir possible pour notre profession d'enseignants, d'abord et avant tout parce que les réformes scolaires n'ont jamais totalement réussi. Et les réformes scolaires ne peuvent jamais totalement réussir parce que la matière première de l'école, si je puis m'exprimer ainsi en parlant de la jeunesse, est en continuelle évolution, comme la vie qu'elle illustre et manifeste, comme les idées nouvelles qu'elle élabore et représente, comme la société de demain qu'elle constitue. Aussi, comme la vie qu'elle exprime, l'école est-elle en perpétuel questionnement. Car la vie – on a peut-être tendance à l'oublier – n'est jamais acquise une fois pour toutes : tous les jours, il faut l'alimenter, au risque de la voir nous quitter. Mais encore faut-il avoir le goût de vivre!

Quel est donc l'avenir de l'école dans les années 1980? Quels seront les besoins des jeunes dans les années qui viennent? Qu'est-ce que les francophones du Nouveau-Brunswick, ou d'ailleurs, sont en droit d'attendre ou d'exiger de l'école de demain? Plus de savoir académique? Plus d'encadrement disciplinaire? Plus d'applications technologiques? Mais ces réponses, si elles sont les bonnes, seront-elles suffisantes pour enrayer le cancer du chômage, qui ronge, à l'heure présente, jusqu'aux cadres intermédiaires et supérieurs dans les entreprises, à ce qu'on écrit dans les journaux? Ces réponses pourront-elles redonner à la jeunesse un certain goût de vivre dans le milieu scolaire, pourront-elles juguler cette contagieuse hémorragie du «décrochage» chez les adolescents, pourront-elles contrer la délinquance juvénile qui s'installe à demeure? Le savoir, la discipline et l'usage massif de l'audiovisuel et de l'informatique garantiront-ils à l'excellence de nos effectifs des ouvertures réelles ou illusoires? Autrement dit, l'école des années 1980 doit-elle faire marche arrière ou aller de l'avant? Emprunter telle voie ou telle autre? S'engager davantage dans les sentiers nouveaux de la technologie et de l'informatique après avoir tâté de l'administration et de l'économique? Sont-ce là les vrais besoins du monde de demain et de la jeunesse actuelle? Personnellement, je crois que le véritable enjeu de l'école des années 1980 se situe ailleurs : du côté de la personne humaine, d'abord, de l'imagination et de l'expression culturelle, ensuite.

Je m'explique.

Traditionnellement, l'école a toujours été le lieu privilégié pour acquérir des connaissances, apprendre le respect de l'autorité et des valeurs de la société environnante et s'exercer à maîtriser les sciences dites appliquées. Mais, depuis vingt ans, la société s'est transformée à un rythme spectaculaire, sous la poussée d'idées et de découvertes nouvelles. Depuis vingt ans aussi, l'école s'efforce d'assumer son rôle traditionnel et de s'adapter, en même temps, aux exigences d'une société en perpétuel bouleversement. Au rythme où vont les choses, on constate que l'école s'essouffle, manifestement de plus en plus, à maintenir son équilibre, tiraillée qu'elle est entre ses réflexes traditionnels et les contraintes capitalistes (productivité, rendement, efficacité) de la société matérialiste à qui elle doit rendre des comptes. Dans certains cas même, l'école peut paraître tout à fait dépassée.

En effet, au-delà de l'agitation ou de l'apathie de circonstance, de nombreux signes attestent l'état d'une certaine détresse qui hante, à l'heure actuelle, le monde scolaire exposé à une réalité scientifique ou humaine qui lui échappe. Par exemple, dans le domaine réservé de la transmission des connaissances, d'autres agents interviennent désormais, de plus en plus efficacement, dans la diffusion du savoir (un savoir, d'ailleurs, souvent mieux adapté aux conditions de vie immédiates), et font à l'école une concurrence irrémédiable : il y a, pour n'en nommer que quelques-uns, les médias, la publicité, l'animation sociale (j'entends par là les expositions de toutes sortes, les super-salons de tous genres – de l'alimentation, de l'agriculture, de l'automobile, de la maison, du livre, de la femme, etc. –, la prolifération des centres commerciaux avec leur étalage des dernières trouvailles et des plus récents gadgets, l'invasion technologique dans la vie quotidienne, les moyens de communication les plus variés (musique, téléphone, transports, etc.). Tout cela charrie ou impose à tous des connaissances spécialisées, des modes de pensée, des façons de vivre. Il s'opère alors dans l'expérience de vie quotidienne des jeunes tout un brassage d'informations, d'idées, d'opinions, de comportements, aux attraits tous plus séduisants les uns que les autres, qui ne rivalisent même plus à leurs yeux, et aux nôtres, avec le monde trop souvent indolore, incolore et sans saveur de l'école.

C'est pourquoi, devant les nombreux problèmes qui se posent ou se poseront tôt ou tard à elle (le décrochage des jeunes, le désenchantement des maîtres, l'inquiétude des parents, le stress des administrateurs scolaires et les frustrations des contribuables), je crois que l'école aurait intérêt à réévaluer son rôle. Comment? 1) En remettant sérieusement en question sa fonction traditionnelle de «transmission-soumission-répétition»; 2) en renonçant à l'entraînement excessif d'une main-d'œuvre spécialisée vers des marchés complètement bloqués; 3) en s'engageant délibérément dans la seule voie accessible à un monde en pleine mutation, qui doit apprendre à vivre avec l'incertitude : la voie de l'innovation créatrice. Dans l'état de crise accélérée que connaît la société occidentale aujourd'hui, il me semble que le recours à l'esprit d'invention, dont les Canadiens français n'ont jamais manqué, et à son corollaire, la création, peut permettre à l'école de notre temps de trouver sa pleine signification. Car il faut bien en arriver à se demander ce que l'école est la seule à pouvoir nous apporter. La scolarisation, bien sûr, comme on le réclame de plus en plus. Mais autre chose également. Le sens profond de l'école est aussi d'initier l'individu à la liberté. Qu'est-ce à dire? Cela veut dire inciter les jeunes à se prendre en main, à assurer eux-mêmes leur développement par une prise de conscience individuelle que seul l'approfondissement de leur culture peut leur apporter en leur révélant qui ils sont vraiment.

À mon avis, on ne peut véritablement construire sa vie qu'à partir de ce qu'on est. La découverte de son identité personnelle et collective est la base de la formation humaine. Refuser de se connaître, c'est renoncer à soi-même, c'est se mettre à la merci des autres, des événements et du hasard.

Je dis donc que l'école en milieu minoritaire de langue française gagnerait à se rendre rapidement compte que, si elle ne veut pas être frappée – comme c'est le cas par les temps qui courent de cette autre institution qu'est le mariage – d'un divorce irrévocable entre elle et la jeunesse qui monte, il lui faut se refaire une image qui redonnerait confiance et goût de vivre à toute la jeunesse, qui stimulerait la fierté des uns et des autres. Et cela, en se créant une nouvelle orientation en tenant compte des contraintes épuisantes auxquelles elle est soumise, des incertitudes affolantes qui guettent une jeunesse mal préparée à la vie difficile et complexe qui sera la sienne dans les années qui viennent.

Il ne faut ni se leurrer ni s'alarmer, mais il faut regarder les choses en face et agir lucidement. Or, s'il n'y a pas de recette magique, il existe tout de même des réponses humaines à la situation présente. C'est d'abord en soi-même, en tant qu'individu et en tant qu'être collectif, qu'il faut les chercher et qu'on peut les découvrir. Mais, pour cela, il faut se connaître. Car la solution ou plutôt des germes de solution sont dans notre culture. C'est vers elle que nous devrions nous tourner dans les moments graves, pour trouver une inspiration valable et durable afin de définir les objectifs de l'école des années 1980.

À cet égard, il est urgent, à mon avis, que les enseignants francophones du Nouveau-Brunswick, de l'Ontario ou des autres provinces prennent conscience de la portée et de l'envergure du message que cherchent à leur transmettre les éléments les plus dynamiques de leur société : je veux parler des créateurs de tout genre, qu'ils soient poètes, chansonniers, dramaturges, écrivains, musiciens, artistes ou cinéastes. La grande sensibilité de ces gens capte, bien avant tout le monde, les besoins fondamentaux du groupe dans lequel ils vivent. Ils les expriment dans leur art. Le problème, c'est que la société ne les écoute pas, qu'elle interprète mal leurs réalisations qu'elle catalogue comme «marginales», qu'on les traite d'amuseurs publics, qu'on réduit leurs activités à un simple divertissement, alors que ces artistes ont des antennes de prophètes. Malheureusement pour nous, comme les prophètes, ils prêchent dans le désert. En fait, ils ne prêchent aucunement; ils agissent : ils créent, ils s'expriment, ils vivent. Autant de verbes qui traduisent les besoins profonds de tout être humain.

L'Ontario français, où j'ai planté ma tente il y a sept ans, connaît effectivement depuis quelques années, sous l'impulsion de jeunes créateurs avides de s'affirmer, un important renouveau culturel. Je ne fais pas seulement allusion à l'abondante variété des activités artistiques, communautaires et sociales qui se multiplient dans les différentes régions francophones de cette province, mais je me réfère surtout à cette notion même de culture qui fonde toute société et sans laquelle un groupe humain ne peut se définir. On aurait tort de croire que la culture, avec ou sans un grand C, ne recouvre que le cadre étriqué de divertissements intellectuels ou de productions folkloriques, dans lequel on voudrait parfois si commodément l'enfermer. Car, si c'était le cas, la culture ne serait alors qu'un moment privilégié dans la journée d'une personne, qu'une partie de la vie d'un groupe favorisé ou spécialisé, qu'une sorte de métier, voire même une stricte entreprise commerciale. En réalité, la culture telle que je l'entends, et d'autres avec moi, est loin d'être un passe-temps, un loisir, une récréation ou, moins encore, un luxe. Les sciences humaines se sont appliquées à le démontrer pendant toutes ces années : «la culture est l'ensemble des institutions, des valeurs et des pratiques qui distinguent une société d'une autre».

En ce qui concerne l'Ontario français, il existe bien une société franco-ontarienne (une société ontaroise, comme on se plaît à dire maintenant) distincte de la société anglophone de cette province et de la société québécoise d'à côté. En effet, bien que leurs racines profondes plongent dans l'humus de la tradition culturelle française et qu'ils partagent avec le Québec et les autres communautés francophones du Canada un fond culturel commun, auquel ils ne pourraient renoncer volontairement sans s'amputer sérieusement d'une partie d'eux-mêmes, les Ontarois ont développé en terre ontarienne une façon de vivre bien à eux, une «culture» dont ils ont affirmé par le passé l'originalité et la vitalité dans des réalisations de toutes sortes. Cette culture connaît, à l'heure présente, des remous : une ébullition, selon certains; un éclatement, selon les autres; assurément une transformation profonde qui alarme ceux qui ne comprennent pas que, loin d'être un signe de disparition prochaine, le changement est, au contraire, un signe manifeste de vie. Pour un peuple et pour un groupe, la seule façon de ne pas mourir, c'est d'accepter de changer; un peu, si vous voulez, à la manière de l'arbre qui s'adapte aux saisons.

Les Ontarois traversent donc, depuis quelques années, une crise d'identité culturelle : leurs institutions, leurs valeurs et leurs pratiques traditionnelles s'effritent sous les assauts de la société industrielle, à laquelle ils arrivaient tant bien que mal à s'adapter au moment même où cette dernière s'est montrée en butte à de sérieux problèmes de fonctionnement. En même temps, s'opère chez les plus lucides d'entre eux une prise de conscience très nette de l'aliénation, de l'acculturation et de l'exploitation dont les Ontarois font les frais. L'apparition du nouveau terme *Ontarois*, qui sert de plus en plus à désigner les membres de la collectivité francophone de l'Ontario, est un des signes manifestes de cette crise d'identité culturelle. C'est aussi le symbole de la solution qui s'offre à ceux qui cherchent de nouvelles formes d'expression, une nouvelle forme de vie, qu'ils trouvent du côté de l'invention.

Au Nouveau-Brunswick, j'imagine que la jeunesse rencontre des difficultés semblables. Dans un contexte minoritaire, les jeunes font plus rudement qu'ailleurs l'expérience, souvent difficile, de l'adolescence, aux prises avec l'inquiétante recherche de «soi» et l'obsédant besoin de s'affirmer. Aujourd'hui, cette expérience se vit chez eux dans des circonstances particulièrement difficiles. C'est pourquoi il m'apparaît encore plus nécessaire que l'école, qui demeure le principal lieu de rassemblement et d'apprentissage des jeunes, offre à cet âge en quête de soi-même, au milieu du branlebas général, une image réelle, donc fatalement nouvelle, de son identité. Une image qui gagne sa faveur, encourage son expression personnelle, le valorise, rétablisse sa confiance en lui-même et dans les autres, éveille sa conscience, ranime sa fierté, développe en lui un sentiment d'appartenance et de solidarité avec les autres membres de sa communauté. En un mot, une image qui réponde aux appétits de son intelligence, aux exigences héroïques de son cœur, à la fantaisie de son imagination, aux ferveurs de sa sensibilité, à l'ardeur de son corps.

Il appartient aux enseignants de développer la nouvelle image de l'école francophone centrée sur les individus et non seulement sur les demandes d'un marché soumis aux aléas de l'économie. Pour y arriver, il leur faut se redéfinir en tant que francophones, bien sûr, mais aussi en tant qu'éducateurs de cette nouvelle jeunesse. Dans ce sens, je partage l'avis de ceux qui affirment que, pour l'école, la seule avenue praticable en cette période traversée d'imprévisibles et puissantes secousses demeure l'expérience de la création conjuguée à l'expression culturelle. Car, sans la possibilité de l'expression culturelle, il m'apparaît utopique d'échafauder un plan d'avenir pour l'essor des francophones au pays. Aussi est-on en droit d'attendre beaucoup des nouvelles générations d'enseignants qui prendront la relève chez les minorités francophones, puisqu'elles ont plus reçu que les précédentes.

Il ressort de telles considérations, au regard des enseignants qui n'ont pas irrémédiablement renoncé à leur métier, que les francophones d'ici ou de l'Ontario sont issus d'une culture forte, qui a fait ses preuves dans des moments difficiles. Sans la vitalité de cette culture, nous n'aurions certes pas survécu à plus de deux siècles d'assimilation. On ne comprendra jamais assez que le rôle de la culture est essentiel en milieu minoritaire. Comme l'affirme l'écrivain latino-américain Gabriel Garcia Marquez, «la culture est une richesse au même titre que le pétrole» : «elle est l'utilisation sociale de l'intelligence humaine».

Voilà pourquoi l'école francophone des années 1980 devrait se tourner vers sa culture et créer, sur la base de son identité culturelle, des modèles qui tiennent compte des bonnes expériences de chacun tentées dans tous les domaines et, par-dessus tout, des réalités qui lui sont propres. C'est là que se trouve l'espoir. C'est là que se trouve notre avenir.

Note

1   Ce fut l'occasion pour la conférencière de recevoir du maire de la ville, J. Pius Bard, la citoyenneté honoraire de la «République du Madawaska» (N.-B.).

23

LA MÉTAMORPHOSE
DANS LES CONTES ONTAROIS

Cinq ans environ après l'implantation d'un premier cours sur la littérature franco-ontarienne[1] au Département des lettres françaises de l'Université d'Ottawa, un premier séminaire consacré à l'étude de «La Littérature orale ontaroire» (FRA 6745) fut inscrit au programme des études supérieures[2]. Parmi les thèmes envisagés pour la recherche, figurait la quête identitaire dans les contes. Une première piste empruntée alors dans ce vaste champ d'investigation fut l'examen du phénomène de la «métamorphose» observé dans les contes «merveilleux» de l'Ontario français, sauvés de l'oubli grâce au folkloriste Germain Lemieux, s.j. C'est dans le cadre de ces travaux préliminaires que le texte qui suit fut présenté lors du colloque «La Culture franco-ontarienne : traditions et réalités nouvelles» tenu à Toronto, les 28 et 29 octobre 1982, sous les auspices des Études canadiennes du Département d'histoire et du Département d'études pluridisciplinaires du Collège Glendon de l'Université York.

J'ai choisi de vous présenter aujourd'hui les prémices d'une étude[3] entreprise, depuis peu, au cours de la préparation du nouveau séminaire de maîtrise sur la littérature orale[4] ontaroise implanté, cette année, au Département des lettres françaises de l'Université d'Ottawa, dans la foulée de recherches menées dans le domaine littéraire de l'Ontario français.

Comme le thème même qu'elle aborde, «La Métamorphose dans les contes ontarois», cette étude est placée sous le signe de la transformation, puisqu'elle n'en est qu'à ses débuts. C'est pourquoi j'ai parlé de «prémices» et je n'entends pas vous offrir, ce matin, de fracassantes conclusions. Je me propose, néanmoins, de vous faire part de quelques observations, après avoir motivé le choix du sujet, exposé brièvement les grandes lignes de la réflexion qui a suscité un tel choix et annoncé la démarche qui a orienté ce dernier.

Si j'ai accepté de venir parler d'une chose aussi fragile qu'une recherche en émergence, c'est qu'il m'a semblé que la réflexion qui la sous-tend s'inscrit assez bien dans le questionnement d'un colloque consacré à la culture de l'Ontario français en voie de transformation, comme l'indique l'élément explicatif du titre de la rencontre : «traditions et réalités nouvelles». D'autre part, il m'a paru utile de saisir l'occasion créée par la tenue d'un colloque qui rassemble à la fois des amateurs de la chose ontaroise et des chercheurs d'expérience pour faire appel à de premiers commentaires, suggestions, conseils ou encore questions au moment où cette recherche s'engage dans un domaine encore inexploré.

Le choix du thème de la métamorphose et le choix des contes oraux ontarois pour l'y étudier ont été motivés par une réflexion qui prend racine dans les interrogations actuelles que suscite, depuis un certain temps, une prise de conscience ontaroise incarnée par des individus et des groupes qui se montrent fort inquiets du «sort» que la vie (c'est-à-dire les autres et eux-mêmes) réserve à l'Ontario français. Notons, au passage, le terme employé pour parler de cet avenir/devenir ontarois, à savoir le mot «sort». Ce mot appartient au vocabulaire de la métamorphose et peut signifier trois choses : 1) le sort au sens de «résultat», c'est-à-dire la forme que prendra l'Ontario français au sortir des bouleversements actuels, ce qui laisse supposer une attitude attentiste face au changement; 2) le sort au sens de «détermination de son destin par une force qu'on ne peut combattre», d'où, chez un grand nombre d'Ontarois, un certain rejet de la liberté humaine et de la responsabilité personnelle et collective et, par conséquent, la justification de l'apathie ou du défaitisme; 3) enfin, le sort au sens de «sortilège», sorte de maléfice perturbateur qui entrave l'identité et l'action, mais auquel il peut être mis fin au moyen d'une parole magique ou d'un geste libérateur, grâce à une intervention intérieure ou extérieure au sujet, apte à désamorcer l'ensorcellement, ce qui laisse le champ libre à «une action possible». Ainsi donc, au moment où les Ontarois subissent, au sein même de la crise de société que connaît non seulement l'Ontario français, mais tout l'Occident, pour ne pas dire le monde entier, au moment donc où, également comme tout être vivant qui change au cours de son existence, les Ontarois subissent, dis-je, une transformation vitale, c'est-à-dire non seulement d'importance, mais indispensable à leur survie, il m'est apparu qu'il y avait peut-être lieu de scruter dans la littérature des origines, c'est-à-dire la littérature orale ou l'«oraliture», «ce fait insolite, objectivement absurde» qu'est la métamorphose, mais qui apparaît «comme fondamental du phénomène humain», selon l'expression de Gilbert Durand dans son ouvrage éclairant sur *Les Structures anthropologiques de l'imaginaire*[5]. Car s'interroger sur la métamorphose, c'est, en fait, s'interroger sur la quête de l'identité.

On pourrait facilement penser qu'étudier la métamorphose dans les contes traditionnels où des hommes et des femmes sont changés en perdrix verte, en poisson, en ours blanc, en loup-garou, en licorne, en vent, en roche, en prairie, en géant et que sais-je, pour arriver à comprendre l'identité ontaroise, relève de l'enfantillage ou, pourquoi pas? de la pure folie. À cela je répondrai avec Northrop Frye[6] que cette question de la métamorphose relève, au contraire, de la tâche même de la critique littéraire. S'identifier avec des animaux, des végétaux, des minéraux, des forces de la nature, des bêtes fantastiques ou encore des êtres exceptionnels comme les géants résulte d'un besoin irrésistible d'identifier le monde humain au monde naturel; il s'agit, en réalité, de pures métaphores qui font partie intégrante du langage poétique, la poésie utilisant le langage de l'identification[7].

D'autre part, si, comme l'affirme aussi le célèbre critique canadien, l'histoire de l'identité perdue et retrouvée est le fondement de toute littérature[8] – et je comprends par là la littérature orale aussi bien que la littérature écrite – il me paraît indispensable et urgent, étant donné les circonstances actuelles en Ontario français, premièrement, de poser la question de l'avenir / du devenir ontarois à partir du passé et, dans ce passé, à partir du corpus considérable, bien que partiel, des contes populaires du Nouvel-Ontario réunis grâce aux patients efforts de Germain Lemieux et publiés dans la série *Les Vieux m'ont conté*; deuxièmement, de considérer dans ces projections de l'imaginaire collectif l'expression poétique par excellence de la quête de l'identité : le mythe de la métamorphose.

Dans la forêt étrange des signes mystérieux de cette parole poétique que sont les contes oraux du Nouvel-Ontario, la piste des cailloux blancs des métaphores/métamorphoses parsemés d'une génération à l'autre par les conteurs d'autrefois, mènera peut-être, tel un fil d'Ariane, à la découverte du château de l'identité retrouvée ou, mieux encore, de l'identité reconquise.

On conviendra qu'il est de bon aloi de se demander, en premier lieu, dans quelle mesure ces contes (j'entends par conte un récit en

prose d'événements fictifs, tirés de la tradition et transmis orale-
ment, selon la définition reçue par les plus éminents folkloristes[9])
sont ontarois. Comme les conteurs eux-mêmes, qui, en bien des
cas, étaient venus ou les avaient reçus d'ailleurs – de différentes régions du Québec, de l'Acadie, du Manitoba, voire de l'étranger, par
exemple, des États-Unis où plusieurs Canadiens français avaient
vécu avant de venir s'établir dans le Nouvel-Ontario à la fin du
XIXᵉ siècle ou au début du XXᵉ siècle –, ces contes publiés dans *Les
Vieux m'ont conté* ne sont pas nés en Ontario; c'est même leur principale caractéristique. Ils remontent, en effet, au-delà du pays et de
son passé, à une tradition millénaire d'origine indo-européenne.
Mais bien des gens seraient portés à croire que l'origine ancienne et
la source étrangère des contes traditionnels retrouvés en Ontario
constituent des obstacles à l'expression de l'originalité authentiquement ontaroise de ces récits. Abonder dans ce sens serait nier résolument deux éléments fondamentaux sur lesquels la nature même
du conte traditionnel est fondée, à savoir : 1) le conte traditionnel
est essentiellement un phénomène oral; 2) il est essentiellement
aussi un acte de communication.

Ce qui revient à dire que le conte n'existe pas sans le conteur.
La transmission du conte dans le temps, d'une génération à l'autre,
et dans l'espace, d'un pays à l'autre ou d'une région à l'autre, n'a pas
été assurée par tout le monde ni par n'importe qui. Elle a été garantie par un personnage d'exception, dans tous les sens du mot, c'est-
à-dire par un individu «unique» et «spécial». Le conteur n'est pas un
être comme les autres : c'est un artiste. Un artiste du «verbe» (en
tant que parole et en tant qu'action). Une sorte de magicien sans
autres artifices que sa parole créatrice et son geste fondateur : un
poète-acteur doué d'une sensibilité peu commune, d'une imagination puissante et d'une psychologie façonnée dans un milieu précis.
D'autre part, ce conteur est un personnage social. C'est un être de
groupe : il s'adresse à un auditoire, sorte d'être composite qu'il lui
faut unifier pour le charmer. Il ne peut enchanter cet auditoire uniquement en s'adressant à sa seule intelligence capable de comprendre une histoire structurée; il doit exciter l'imagination des
auditeurs, faire appel à leur sensibilité, saisir les modulations particulières de leur psyché. À la limite, le conte n'est qu'un prétexte
dont se sert le conteur pour parler aux autres d'eux-mêmes, de leurs
rêves, de leurs angoisses, de leur devenir.

Voilà pourquoi, il me semble, plus que l'origine historique des contes ou l'origine géographique des conteurs, la notion de choix opéré par le locuteur et le récepteur au moment précis de la manifestation du conte, c'est-à-dire au moment de son incarnation dans la parole unique du conteur en situation de communication, constitue la véritable origine/originalité du conte ontarois. Autrement dit, pour classer un conte selon son origine réelle, on ne peut pas ne pas tenir compte de ces deux composantes humaines que sont le conteur et son auditoire. Plus que tout élément étranger à cette «performance» du conte (au sens où le conte trouve sa forme dans la parole unique du conteur et y trouve une forme complète, parfaite, totale), ce qui compte c'est le choix conscient, ou inconscient, opéré par le conteur dans le répertoire des récits préalablement entendus et conservés dans sa mémoire au cours de son existence; le choix et l'arrangement des épisodes réalisés en fonction des éléments connus de lui; le choix qu'il fait des images et des mots, du rythme, du ton et des gestes adaptés à la réception favorable de son auditoire. Tous ces éléments doivent être pris en considération et portés au compte de l'expression d'un soi individuel/collectif qui traduit l'originalité ontaroise des récits publiés dans *Les Vieux m'ont conté*. Le père Germain Lemieux a bien compris l'importance du conteur, lui qui a entrepris de regrouper autour de ses informateurs les contes recueillis. Étudier ces choix opérés en Ontario dans et par les contes oraux[10], c'est tenter de découvrir la perception ontaroise des contes traditionnels, en retracer l'originalité.

Mais il y a plus. À ces choix préliminaires, si l'on peut dire, se superpose la sélection réalisée dans et par une mémoire tardivement sollicitée par l'enquêteur auprès d'informateurs âgés, placés hors du contexte familier des chantiers depuis nombre d'années[11]. En conséquence, il est permis d'imaginer que les contes retenus aussi longtemps dans les «entraits de la mémoire» pour reprendre une expression de Luc Lacourcière[12], l'ont été pour des raisons profondes : sans doute correspondaient-ils, d'une part, à des tendances ou à des goûts particuliers du conteur; d'autre part, à des goûts prononcés de son public d'autrefois qui avait l'habitude de les réclamer. Quoi qu'il en soit, de tels choix sont d'autant plus significatifs et devraient attirer notre attention.

Enfin, parce que la tradition des contes s'est éteinte avec l'éclatement de la société traditionnelle et l'avènement de la société industrielle, voire postindustrielle, l'Ontario français, qui a conservé ces contes vivants plus longtemps qu'ailleurs, se trouve dans une situation unique, et là aussi il y a originalité : les conteurs ontarois traditionnels se trouvent au bout de la chaîne séculaire de transmission orale. Les récits enfermés dans *Les Vieux m'ont conté* sont non seulement des variantes anonymes exploitant des thèmes modelés par la lignée humaine d'une tradition millénaire, mais ils portent l'empreinte encore toute chaude des rêves et des lèvres au bord desquels ils sont venus mourir.

Ce n'est pas la première fois que le thème de la métamorphose dans les contes populaires attire l'attention des chercheurs. Pour ne parler que de la tradition orale canadienne-française, je rappellerai que, dès 1916, alors qu'il commençait à s'intéresser au folklore du Canada français qui lui doit tant, Marius Barbeau, l'initiateur de ces études folkloriques au pays (dont on fête cette année le centenaire), présentait devant les membres de la Société royale du Canada une communication sur «Les Métamorphoses dans les contes populaires canadiens»[13]. Dans les dix-huit pages de son allocution, le folkloriste rapporte une variété de métamorphoses conservées jusque-là dans la tradition orale des paysans du Québec. Il s'agit d'un examen sommaire qui expose une description objective de cas de métamorphose dans quelques contes recensés à l'époque. Ce phénomène de la métamorphose n'a pas échappé non plus à Germain Lemieux. Dans un article paru en 1971[14], pour illustrer la méthode qu'il utilise dans la classification des 600 récits répertoriés dans son «Index analytique» du CFOF de Sudbury, le chercheur cite en exemple les scènes de métamorphose. La métamorphose a piqué la curiosité des folkloristes canadiens-français, parce que l'étrangeté du phénomène, combinée avec la constante de son apparition dans les contes oraux, a son importance. Il est donc normal que le sujet attire, à son tour, la critique littéraire.

Quant aux choix multiples effectués dans les contes du Nouvel-Ontario, le folkloriste Luc Lacourcière a déjà fait la remarque dans un article[15] que les contes merveilleux reviendraient en plus grand nombre dans les contes franco-ontariens que les contes d'animaux ou tout autre type de contes, y compris les contes religieux ou facétieux. Peut-on appliquer cette assertion à la série de contes publiés dans *Les Vieux m'ont conté*? En parcourant les pages de cette collection, qui regroupe à l'heure actuelle dix-huit volumes, on découvre que les contes y sont classés en fonction de leur appartenance aux fameux contes types internationaux répertoriés dans le catalogue d'Anti Aarne et de Stith Thompson. Toutefois, comme le lecteur ne dispose pas sous ses yeux de la description de ces contes types, il lui est impossible, à première vue, au moyen de ces références numériques de classer les contes dans les catégories merveilleuse, animalière, religieuse ou facétieuse. D'autre part, quand le lecteur n'a pas facilement accès au savant catalogue paru à Helsinki en 1961, il lui est difficile de remonter à la source du conte type. C'est pourquoi il serait utile au lecteur/chercheur qui consulte *Les Vieux m'ont conté* de pouvoir lire en annexe un bref exposé de la signification des nombreux renvois aux contes types internationaux. Ce n'est là qu'une remarque pour améliorer cet instrument indispensable de travail à la recherche entreprise dans ce domaine neuf. N'ayant donc pu me livrer à cette petite enquête préliminaire avant la tenue de ce colloque, j'endosse pour les contes publiés dans *Les Vieux m'ont conté* la déclaration de Luc Lacourcière : dans le répertoire franco-ontarien, les contes merveilleux dominent. Cependant, il ne faudrait pas oublier d'atténuer une telle affirmation en tenant compte du choix opéré par l'enquêteur lui-même lors de sa cueillette ou de la publication. Enfin, le hasard même de l'enquête ne doit pas faire oublier non plus le fait que tout un pan de la richesse des contes a sombré avec les morts.

Ces réserves émises, un examen de l'ensemble des contes consignés dans *Les Vieux m'ont conté* m'amène à formuler une première observation. La métamorphose, qui appartient effectivement au monde du conte merveilleux, apparaît dans les contes du Nouvel-Ontario dans une proportion suffisamment étendue pour qu'on puisse affirmer que le thème n'en a été ni rejeté ni négligé. Toutefois, on ne peut pas dire, à première vue, qu'il occupe une place envahissante : dans les 15 premiers volumes de la collection que j'ai examinés et qui réunissent 295 contes franco-ontariens – si l'on excepte les récits autres que les contes proprement dits (c'est-à-dire les légendes, les histoires, les anecdotes, les croyances) et les contes attribués au Manitoba dans le sixième volume –, le thème de la métamorphose est exploité dans 66 récits seulement, soit dans une proportion de 22 %.

Puisque le conte est un phénomène essentiellement oral et que l'originalité de sa création est intrinsèquement liée à cette oralité qui émerge dans le temps et l'espace du conteur placé devant ses auditeurs, c'est sur le plan du «langage» qu'il m'a paru important de saisir le premier affleurement du thème de la métamorphose, dans les mots eux-mêmes, eux qui ont pour caractéristique commune d'être chargés si pleinement de nos répulsions et de nos vœux les plus intimes et les plus secrets[16]. C'est pourquoi on ne s'étonnera pas si, à la version littéraire ou remaniée des contes recensés dans les volumes des *Vieux m'ont conté*, c'est la version orale qui obtient la faveur de la recherche, version orale si scrupuleusement transcrite à la suite de la version remaniée par Germain Lemieux, en dépit de tous les embêtements et les pièges de la tâche[17].

Un examen soigné a donc été apporté à la version orale des sept premiers volumes de la collection. Ceux-ci renferment 137 contes franco-ontariens. Parmi ces derniers, 28 récits font allusion à la métamorphose, soit une proportion de 20,4 %. Dans ces 28 contes, il a été consigné 211 passages où les conteurs utilisent un mot ou une expression qui désigne la métamorphose. On voudra bien entendre par «métamorphose» selon *Le Petit Robert* : «Le changement de forme, de nature ou de structure si considérable que l'être ou la chose qui en est l'objet n'est plus reconnaissable.»

Voici donc, par ordre de fréquence, les différentes expressions utilisées par les conteurs ontarois pour désigner un tel changement :

I. Pour exprimer ce passage de la forme première d'un être ou d'une chose à une autre forme, les conteurs utilisent le plus souvent le verbe «emmorphoser». Ainsi, pour décrire sa métamorphose en perdrix verte, la princesse dit à Ti-Jean : «J'su's-t-emmorphosée» (v. I, p. 123). Dans 43 autres passages, il est également question de ce type de métamorphose. Notons, à ce sujet, que Marius Barbeau avait repéré l'usage du verbe amorphoser dans les contes du Québec pour désigner la même opération magique. Un seul cas montre le verbe «emmorphoser» utilisé dans une expression nettement péjorative : «i a tumbé encore emmorphosé en e' statue d'sel» (v. I, p. 42). Mais, au lieu de marquer la régression comme telle perçue négativement dans la métamorphose, on pourrait penser que le verbe «tomber» insiste ici sur le principe de la répétition du phénomène qui «frappe» une seconde fois le sujet.

On remarque, cependant, dans huit autres passages des contes, l'utilisation du verbe «emmorphoser» pour signifier non un changement de forme, de nature ou de structure, mais un ensorcellement qui provoque un simple retrait apparent de la vie du sujet, c'est-à-dire le sommeil, comme dans le cas de châteaux hantés (v. I, p. 124; v. V, p. 220), où se retrouvent des personnages condamnés à un sommeil profond que surveillent ou entretiennent des êtres maléfiques, bêtes fauves ou fées mauvaises.

Enfin, un troisième sens est parfois associé au verbe «emmorphoser». Ainsi, à cinq reprises, on peut observer que ce mot désigne non pas la transformation du personnage, mais le changement de sa condition de vie. Pour indiquer qu'une princesse s'est fait enlever par un lion et une licorne qui la gardent captive, le conteur raconte : «le l'guion p'i' 'a loucorn' qui avè emmorphosé sa fill', là, qui avaient "volé" sa fill', sa bell' princess'» (v. I, p. 241). À moins que le conteur ne veuille laisser entendre par là que les bêtes avaient ensorcelé l'esprit de la princesse pour qu'elle les suive, ou son corps en la plongeant dans le sommeil, le verbe signifierait ici une perte de liberté. Ailleurs, il est clairement dit qu'une princesse est «emmorphosée» par deux géants qui la retiennent captive (v. II, p. 239).

Ainsi donc on remarque que trois sens différents sont prêtés au verbe «emmorphoser», suivant : a) que la nature profonde du sujet transformé est changée; b) que celui-ci est frappé d'un sortilège qui lui retire toute apparence de vie en le plongeant dans l'immobilité totale; c) qu'il est maintenu en captivité par des êtres puissants qui briment sa liberté. Ces trois sens distincts se rencontrent dans 58 passages sur les 211 retenus, soit dans une proportion de 27,4 %.

II. Alors que le verbe «emmorphoser» insiste davantage sur le résultat formel de la transformation, la deuxième expression le plus souvent employée par les conteurs (on la rencontre 36 fois dans les 211 extraits recensés) pour décrire la métamorphose est la locution verbale de forme pronominale «se r'virer en, qui insiste plutôt sur l'action même de l'opération magique, tout en montrant la toute-puissance du sujet sur sa propre transformation. Ainsi on trouve : «mon pèr' qui s'est r'viré en nuée» (v. VI, p. 196); plus loin : «i' vâ se r'virer en vent» (v. VI, p. 196); ailleurs : «i' était r'viré en frémille'» (v. V, p. 205); ou dans un autre cas où le pouvoir est également détenu par un être humain et non par une force supérieure : «c'était l'garçon du vieux qui avait r'viré l'gârs joual» (ellipse de la préposition «en») (v. V, p. 153). Parfois, l'expression est assortie d'une allusion directe au pouvoir magique, source de la métamorphose : «j'vâs te r'virer en pihon [pigeon] «par les mahies [magies]» (v. V, p. 92).

Celui qui détient le pouvoir surnaturel de se transformer à volonté ou de transformer autrui selon son bon plaisir, possède également le pouvoir de recouvrer sa forme naturelle. On remarque, en effet, que la même expression est utilisée par les conteurs pour marquer la levée du charme, redonner ou retrouver la forme perdue. Ainsi un conteur dira : «à se r'vire en princess' comme 'a été auparavant» (v. V, p. 111). On compte une dizaine de passages qui expriment de cette manière le procédé de désenchantement, le retour à la normalité, marquant donc le mouvement inverse de la métamorphose, qui peut s'opérer à rebours.

III. Une troisième expression coutumière apparaît dans la langue des conteurs ontarois pour parler de la métamorphose : «se souhaiter en». La forme pronominale du verbe rappelle l'expression précédente «se r'virer en», en annonçant le pouvoir privilégié que détient le sujet pour se transformer à volonté, selon son désir. L'accent, toutefois, est mis cette fois sur le souhait de la métamorphose, au double sens d'une «détermination» exprimée, en certains cas, au moyen d'une «formule», sorte de parole magique sans la prononciation de laquelle la magie ne peut opérer. D'autre part, comme dans l'expression précédente, on n'est pas sans remarquer que la métamorphose est ici perçue non comme une régression ou une punition, sorte de châtiment expiatoire mérité ou non, mais comme un privilège, un bénéfice, une récompense. Douze passages sur les 211 connus sont composés de cette expression : «J'me souhait' enn' plérie [prairie], p'i, a' dit, toé faucheur dedans» (v. III, p. 29). Trois passages montrent, en revanche, que la même expression sert aussi à exprimer la rupture de l'enchantement; dans un cas, il est même dit, sur le modèle d'«i' s'vire en...» : «i' se r'souhette [sic] homm'» (v. III. p. 145).

IV. D'autres expressions, employées en moins grand nombre, apparaissent ici et là pour désigner la métamorphose :

a) diverses locutions suivies de la préposition «en» (dix cas) : par exemple, «j'viendrai en r'nard» (v. I, p. 184); «a vâ partir encôre en outard'» (v. VII, p. 32); «s'sont en roch's, toâs [trois] roch's» (v. III, p. 103).

b) «se changer en» (six cas) : «p'i' i' était changé en vach'» (v. III, p. 234); «avec çâ tu peux t'changer» (v. III, 153), etc.

c) «en forme de» et variantes (cinq cas) : «me marguier [marier] en form' de bête» (v. IV, p. 161) ou «v'lâ eunn' montagne' de formée» (v. V, p. 108), etc.

d) «être enchanté» pour indiquer un enchantement né d'une métamorphose (trois cas) : «c'te oéseau-là était comme enchanté» (v. II, p. 218), etc.

V. Enfin, 10 formulations particulières connotent la métamorphose : «dans l'temps de l'dir' c'étè enn' gross' montagn' d'épong'» (v. II, p. 146); «ell' faisait l'prêt', p'is lui, l'sarvant d'mess'» (v. II, p. 146); «Tu vâ' êt' capab' de t'mett' gros comm' tu voudrâ'» (v. III, p. 153); «[le pigeon-princesse] 'a prend sa volée encôr'» (v. IV, p. 121); «j'm'en vâs fére anne échell' de mon cor'» (v. V, p. 103); «ça faisait longtemps qu' 'a était pris'» (v. V, p. 125); «dans l'moment après, la plus gross' montagn', tout' dés peigne' avec lés den' assez longues» (v. VI, p. 196); «P'is, zling'! Enn' bell' îl' vart' devant lui!» (v. VII, p. 148); «En' oreill', enn' boul' d'or... enn' bell' îl' vart' encôr'» (v. VII, p. 149); «I' dit «Gorroch' c'boul'-là encôr'! Encôr' in aut' belle îl' vart'» (v. VII, p. 150).

Le procédé de la démétamorphose fait appel, quant à lui, à un vocabulaire varié. Déjà, on a vu que les deux locutions verbales de forme pronominale «s'virer en» et «s'souhaiter en» jouent sur les deux tableaux, tout en fondant le pouvoir magique du sujet.

I. Toutefois, l'expression la plus courante pour signifier la rupture de l'enchantement est le verbe «délivrer», employé dans le sens de «délier du sort», comme dans le passage suivant : «'a avait tou't le haut du corps de délivré» (v. V, p. 197). Seize passages versent dans ce sens, tandis que deux autres signifient «tirer de la captivité», comme dans l'exemple ci-après : «asteur qu'a ést délivrée, i' dit, du dragon, du l'guion p'is d'la loucourn» (v. I, p. 251). Dans deux cas particuliers, le verbe «sauver» est substitué au verbe «délivrer», en mettant l'accent sur le fait d'avoir échappé à un danger : «t'est-t-assez smatt', a' dit, de nous a'oèr tout' sauvées» (v. IV, p. 209).

II. Le verbe «revenir» sert également, une dizaine de fois, pour exprimer la rupture de l'enchantement. En voici quelques exemples : «La vill' était r'venue du mond encôr'» (v. III, p. 104); ou : «Ses deux frér's s'sont t'trouvés r'venu» (v. III, p. 104); ou encore : «J'ai b'en manqué pâs r'venir à la vie» (v. II, p. 232); ailleurs : «i's vont r'venir pareils comme i'étaient» (v. I, p. 185); «je m'âs r'venir au min'm poin'» (v. I, p. 126).

III. Dans huit cas seulement, on a relevé le contraire du verbe emmorphoser, soit le verbe «démorphoser», pour désigner la démétamorphose. Le plus célèbre emploi de cette forme apparaît dans le conte *La Vache démorphosée* (v. II, p. 199; v. II, p. 233).

IV. À sept reprises, les conteurs emploient le verbe «sortir», comme dans les expressions suivantes : «i' a sorti in prince» (v. IV, p. 275); «Qui c'qui sor'? Enn' princess'» (v. IV, p. 209); «le gros roi sort d'lâ-d'dans» (v. IV, p. 208). On note, par contre, cinq occasions où le même verbe «sortir» marque le procédé contraire (la métamorphose), comme pour les locutions «s'virer en» ou «s'souhaiter en». Il s'agit également d'une métamorphose positive, c'est-à-dire bénéfique au personnage, investi alors d'un pouvoir qui l'aide à mener à bien sa tâche.

V. La levée du charme est désignée parfois par des expressions singulières. Cela s'est trouvé dans six cas : «C'qui s'réveill'? Son frér'!» (v. I, p. 46); «P'is c'étaient tou' dés édific's, grand' vill'...» (v. II, p. 138); «A â lâché la vill', c'tait toute eunn' gross' vill' qu'a qu'nè [tenait]» (v. III, p. 104); «T'été' in oéseau, p'is t'v'lâ rendu en prince» (v. IV, p. 129); «I qu'i â expliqué quoi c'ést fair'» (v. V, p. 149); «i' a r'pris sa form' naturelle» (v. III, p. 234).

Au terme de ce rapide coup d'œil sur le vocabulaire de la métamorphose, on peut constater que la métamorphose prend le pas sur la démétamorphose dans les contes ontarois, puisque dans les 211 passages recensés, 146 se rapportent à l'emmorphose, alors que 65 indiquent la démorphose. On peut également observer que cette dernière est perçue avec un certain sentiment de soulagement devant la délivrance procurée; en d'autres cas, elle est présentée comme un retour à l'état naturel des choses. Quant à l'«emmorphose», elle revêt deux caractères nettement définis et opposés : d'une part, elle est perçue comme un phénomène de régression vers une condition inférieure qui empêche l'accomplissement d'un exploit ou de son destin ou encore entrave l'identité du personnage ou de l'objet. D'autre part, et il semblerait que ce soit le cas le plus fréquent, l'emmorphose apparaît comme la condition indispensable à la réalisation d'un exploit ou d'une tâche qui exige le dépassement de l'ordre naturel des choses; dans ce dernier cas, elle résulte d'une bonne action et se présente alors comme le privilège d'une conduite exemplaire.

Il serait prématuré d'aboutir à des conclusions plus précises à cette étape-ci de la recherche. D'autres éléments doivent être examinés auparavant. Il ne s'agissait, dans cette courte recension des formules orales, que d'effleurer le thème de la métamorphose dont la description n'est qu'à peine entamée. Une analyse plus poussée devra examiner l'accomplissement de la métamorphose sous tous ses aspects : le sujet de la métamorphose, le procédé utilisé, sa durée, l'acte ou l'agent, l'état obtenu; de même, dans les cas de recouvrement de l'état naturel, on aura à en examiner les conditions et les effets. Il conviendra, au surplus, d'étudier les symboles que recouvrent les formes obtenues, d'analyser la fonction de la métamorphose dans les contes, de comparer ces données dans les versions d'un conte chez différents conteurs ontarois, voire avec des versions québécoises, françaises ou autres. Autant de pistes qui sollicitent la recherche afin d'arriver à saisir la pleine signification de la métamorphose dans les contes de l'Ontario français, vieux mythe de la croissance et de la dégradation, qui combine l'altérité avec l'identité[18] en assurant l'équilibre humain.

(«La Culture franco-ontarienne : traditions et réalités nouvelles / Franco-Ontarian Culture : Traditions and New Perspectives», Actes du colloque / Conference Proceedings, 28, 29 octobre 1982, Collège Glendon, Université York, p. 53-71.)

Notes

1   Voir la notice générale des textes 1 à 6.

2   Une subvention du ministère de l'éducation de l'Ontario avait permis de réaliser ce projet.

3   Cette étude a été rendue possible grâce à la collaboration d'une assistante de recherche, Josée Therrien.

4   Ou selon le néologisme créé par un poète haïtien : l'oraliture. Toutefois la transcription des contes parlés pourrait confirmer l'expression de littérature orale.

5   Gilbert Durand, *Les Structures anthropologiques de l'imaginaire*, 3ᵉ éd., Paris, Bordas, 1969, p. 494.

6   Northrop Frye, *Pouvoirs de l'imagination,* traduction française de Jean Simard, Montréal, Hurtubise HMII, coll. «Constantes», vol. 22, 1969, p. 43.

7   *Ibid.*, p. 60.

8   *Ibid.*, p. 62. «Cette histoire d'identité perdue et retrouvée, je pense que c'est le fondement de toute Littérature.»

9   Comme Luc Lacourcière à Québec, Marie-Louise Ténèze en France, Germain Lemieux à Sudbury, etc.

10   Au sujet de l'importance du choix régional, voir Marie-Louise Ténèze, «Introduction à l'étude de la littérature orale : le conte», *Annales, Économies, Sociétés, Civilisations*, n° 24, 1969, p. 1120.

11   Le père Lemieux vient de signaler dans sa communication à ce colloque qu'un de ses informateurs n'avait pas dit un de ses contes depuis 55 ans!

12   Luc Lacourcière, «La Tradition orale au Canada», dans Claude Galarneau et Elzéar Lavoie, *France et Canada français du XVIᵉ au XXᵉ siècle*, colloque de Québec, 10-12 oct. 1963, Québec, PUL, coll. «Les Cahiers de l'Institut d'histoire», n° 7, p. 226.

13   Marius Barbeau, «Les Métamorphoses dans les contes populaires canadiens», *Mémoires de la Société royale du Canada*, section I, série 3, t. 10, 1916, p. 143-160.

14   Germain Lemieux, «L'Institut de folklore de l'Université de Sudbury», *Revue de l'Université Laurentienne*, vol. 3, n° 4, septembre 1971, p. 34.

15   Luc Lacourcière, «Les Contes d'animaux de tradition orale au Canada français et *Le Roman de Renart*», *Liberté*, vol. 20, n° 1, 1978 (n° 115), p. 481.

16.   P. Brunel, *Le Mythe de la métamorphose*, Paris, Armand Colin, 1974, p. 25.

17   Sur les problèmes posés par la transcription de documents oraux, se reporter au récent ouvrage de Vivian Labrie, *Précis de transcrip-*

tion de documents d'archives orales, Québec, Institut québécois de recherche sur la culture, coll. «Instruments de travail», n° 4, 1982.

18   P. Brunel, *op. cit.*, p. 181.

24

EN CAUSANT AVEC SÉRAPHIN MARION, GENTILHOMME ET HOMME DE LETTRES

Texte d'une entrevue réalisée avec Séraphin Marion au printemps 1983, peu de temps avant sa disparition. Réputé pour ses recherches en histoire littéraire parues dans les neuf volumes de la série *Les Lettres canadiennes d'autrefois* et l'implantation de l'étude de la littérature canadienne-française à l'Université d'Ottawa, honoré de nombreuses distinctions tant au Canada qu'en Europe, Séraphin Marion a travaillé toute sa vie à faire connaître par son enthousiasme, sa plume et sa parole les réalisations de la présence française au pays et l'importance du rayonnement littéraire dans le développement du Canada français. À 86 ans, Séraphin Marion reste un passionné d'histoire, d'idées et de culture. Dans la maison qu'il habite depuis plus de quarante ans à Ottawa, où il est né, le doyen des lettres canadiennes-françaises vit au rythme des événements qui marquent le sort des siens, Québécois ou Ontarois. En parfait gentilhomme comme il ne s'en fait plus, il nous parle de ce que fut sa vie et la nôtre. Voici donc des extraits d'une longue conversation échangée avec cet historien de nos lettres, charmant causeur et excellent conteur.

Y.G. : *M. Marion, vos parents et vos grands-parents étaient québécois. Pourtant, vous êtes né en Ontario, plus précisément à Ottawa, dans le quartier latin, si je puis dire, de la capitale nationale puisque vous avez vu le jour à quelques pas de l'Université d'Ottawa. Quelles circonstances ont présidé à votre naissance, loin de Saint-Paul-l'Ermite (jadis Repentigny, aujourd'hui Le Gardeur), patrie de votre famille?*

S.M. : Ma réponse pourrait tenir en peu de mots : c'est la faute à mon grand-père, le notaire [Joseph] Marion, si faute il y a.

Mes deux grands-pères et mes deux grands-mères sont nés à Saint-Paul-l'Ermite, au Québec. Mon grand-père Marion pratiquait sa profession non seulement à Saint-Paul-l'Ermite, mais dans toute la région. Il était populaire. Aussi, un bon matin, on l'invita à se lancer dans la politique. Il a été député du comté de L'Assomption pendant vingt ans : député conservateur, s'il vous plaît, parce que, dans ce temps-là, le parti des honnêtes gens, c'était le Parti conservateur. Donc, député pendant vingt ans, mon grand-père s'est fait des amis. Je vous parle de 1894. Alors mon grand-père, qui connaissait le ministre des Travaux publics d'Ottawa, Israël Tarte, ancien propriétaire de *La Patrie*, a fait nommer mon père, l'aîné de huit enfants et fort en mathématiques bien qu'il n'ait pas fait un cours classique complet, comme comptable au ministère des Travaux publics à Ottawa. Mon père s'est marié l'année suivante, et je suis venu au monde en 1896 à Ottawa. Donc tout ça, c'est la faute des Travaux publics!

Y.G. : *Dans une série d'entrevues accordées à Radio-Canada en mars 1980[1], vous déclariez : «Moi, je suis né en Ontario, que voulez-vous, je l'admets, mais je n'en suis pas plus fier que ça.» Plus tard, vous affirmiez à propos de Mgr Charbonneau né à Lefaivre, Ontario : «C'était un Franco-Ontarien, vous savez; pour moi, ce n'est pas une si grande gloriole, mais en tout cas...» Pourriez-vous expliquer votre pensée?*

S.M. : Je n'en suis pas plus fier que ça, pourquoi? À cause de l'odieuse persécution des francophones en Ontario. Voilà la raison! Cent ans de Confédération : cent ans d'injustice, surtout pour nous, Franco-Ontariens. Comment voulez-vous aimer une patrie qui vous persécute tout le temps? Vous connaissez la parole célèbre : «Ingrate patrie, tu n'auras pas mes os.» Puis, il y a surtout la fameuse question du Règlement 17 [décrété en 1912] que j'ai vécue. Ça, c'était quelque chose d'épouvantable. On nous enlevait nos écoles. C'est là que j'ai commencé à lutter et je n'ai jamais lâché depuis ce temps-là. Normalement, ma petite patrie devrait être mon lieu de naissance, l'Ontario, et ma grande patrie, le Canada. Mais quand votre petite patrie vous persécute, alors je dis non. Moi, ma petite patrie, c'est Saint-Paul-l'Ermite, puis ma grande patrie, c'est le Canada. Pour moi, donc, ce n'est pas une grande gloriole d'être né en Ontario.

Mais, pour Mgr Charbonneau, il y avait tout de même autre chose. Je m'explique. J'ai très bien connu Mgr Charbonneau, parce qu'autrefois, il demeurait rue Sussex à Ottawa et, en me rendant aux Archives où je travaillais, nos chemins se croisaient, et on causait. Lorsqu'il fut nommé archevêque de Montréal – il avait d'abord été évêque de Haileybury (Ontario), je pense –, cela fut une surprise au Québec pour tout l'épiscopat québécois. Vous savez, il y avait tout de même au Québec d'excellents théologiens et je ne dirai pas que Mgr Charbonneau était un grand théologien, non : c'était un homme très pratique, beaucoup plus pratique que les Québécois ne l'étaient dans ce temps-là. On dirait que l'épiscopat québécois s'est senti ravalé à un rang inférieur avec un Franco-Ontarien comme archevêque. C'est évidemment le Vatican qui l'a nommé. Je ne veux pas mettre le doigt entre l'arbre et l'écorce. Je ne veux pas critiquer le Vatican, mais Mgr Charbonneau a passé, n'est-ce pas? pour un progressiste. C'était très mal reçu à ce moment-là.

N'oubliez pas que, lors de la grève de l'amiante sous M. Duplessis, quand celui-ci a déclaré que les grévistes de Murdochville, c'était des communistes – or être communiste évidemment, c'était un péché sans rémission, ni en ce monde ni en l'autre –, eh bien, Mgr Charbonneau a ordonné une quête dans toutes les paroisses de son diocèse pour venir en aide aux familles qui n'avaient pas de quoi manger. Alors, Duplessis a accusé Mgr Charbonneau d'être un communiste, d'aider les communistes. Et on dit – ce n'est pas absolument sûr – qu'il a envoyé à Rome un homme, un de ses bons conseillers, pour demander la démission de Mgr Charbonneau. Est-ce vrai? Je ne sais pas. Mais, en tout cas, c'est vraisemblable parce que Mgr Charbonneau a reçu une lettre du délégué apostolique disant : «Vous n'êtes plus archevêque de Montréal», sans permettre à Mgr Charbonneau de se défendre. Non seulement cela, mais le délégué lui a recommandé de s'éloigner le plus possible de la province de Québec. Et, à la fin, c'est le délégué qui l'a envoyé à Victoria (Colombie-Britannique) : non seulement à Vancouver, mais à Victoria! Vous savez, pour moi, Mgr Charbonneau, c'est un saint. Dans l'histoire de notre sainte Église catholique, il y a beaucoup de ces exemples. Comme disait je ne me rappelle plus trop qui : «Quand la barque de saint Pierre devient trop lourde et qu'elle menace de sombrer, eh bien, on ne répugne pas à jeter par-dessus bord quelques matelots.»

Y.G. : *Vous avez complété votre baccalauréat ès arts au Collège d'Ottawa des pères Oblats – devenu, depuis, l'Université d'Ottawa – sous la tutelle d'une série de professeurs dont plusieurs venaient de France.*

S.M. : Ça, voyez-vous, c'était le fruit de la persécution du petit père Combes[2] en France, alors que les religieux ont été chassés de France. Le malheur des uns fait le bonheur des autres. Beaucoup de religieux oblats et de toutes sortes de congrégations, des gens très cultivés qui avaient leurs diplômes, sont alors venus au Canada. Parmi eux, il y avait des as. C'était des gens beaucoup plus développés que la plupart de nos professeurs parce qu'ils venaient de Paris, de la France; ils avaient eu un milieu littéraire, un *background* qu'on n'avait jamais eu, nous autres. En chassant les religieux de France, le petit père Combes nous a beaucoup aidés. C'était aussi le cas dans les collèges classiques du Québec.

Y.G. : *L'un d'eux, le père Boyon, fut votre professeur de littérature. Bien que ce maître des lettres françaises ne vous eût jamais dit «un traître mot sur la littérature du Canada français» – et là vous n'émettez pas une critique, mais vous constatez un fait qui, à l'époque, «était alors le lot de presque toutes nos universités» –, vous entrepreniez, dès le début de vos études supérieures, une recherche sur les relations des voyageurs français en Nouvelle-France au XVIIe siècle. Qu'est-ce qui, alors, a motivé votre intérêt pour la littérature et l'histoire du Canada français?*

S.M. : Vers 1900, à peu près personne ne croyait à l'existence d'une littérature canadienne valable. Le mot valable est très important. Mais un révérend abbé, l'abbé Camille Roy, professeur et recteur de l'Université Laval, avait publié en 1918 *Manuel d'histoire de la littérature canadienne-française*[3]. J'ai ce livre; c'est un ouvrage assez rare aujourd'hui. Comme vous voyez, c'est très mince, ça existait. J'ai donc acheté ce volume, je ne me souviens pas dans quelles circonstances, et je l'ai lu. Camille Roy analyse dans ce livre des œuvres très ordinaires des écrivains de l'époque – parce qu'il y en avait, des écrivains. Mais, enfin, aujourd'hui, on pourrait résumer son livre en cinq ou six pages parce que, quelquefois, il s'agit de textes qui ne valaient absolument rien. Mais l'abbé Roy voulait tout de même encourager le développement de nos lettres, et je le comprends parce que, moi, à sa place, j'aurais fait la même chose. Enfin, c'est ce qui faisait dire à Olivar Asselin, le plus grand journaliste de l'époque, que Camille Roy pesait des chiures de mouches dans des balances de toiles d'araignées. Après ce commentaire, le pur amour n'a jamais filé entre ces deux écrivains.

Y.G. : *Après avoir obtenu votre baccalauréat, vous avez choisi d'entrer dans la carrière de l'enseignement. Pourquoi? N'était-ce pas difficile et ingrat pour un jeune de votre âge et pour un laïc, par surcroît, de trouver et d'occuper une telle fonction, surtout en pleine époque du Règlement 17?*

S.M. : Oui, mais j'ai toujours dit : «Ce sera l'enseignement ou rien du tout.» J'ai toujours soupçonné que l'enseignement me permettrait d'écrire. Toujours. Mais je ne voulais pas enseigner dans les *high schools* d'Ontario, même si les salaires qu'on y offrait étaient beaucoup plus respectables que dans les collèges religieux. Les professeurs recevaient là mille dollars par année; autrement, c'était trois cents dollars par année. C'était donc beaucoup plus intéressant.

Y.G. : *De retour d'un premier séjour à Paris, à la fin de la Première Guerre mondiale, séjour au cours duquel vous aviez obtenu un premier diplôme d'études supérieures en civilisation française, vous avez accepté un poste d'enseignement au Collège militaire de Kingston. Vous avez été ainsi le premier Canadien français à y enseigner. Pourquoi avez-vous choisi, alors, de vous exiler dans une institution militaire, de langue anglaise, plutôt que d'opter pour le Collège d'Ottawa où vous aviez non seulement complété vos études de baccalauréat, mais déjà enseigné pendant une année, ou encore quelque autre institution de langue française au Québec?*

S.M. : À ce moment-là, l'enseignement relevait des Provinces. Au Québec, et même dans les autres provinces, mais surtout au Québec, vous n'aviez pratiquement pas de laïcs comme professeurs. Pourquoi? Parce que les salaires étaient infiniment bas. Un professeur laïc ne pouvait pas faire vivre femme et enfants avec des salaires faméliques. Alors, moi, le 15 août 1920, j'arrive de Paris chez mon père à Ottawa : je voulais faire de l'enseignement. Je me sentais né pour cela. Quand j'avais enseigné au Collège d'Ottawa, je gagnais 75 $ par mois, et seulement pendant dix mois : les mois de juillet et août, on ne travaillait pas, alors, on n'était pas payé. Il n'y avait pas d'année sabbatique non plus, pas besoin de vous le dire. Tout l'enseignement donc relevait des Provinces [du gouvernement provincial]. Mais le Collège militaire royal de Kingston relevait d'Ottawa [du gouvernement fédéral]. C'était le seul dans ce cas-là parce qu'il faisait partie de la Défense nationale. Ses professeurs étaient bien payés. C'est donc une question d'argent qui a motivé mon choix. Quand je suis arrivé au Collège militaire, je gagnais 150 $ par mois. Ce n'était pas le Pérou; comme tout débutant, j'étais au bas de l'échelle; il y avait des promotions en vue. Donc, c'est tout simplement parce que je songeais à l'avenir : je voulais enseigner, je voulais avoir femme et enfants et je voulais pouvoir faire vivre ma famille.

Et le hasard a fait le reste. En août 1920, voilà qu'un ami de mon père vient à la maison et me demande ce que je comptais faire. Pour le moment, je n'avais pas d'autre avenir que de retourner au Collège d'Ottawa parce que là, au moins, je n'avais pas de pension à débourser : je vivais chez mes parents et mon pauvre 75 $ était à moi. Cet ami me dit : «Il y a une annonce au bureau de poste : on a besoin d'un professeur de français au Collège militaire royal.» Je suis allé voir ça; c'était pour septembre. Je me suis lancé là-dedans parce qu'il n'y avait pas d'autre issue.

Pour obtenir le poste, il fallait, toutefois, passer par la Commission du service civil. Le concours était annoncé dans tout le pays. Il y avait trois commissaires : deux Anglais et un Canadien français, un Monsieur La Rochelle de Trois-Rivières, un homme charmant. Il fallait leur envoyer un curriculum vitae. Ils l'ont examiné. Ensuite, je vais voir M. La Rochelle, qui me dit : «Mais, Monsieur, vous avez un diplôme de la Sorbonne! Vous êtes choisi. Il n'y en a pas un autre qui l'a.» Pas besoin de vous dire que le diplôme, c'était un simple certificat. Mais pour eux c'était kif-kif. Alors, il ajoute : «Écoutez, vous êtes nommé; mais seulement il faut aller passer un examen oral au Collège militaire. Il faut tout de même que le général McDonnell vous accepte.» Ah, bon Dieu! dans ce temps-là, Kingston, c'était le centre de l'orangisme et du fanatisme. C'était jaune, à cent pour cent. Il y avait là un député jaune. Un certain Hocken, sénateur de Toronto, était orangiste. Quand vous pensez qu'à ce moment-là, le chef de l'Armée canadienne, c'était sir Sam Hughes, le président des orangistes. Aujourd'hui, les orangistes ne tiennent plus le haut du pavé : ils n'ont plus d'influence. Mais, en 1920, ils menaient tout : les premiers ministres anglophones devaient être orangistes pour arriver au pouvoir. Sir John A. Macdonald a été orangiste; il ne s'en vantait pas, mais il l'a été.

En pensant que j'allais m'enfouir dans un milieu orangiste, et sans savoir pour combien de temps, j'ai eu la frousse. Tout à coup, je dis à mon père : «Je n'y vais pas! Sir Archibald McDonnell! paraître devant lui! il va m'écraser complètement! Non, je n'y vais pas.» Alors, mon père m'a dit : «Écoute, tu vas aller à Kingston. Pars l'après-midi. Toutes tes dépenses sont payées par la Commission du service civil. Tu vas passer une nuit là. Le lendemain matin, tu vas aller voir le général et lui parler. Ça va te plaire ou ça ne te plaira pas. Si ça te plaît, tant mieux. Si ça ne te plaît pas, tu t'en reviens. Tu n'auras pas un sou à débourser.» Je suis donc parti avec ma canne d'étudiant, mon mouchoir et un pyjama. J'arrive à Kingston. Le lendemain matin, j'ai rendez-vous avec le major Greenwood, un Boisvert anglicisé à cent pour cent, c'était le *staff adjudant*. Je me présente devant sir Archibald. Un homme qui voulait absolument avoir des Canadiens français non seulement comme professeurs, mais comme élèves. Un homme francophile au possible. Un homme qui m'a reçu comme un bon papa – il avait une moustache blanche – : «*How are you?*» m'a-t-il demandé. Il m'a parlé de ce que j'avais fait jusque-là. Toujours est-il qu'à la fin, il me dit : «*Well, when do you start?*» Je lui réponds : «*Sir, I have got to pass my oral examination.*» Il me dit : «*You had it.*» C'était ça *l'oral examination*, parler comme cela entre nous! Alors, j'ai dit : «*Is that so?*» – «*Yes, yes, you had your oral examination.*» – «*When can I start?*» – «*Could'nt you start right away, today or tomorrow morning?*» – «*Sir, I just came with my stick, my handkerchief. I must go back and get my suitcase.*» – «*Well, go to Ottawa and come back as soon as you can.*» Je suis alors rentré à Ottawa.

Au bout de cinq ans, je retournais à Ottawa où je voulais, de toute façon, revenir à tout prix. Mais, je n'ai pas perdu mon temps pendant ces cinq années passées à Kingston. J'ai préparé mon doctorat. Ça valait la peine d'être en prison pendant cinq ans pour préparer son doctorat.

Y.G. : *En 1923, vous obteniez, en effet, un doctorat en littérature de la Sorbonne après avoir présenté et soutenu comme thèse majeure le fruit de vos recherches sur les «Relations des voyageurs [...]». En fait, vous étiez le deuxième Canadien français, après Paul Morin, à recevoir ce diplôme de l'université française.*

S.M. : Paul Morin a reçu le sien le 17 juillet 1912. Il soutint alors une thèse de doctorat en littérature comparée : «Les Sources de l'œuvre de Henry Wadsworth Longfellow». Il avait déjà fait paraître *Le Paon d'émail* en 1911, imitant la comtesse de Noailles, dont il était le chouchou. Il a donc fallu onze ans pour être le deuxième. L'écart entre ces deux dates, 1912 et 1923, montre la pauvreté de notre formation en littérature à cette époque.

Y.G. : *Comment donc un jeune Franco-Ontarien du début du siècle a-t-il réussi à surmonter les obstacles immenses qui ont dû surgir pour l'empêcher de se distinguer de pareille manière?*

S.M. : Dans ma vie, vous savez, il y a beaucoup de coïncidences extraordinaires. Il y a beaucoup d'impondérables : des douzaines. Remarquez bien que j'ai travaillé toujours très fort parce qu'il fallait travailler dans mon temps, et avec une absence lamentable de moyens. Mais, moi, tout de même, j'ai été chanceux.

Premièrement, le père Louis Le Jeune, o.m.i., un Breton bretonnant, est arrivé à Ottawa en 1902. Il est mort maintenant, mais il a passé toute sa vie dans notre capitale. Il s'intéressait à l'histoire et faisait des recherches pour écrire son gros dictionnaire biographique du Canada. Il demeurait tout près de chez moi. Il a fait beaucoup de recherches, qu'il a mises à ma disposition. Dans la préface de mon livre sur *les Relations des voyageurs en Nouvelle-France au XVIIe siècle*, je remercie le père Le Jeune de m'avoir aidé. Sans lui, je crois que je n'aurais pas pu écrire ce livre. Il a été mon premier grand ami, mon auxiliaire.

Le deuxième appui, je l'ai reçu d'un professeur de la Sorbonne : il s'appelait Célestin Bouglé. En 1920 à Paris, j'ai suivi des cours de civilisation française. Nous avions une dizaine de professeurs, mais celui que j'aimais le mieux, c'était ce Monsieur Bouglé, professeur de sociologie. Il donnait des cours sur les grands noms de l'histoire de la France. Un beau matin, à l'amphithéâtre Descartes, M. Bouglé donne un cours, puis nous dit : «Demain matin, je vous parlerai de Bossuet.» J'avais eu plusieurs cours sur Bossuet. Bouglé passait pour être un petit peu socialiste, enfin, un Breton, lui aussi. M. Bouglé était un écrivain qui avait un très beau style, clair : c'était très facile de prendre des notes avec lui. On ne peut pas en dire autant de tous les professeurs : souvent on est perdu devant des gens qui placotent un peu partout. Alors, je me suis dit : «Tout de même, Bossuet, qu'est-ce qu'il va dire sur Bossuet?» Parce que, sur Bossuet, je me sentais ferré; je me demandais comment il allait traiter son sujet : Bossuet comme libre penseur? Ce matin-là, j'arrive à la Sorbonne, je m'installe et il commence à parler. Ç'a été mon plus beau cours sur Bossuet que j'aie jamais entendu. Enfin, un professeur de l'Institut catholique de Paris n'aurait pas pu être plus catholique que M. Bouglé l'a été à ce moment-là. Alors, dans la fougue de mes vingt ans, quand le cours a été terminé, je me précipite au bas des marches de l'amphithéâtre et je vais trouver Bouglé. Je ne le connaissais pas du tout. Il y avait dans ce cours un groupe d'une centaine d'étudiants, beaucoup d'Américains – c'était après la guerre, voyez-vous –, des Américains qui voulaient apprendre le français. Aussi, «Monsieur Bouglé, lui ai-je dit, je suis canadien, canadien français; je viens vous faire un aveu...» et je lui raconte que c'était le plus beau cours que j'avais jamais entendu sur Bossuet. Alors, il me dit : «Oh, vous savez, des fois, on fait des choses qui ne sont pas trop vilaines.» Il est devenu mon ami. Ensuite, on s'est rencontrés quelquefois et, à la fin de l'année, il a donné un souper à quelques Américains et à moi-même. On était peut-être une dizaine dans sa maison. Mme Bouglé m'a dit une chose qu'on ne peut pas oublier : «Ah, vous, M. Marion, c'est la première fois que je vous vois, mais je vous connais par votre nom. Voyez-vous, vous vous appelez Séraphin et mon mari, Célestin. C'est à peu près la même chose.»

En 1921, je crois, mais je ne suis pas sûr de la date, l'Université McGill célébrait son centenaire et décide d'envoyer une invitation à toutes les universités d'Europe, francophones et anglophones. Qui est-ce qui est nommé délégué pour représenter la Sorbonne? Célestin Bouglé! Il m'écrit tout de suite, parce que nous avions conservé des relations, et me dit : «Je tiens absolument à vous voir.» Les fêtes devaient durer une semaine à l'automne, à l'Université McGill. Mais, moi, j'enseignais à Kingston. Je lui réponds tout de suite : «Ça serait difficile pour moi de m'absenter de Kingston à ce moment-là. Je n'oserais pas demander un congé simplement pour aller vous rencontrer. Mais Montréal, c'est tout près de Kingston; est-ce que vous ne pourriez pas venir au Collège militaire royal?» Et voici un autre impondérable. M. Bouglé me répond : «Si c'est comme ça, je dois vous dire que je suis professeur à l'École militaire de Saint-Cyr et je voudrais me rendre à Kingston.» Et il ajoute : «Kingston est d'ailleurs sur mon chemin (une chose qu'il voulait absolument voir, c'était les chutes Niagara). On ne peut tout de même pas me demander de brûler les chutes! Je vais donc m'arrêter à Kingston et j'aimerais bien visiter votre collège.»

Dans le temps, sir Archibald McDonnell, le commandant général du Collège, était le commandant de l'une des quatre divisions de l'Armée canadienne. Il avait de nombreux titres. Il avait fait la guerre, la Première Guerre. C'était un Écossais. Un Écossais formidable. Je vais donc le trouver et je lui raconte tout ça. Il me dit : «M. Bouglé de l'École militaire de Saint-Cyr? Mais nous sommes sur un pied d'égalité au Collège militaire de Kingston. Nous allons le recevoir. Je vais convoquer tous les cadets dans le Sir Arthur Curry Hall et il va nous faire un discours. Nous allons passer une journée entière avec lui et il va rester dans ma maison.» Le jour venu, M. Bouglé s'amène, très content. Mais, imaginez-vous, Célestin Bouglé ne parlait pas un traître mot d'anglais et le commandant ne parlait pas français. Bouglé lui a dit : «Écoutez, je vais faire un discours quand même, un discours en français.» Et il me dit : «Vous, M. Marion, vous allez traduire ça, synthétiser ça en anglais.» J'ai répondu : «C'est bon.» Je pensais qu'il allait parler une demi-heure et moi, trois ou quatre minutes. On arrive devant tous les cadets au garde-à-vous. Le général était là. Bouglé me dit : «Approchez-vous de moi.» Il commence à lire une phrase, assez longue, en français, puis il se tourne vers moi et me dit : «Traduisez.» Imaginez, il m'a fallu traduire ainsi, phrase par phrase, tout son discours. Ç'a été mon quart d'heure de Rabelais. Vous savez, il y avait là des cadets qui venaient de Montréal, comme les fils Molson, le millionnaire, ou de Québec, comme les fils de Price, et qui parlaient le français comme vous et moi. Et je me disais qu'eux pouvaient savoir si je traduisais bien ou non! Mais M. Bouglé n'y a vu que du feu. Il était très content. À son départ, le lendemain, il m'a encouragé à poursuivre mes études à la Sorbonne et il m'a assuré de son fidèle appui. Il n'a pas manqué à sa parole.

J'ai préparé ainsi ma thèse pendant que j'étais au Collège militaire de Kingston. J'avais une heure d'enseignement par jour :

c'était le farniente. J'avais donc le temps d'écrire. Mais j'ai eu d'abord ma maîtrise à l'Université d'Ottawa. Cette maîtrise de l'Université d'Ottawa, à Paris, c'était l'équivalent de la licence ès lettres, à la Sorbonne s'il vous plaît! J'étais non seulement maître ès arts de l'Université d'Ottawa, mais également licencié ès lettres de la Sorbonne. Je me suis dit : «Avec ça, pourquoi pas le doctorat?» Je devais passer cinq ans à Kingston. Cinq ans! Si je n'avais pas entrepris ces études, je me serais trop ennuyé. C'était le temps de travailler. Un autre impondérable.

Y.G. : *Vous avez donc soutenu votre thèse de doctorat à la Sorbonne sur les «Relations des voyageurs en Nouvelle-France au XVIIᵉ siècle». Ce fut certainement un grand moment pour vous. Comment cela s'est-il passé?*

S.M. : J'étais canadien, donc étranger. L'examen oral du doctorat exigeait la soutenance de deux thèses : une thèse majeure sur le sujet que j'avais choisi et une thèse mineure sur un sujet uniquement français. Dans mon cas, cette thèse mineure a été toute une histoire.

À l'Université d'Ottawa, j'avais étudié le Moyen Âge, la Renaissance, l'époque classique et même l'époque romantique : Lamartine, Musset et Victor Hugo; c'était assez rare, vous savez, dans ce temps-là. Mais un siècle que je n'avais pas étudié, c'était le XVIIIᵉ, c'est-à-dire Diderot, Voltaire, les Encyclopédistes, des sacripants! Ce sont les membres du jury qui ont choisi le titre de la thèse française. Comme j'avais écrit ma thèse de maîtrise à l'Université d'Ottawa sur «Le sentiment de la nature dans les lettres françaises depuis le Moyen Âge jusqu'à nos jours» (excusez du peu!), j'avais suggéré ce sujet. Un des membres du jury, M. Mornet, était un grand spécialiste de l'histoire du paysage dans la littérature française. Quand il a vu le titre suggéré, il l'a trouvé trop long et l'a restreint. En fait, j'ai appris qu'il était le grand spécialiste du sentiment de la nature dans la littérature du XVIIIᵉ siècle. Il m'a dit : «Vous allez être interrogé sur le sentiment de la nature au XVIIIᵉ siècle.» Vous comprenez, je ne connaissais rien, complètement rien sur ce siècle qu'on n'avait pas étudié à l'Université d'Ottawa, un siècle de malheur pour moi!

Mornet avait écrit trois gros volumes de 400 à 500 pages chacun sur le sentiment de la nature au XVIIIᵉ siècle, que je n'avais pas lus et dont j'ignorais complètement la teneur. Aussi, au lieu d'arriver à Paris le 18 juin comme je l'avais prévu (la soutenance avait lieu le 25), je me suis dit : «Je vais arriver le 3, il faut absolument que je lise ces trois volumes.» Je suis donc allé à la Bibliothèque nationale de Paris et là j'ai pris des notes. À ce moment-là, j'habitais près du Jardin du Luxembourg. Je ne mangeais plus. C'était l'époque des «cerises de France». J'en mettais quelques-unes dans ma poche, que je mangeais en marchant dans le jardin et en revoyant mes notes. Au bout de quelques jours de ce régime, j'avais résumé les volumes en quelques pages : je les connaissais par cœur.

Arrive le matin de l'examen. Trois heures de temps, en grande tenue, avec cravate noire. On est en bas, dans l'amphithéâtre. L'auditoire est en haut et les professeurs sont sur une estrade. On se sent au fond d'un puits. Ce n'est pas tellement roboratif.

Mon examen sur le Canada français, ça n'a pas trop mal marché; j'étais satisfait de moi. Mais arrive la question de Mornet sur le sujet français. Il me demande : «Quels sont les livres que vous avez lus sur le sentiment de la nature au XVIIIe siècle?» Moi, je lui réponds avec mon plus beau sourire : «Maître, j'ai lu vos trois volumes.» Mais je ne lui ai pas dit que j'avais lu ça quelques jours d'avance. Cette réponse l'a flatté. Alors il me dit : «Je vais vous poser une question : au cours de votre lecture de ce millier de pages, il y a certainement quelques-uns de mes propos que vous n'avez pas acceptés. C'est certain, c'est fatal; ce n'est pas une critique que je vous fais. Je voudrais que vous parliez de vos objections à mes assertions.» Ah, j'avais pensé à tout, excepté à ça! Je n'en avais aucune! Pour gagner du temps, j'ai répondu : «Maître... des objections... catégoriques... non... Pas une objection catégorique. Vous savez... vous êtes... un maître... et... moi... je suis... un simple... amateur. Peut-être, voulez-vous dire... certaines... nuances... entre vous et moi.» Et, tout en parlant comme ça, je ne savais pas du tout ce que j'allais dire, mais je voulais gagner du temps. Je demandai à saint Joseph de m'inspirer : j'ai toujours eu une grande confiance en saint Joseph. Tout à coup, il me vient à l'esprit une phrase du père Boyon, mon professeur de littérature à l'Université d'Ottawa. On avait tout de même étudié le romantisme et je songeai à l'initiateur du romantisme que fut Rousseau. Alors j'ai ajouté : «Maître, voici : c'est à propos de Jean-Jacques Rousseau. À telle page de votre ouvrage, vous dites que le sentiment de la nature, c'était quelque chose de naturel pour lui parce qu'après le XVIIe siècle, qui était le siècle des sociétés, le siècle fade, le siècle de la raison raisonnante, ce fut le temps du sentiment et Jean-Jacques Rousseau est arrivé en son temps. Après un siècle de froideur, Jean-Jacques Rousseau, lui qui aimait la nature, est devenu paysagiste. Ici, je nuancerais ce jugement. Jean-Jacques Rousseau a d'abord voulu faire du socialisme. Il a d'abord voulu se donner aux êtres humains, mais il n'a pas réussi. Il a dû se réfugier en Suisse et, même là, on n'acceptait pas ses théories.» C'est à ce moment que j'ai cité ma fameuse phrase : «Bien, voyez-vous, "le cœur humain est ainsi fait qu'il doit se donner à quelqu'un ou à quelque chose". Rousseau a voulu se donner à quelqu'un, à ses frères, aux hommes. Il a été rejeté. Alors, il ne lui restait plus qu'à se donner à quelque chose, qui était la nature.»

Savez-vous ce que M. Mornet m'a répondu? Les Français n'ont pas un complexe d'infériorité. D'ailleurs, c'est normal dans ce genre d'examen. Il m'a dit : «Monsieur, au début de votre interrogatoire, on se demandait si vous aviez un esprit critique, mais, après vous avoir entendu, je crois qu'on peut dire qu'avant longtemps, vous l'aurez.»

Y.G. : *Au début de l'année 1925, vous quittiez le Collège militaire de Kingston pour devenir traducteur de documents officiels aux Archives nationales à Ottawa. On comprend que vous ayez quitté Kingston pour revenir dans votre ville natale, mais pourquoi un docteur en littérature de la Sorbonne a-t-il quitté l'enseignement et la littérature pour la traduction et les documents officiels?*

S.M. : Je n'ai pas quitté complètement l'enseignement. Mais, dans ce temps-là, voyez-vous, vu nos maigres salaires, il nous fallait, pour survivre, accomplir plusieurs travaux. Ainsi, j'étais aux Archives, la semaine, mais, en fin de semaine, des cours ont commencé à être implantés à l'Université d'Ottawa, le samedi après-midi, avec de nombreux étudiants.

Traducteur, c'est vrai. Mais j'étais surtout directeur des publications historiques aux Archives nationales où, évidemment, il fallait de la traduction. C'est un beau poste. Là aussi j'ai été chanceux. Car, aux Archives, se trouvait la collection à peu près complète de tous nos anciens journaux. Quand j'ai vu toute cette collection, je me suis dit : «J'ai trouvé là une mine.» L'idée m'est alors venue de dépouiller tout ça. Et mes neuf volumes consacrés aux lettres canadiennes d'autrefois portent, comme vous le savez, sur tous nos anciens journaux, depuis *La Gazette de Québec* de 1764 jusqu'à 1900. C'est tellement vrai que cette collection a été intitulée «Le Journalisme, berceau des lettres canadiennes-françaises». Dans ces volumes, je cite tous ces journaux. *La Minerve*, *Le Canadien*, etc. J'ai extrait la «substantifique moelle» de tous ces journaux-là.

Y.G. : *À peine deux ans après votre arrivée aux Archives nationales, soit en 1927, vous publiez un livre sur Pierre Boucher. Le manuscrit vous avait valu le prix du Concours d'histoire du Canada. D'où vous est venu votre intérêt pour Pierre Boucher?*

S.M. : Pierre Boucher m'intéressait à ce moment-là. Pourquoi lui plutôt qu'un autre? Je ne pourrais pas vous le dire. J'avais déjà des notes, un programme de travail, des idées de chapitres : le pionnier, le patriarche, etc. À ce moment-là, tout jeune, arrivé depuis peu à Ottawa, j'avais beaucoup de temps à ma disposition. Je travaillais. Le concours dont vous parlez était organisé par la Province de Québec uniquement pour cette année-là. Si j'ai été choisi, cela prouve qu'il y avait tout de même une pénurie de textes. Aujourd'hui, faites un concours d'histoire du Québec, vous aurez deux ou trois cents manuscrits. Vous en aurez peut-être [qui seront] imprimés. Mais, ici, j'ai eu une autre chance. Pour ce concours, il y a eu un jury composé de quelques membres. Un de ces membres était l'abbé Groulx, qui était tout jeune dans le temps et moi aussi. Mais on se connaissait parce qu'il venait aux Archives. Je pense que l'abbé Groulx a certainement voté pour moi.

Y.G. : *Tout en travaillant aux Archives nationales, vous trouviez le temps et l'énergie non seulement d'écrire, mais aussi de fonder, avec quelques collègues de l'Université d'Ottawa, une «École des gradués» en cette institution. C'est à cette occasion, comme vous le mentionniez plus tôt, que vous avez repris, pour ainsi dire, du service dans l'enseignement, et ce, de 1926 à 1952, soit pendant plus d'un quart de siècle. Avez-vous alors songé à implanter l'enseignement des lettres canadiennes à l'Université?*

S.M. : Oui, mais pas avant le milieu du siècle, il me semble. J'ai attendu de publier mes ouvrages sur les lettres canadiennes d'autrefois. Mon premier volume est daté de 1927; le premier tome des *Lettres canadiennes d'autrefois*[4], lui, date de 1939 et les autres livres que j'ai écrits ont paru ensuite jusqu'en 1960. Avec tous ces ouvrages, voyez-vous, il y avait tout de même de quoi faire un cours sur les lettres canadiennes-françaises. Si je me souviens bien, j'ai donné mon premier cours sur ce sujet à l'Université d'Ottawa vers 1950. Mais j'ai démissionné en 1954 parce que j'ai fait une thrombose. J'ai failli mourir. Mais avec beaucoup de soins, et de la chance, j'ai survécu.

Y.G. : *Avez-vous rencontré des difficultés pour faire accepter, à l'époque, une œuvre qui s'intéressait non seulement à la littérature canadienne-française, mais aux origines de cette littérature? Car, si on se réfère au sentiment d'Olivar Asselin que vous citiez au début de cette entrevue, un des journalistes les plus réputés du temps, pour qui tout notre passé littéraire n'était rien d'autre que «vieille ferblanterie nationale», des obstacles ont certainement dû se dresser devant votre entreprise. Quelle fut la réception que le public instruit a réservée à votre recherche?*

S.M. : Il se vendait bien quelques volumes, mais il y avait peu d'acheteurs, en fait, presque pas. La vente fut très faible pendant dix-sept ans. Dans ce temps-là, chaque volume se vendait un dollar, un volume de trois cents pages, s'il vous plaît! On publiait mille exemplaires. Mais l'auteur ne recevait rien, quasiment rien. À la fin de chaque année, on me faisait un compte rendu des droits d'auteur et il me revenait peut-être dix dollars. Mais voilà que, dans la dix-huitième année, vers 1962, il s'est produit un réveil. D'abord, il y avait plus d'étudiants, plus de cours sur la littérature : l'enseignement spécialisé était donné partout. Tout à coup, les volumes se sont vendus. Une année, j'ai reçu 1 500 $. Quelle chance, tout de même!

Il y a peu de temps encore, mes volumes se vendaient toujours à 1 $. On pouvait se procurer toute la série de mes écrits aux Éditions de l'Université d'Ottawa pour 20 $. Maintenant, ils se vendent à 2,50 $. Une véritable aubaine.

Aujourd'hui, dans toutes les universités, ceux qui veulent faire des thèses de doctorat sur les lettres canadiennes-françaises d'autrefois sont obligés de lire mes ouvrages. Balzac a dit : «La gloire est le soleil des morts.» Ça veut dire qu'il faut mourir avant d'être célèbre. Mais, moi, j'ai été chanceux, parce que je suis tout de même un peu célèbre et je suis encore en vie.

Y.G. : *M. Marion, souvent on vous a appelé un «pionnier» des lettres canadiennes. Roger Le Moine, pour sa part, préfère vous comparer «aux découvreurs des temps anciens»[5]. Comment vous-même préférez-vous vous définir?*

S.M. : Je préfère le terme de découvreur plutôt que pionnier. J'ai découvert, ça c'est vrai! Des pionniers dans notre littérature, il y en a d'autres. Vous avez Philippe Aubert de Gaspé, qui a écrit *Les Anciens Canadiens*. Vous avez ensuite Joseph Doutre avec ses *Fiancés de 1812*; Pierre-Joseph-Olivier Chauveau qui a écrit *Charles Guérin*. Antoine Gérin-Lajoie a écrit notre première tragédie, *Le Jeune Latour*. Ce sont là des gens antérieurs à moi, qui se sont intéressés à la littérature. Mais, moi, j'ai été un découvreur. Par exemple, on disait autrefois que le premier roman canadien-français était celui de Philippe Aubert de Gaspé. J'ai affirmé que notre premier roman était celui de son fils qui a écrit, à l'âge de 21 ans, *L'Influence d'un livre*, en 1837. Ça, c'est ma découverte. Aujourd'hui, il y a plusieurs critiques qui parlent de ce livre comme du premier roman, mais on ne mentionne pas que c'est ma découverte.

Y.G. : *À votre avis, quels sont les travaux ou autres réalisations littéraires auxquels vos découvertes ont ouvert la route dans la critique de la littérature québécoise du XIXe siècle?*

S.M. : C'est difficile de prouver cela. D'abord, la plupart de ces gens-là je ne les connais pas. J'ai toujours été franco-ontarien, j'ai toujours vécu en Ontario. Si j'avais été au Québec, c'eût été différent. Toutefois, en Ontario, je pourrais peut-être dire que mon travail n'a pas été étranger, entre autres, à l'établissement du CRCCF ou à la publication de la collection des «Archives des lettres canadiennes-françaises». À ce sujet, j'ai une anecdote assez amusante à raconter.

M. Paul Wyczynski, le fondateur du centre que vous mentionnez, me disait un jour en parlant de Pierre Savard, l'actuel directeur du Centre, qu'on l'avait interrogé sur ce dernier en demandant ce qu'il avait fait. Wyczynski a répondu : «Pierre Savard a remplacé M. Wyczynski.» Puis on lui demanda : «Et vous, M. Wyczynski, qu'est-ce que vous avez fait?» – «Moi, a répondu Wyczynski, eh bien, j'ai remplacé M. Marion!» J'ai fondé ce centre de recherche avec mon enseignement, mais sans un sou. Tandis qu'aujourd'hui, c'est différent avec les subventions du CAC et de M. Bill Davis [premier ministre de l'Ontario] qui ne veut pas de province bilingue, mais qui est bien prêt, tout de même, à donner de l'argent à certaines institutions. Bien sûr, je n'ai pas été lié de façon directe à l'organisation de ce centre de recherche à cause de ma maladie en 1954. Ma carrière universitaire s'est arrêtée là. Mais j'ai poursuivi mes travaux, j'ai continué à écrire et à m'intéresser aux belles-lettres.

Y.G. : *À propos de Lionel Groulx que vous receviez fréquemment chez vous lors de ses passages à Ottawa, vous avez dit que, dans l'intimité, il quittait ses envolées de grand orateur et vous ouvrait volontiers son cœur[6]. Pourrais-je vous demander, M. Marion, de nous ouvrir ici votre cœur et de nous confier quels ont été les gens et les livres qui ont eu une influence importante sur votre vie, votre pensée, votre langue?*

S.M. : Premièrement, les Sœurs Grises de la Croix qui m'ont enseigné à l'école élémentaire Garneau et Marie de Lourdes, la Supérieure, une femme supérieure, à tous points de vue. Une maîtresse femme. C'était de bonnes institutrices qui travaillaient pour rien. Il n'y avait pas d'argent, mais le feu sacré; l'enthousiasme aussi. Je puis dire qu'avec elles, vous touchez aux racines de ma vocation.

Ensuite, le père Joseph Boyon, o.m.i., mon professeur de littérature, dont j'ai parlé précédemment : un bon critique. Dans ce temps-là, les critiques en littérature française, c'était Brunetière, Jules Lemaître, René Doumic; ces noms étaient célèbres. Évidemment, je m'en suis inspiré.

Il y a eu également le père Louis Le Jeune, historien, qui m'a beaucoup aidé dans mes recherches historiques.

Enfin, il y a mon cher oncle, le père Albert Marion, dominicain, auteur d'un seul livre, *Le Problème scolaire étudié dans ses principes*, publié à Ottawa en 1920. Ce cher oncle, je l'invoque tous les jours. C'est un martyr, un grand martyr. Tous les Marion, vous savez, vivent jusqu'à 80 ans. Lui, il est mort à 50 ans. Il était régent des études chez les Dominicains à Ottawa. Arrive la question du Règlement 17 en Ontario. Ici j'aurais toute une conférence à faire, mais je résume. Dans le domaine de l'éducation, il y a trois autorités : l'enfant relève d'abord de ses parents; il relève de l'Église parce qu'il est baptisé – quand il est baptisé – ; il relève enfin de l'État. Cela veut dire que, dans le domaine de l'éducation, les parents ont des droits sur l'enfant, l'Église a des droits sur l'enfant; l'État a des droits sur l'enfant. Or, au moment de l'affaire du Règlement 17 en Ontario, qui interdisait l'usage du français dans les écoles, l'État, évidemment, a abusé de ses droits. Eh bien, la thèse de l'oncle Marion était celle-ci : avec le Règlement 17 en Ontario, l'État a abusé de ses droits. Mais l'abus, ajoutait-il, n'enlève pas l'usage. Enlevez l'abus, et l'État reste avec ses droits. C'est alors que presque tout l'épiscopat québécois s'est ligué contre l'oncle parce que l'oncle, même s'il désapprouvait le Règlement 17, reconnaissait ses droits à l'État. L'épiscopat ne voulait pas de ça : l'État ne devait rien faire, simplement intervenir quand l'un des parents refusait d'envoyer les enfants à l'école, en forçant le parent à agir. Ça ce sont des droits privatifs, mais des droits positifs, non!

Le chef de cette cabale contre l'oncle était Mgr Courchesne de Rimouski. Cette histoire est allée jusqu'au délégué apostolique. Un jour, le délégué vient voir l'oncle dominicain et lui dit : «Mon fils, je viens vous demander si vous êtes prêt à m'obéir.» L'oncle répond : «Ne posez pas la question. J'ai fait vœu d'obéissance. C'est d'avance accordé.» – «Même... même si vous avez raison, est-ce que vous allez m'obéir?» – «Oui.» Il faut que je vous dise que cette thèse, ce livre-là, avait été sa maîtrise à Rome. Ce sont les grands Dominicains qui avaient approuvé sa thèse avec un *nihil obstat,* un *imprimi postest,* etc. Alors, le délégué lui dit : «Bien, voici, votre ouvrage (c'était une 3e édition, ça se vendait assez bien), je vous défends (cette scène se passait dans la cellule de l'oncle; c'était son premier ouvrage, son seul ouvrage : vous savez, le premier ouvrage, c'est comme le premier enfant, c'est... c'est de la vie!), je vous défends de vendre un seul de ces volumes, je vous défends de les prêter, je vous défends de vous en servir. Vous allez garder tout cela absolument dans votre chambre jusqu'à nouvel avis de ma part.» L'oncle a dit : «Oui, j'accepte.» C'était pendant l'hiver de 1923. Arrive 1924. Ma femme et moi, nous nous sommes mariés. C'est lui qui a béni notre mariage à Saint-Léon de Westmount à Montréal. Au bout de quelques semaines, il est mort, emporté par une embolie et le découragement.

En septembre suivant, le Supérieur du Scholasticat des pères Oblats, le père Villeneuve, dit à sa centaine de séminaristes : «Désormais, nous allons enseigner la thèse du père Marion. C'est lui qui a raison.» Et le pauvre oncle n'a même pas pu voir son triomphe. Avoir raison et mourir. Il a sacrifié sa vie. Pour lui la gloire a été le soleil des morts.

Y.G. : Une chose qui frappe quand on lit les nombreux articles que vous avez écrits sur l'histoire du Canada français, c'est la constante référence que vous faites à des sources de langue anglaise, citées textuellement la plupart du temps, pour appuyer vos dires. Certains pourraient penser que vous accordez plus de poids aux affirmations des historiens anglophones qu'aux assertions des nôtres. Quel est l'intérêt de cette méthode?

S.M. : J'ai prononcé beaucoup de conférences dans tout le Canada, pendant des années. J'ai donné mes premières conférences à 20 ans. Donc, plus de soixante ans de conférences! Mais, quand j'ai été envoyé dans tout le Canada par les Canadian Clubs et ensuite par le Conseil de la vie française en Amérique, et même à Ottawa et dans les environs, je m'adressais à des auditoires anglophones et je parlais anglais. Quand j'étais jeune, surtout (je vous parle du pli qui a été pris alors à 20 ans), lorsque je faisais une assertion, je voulais m'appuyer sur quelqu'un. J'ai commencé par m'appuyer sur nos historiens canadiens-français : François-Xavier Garneau, Thomas Chapais, l'abbé Groulx et combien d'autres. Mais pour les auditoires anglophones, c'est comme si je parlais grec. Ils ne comprenaient pas le français et ils connaissaient peu de choses sur notre histoire. Citer nos auteurs devant eux? C'était perdre son temps. Je voulais pourtant les convaincre. Quand j'ai constaté cela, je me suis dit que ça serait beaucoup plus simple si je citais leurs auteurs à eux : les historiens anglophones. Si je m'appuyais sur ceux-là, alors mes auditeurs ouvriraient les yeux. J'ai donc commencé par lire tous les auteurs anglo-canadiens. Je les ai tous lus, pendant vingt ans. Savez-vous que la majorité de ces historiens sont francophiles? Eux voient la vérité, mais les orangistes, eux, sont des ignorants. Et la méthode a produit ses fruits. Par exemple, après une conférence devant la Société des éducateurs de l'Ontario, à Toronto, le président de la réunion est allé voir la présidente de la Société et lui a dit : «Qu'est-ce que vous pensez de la conférence de M. Marion?» Elle a répondu : «Il faut bien que j'accepte son point de vue parce que les auteurs de ses citations ont été mes professeurs. Il faut bien que je l'accepte.» J'ai donc continué comme ça. Quelquefois, on m'a dit : «N'êtes-vous pas raciste?» Alors j'ai répondu : «Pardon, si je suis raciste, c'est Lower qui est raciste, c'est Creighton, parce que ce sont leurs paroles.»

Ce n'est pas parce que je méprisais nos historiens canadiens-français, pas du tout. Cette méthode est bien à moi, et j'en suis fier. Je vous défie de trouver quelqu'un parmi les historiens canadiens-français d'aujourd'hui qui a adopté cette méthode. Quand on écrit des livres, on n'a pas le temps de lire les livres des autres, en règle générale. Personne n'a le temps de lire tous ces historiens anglophones comme je l'ai fait, moi, surtout après ma maladie alors que je n'écrivais pas tellement. Je lisais et je prenais des notes.

Y.G. : *M. Marion, vous êtes un témoin du passé, mais aussi un homme qui s'interroge sans cesse sur l'avenir. Je ne vous demanderai pas de jouer au prophète, mais de nous livrer votre pensée la plus intime sur l'avenir qui semble nous attendre, nous les francophones, dans ce pays.*

S.M. : Au fond, il y a toujours eu deux solitudes. Toujours. Et là maintenant, ce qui est plus grave, c'est que les anglophones québécois crient comme des putois à cause de la loi 101 ou de la loi 67. Si nous, Franco-Ontariens, on avait eu lors du Règlement 17 la moitié des droits et des privilèges qu'ils ont, eux, depuis plus d'un siècle, on aurait été au comble du bonheur, on aurait été aux oiseaux. Mais, dans toute cette épopée, actuellement, l'Ontario français comme l'Acadie et les Franco-Manitobains ne sont que des avant-postes; le Québec, lui, c'est le poste par excellence du français en Amérique. Depuis Rio Grande jusqu'au pôle Nord, le Québec est une oasis française dans une mer anglophone. Il est concevable que les avant-postes tombent et que le poste subsiste. Mais ce qui n'est pas concevable, c'est que le poste tombe et que les avant-postes subsistent. Cela veut dire que la bataille définitive, c'est au Québec qu'elle va se faire. Ce n'est pas au Manitoba, ni à Vancouver, ni au Cap-Breton : c'est au Québec! Je ne suis pas séparatiste. Je suis franco-ontarien. Mais je crois qu'étant donné que, depuis un siècle, les Canadiens français sont persécutés au pays, même au Québec (et récemment avec l'affaire du droit de veto), le Québec s'est dit que c'était bien simple, c'est «nous qui allons décider du sort du français en Amérique du Nord». À ce sujet, je vous conseille de lire mon article intitulé «La Survie du Québec francophone est-elle assurée?»[7]. Je dis là qu'elle ne l'est pas, même dans le Québec.

Voyez-vous, sur le plan naturel, je suis à cent pour cent pessimiste. Mais, sur le plan surnaturel, qui dépasse le premier, je suis à cent pour cent optimiste. Pourquoi? Je suis peut-être vieux jeu, mais je crois encore que «l'homme s'agite et Dieu le mène». L'histoire du Canada français, au fond, c'est une succession de miracles. Il y a eu le miracle de la revanche des berceaux, mais maintenant il va y avoir d'autres miracles. Je crois à la possibilité des miracles, et je dis que c'est seulement un miracle ou des miracles qui peuvent nous sauver.

(*Lettres québécoises*, n° 30, été 1983, p. 37-45.)

Notes

1   *Sur les pas de Séraphin Marion*, série de cinq émissions d'une heure diffusée sur les ondes de CBOF-FM (102,5), Radio-Canada, du 10 mars au 7 avril 1980. Recherche : Robert Choquette; interviews : Fernan Carrière; animation : Claude Lavoie; réalisation : Muriel Cantin et Michel Samson.

2   Émile Combes (1835-1921). Homme politique français. Docteur en théologie, il renonça à l'état ecclésiastique et opta pour la médecine. Il s'engagea dans la politique; il occupa diverses fonctions, dont celle de ministre de l'Instruction publique. Sa politique anticléricale imposa la séparation de l'Église et de l'État.

3   Québec, Imprimerie de l'Action sociale, 1918.

4   Les neuf volumes de la collection ont paru aux Éditions de l'Université d'Ottawa [EUO] / Éditions de L'Éclair (Hull).

5   «Un Franco-Ontarien se raconte», *Bulletin du Centre de recherche en civilisation canadienne-française*, Université d'Ottawa, n° 21, décembre 1980, p. 21. On trouve la suite de cet article dans *ibid*, n° 22, avril 1981, p. 21-29.

6   Séraphin Marion, «L'Abbé Groulx, raciste?», *La Voix franco-ontarienne*, vol. 1, n° 12, 6 décembre 1982, p. 1.

7   *Les Cahiers des Dix*, Québec, Les Éditions des Dix, n° 41, 1976, p. 61-79.

25

LA CONDITION ONTAROISE
D'UN ÉCRIVAIN D'ICI

Recension du roman de Jean Éthier-Blais, *Les Pays étrangers*, Montréal, Leméac, 1982, 467 p.

«Je pense que si j'étais resté en Ontario, je n'écrirais pas», confiait un jour Jean Éthier-Blais à une journaliste dans une entrevue radiophonique[1]. «Non... parce que je serais sans doute un avocat dans une petite ville et que j'aurais beaucoup d'autres choses à faire. Je serais un avocat sans doute malheureux de ne pas pouvoir écrire, mais ils sont très nombreux dans ce cas. Je serais l'un d'eux.»

Mais Jean Éthier-Blais aurait-il pu écrire *Les Pays étrangers*, ce vaste roman nostalgique paru aux Éditions Leméac, qui recrée avec acuité un pan de l'histoire intellectuelle québécoise de l'après-guerre, si cet homme du voyage intérieur n'avait vu le jour loin de la scène décrite, dans le Nord ontarien? S'il n'avait grandi dans cette «forge» du «Mont Pelé» (comme il se plaît à désigner son alma mater de Sudbury), «milieu fruste, rongé par l'ambition et réglementé à l'extrême» où les petits garçons apprenaient à «pleurer à l'intérieur de soi. Sans bruit comme s'ils réfléchissaient à l'infini»?

Au cours de la même entrevue, Jean Éthier-Blais affirmait aussi : «On ne quitte jamais le lieu de sa naissance.» En parcourant les 464 pages de son roman, on constate d'emblée que jamais cet écrivain né à Sturgeon Falls (Ontario) n'a dit si vrai. Car ces *Pays étrangers* qui, pendant une longue année scolaire des années 50, entraînent le lecteur de la «propreté maladive» d'un parloir de l'Ouest québécois à «la magnificence des salons» new-yorkais, en passant par les «oukases» du «petit monde» d'un chic quartier montréalais, l'entretiennent, au fond, du Lieu fondamental de l'écrivain nord-ontarien. On découvre, en effet, que le texte est traversé et soutenu presque par les réminiscences d'une condition ontaroise farouchement implantée dans la genèse de l'écrivain et qu'on pourrait traduire par une sorte de sentiment d'abandon, voire d'exclusion, gravé sans doute au plus profond du sujet, enfoui sous le vieux vernis français, masqué par la fraîche peinture québécoise. En effet, ces pays étrangers ne seraient-ils pas pour cet homme de l'exil, tel qu'apparaît Jean Éthier-Blais dans toute son œuvre, le Québec, Outremont, Paris, New York?

Par-delà le pays des autres dépeint dans le roman – les intrigues des angélistes qui perdent le père Bergevin, les débats artistiques de la rue Laurier, les humeurs politiques de la belle province et les amours tardives des adultes –, Éthier-Blais sonde ses terres, retrace son domaine. À cet égard, le monde le plus attachant du roman demeure certainement le monde intérieur de Pierre-Paul parce que, dans l'ordre de la vie et de l'esprit, il apparaît le plus proche des choses vraies et de l'écrivain lui-même.

Ces pays étrangers sont, en fait, un pays de connaissance, le Pays de la Connaissance, dans lequel l'écrivain découvre et explore sa réalité d'origine : une enfance entourée, une adolescence parfois aussi dépouillée qu'un mont Pelé, une première amitié, tragique, l'incommensurable amour de la mère, le père absent, mais combien présent, la chère grand-mère et, par-dessus tout, l'éveil d'une prescience de «Vieux Hibou», cet interlocuteur sacré qu'est un écrivain et qu'était appelé à devenir le jeune homme du Nord ontarien.

Des lecteurs ont reproché à l'auteur d'avoir non seulement tu les noms des lieux ontariens évoqués dans son récit, mais encore d'avoir transposé le drame du collège au Québec. Outre qu'on ne puisse reprocher à un romancier de faire œuvre de fiction, on doit comprendre le respect de l'auteur pour des personnages qui vivent encore ou lui sont chers. Toutefois, l'absence de la dimension ontarienne ne cesse pas d'être troublante pour autant, vu le sens même d'un récit qui, par le biais du passé, cherche à ausculter le cœur de l'homme (se reporter au proverbe allemand dont l'auteur épingle son roman). Refus donc du Lieu fondamental? D'une origine marquée au coin de la différence : le Nord et l'Ontario? Silence expressif de l'artiste...

«Un écrivain, ajoutait Jean Éthier-Blais dans l'entrevue mentionnée ci-haut, écrit parce qu'il est un homme et qu'il a besoin d'écrire. Mais peut-être que moins on écrit en fonction de ses origines immédiates et plus l'œuvre, avec le temps, rejoint les origines immédiates [...]. C'est une question d'interprétation. C'est-à-dire qu'un écrivain qui se veut le plus loin possible de sa réalité d'origine, eh bien, cinquante ans après sa mort, quand on analyse son œuvre, on se rend compte que l'œuvre est profondément imprégnée par le milieu d'origine de l'écrivain. Prenez Proust. Eh bien, on se rend compte que voilà un écrivain qui a voulu faire une œuvre complètement détachée de son milieu d'origine puisqu'il traite d'un milieu qui n'est pas le sien – pour se valoriser, précisément. Quand on l'étudie, on se rend compte que c'est, en réalité, son milieu qu'il décrit : c'est lui, ce sont ses parents, sa grand-mère, sa mère, etc.»

(«*Les Pays étrangers* ou la condition ontaroise d'un écrivain d'ici», *Liaison*, n° 28, septembre 1983, p. 66.)

Note

1   Entrevue accordée à Monika Mérinat dans le cadre de l'émission *Toronto Magazine* diffusée sur les ondes de Radio-Canada en avril 1982; un extrait de cette entrevue a été diffusé à l'émission *Ontario Midi*.

26

PLAISIR DE VIVRE OU D'ÊTRE NÉE?

Recension de souvenirs rédigés par Rosa Pineau : *Plaisir d'être née*, Chapleau, à compte d'auteur, 1983, 88 p.

Rosa Pineau, auteure de Chapleau (Ontario), n'a sans doute pas lu le roman *1984* de George Orwell, sinon comment aurait-elle pu oser faire paraître, au seuil de l'année fatidique, un petit livre à l'écriture aussi «spontanée» que son *Plaisir d'être née*, dont le titre, à lui seul, semble annoncer avec tant de candeur un goût irraisonné de la vie?

Cependant, sans avoir lu le célèbre romancier anglais qui pressentait avec clairvoyance, au sortir de la Seconde Guerre mondiale, la déshumanisation du monde, Rosa Pineau, mère de famille du Nord de l'Ontario, ne livre-t-elle-pas, à sa façon, le même message et, du même coup, le même combat en faveur du respect de la vie et contre la désintégration des rapports humains sur cette terre?

C'est du moins l'impression première qu'on retient de ces «mémoires du cœur», comme elle se plaît elle-même à appeler son court récit de 88 pages. Au moyen du tableau coloré des personnages originaux qui ont marqué son enfance au Québec et dont certains ne sont pas sans rappeler la silhouette des *Originaux et détraqués* de Louis Fréchette, par l'évocation de son expérience de vie adulte écoulée en Ontario depuis de longues années, perce le témoignage d'une femme qui, sous les traits d'une enfant, se raconte ici pour la première fois, en toute pudeur et avec sincérité.

Toutefois, malgré son ton volontiers optimiste – «Quand on n'a pas ce qu'on veut, on chérit ce qu'on a» (p. 83) – et sa volonté très nette de tirer le meilleur parti de la vie – «Les bleuets sont petits et rares ici; mais ramassons-en pour une tarte.» (p. 63), – on pourrait s'étonner que l'auteure ait préféré à *Plaisir de vivre* le titre ambigu de *Plaisir d'être née* et découvrir, sous la célébration naïve de la vie et l'exhortation à l'amour d'autrui, une attitude moins réconfortante.

En effet, on peut manifestement interpréter ce *Plaisir d'être née* dans un sens autre que ce constat positif que veut lui prêter, a priori, l'auteure, c'est-à-dire une belle et simple et franche affirmation du bonheur d'être en vie, et de l'avoir compris! Ainsi, à seconde vue, au terme de cette brève lecture où pointe tant de nostalgique regret pour un passé chéri et révolu, contemplé à distance «d'une très haute montagne» (p. 8), l'impression qui se dégage et qui finit peut-être par s'imposer dans l'esprit du lecteur attentif, ce n'est pas tant la satisfaction réelle que l'auteure dit tirer du fait d'être en vie que l'espèce de soulagement qui se fait sentir dans et entre les lignes de son récit d'avoir vécu en des temps plus sereins et, croit-on, plus authentiquement humains.

Comme tout plaisir, celui de Rosa Pineau est ambivalent : il y a, bien sûr, son plaisir d'être née; mais, en même temps et en conséquence, s'affirme subrepticement – et à son issu, sans doute – son plaisir de n'être plus à naître en ces jours apocalyptiques comme on se complaît de plus en plus à se représenter l'avenir... des autres. Autrement dit : il y a dans tout cela un plaisir non avoué d'être à l'abri quand tout menace de s'écrouler.

Déjà au Ier siècle avant notre ère, le poète latin Lucrèce, philosophe matérialiste, avait perçu et dévoilé le fond trouble de cette sorte de plaisir, quand il écrivait dans *La Nature des choses* ces vers célèbres : «*Suave, mari magno...* Il est doux, quand la vaste mer est soulevée par les vents, d'assister du rivage à la détresse d'autrui; non qu'on trouve si grand plaisir à regarder souffrir; mais on se plaît à voir quels maux vous épargnent.» (II, 1-4).

(*Liaison*, n° 30, mars 1984, p. 51.)

27

ROQUELUNE, ROQUELENNE, ROCKLAND (ONTARIO) OU LE TESTAMENT D'UNE ENFANCE

Recension du roman de Joseph Rudel-Tessier, *Roquelune*, Montréal, Boréal Express, 1983, 302 p.

près *Les Pays étrangers* de Jean Éthier-Blais, paru chez Leméac en 1982, voici que la littérature ontaroise vient à nouveau de s'enrichir de la publication d'un autre roman aux fortes intonations autobiographiques : *Roquelune* signé Rudel-Tessier chez Boréal Express.

Aux confidences graves, mélancoliques et réservées de l'écrivain du Nord de l'Ontario, immigré de l'intérieur, se substitue, dans *Roquelune*, le propos verbal, abondant et imagé d'un journaliste de carrière issu de l'Est ontarien, région encore si intimement liée au Québec par les eaux de la rivière, le sang des familles, le rituel des déménagements et le va-et-vient quotidien de générations de travailleurs.

Un empaysement[1]

Comme son auteur, le jeune héros de *Roquelune* est né à Ottawa, avant de vivre quelques brèves années dans la ville de Hull :

> Je savais que j'étais né à Ottawa, et j'étais fasciné par cette ville si belle à voir de la rive humiliée de la Grand-Rivière, où Holle [lire Hull] se faisait toute petite, tout humble. Mon père avait beau dire qu'Ottawa levait le nez sur Holle comme les vieilles Anglaises sur les chiens des pauvres, parce qu'elles les soupçonnaient tous d'avoir des puces, je ne trouvais pas là de raison pour m'empêcher d'être fier d'être né dans cette belle ville. (p. 9)

À cette fierté bien légitime d'un gamin de la place, particulièrement doué pour la beauté des choses, s'alliait un autre sentiment non moins légitime et assez répandu parmi les habitants démunis de la rive gauche de l'Outaouais devant la hauteur de la rive d'en face, un sentiment de belle revanche naturelle :

> Tu te rends compte de la chance que nous avons d'habiter Holle, dit mon père. Pense à ces pauvres députés et sénateurs qui sont condamnés à regarder ce ramassis de cabanes tandis que nous, on n'a qu'à lever la tête pour apercevoir tout ce qu'il y a de beau à Ottawa d'un seul coup d'œil. Le plus beau de ce qu'il y a à Ottawa, se reprit-il, car il essayait toujours de ne pas exagérer. (p. 23)

Mais c'est à Roquelune, petite localité ontarienne de Rockland, «peut-être unique dans le monde» (p. 93), que «nous disions Roquelune» et que les vieux prononçaient «Roquelenne» (p. 56), que va l'attachement profond et inaltérable du jeune enfant d'alors et du vieillard d'aujourd'hui. Ce Roquelune au nom berceur et rêveur, où Rudel-Tessier a passé les dix plus importantes et décisives années de son enfance et qu'il considère comme «sa vraie patrie charnelle – cette patrie qu'on ne choisit pas» (p. 93) : «un coin de terre unique où j'ai vécu les années pendant lesquelles on subit les influences diverses de la famille, des camarades, du milieu et surtout (peut-être) du paysage» (p. 212). Aussi, quand vient le temps de dresser le bilan de son aventure humaine, Joseph Rudel-Tessier n'hésite pas à écrire :

> Je n'avais pas tout à fait seize ans quand j'ai quitté Roquelune pour la seconde fois, et cette fois pour de bon. Quand je réfléchis sur ma vie, je me dis que je n'ai rien appris d'important depuis, que j'étais déjà l'homme que j'ai été toute ma vie. (p. 214)

Le testament d'une enfance

Présenté comme un roman sur la page de titre du livre, *Roquelune* se lit assurément comme un roman, bien qu'il n'en soit pas un. Et cela, de l'avis même de son auteur.

En fait, le projet initial de Rudel-Tessier était d'abord d'écrire sur Roquelune une sorte de livre-témoignage offert en hommage à «ces gens qui l'habitaient et pour qui [il] éprouve encore un sentiment de compagnonnage pour avoir fait un bout de chemin avec eux» (p. 93). Mais, en cours d'écriture, et l'intention et la forme du texte se sont considérablement transformées. Ainsi d'«essai auquel [il] avait d'abord pensé, et qui se serait appelé "Il aurait peut-être fallu haïr les jolies petites Anglaises"» (p. 212), le livre a pris la forme inattendue et plus sympathique, il faut le reconnaître, d'«une sorte de testament de [s]on enfance» (p. 93), dans lequel l'auteur-journaliste «di[t] les choses à mesure qu'elles [lui] viennent. Qu'elles [lui] reviennent» (p. 211).

Toutefois, par-delà la mémoire qui se souvient et la voix de l'ancien qui raconte, émergent la trame d'une vie qui se confie et le drame d'un homme qui, à 70 ans, bien que satisfait d'avoir, au bout du compte, «assez bien réussi sa vie»[2], confesse avec pudeur avoir éprouvé au cours de son existence le sentiment tragique de l'avoir ratée.

Cette mutation magique de l'écriture, qui touche comme une grâce tout véritable écrivain, se fait dans les pages de *Roquelune* plus perceptible qu'ailleurs, à des moments précis de ce récit qui prend à quelques reprises l'allure d'un entretien intime avec soi-même. Ainsi, dès le premier passage du premier chapitre, qui s'intitule «La Guerre est finie», le lecteur est mené de main de maître en pleine fiction, croit-il : un vétéran lui parle... du haut de ses six ans! Le romancier Rudel-Tessier sait captiver et raconter. Les moments privilégiés de l'enfance, les personnages singuliers, la famille aimée, la pauvreté apprivoisée, les situations cocasses, les premières violences, etc. défilent avec une sincérité et une légèreté bien tempérées.

Mais, au tiers du livre environ, plus précisément au neuvième chapitre, Rudel-Tessier quitte une première fois son récit, comme au terme d'un enfantement d'auteur, pour s'entretenir avec lui-même, dirait-on, du sujet de son livre, de ces mots qui le travaillent. Il découvre brusquement et avoue alors en toute franchise qu'il est «parvenu à l'âge où l'on a envie de parler de soi», qu'il est «en train de faire la sorte de livre qu'on écrit quand on écrit un premier livre comme s'il devait être le dernier. Le livre de la dernière chance de dire les choses!» (p. 93). Mais quelles choses? Apparemment, «toutes ces choses qu'on a envie de dire, parce qu'on s'est persuadé qu'elles avaient de l'intérêt pour les autres. Et toutes les idées qu'on s'est faites sur les choses, parce qu'on s'est mis à croire qu'elles sont justes et qu'on a le devoir de les proclamer» (p. 93). Et l'ancêtre de destiner ce testament de son enfance[3] aux citoyens de Roquelune et à ses enfants qui le «feront lire à leurs enfants, le temps venu» (p. 94).

Un aveu?

Pourtant, derrière le conteur inné et le patriarche qui n'ennuie jamais, auxquels on sait gré de toujours se garder, tout au long de ces réminiscences, de l'écueil néfaste de l'évocation folklorique ou du lyrisme chauvin, un écrivain veille dont le dire particulier germe sous nos yeux. C'est ainsi qu'aux deux tiers du volume, soit au chapitre 22, Rudel-Tessier quitte une seconde fois son récit, au bord de l'aveu, interpellé par une écriture qui lui échappe et le ramène obstinément à lui-même, loin des autres qu'il fait revivre, loin du Roquelune-prétexte dont, dit-il, il voulait «raconter la vraie vérité» (p. 212).

Des bouts de phrases et des termes repérés au fil de la lecture se font l'écho du projet fondamental que semble constituer, en vérité, Roquelune, à l'insu même, peut-être, de son auteur : «Un autre que moi aurait pu sans doute faire de ce livre un vrai roman»; «Quand je me suis relu, je me suis rendu compte que je n'avais parlé que de moi»; «Pendant plusieurs jours je me suis débattu avec mon *désarroi*[4]. Et puis je me suis *résigné*. C'est mon enfance que je raconterais»; «Le livre que je voulais écrire depuis tant d'années, du moins que je me proposais d'écrire, ce livre, je ne pouvais le faire qu'à ma façon : celle qui s'*imposait maintenant* à moi»; «Alors, il fallait bien que je *consente* à parler de moi, à me montrer tel l'enfant que j'ai été, et à laisser deviner l'homme que je suis devenu» (p. 212-213).

Et, dans cette dernière partie de son récit, l'auteur révèle sans fracas [ni regrets?] comment un jeune garçon doué et éperdu d'amour pour les livres et les mots, a renoncé délibérément aux études qu'on lui offrait de poursuivre dans un établissement de son choix, pour deux raisons (mentionnées à la page 289) que certains jugeront somme toute assez peu raisonnables, et devint littéralement «porteur d'eau» pour le compte de la Ville d'Ottawa. Cet aveu final, retenu au bord des lèvres jusqu'à la dernière ligne du récit et inséré en post-scriptum (!), est pour ainsi dire préfiguré dès le chapitre 22 :

Oui, j'ai été un petit garçon heureux à Roquelune, dans la pauvreté de Roquelune qui était une pauvreté qui n'avait rien d'humiliant, et qui était loin de la pauvreté que je découvrais dans les livres! Et je conserve une grande reconnaissance à cette petite ville où j'ai appris à être heureux quoi qu'il arrive, même quand la vie n'était pas drôle, même quand j'étais menacé par des tragédies intimes, et même quand je me rendais compte que je ratais ma vie. (p. 214)

Tout un univers

En rapportant les nombreux incidents et anecdotes avec l'art de conter qui lui est propre, et qu'il sait mettre en valeur dans un texte écrit, en multipliant les descriptions senties des lieux évoqués et les portraits teintés d'humour ou de sympathie qu'il affectionne, Rudel-Tessier ne cherche pas à reconstituer le bon vieux temps d'autrefois pour quelques cœurs nostalgiques, pas plus qu'il ne tente de redorer le blason du coin de terre qui l'a fait homme.

En fait, *Roquelune* ne joue ni la populaire carte «rétro» ni la fausse carte régionaliste, qui exploiteraient son public. L'œuvre échappe subtilement à ces réductions faciles, en évitant les considérations générales, les courtes vues et les vérités toutes faites des Homais[5] de notre cru sur les francophones hors Québec ou les Franco-Ontariens – pas une seule fois, d'ailleurs, il n'est question dans ces pages d'une nomination collective des habitants franco phones de l'Ontario – pour s'attacher plutôt aux êtres familiers, fréquentés ou rencontrés au hasard de la vie et aux choses connues, aimées ou révélées. Mine de rien et mieux qu'un lourd et long traité spécialisé sur la culture, les propos de Joseph Rudel-Tessier décrivent à petits traits une certaine façon d'être et l'univers des gens ordinaires de toute une époque : les Canadiens français du début du siècle.

Bien sûr, les vieilles personnes du «Roquelenne» d'aujourd'hui prendront un plaisir évident à se replonger dans le village de leur enfance et les jeunes du Rockland actuel, curieux de la vie, percevront peut-être dans cette adolescence retrouvée quelque écho à leur propre découverte du monde. Mais le plus choyé des lecteurs de *Roquelune* sera sans nul doute le lecteur de passage, à qui se révèle dans ces pages le paysage intérieur d'un artiste et d'un poète au cœur fier.

Un homme fier

Parmi les nombreux souvenirs que l'auteur évoque, des images et des commentaires le désignent comme un être doué d'un sens très grand de l'observation et d'une sensibilité qui n'a rien à voir avec l'attendrissement et à laquelle il ne paraît pas devoir renoncer. Son sentiment très vif de la nature et, surtout, cette prédilection spontanée pour les lignes hautes et droites et les formes arrondies retiennent l'attention dans plusieurs descriptions de l'espace, qu'il s'agisse de la grange rouge, du préau ou encore du fameux Cenellier :

> J'ai appris Roquelune petit à petit. Tout de suite, j'ai fait la découverte de l'extraordinaire buisson d'aubépine, poussé en talle, et dont les branches retombaient de très haut jusqu'au sol, laissant au milieu une sorte de salle en forme de coupole reposant sur le sol même, et soutenue au centre par une dizaine au moins de petites colonnes groupées jusqu'au sommet, avant de retomber avec leurs branches, leurs feuilles et leurs fruits. Nous l'appelions le Cenellier, en faisant sentir la majuscule! (p. 41)

Mais, par-dessus tout, il y avait chez ce petit garçon de Roquelune la passion des mots et de la langue française : «La grammaire et l'orthographe étaient pour moi une sorte de jeu. "J'ai vu des roses et j'en ai cueilli" me mit dans des ravissements. "Quand et quant" me parurent d'une logique impeccable et "amour, délice et orgue" me donnèrent un plaisir extrême.» (p. 188) Passion qui dériva très tôt vers le délire de lire : «J'ai appris à lire comme on acquiert un vice.» (p. 51) L'enfant s'adonna d'abord à la lecture du journal, des albums illustrés et de ces livres dorés sur tranche de la collection Mame, reçus en prix à l'école : vie de saints et histoire des premiers siècles du christianisme dans la Rome païenne. Puis vint la découverte de la bibliothèque de l'oncle Adam, «un étonnant autodidacte» aux goûts exotiques qui immunisèrent très tôt le jeune lecteur «contre tous les racismes» (p. 52).

Plus tard, grâce à l'amitié d'un camarade de classe, ce fut la fréquentation de la littérature d'aventures dans les romans de Jules Verne; puis la connaissance d'une certaine littérature royaliste et catholique diffusée sous couverture jaune, comme ce *Jean Canada* écrit par Raoul de Navery, qui «n'était ni noble ni homme – c'était un pseudonyme» (p. 89). C'est également dans le grenier de l'ami Lavigne que fut lu *Bug Jargal*, «premier roman de l'adolescent Victor Hugo», et appréciée la prose canadienne, par le biais d'un texte traduit :

> Mon premier roman canadien, je m'en souviens, ce fut *Les Bastonnais*, de John Lespérance. Les Bastonnais, c'étaient les Bostonnais et les Bostonnais, c'étaient les Américains et les Anglais confondus. [...] J'ai probablement lu ce livre en traduction, car ce John Lespérance était un Américain, qui faisait carrière de poète et de journaliste à Montréal, dans les journaux anglais. Né au Missouri, il y avait été baptisé Jean-Talon Lespérance, et il avait étudié à l'École Polytechnique de Paris, avant de venir à Montréal. Pourtant, cet ancien officier de l'armée des confédérés durant la guerre civile américaine, avait gardé son cœur de patriote canadien. Les plus jeunes ne se doutent pas, d'ailleurs, de l'importance qu'eurent dans notre littérature les Canadiens exilés aux États-Unis. (p. 91)

Et, dans le cœur de cet écolier d'une dizaine d'années, qui se délectait de lectures anciennes et chevaleresques, poussait déjà hors des sentiers battus un homme fier bardé de compassion devant la condition humaine. En témoigne l'attitude du garçon dans l'épisode du gros et gras professeur de latin trop empressé à se jeter aux pieds d'un Monseigneur français en visite dans sa classe pour être en mesure de se relever avec dignité : «La scène était cocasse, bien sûr, mais elle me serrait le cœur. Je n'aimais pas beaucoup notre professeur (qui ne m'aimait pas) mais le spectacle d'un homme humilié ne m'a jamais fait rire.» (p. 271)

Roquelune? Un récit drôle et émouvant à la manière du jeune héros qui, à l'âge de 7 ans (âge de raison, disait-on autrefois), avait décidé que «la vie ne valait pas la peine d'être vécue si l'on n'était pas heureux»[6].

(*Lettres québécoises*, n° 33, printemps 1984, p. 42-44.)

Notes

1   Mot forgé sur le modèle de l'expression contraire : dépaysement.

2   France Simard, «Rudel-Tessier, la vie et "Roquelune"...», *Le Droit*, 17 décembre 1983, p. 38.

3 Ici, par association d'idées et de mots, on ne peut s'empêcher de penser au *Testament de mon enfance* de Robert de Roquebrune!

4 Dans ce paragraphe, les mots en italique sont mis en relief par l'auteure de l'article.

5 Personnification de la sottise bourgeoise.

6 France Simard, *loc. cit.*

Le folkloriste Germain Lemieux, s.j., dans le musée du Centre franco-ontarien de folklore de l'Université de Sudbury, en compagnie de Luc Lacourcière (vu de dos), professeur de l'Université Laval, et de l'artiste ontaroise Claire Guillemette Lamirande [1979].

I

CANO-musique, le groupe musical, de gauche à droite : à l'arrière, André Paiement, Marcel Aymar, Rachel Paiement, Michel Kendel, John Doerr; à l'avant, Mike Dasti, Wasyl Kohut et David Burt [1976?].

«La Cuisine de la poésie, version Ottawa», soirée de poésie franco-ontarienne à l'Université d'Ottawa, dans le cadre d'une journée culturelle ontaroise organisée par le CRCCF : de g. à d., Jean Marc Dalpé, Anne-Marie Cadieux, Hélène Bernier, Robert Bellefeuille et, à l'arrière-plan, Robert Dickson. Ottawa: 14 novembre 1980.

Maurice de Goumois (1896-1970), vers 1935, et la couverture de la 1re édition de son roman *François Duvalet* (Institut littéraire du Québec ltée, 1954).

Hélène Brodeur, écrivaine; auteure, entre autres, de la trilogie *Chroniques du Nouvel-Ontario* [1987?].

Yolande Grisé, *Anthologie de textes littéraires franco-ontariens* (4 vol.) : article de Murray Maltais et photo parus dans *Le Droit*, samedi 8 mai 1982.

Yolande Grisé, *Anthologie de textes littéraires franco-ontariens* (4 vol.) : la couverture du 3ᵉ volume de la série, intitulé *Des mots pour se connaître* (Fides, 1982).

En 1986, la Fédération des caisses populaires de l'Ontario Inc. célèbre son 40e anniversaire de fondation. Pour souligner l'événement, une série de festivités a été organisée. La Fédération étant «la caisse des caisses», les activités se dérouleront autant à l'échelle régionale que provinciale. D'ailleurs, les célébrations ont été conçues de telle sorte que cette fête sera non pas celle de la Fédération comme entreprise unique, mais plutôt celle du Mouvement, de toutes les caisses qui forment la Fédération.

Voilà pourquoi la Fédération a cru qu'un vin identifié à notre Mouvement serait une façon originale de souligner et de véhiculer l'image du Mouvement. Baptisé «le lys Ontarois», ce vin sera disponible en blanc ou rouge.

L'appellation «Ontarois» dans la publicité : le vin «Le lys Ontarois» / Fédération des Caisses populaires de l'Ontario.

L'affiche du colloque «Les autres "littératures" d'expression française en Amérique du Nord», organisé par le CRCCF et le Département des lettres françaises au campus de Cornwall de l'Université d'Ottawa, les 9 et 10 mars 1984.

Yolande Grisé, directrice du CRCCF, et Gisèle Lalonde, maire de Vanier,
tenant dans ses mains le livre *Séraphin Marion : la vie et l'œuvre* de Paul
Gay, c.s.sp. (Éditions du Vermillon, 1991) lors du lancement annuel des
parutions du CRCCF à l'Hôtel de ville de Vanier, le 8 février 1991.

Jeannine Séguin a été présidente de l'AEFO provinciale (1973-1974), de l'ACFO (1978-1980) et de la Fédération des francophones hors Québec (1980-1983; aujourd'hui Fédération des communautés francophones et acadienne du Canada). Elle a été décorée de l'Ordre de la fidélité française en 1983, ainsi que de l'Ordre du Canada et de l'Ordre de la Pléiade en 1985. Elle est décédée en 1999.

Jeanne Sabourin a été vice-présidente du Comité franco-ontarien d'enquête culturelle (1967-1969, présidé par Roger Saint-Denis), membre fondatrice et présidente de Théâtre Action (1973-1976), responsable du Bureau franco-ontarien au CAO (1980-1995). À l'heure actuelle, elle est présidente du Centre francophone de Toronto et vice-présidente du Salon du livre de Toronto. Elle est membre du Conseil d'administration de la Fondation franco-ontarienne, dont elle a reçu récemment le prix Théâtre Action.

Rolande Faucher, une bâtisseuse qui a contribué à la construction de trois lieux de la francophonie ontarienne : l'École secondaire Garneau à Orléans, ouverte en septembre 1972, le Centre culturel d'Orléans, ouvert en septembre 1985, et le Centre de théâtre La Nouvelle Scène à Ottawa, ouvert en avril 1999.

Jacqueline Pelletier a contribué, depuis la création en 1975 du «Mouvement C'est l'temps», à la reconnaissance du fait français en Ontario. Animatrice et intervieweuse à la Chaîne française de TVO et à TFO, elle fut membre du premier Conseil d'administration de La Cité Collégiale (1989-1993). Elle a présidé le Conseil consultatif de l'Ontario sur la condition féminine (1993-1995) et le Conseil d'administration de La Nouvelle Scène (1998-2001).

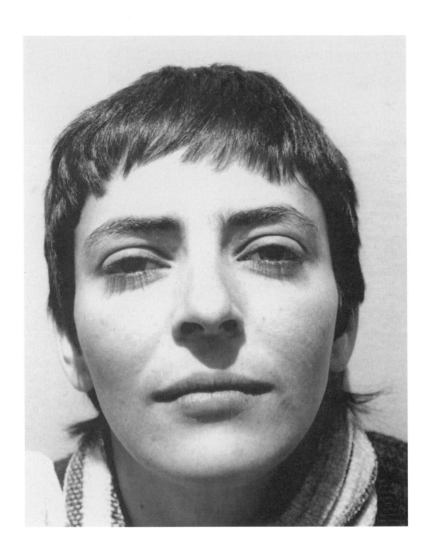

Paulette Gagnon, femme de théâtre, dont elle a abordé tous les aspects, en particulier au Théâtre du Nouvel-Ontario à Sudbury où on la trouve, de 1982 à 1991, comédienne, auteure, directrice de production et gestionnaire. Administratrice de Théâtre Action et présidente en 1990-1991, elle a été la première directrice générale de La Nouvelle Scène à Ottawa (1998-2002). Elle a mérité récemment le prix Hommage «récompensant un individu qui s'est illustré sur la scène culturelle ou artistique», décerné par la Fédération culturelle canadienne-française.

La photographie officielle du premier Concours provincial de français à l'intention des écoles élémentaires de langue française en Ontario; sur les marches de l'École normale de l'Université d'Ottawa en mai 1938 : assis, de g. à d., Falconio Choquette, inspecteur des écoles bilingues de Prescott-Russell; René Lamoureux, o.m.i., principal de l'École normale; Robert Gauthier, directeur de l'enseignement français au ministère de l'Éducation de l'Ontario; Louis Charbonneau, professeur à l'École normale et président du comité du Concours; Lucien Laplante, inspecteur des écoles bilingues d'Ottawa-North Bay; 3e rangée au centre, le premier lauréat, Jean Éthier-Blais; 4e rangée, on reconnaît Jeannine Dubé, seconde lauréate, et Gilberte Dubois, première lauréate; Roger Despatie, second lauréat, 2e à droite; Ottawa, 1938.

XV

Pierre Raphaël Pelletier, artiste visuel (peinture et multimédia), poète et animateur culturel; il est l'auteur du rapport *Onze centres culturels franco-ontariens, éléments de trajectoire et d'horizon* (Assemblée des centres culturels de l'Ontario, 1979). Il a dirigé le Service de l'éducation permanente à l'Université d'Ottawa pendant plus de vingt ans. Il se consacre désormais à l'écriture et à la peinture à Embrun, tout en œuvrant dans divers organismes francophones voués aux arts et à la culture en Ontario et au Canada [circa 1980].

28

LES «AUTRES» LITTÉRATURES D'EXPRESSION FRANÇAISE EN AMÉRIQUE DU NORD

Texte rapportant le compte rendu du colloque organisé sous les instances du professeur Jules Tessier par trois unités de l'Université d'Ottawa (le Département des lettres françaises, le CRCCF et l'Éducation permanente) tenu les 9 et 10 mars 1984 sur le campus de l'Université d'Ottawa à Cornwall. C'était la première fois qu'un colloque consacré aux littératures d'expression française «en milieu anglophone majoritaire d'Amérique du Nord, c'est-à-dire en dehors du Québec et des Antilles» mis de l'avant par l'Université d'Ottawa avait lieu à l'extérieur de son campus principal et ce, au bénéfice de la population de Cornwall, une agglomération ontarienne située à mi-chemin entre Montréal et Ottawa à la frontière des États-Unis. La rencontre donna lieu à une série d'activités savantes et culturelles.

E n mars dernier, alors que l'affaire franco-manitobaine[1] soulevait l'indignation des Canadiens de bon aloi et que le promoteur du bilinguisme officiel, le Premier ministre Trudeau, choisissait d'entrer dans la légende en démissionnant, 250 personnes se réunissaient sur le campus de l'Université d'Ottawa à Cornwall (Ontario) pour célébrer, autour d'un colloque universitaire, une sorte de printemps littéraire confirmant l'émergence sur le continent nord-américain d'un «dire» en français autre que le «dire» québécois.

Orientée sur le thème des «autres» littératures d'expression en Amérique du Nord, cette réunion était organisée conjointement par trois unités de l'Université d'Ottawa (le Département des lettres françaises, le CRCCF et l'Éducation permanente), sous l'inspiration et la coordination du professeur de littérature Jules Tessier, en la présence attentive de chercheurs, de professeurs, d'écrivains, d'artistes, d'étudiants, de journalistes et du grand public, invité lui aussi à prendre part aux festivités.

Ces «autres» littératures, originaires d'Ontario, d'Acadie, de l'Ouest canadien, de la Nouvelle-Angleterre, du Mid-West états-unien et de la Louisiane, s'accomplissent en marge des circuits littéraires et des grands marchés du livre, privées de librairies locales, loin du centre de promotion et de rayonnement francophones qu'est Montréal en terre d'Amérique, dans un contexte doublement minoritaire face à la majorité anglophone de leur milieu respectif et face à la majorité francophone d'un Québec qui se cantonne dans ses frontières comme une bête aux abois.

Mais, en dépit d'obstacles majeurs à l'éclosion et à la diffusion de leur expression, ces «autres» littératures, loin d'être muettes, ont choisi de se faire entendre. L'étalage du Salon du livre monté pour la circonstance par Pierre Lévesque de la Librairie Trillium (d'Ottawa) offrait, en effet, plus de trois cents des principaux titres de ces littératures, parus au cours des récentes années. Soit dit, en passant, les livres de Séraphin Marion, décédé au mois de novembre dernier, ont disparu les premiers en un clin d'œil. C'était l'occasion pour l'amateur de livres «rares» de se procurer des textes autrement introuvables ou difficiles à obtenir : des auteurs avaient apporté avec eux leurs ouvrages dans leurs bagages, comme au beau temps du marché noir de la littérature clandestine... Quel libraire québécois ou autre aura enfin, le premier, la bonne idée de diversifier son inventaire trimestriel en spécialisant quelques-uns de ses rayons dans ce nouveau champ de production littéraire propice aux découvertes curieuses, comme cet exemplaire de l'*Histoire de la nation métisse dans l'Ouest canadien* rédigée du point de vue métis (!) par Auguste-Henri de Trémaudan, publiée la première fois chez Albert Lévesque en 1935 et rééditée par les Éditions des Plaines (Saint-Boniface, Manitoba) en 1979?

Outre des trouvailles, quatre parutions récentes attiraient l'attention du public à l'heure du «coquetel» offert par l'hôtesse du colloque, la Ville de Cornwall (qui s'associait ainsi à la rencontre en célébrant le bicentenaire de sa fondation) : *Acadie tropicale* de Barry Jean Ancelet[2]; *L'Hiver dans les os* de Roger Levac[3]; *Histoire de la littérature acadienne* de Marguerite Maillet[4] et le *Répertoire littéraire de l'Ouest canadien* d'Annette Saint-Pierre[5]. Lancement particulièrement réussi d'après la réception réservée aux ouvrages : les exemplaires disponibles sur place ont trouvé aussitôt acquéreur.

Ce colloque se sera donc déroulé dans une ambiance détendue de fête culturelle et de retrouvailles sympathiques, assez inhabituelles dans les rassemblements universitaires de ce genre. Ces réjouissances collectives, ponctuées d'un spectacle d'ouverture et de clôture composé de lectures d'œuvres, de poésie, de chansons et de musique ont sensibilisé les participants aux propos des quinze spécialistes invités à parler de ces «autres» littératures. Tous s'accordent pour dire que, pendant deux jours, respectant un horaire serré, les chercheurs ont su retenir l'intérêt de l'assistance par l'originalité, la saveur et la qualité de leurs analyses, par la clarté, la simplicité et le soin de présentations jamais fastidieuses, sur des sujets variés et toujours pertinents[6] :

Melvin Gallant (Nouveau-Brunswick), «Du mythe à la réalité : l'évolution du roman acadien»;
Roger Motut (Alberta), «Les auteurs albertains et du grand Nord»;
Yolande Grisé (Ontario), «*La Belle Perdrix verte*. Un cas de métamorphose dans les contes ontarois»;
Armand B. Chartier (Rhode Island), «La chronique et l'histoire en Franco-Américanie»;
Éric Waddell (Québec), «Est-ce possible, voire souhaitable, de refaire l'Amérique française?»;
Barry Jean Ancelet (Louisiane), «*The Cajun who went to Harvard* : identité et ethnie dans la littérature orale louisianaise»;
Robert Dickson (Ontario), «Autre, ailleurs et dépossédé : l'œuvre de Patrice Desbiens»;
Hans Runte (Nouvelle-Écosse), «L'Acadie des discours»;
Mathé Allain (Louisiane), «L'invention de la Louisiane, du XVIIe siècle au présent»;
René Dionne (Ontario), «La poésie franco-ontarienne»;
Marguerite Maillet (Nouveau-Brunswick), «À la recherche d'un avenir meilleur»;
Pierre Paul Karch (Ontario), «Une prise de parole, oui, mais pour dire quoi?»;
Annette Saint-Pierre (Manitoba), «L'écriture dans l'Ouest canadien»;
Bryant Freeman (Kansas), «Les communautés francophones du Mid-West : histoire et écriture»;
Robert Cornevin (Paris), «L'essor des littératures régionales en France».

Comme on doit s'y attendre dans une rencontre semblable traitant de la condition minoritaire de ces «autres» écritures francophones en Amérique du Nord, il y a eu des moments sérieux, d'autres plus graves, certains assez intenses, quelques-uns même aigus. Moments que venaient désamorcer, comme dans un rôle de *comic relief*, les incalculables interventions du représentant français, soucieux de montrer à cet auditoire choisi la vaste étendue de ses connaissances dans tous les domaines abordés. Il était amusant de constater que la France n'échappait pas en l'occurrence à l'image «folklorique», image dans laquelle elle s'est longtemps plu à imaginer ou à confiner les «autres» littératures francophones dans le monde.

Pour terminer, ajoutons que le colloque «Les "Autres" Littératures d'expression française en Amérique du Nord» fut l'occasion de créer des liens solides entre les groupes et les écrivains francophones de la diaspora nord-américaine en même temps qu'il constitua une introduction convaincante au 6ᵉ Congrès mondial des professeurs de français, qui se réunissent à Québec, en juillet, pour réfléchir, entre autres, sur le thème du Dialogue interculturel par l'enseignement des littératures francophones. C'est un rendez-vous.

(*Lettres québécoises*, n° 34, été 1984, p. 9)

Notes

1   À l'origine, Georges Forest avait contesté devant la cour du Manitoba la validité d'une contravention qu'il avait reçue pour une infraction au code de la route, rédigée en anglais seulement. Le 13 juin 1985, la Cour suprême du Canada allait, dans un jugement de 88 pages, décréter l'invalidité des lois manitobaines rédigées en anglais seulement et ordonner leur traduction en français. Sur l'affaire des droits linguistiques au Manitoba, voir : Jacqueline Blay, *L'Article 23 : les péripéties législatives et juridiques du fait français au Manitoba, 1870-1986*, Saint-Boniface, Éditions du Blé, 1987, 392 p.

2   Lafayette, Édition de la Nouvelle Acadie, 1983.

3   Sherbrooke, Éditions Naaman, 1983.

4   Moncton, Édition d'Acadie, 1983.

5   Saint-Boniface (Manitoba), Centre d'études franco-canadiennes de l'Ouest, 1984.

6   La plupart des communications présentées au colloque seront publiées, sous forme augmentée, dans un cahier séparé ou dans un numéro de la revue *Incidences*. Une bibliographie sur les livres disponibles dans les «autres» littératures complétera le document, qui paraîtra vraisemblablement à l'automne 1984. En fait, les Actes du colloque ont été publiés plus tard sous la direction de Jules Tessier et Pierre-Louis Vaillancourt, Ottawa, EUO, coll. des «Cahiers du CRCCF», n° 24, 1987, 164 p.

LA BELLE PERDRIX VERTE.
UN CAS DE MÉTAMORPHOSE DANS LES
CONTES ONTAROIS. ESSAI D'INTERPRÉTATION

Texte d'une communication présentée au colloque sur «Les "autres" littératures d'expression française en Amérique du Nord» organisé sur le campus
de l'Université d'Ottawa à Cornwall les 9 et 10 mars 1984. Quel est donc
le secret de *La Belle Perdrix verte*, conte recensé dans la volumineuse série
Les Vieux m'ont conté? Sous le couvert d'images naïves, fantaisistes et remplies de poésie, ce conte exprime à sa façon une aventure infiniment grave
et responsable : la tragique nécessité de «l'épreuve» pour accéder à la maturité, à la pleine possession de soi, de son identité personnelle et collective;
de même que l'inévitable loi de la condition humaine : la mort, seule ga-
rante du renouvellement de toute vie. Le conte ontarois *La Belle Perdrix
verte* restitue par le secret de la «métamorphose» le plus vieux mythe de
l'humanité : le mystérieux cycle de la régénération du monde, d'où sont
sorties toutes les grandes religions du monde et leur promesse de vie éternelle.

A u dire des spécialistes, de tous les phénomènes merveilleux
qu'on rencontre dans les contes populaires, la métamorphose
est «sans doute l'opération magique la plus fréquente et la plus spectaculaire»[1]. Par métamorphose, on entend le passage d'une forme à
une autre par l'opération atemporelle d'une intervention supra-
naturelle[2]. Les contes traditionnels du Nouvel-Ontario recueillis par
Germain Lemieux, fondateur du CFOF, et publiés dans les vingt
premiers volumes de la série *Les Vieux m'ont conté*[3], n'échappent pas
à cette observation. On y découvre, en effet, des cas de métamorphose en nombre suffisamment important non seulement pour que
la simple curiosité puisse s'en délecter à satiété, mais encore pour
que la narration de ces récits où s'incarne le phénomène protéi-
forme, pose au critique littéraire la question de la signification de
l'image même de la métamorphose.

Mais, de toutes les actions magiques repérées dans les contes du
Nord de l'Ontario, les cas de métamorphose sont-ils les plus fréquents? Je ne saurais l'affirmer, n'ayant examiné jusqu'ici que les

sept premiers livres de la collection. Et qu'importe, puisque ce n'est pas la quantité qui compte ici, mais le phénomène lui-même exprimé dans une figure particulière que je me propose d'étudier : il s'agit de la métamorphose d'une perdrix verte, qu'on trouve dans le quatrième conte du premier livre de la collection Lemieux. Pourquoi ce cas précis a-t-il retenu mon attention parmi les 28 récits qui parlent de métamorphose dans les sept premiers volumes de la série? D'abord, sans doute, parce qu'il m'a émerveillée davantage. Mais, surtout, parce qu'il m'a semblé que le charme de ce conte «merveilleux», tant par la cohérence de sa structure que par le choix de ses images, déborde largement la simple fonction d'émerveillement de l'auditeur (ou du lecteur) impartie à tout conte dit précisément «merveilleux» par opposition aux autres types de contes tels qu'identifiés par les folkloristes chevronnés[4]. Plus merveilleux que les autres contes merveilleux m'apparaît ce conte parce que, chez lui, le phénomène de la métamorphose dépasse la stricte fonction mécanique d'une action dans le meccano de l'histoire où il s'intègre. En réalité, dans le conte ontarois où s'inscrit ce cas particulier de changement de forme, la métamorphose imprègne le récit au point d'en constituer non seulement le cœur, le noyau, le centre, mais le sujet tout entier et fonde, en conséquence, la fonction unifiante de la narration qui le mentionne, comme l'indique d'ailleurs son titre, qui le rapporte en évoquant directement la forme enchantée : *La Belle Perdrix verte*[5].

Ce conte, dont la présentation orale doit durer près d'une demi-heure, pourrait se résumer comme suit : en âge de travailler, trois garçons de famille pauvre doivent commencer à gagner leur vie. Les deux premiers choisissent un métier qui plaît à leur père, en devenant l'un cordonnier et l'autre, ferblantier. Mais le plus jeune, Ti-Jean, déçoit les attentes de la famille en décidant de se faire chasseur, «le plus p'tit métier qu'un gars peut prendre»[6], dit le père, «un métier d'paresseux»[7]. Ses parents et ses frères tenteront tout pour le faire changer d'idée, mais en vain.

Au cours d'une excursion en forêt, Ti-Jean découvre une belle perdrix verte. Il épaule son fusil et s'apprête à tirer, quand, tout à coup, l'oiseau l'interpelle et lui révèle être une princesse, «la plus belle et la plus riche de l'univers»[8]. Elle lui raconte qu'elle a été métamorphosée en perdrix verte par sa tante-fée, parce qu'elle refusait d'épouser un homme répugnant qu'elle n'aimait pas : le Prince Galeux. Condamnée à la solitude et exposée aux dangers de la forêt pour son refus d'obéir, la perdrix propose à Ti-Jean de lui appartenir et de lui apporter la richesse s'il accepte de l'affranchir de sa condition. Pour ce faire, celui-ci doit, à trois reprises, affronter seul, la nuit, dans un château hanté, la violence de sept diables déchaînés qui le réduisent littéralement en charpie. En échange des souffrances endurées par Ti-Jean, la princesse recouvre sa forme humaine et s'engage à emmener son libérateur dans son royaume pour l'épouser. Mais, au moment prévu du départ, la mère de Ti-Jean s'interpose en droguant son fils, et la jolie princesse s'envole sans lui, très loin, au-delà des mers, vers le royaume de son père.

Décidé à tout pour retrouver la princesse, Ti-Jean entreprend dès lors un long voyage à pied. Chemin faisant, il rencontre, à tour de rôle, trois gigantesques ogres qu'il réussit à amadouer par son malheur et un mot de passe. Chacun lui fournit des renseignements sur la route empruntée par la princesse. Le troisième, le roi des oiseaux, met à la disposition du héros les services aériens d'un gros aigle qui permet à Ti-Jean de franchir rapidement les mers.

Une fois atteint le royaume de la princesse, Ti-Jean doit surmonter un ultime obstacle : s'introduire au château et évincer son rival, le Prince Galeux. Grâce au don exceptionnel de cuisinier qui lui échoit spontanément, Ti-Jean parvient à attirer l'attention de la princesse, qui finit par le reconnaître et l'épouse sur-le-champ.

En définitive, que raconte ce récit populaire dont il faut lire à haute voix la version orale rapportée dans *Les Vieux m'ont conté* pour goûter toute la fraîcheur, la verdeur et le talent de l'interprétation du conteur? Pour l'essentiel, ce récit se réduit au scénario suivant : à peine adolescent, un jeune garçon doit quitter sa famille, surmonter une série d'épreuves périlleuses au cours desquelles une réalité se dévoile à lui, qui devient l'objet de sa recherche. Il entreprend alors un long voyage semé d'embûches, en apparence insurmontables, par voie de terre et voie des airs, et atteint, au bout de ses peines, l'objet de sa quête.

On reconnaîtra en clair la structure classique du «modèle initiatique» mise en valeur par Mircea Eliade dans ses réflexions sur les rapports entre les mythes et les contes de fées[9]. D'après l'éminent historien des religions, le contenu proprement dit des contes merveilleux «porte sur une réalité terriblement sérieuse : l'initiation, c'est-à-dire le passage, par le truchement d'une mort et d'une résurrection symboliques, de l'inexpérience et de l'immaturité à l'âge spirituel de l'adulte»[10]. Pour les besoins de l'exposé, rappelons brièvement les caractères essentiels de cette institution propre à la société primitive, qui, comme tout rite, définit le rôle fonctionnel de l'individu dans le groupe social, tout en assurant les relations avec le divin[11] :

> Le rite de l'initiation avait lieu au moment de la puberté. Par l'accomplissement de ce rite, le jeune homme était introduit dans la société tribale, dont il devenait membre à part entière, en même temps qu'il acquérait le droit de se marier [...]. Pendant le rite, le garçon était supposé mourir, et ressusciter sous la forme d'un homme nouveau. C'est ce qu'on appelle la mort momentanée [...] Le rite avait toujours lieu au plus épais de la forêt ou d'un bois, et dans le plus grand secret. Il était accompagné de tortures et de sévices physiques (doigts coupés, dents arrachées, etc.). Une autre forme de mort momentanée trouvait son expression dans le fait que le garçon était symboliquement brûlé, bouilli, rôti, coupé en morceaux, puis ressuscité.[12]

Ainsi donc, sous le couvert d'images naïves et fantaisistes, les contes merveilleux exprimeraient «une aventure infiniment grave et responsable»[13] : celle de «la nécessité pour l'individu de passer d'un état à un autre, d'un âge à un autre, et de se former à travers des métamorphoses douloureuses qui ne prennent fin qu'avec l'accession à une vraie maturité», comme le remarque Marthe Robert dans sa présentation des *Contes de Grimm*[14]. En d'autres mots, sous ses airs d'apparentes légèreté et insouciance et son humour particulier, le conte merveilleux de *La Belle Perdrix verte* poserait le problème existentiel de l'aventure humaine : la fatale et déchirante mais positive mutation physique, mentale et morale de l'âge appelé si justement «ingrat» dans le langage populaire, où l'enfant doit se transformer en adulte et accéder si difficilement à cette indispensable indépendance, cette précieuse liberté qui distingue et garantit son statut d'adulte à part entière et son individualité, bref, sa totale identité humaine. Ainsi, le conte de *La Belle Perdrix verte* transmettrait, à sa façon, le message fondamental, plus ou moins voilé, de tout conte merveilleux : la voie de l'autonomie et de l'accomplissement personnel au moyen de l'épreuve assumée.

Dans quelle mesure l'analyse du conte *La Belle Perdrix verte*, tel que transmis, à l'âge de 63 ans, par Aldéric Perreault à Germain Lemieux, le 28 juillet 1953 à Sudbury[15], vient-elle corroborer cette interprétation initiatique du conte merveilleux avancée par les spécialistes? Voilà la question examinée dans l'étude de quelques-unes des nombreuses images utilisées pour exprimer ce drame. On verra comment le cas précis de la métamorphose de la perdrix verte préfigure le destin même du héros et informe de la signification profonde du conte : la quête personnelle de soi.

L'image des trois frères

Des trois fils, Ti-Jean est le plus jeune. Les trois garçons sont donc d'âge différent. Logiquement, on s'attendrait à ce que, les deux plus vieux étant en âge de prendre un métier, le temps du plus jeune ne soit pas encore venu. Mais ce n'est pas le cas : Ti-Jean doit, lui aussi, gagner sa vie. Ce fait saugrenu attire l'attention et amène à penser que l'intervention des frères dans le récit est avant tout fonctionnelle, c'est-à-dire qu'elle ne sert qu'à exprimer la présence familiale et à marquer d'autant l'opposition entre Ti-Jean et sa famille, condition première de l'affranchissement de l'enfant vers la pleine liberté de l'adulte. La famille n'est-elle pas, comme on l'a vu, «l'univers bien clos et bien déterminé où se joue le drame premier de l'homme»[16]?

Cet éloignement nécessaire de la famille, qui tourne assez souvent à l'affrontement et à la crise dans la vie quotidienne, se vérifie dans plusieurs faits du récit. En effet, Ti-Jean choisit, en premier lieu, un métier (la chasse) complètement opposé à celui de ses frères, qui ne le met pas, comme eux, à l'abri du besoin[17] ni du mauvais temps[18], l'attire hors du foyer familial et l'expose aux dangers du monde extérieur. D'autre part, ce choix mécontente son père, qui marque sa désapprobation en ridiculisant Ti-Jean. Enfin, les échecs successifs qu'essuie l'apprenti chasseur, qui rentre de plus en plus tard, épuisé et bredouille chaque soir, augmentent, en même temps que les sarcasmes du père et des frères, les tourments de la mère qui s'inquiète de la santé de son fils; elle finit par se liguer avec le reste de la famille contre Ti-Jean. Tous, en somme, le traitent de fou et vont tout tenter pour le détourner de son projet aventureux. La situation à la maison devient vite intolérable : la seule voie qui s'offre alors est de couper les amarres et de s'éloigner. Les conditions du départ sont ainsi réunies : c'est le premier arrachement et le douloureux apprentissage de la liberté, le jeune devant acquérir son indépendance matérielle et survivre dans le vaste monde, caractérisés dans le conte par la première série d'épreuves corporelles infligées à Ti-Jean par les sept diables de la forêt.

L'image des métiers

L'affrontement entre Ti-Jean et sa famille se manifeste et se répercute également sur le plan social, si l'on considère la distinction nettement établie entre Ti-Jean et ses frères par le moyen des métiers. Tout en accentuant les démêlés familiaux, cette opposition sociale ne viendrait-elle pas, d'une certaine façon, justifier, en le valorisant, l'arrachement à la tutelle d'autrui? L'image des métiers choisis par les trois garçons montre, en effet, que le destin de Ti-Jean diverge irrémédiablement de celui de ses frères : son destin s'affirme unique, souverainement libre et pleinement responsable comme la fonction de roi qui sera la sienne à la fin du conte. Car, lorsqu'on considère attentivement chacun de ces métiers, on ne peut s'empêcher d'être frappée par la répartition des tâches dévolues au trio. Cette triple attribution de métiers reflète assez singulièrement, sous leur forme dégradée, la composition tripartite de l'ordre social des sociétés indo-européennes telle que mise en lumière dans les travaux de Georges Dumézil[19], soit, par ordre hiérarchique : le travail, la guerre et, au sommet, le pouvoir (ou le sacré). Sous l'image des métiers mentionnés dans le conte ontarois, on peut retracer ces trois fonctions de la structure tripartite des classes sociales indo-européennes : «le pouvoir», considéré dans sa double forme de souveraineté royale (le pouvoir politique) et de souveraineté sacerdotale (le pouvoir religieux), «la puissance» (la force guerrière) et «la production» (la fécondité), soit la classe dirigeante, l'armée et le peuple.

Sans entrer dans des parallèles trop poussés, on peut tout de même observer qu'en choisissant le métier de cordonnier, dont une des tâches principales est de ressemeler les chaussures, l'aîné des garçons a opté pour un métier conservateur par excellence et, si l'on peut dire, terre à terre. On sait, en outre, que la chaussure participe

234

du symbolisme du pied[20], qu'elle recouvre et qui, en tant que début du corps, dont il constitue la base et l'origine, s'oppose manifestement au point suprême de ce dernier, la tête, qui en est le terme. On reconnaît également qu'en tant que point de contact avec le sol, le pied est lié à la terre, substance primordiale de la vie. On a établi aussi qu'en tant que point d'appui de la station verticale de l'être humain, les pieds sont l'expression de la solidité, de l'appartenance, de la possession : pas étonnant, dans ce cas, que pour les psychanalystes le pied ait une signification phallique et que la chaussure soit considérée comme un symbole féminin (ici, on peut évoquer l'interprétation psychanalytique de Cendrillon). De là, sans doute, l'idée que la chaussure, sous sa forme de pantoufle, symbolise la bonne entente conjugale, le foyer, où règne l'harmonie du couple. On pourrait donc reconnaître dans le métier de cordonnier la troisième fonction dumézilienne : la production, la fécondité du couple qui assure la survie, la richesse et la stabilité de la société humaine.

Le deuxième fils, quant à lui, choisit le métier de ferblantier. Il fabrique donc «des siaux d'fer blanc, des canisses»[21], toute une quincaillerie d'objets composés de métaux (fer-blanc, zinc et laiton). Rien n'empêche de voir sous ce métier de ferblantier une forme dégradée du métier de forgeron et, sous le fer-blanc, un produit dégradé du fer, métal dur, sombre, vulgaire et maléfique, «instrument satanique de la guerre et de la mort»[22]. Cette image renverrait donc à la deuxième fonction dumézilienne : la force guerrière.

Enfin, à Ti-Jean, le plus jeune et «le plus fin»[23], au dire même de son père, est destiné le métier de chasseur. De prime abord, on pourrait s'étonner d'une autre exclamation paternelle susmentionnée qui veut que la chasse soit «un métier d'paresseux[24]», surtout quand il est montré dans le conte, au contraire, que Ti-Jean rentre complètement fourbu de ses expéditions quotidiennes au point de se jeter tout habillé sur le plancher pour dormir, sans même avoir la force ni l'envie de souper. Serait-ce que la chasse ne serait envisagée que dans sa modalité de guet des bêtes, où l'immobilité du chasseur prédominerait sur les autres exigences du métier? Contrairement à ses frères qui travaillent de leurs mains, Ti-Jean est perçu par sa famille comme quelqu'un qui ne fait rien, sinon attendre le passage des bêtes au coin du bois. En fait, la remarque paternelle prend tout son sens quand on se réfère au symbolisme de la chasse, lequel renvoie sans difficulté à la première fonction évoquée dans la thèse de Dumézil, à savoir la fonction du sacré qu'exprime le double principe du pouvoir royal et du pouvoir religieux.

Privilège du roi et des nobles dans certaines sociétés, la chasse s'imposait, en effet, comme une occupation de loisir noble dans la mesure où elle se fait conquête et maîtrise des bêtes sauvages et dans la mesure également où elle s'exerce comme une activité sportive au cours de laquelle se manifestent et s'éprouvent la valeur et la vigueur du combattant[25]. Par ailleurs, en d'autres sociétés, la chasse, on le sait, était considérée comme un acte essentiellement religieux, de caractère magique : elle détruit les forces malfaisantes qui menacent la vie humaine, incarnées dans les bêtes féroces[26]. Mais il y a plus. À cette interprétation sociale de la chasse, qui sépare irrémédiablement Ti-Jean de sa famille, se greffe l'image initiatique par excellence figurée par la recherche du gibier, la poursuite à la trace signifiant la quête fondamentale : la quête spirituelle[27]. Dans ce contexte, on pourrait aller jusqu'à affirmer que la chasse exprime la double lutte que devra mener le jeune garçon dans la conquête de la maturité promise de l'adulte : la maîtrise extérieure du monde, où mille dangers le guettent, qui assurera la liberté au conquérant; la maîtrise intérieure de soi, où se cachent les bêtes de l'être primitif (ignorance, inconscience, instincts violents) dont l'anarchie risquerait de le condamner au chaos de l'indifférenciation du non-être, de l'indétermination des caprices infantiles.

L'image de la forêt

La chasse entraîne Ti-Jean dans la forêt mystérieuse, à l'écart donc de la famille et de la société dite active. C'est dans l'isolement de la nature, de la nuit et du château hanté que s'opère la grande mutation de la vie à la mort, puis de la mort à la résurrection du héros. La forêt introduit l'initié dans le royaume infernal des puissances chthoniennes qui opèrent en secret la transformation des choses et des êtres, qui détiennent le mystère de la vie. Comme l'affirme avec autorité Vladimir J. Propp, dans son remarquable ouvrage, récemment traduit en français, *Les Racines historiques du conte merveilleux*, le rapport de la forêt des contes à la forêt qui figurait dans les rites d'initiation est on ne peut plus étroit : «Le rite d'initiation a, en effet, toujours lieu dans une forêt. Cela est un trait constant obligatoire du rite d'initiation, dans le monde entier.»[28] Pourquoi cela est-il obligatoire? Parce que, répond Propp, «dans le conte, la forêt joue en gros le rôle de barrière, de frontière»[29]. «La forêt entoure l'autre royaume, le chemin vers l'autre monde passe par la forêt»[30]. Autrement dit, la forêt, c'est l'entrée du royaume des morts. Ti-Jean devra mourir avant d'accéder à son statut d'être humain à part entière.

Par contre, la forêt recèle une autre dimension. Elle apparaît aussi comme le symbole du lieu clos par excellence, mystérieuse demeure naturelle où se manifestent les puissances sacrées de la vie. La forêt s'impose comme le centre même de la vie. À ce point de vue, elle se fait accueillante comme un refuge. Elle devient le réceptacle clos et intime où s'opèrent les gestations, se fait secrète comme la matrice génitrice. Elle s'affirme comme la source de la régénérescence où se développent cycliquement et en abondance les arbres, lesquels apparaissent dans de très nombreuses mythologies et religions[31] comme des instruments de connaissance totale par l'enfouissement de leurs racines dans la terre et leur élan dans l'espace, vers le ciel. L'arbre résume en quelque sorte le devenir vital. C'est dans la forêt qu'une révélation sera faite à Ti-Jean et que lui seront fournis les moyens de surmonter les épreuves qui l'attendent.

L'image du lièvre

Ayant pénétré dans la forêt mystérieuse, Ti-Jean est entraîné au plus profond des bois par la poursuite d'un petit lièvre, qui se dérobe constamment à lui («le l'guièv' s'plantait su' enn' p'tit butte : comme [Ti-Jean] i'était pour tirer, l'guièv' euss poussè encore»[32]) pour finir par livrer Ti-Jean à la belle perdrix verte :

> l'pârt dans l'bouâ, p'i enco' le minm' p'tit v'limeux de l'guièv'! P'i [Ti-Jean] i'po'gn' son fézil, p'i i' cour' après le l'guièv', p'i i' cour' après l'guièv'. Te'hours, més vieux, comme i'allait pour le tirer, le l'guièv' eur' partait, p'i i' l'emmèn' drette à sa pa'drix varte.[33]

On assiste au complet revirement de la situation initiale : le chasseur Ti-Jean devient la proie, préfiguration de l'épreuve en perspective. On se rappellera que, chez plusieurs peuples, le lièvre, ou le lapin, est associé, par ses bondissements, sa rapidité et son exubérance, à la vieille divinité de la Terre mère et à sa fécondité, au symbolisme de la végétation, au grand mystère nocturne et souterrain du renouvellement de la vie à travers la mort. Par exemple, chez les Algonquins et les Ojibwés, Ménébuch le Grand Lièvre apparaît comme un héros qui détient le secret de la vie élémentaire et met ses connaissances au service de l'humanité (comme Prométhée, chez les Grecs). Il agit comme une sorte d'intermédiaire entre le monde des vivants et le monde de l'au-delà. De même, dans le conte dont il est ici question, le lièvre introduit Ti-Jean auprès de la perdrix verte, détentrice du secret de la mutation des êtres, initiatrice de l'épreuve de la mort et restauratrice de la vie de Ti-Jean. Ménébuch, dit le mythologue Radin, est également un animal faible qui est prêt à sacrifier son caractère enfantin à une évolution future[34] : thème initiatique de notre conte.

La mythologie égyptienne renforce ce symbolisme du lièvre agent de liaison entre le monde d'en bas et le monde d'en haut, dans le grand circuit vie-mort-résurrection, en associant la figure du lièvre au grand initié Osiris, périodiquement dépecé et jeté dans les eaux du Nil pour assurer la fertilité de la vallée du long fleuve. Ajoutons à ces références sacrées une figure profane et moderne qui rappelle la survie de cette imagerie populaire du lièvre liée à la régénération : celle du lapin en chocolat qui envahit les vitrines des confiseries et autres magasins à Pâques, au printemps, saison de la régénérescence de la nature, époque à laquelle se célèbre, soit dit en passant, de tout autre manière, le mystère chrétien de la Rédemption consommé dans la mort et la résurrection du Christ, intermédiaire entre Dieu et les hommes, sauveur de l'humanité par la promesse de vie éternelle qu'il lui apporte. Pour revenir à notre conte, on ne peut manquer de constater que le turbulent lièvre sert de guide à Ti-Jean dans son accès à la perdrix verte et, par conséquent, à la connaissance du secret de la métamorphose qui, seule, peut permettre l'acquisition d'une totale identité humaine : la mort du héros, condition sine qua non de vie nouvelle.

L'image de la perdrix verte

L'image de la perdrix verte, la plus significative des images de notre conte, recouvre, à mon avis, un triple symbole : celui de l'oiseau, celui de la perdrix et celui de la couleur verte. Tous les trois s'ajustent fort bien à l'interprétation initiatique de l'accession à l'âge spirituel de la maturité. Examinons-les.

Dans *Les Structures anthropologiques de l'imaginaire*, Gilbert Durand remarque avec perspicacité que l'image animale, qui de toutes les images est la plus répandue dans les sociétés humaines, est susceptible d'être surdéterminée par des caractères particuliers ne se rattachant pas directement à l'animalité. Il présente l'exemple de l'oiseau et montre que ce qui prime en cette figure, ce ne sont pas les attributs proprement animaux, qui n'apparaissent, pour ainsi dire, qu'en second lieu, mais des qualités, soit l'ascension et le vol, toutes deux illustrées dans l'aile[35]. On comprend alors pourquoi plusieurs traditions ont attribué à l'oiseau le symbole de l'état supérieur de l'âme. Ainsi le Coran affirme que l'âme elle-même est un oiseau; il apparente le langage des oiseaux à celui-là même des anges, langue spirituelle par excellence, et identifie l'oiseau au Destin. Chez les anciens Grecs, on sait que le mot «oiseau» a pu être synonyme de «présage» et de message du ciel. On se rappelle aussi qu'à Rome, la prise des auspices consistait à interpréter le langage du ciel, c'est-à-dire le vol des oiseaux. Aussi, ne pourrait-on pas voir dans la perdrix verte qui s'adresse à Ti-Jean une sorte de messager qui incarne, d'une part, et annonce, d'autre part, le destin même du garçon, appelé par différentes métamorphoses à s'affranchir des contingences de l'enfance pour acquérir le libre élan de la maturité par la conquête-découverte de son identité profonde, de son être le plus intime, c'est-à-dire de son âme?

En outre, cet oiseau est une perdrix. Si l'on accepte le principe de classer les images poétiques suivant leur forme et leur fonction[36], on constate que, dans la classe des animaux à plumes, la perdrix de notre conte ne trouve place ni dans le groupe des oiseaux agressifs (oiseau-bec, oiseau-griffes) ni dans la classe des oiseaux domestiques (oiseau-ventre). En fait, la perdrix appartient à deux mondes : le monde sauvage de la forêt et le monde domestiqué de la table humaine. C'est, à mon avis, cette ambivalence même qui caractérise ce type d'oiseau. Ambivalence qu'on relève, d'ailleurs, dans l'interprétation tout à fait divergente que certaines cultures ont faite de la perdrix. Par exemple, bien que la Chine et l'Europe aient remarqué le désagrément du cri de la perdrix, elles n'ont pas hésité à en faire un appel à l'amour. En revanche, dans la tradition chrétienne, la perdrix représente un esprit maléfique[37]. Dans le contexte initiatique du conte, l'ambivalence de la perdrix correspond bien à l'ambivalence d'un âge de passage où l'être cherche à se dégager de l'indifférenciation obscure et primitive de l'enfance pour accéder à l'individualité maîtrisée de la maturité.

Enfin, la couleur verte de la perdrix prend tout son sens. Comme la jeunesse de Ti-Jean, le vert rappelle la végétation printanière, l'éveil de la vie. Couleur bénéfique, le vert, on le sait, cache le secret du renouveau, de la jeunesse du monde. Aussi a-t-on été amené à lui prêter le symbolisme de la connaissance profonde, occulte des choses et de la destinée[38]. Dépecé et jeté dans le Nil, Osiris le Vert ressuscite. Il apparaît comme le grand initié parce qu'il connaît désormais le mystère de la mort et de la renaissance, consacrant ainsi la double polarité du vert-de-gris de la décomposition et du vert tendre du bourgeon. C'est pourquoi il n'y a pas lieu de s'étonner que le vert soit devenu la couleur de l'espérance qui traverse la destinée humaine, voire celle de l'immortalité[39]. La perdrix verte du conte ontarois est annonciatrice de renaissance, de formes nouvelles. N'est-ce pas là le sens précis de l'initiation, ce passage de la mort de l'enfance à la vie renouvelée de l'adulte, transformation radicale, s'il en est, et nécessaire pour accéder à la vie profonde du corps (la reproduction humaine), de l'esprit (la conscience), du cœur (l'amour d'autrui) et de l'âme (la maturité)?

L'image de la princesse

La figure de la princesse cachée dans l'oiseau vert renvoie, bien sûr, aux vertus royales de la jeunesse, de la beauté, de l'amour, de la richesse et du pouvoir suprême, à l'état originel, non encore maîtrisées ni exercées[40]. Présentées à Ti-Jean à la fois comme une promesse, une voie à suivre et un idéal à exprimer (et à reproduire) pour atteindre son entière identité humaine, c'est-à-dire la libre et pleine possession de ses moyens pour vivre heureux, ces qualités ne peuvent s'obtenir qu'à la condition de détenir, d'un côté, le secret de leur existence, et de l'autre, surtout, le secret de leur conquête. C'est cette double révélation que découvre Ti-Jean sous les traits de la perdrix-princesse. En effet, dans un premier temps, l'oiseau s'adresse au garçon pour lui déclarer qui il est sous l'apparence d'un volatile. Puis, dans un second temps, il lui indique les conditions du recouvrement de sa forme humaine par l'intermédiaire des souffrances d'autrui, se révélant du même coup, comme en un miroir, la préfiguration du destin de Ti-Jean. Nous sommes là au cœur même du sens profond de toute initiation : la communication d'un savoir et la promesse d'un pouvoir par l'épreuve du malheur. En fait, le mystère de la métamorphose d'un être inférieur (en l'occurrence, l'enfance personnifiée dans la jeunesse de la princesse, qui représente l'âme du héros sous les traits de l'animal-oiseau) en un être supérieur (en l'occurrence, la forme humaine recouvrée de la princesse, qui préfigure l'accès de l'âme du héros à sa pleine maturité) repose sur des souffrances préalables assumées dans le libre consentement et le dépassement de soi-même (Ti-Jean souffre dans sa chair pour la délivrance de la princesse; une telle abnégation renvoie à la notion chrétienne du sacrifice), où la mort devient la condition même du renouvellement de la vie. Pas de résurrection sans mort préalable : c'est la leçon du grand «mythe agraire» d'où sont sorties toutes les grandes religions du monde et leur enseignement de la «vitalité» éternelle.

Initié donc à la connaissance du destin humain qui est le sien et fort de la promesse révélée de la félicité, Ti-Jean se lancera sur les traces de l'idéal entrevu, à la conquête de la princesse, qui n'est, en définitive, que l'image de sa propre identité humaine, de son âme. Mais, pour y parvenir, une longue période de souffrances est nécessaire : tel est l'enseignement des trois nuits terrifiantes vécues dans le château hanté, aux prises avec les diables meurtriers. Son voyage sur la terre est une longue descente aux enfers, où il rencontre et surmonte différents obstacles. Puis, il traversera les eaux, sur le dos de l'aigle-guide, dans lesquelles il tombe, en signe de purification, avant d'accéder à l'ultime épreuve (l'épreuve du feu domestiqué de la cuisine), dont il sortira vainqueur.

Sous ses images naïves et remplies de poésie, le conte ontarois *La Belle Perdrix verte* restitue donc, à sa façon, le plus grand mythe de l'humanité : celui du renouvellement de la vie, de la nécessité de la mort pour assurer le triomphe de la vie. Tragique loi de la condition humaine, apprivoisée par le rite de l'initiation qui révèle le secret de la métamorphose : «au-delà des malheurs assumés se cache la sereine félicité de la destinée». Tel est le message optimiste du conte, message d'espérance qu'apporte, en ce printemps 1984, à nos jeunes littératures francophones la belle perdrix verte des grands bois ontarois.

(*Revue de l'Université d'Ottawa / University of Ottawa Quarterly*, vol. 56, n° 3, juillet-septembre / July-September 1986, p. 35-45; reproduit dans Jules Tessier et Pierre-Louis Vaillancourt, dir., *Les «autres» littératures d'expression française en Amérique du Nord*, Ottawa, EUO, coll. «Cahiers du CRCCF», n° 24, 1987, p. 35-45.)

Notes

1   Georges Jean, *Le Pouvoir des contes*, Paris, Casterman, 1981, p. 66.

2   *Ibid.*, p. 69-70.

3   Germain Lemieux, *Les Vieux m'ont conté*, publications du CFOF, Montréal/Paris, Bellarmin/Maisonneuve et Larose, 1974-1984, 20 vol.

4   Voir Anti Aarne et Stith Thompson, *The Types of the Folktale. A Classification and Bibliography*, Helsinki, 1928 (FFC, n° 74). Édition revue et corrigée par Stith Thompson, *The Types of the Folktale. A Classification and Bibliography*, Helsinki, Academia Scientarum Fennica, 1961, 588 p. (FFC, n° 184). Voir aussi Marie-Louise Ténèze, «Introduction à l'étude de la littérature orale : le conte», *Annales, économies, sociétés, civilisations*, n° 24, 1969, p. 1104-1120. On pourrait également citer des textes de Van Gennep, de Paul Delarue, de Marius Barbeau, de Luc Lacourcière, de Carmen Roy et, bien sûr, ceux de Germain Lemieux.

5   Germain Lemieux, *op. cit.*, 2ᵉ éd., 1977, vol. 1, p. 105-121 (version remaniée); p. 122-136 (version originale).

6   *Ibid.*, version originale, vol. 1, p. 122.

7   *Ibid.*, vol. 1, p. 123.

8   *Ibid.*, vol. 1, p. 123 et 127.

9   Mircea Eliade, *Aspects du mythe*, Paris, Gallimard, coll. «Idées», n° 32, p. 233 ss.

10   *Ibid.*, p. 243.

11   Paul Zumthor, *Introduction à la poésie orale*, Paris, Seuil, coll. «Poétiques», 1983, p. 264-265.

12   Vladimir J. Propp, *Les Racines historiques du conte merveilleux*, Paris, Gallimard, coll. «Bibliothèque des sciences humaines», 1983, p. 68.

13   Mircea Eliade, *op. cit.*, p. 242.

14   Marthe Robert, *Grimm : contes*, Paris, Gallimard, coll. «Folio», n° 840, 1982, p. 12.

15   Germain Lemieux, *op. cit.*, vol. 1, p. 122.

16   Marthe Robert, *op. cit.*, p. 18.

17   Germain Lemieux, *op. cit.*, vol. 1, p. 128-129.

18   *Ibid.*, vol. 1, p. 123.

19   Georges Dumézil, *L'Idéologie tripartite des Indo-Européens*, Société d'Études Latines de Bruxelles, coll. «*Latomus*», vol. 31, 1958.

20   Jean Chevalier et Alain Gheerbrant, *Dictionnaire des symboles*, Paris, Robert Laffont/Jupiter, coll. «Bouquins», 1982. Articles «Chaussure», p. 218; «Pied», p. 749-751; «Soulier», p. 902- 903.

21   Germain Lemieux, *op. cit.*, vol. 1, p. 123.

22   Jean Chevalier et Alain Gheerbrant, *op. cit.*, article «Fer», p. 433.

23   Germain Lemieux, *op. cit.*, vol. 1, p. 123.

24   *Ibid.*, vol. 1, p. 124.

25   Jean Chevalier et Alain Gheerbrant, *op. cit.*, article «Chasse», p. 213-214.

26   *Loc. cit.*

27   *Loc. cit.*

28   Vladimir J. Propp, *op. cit.*, p. 69.

29   *Ibid.*, p. 70.

30   *Ibid.*, p. 70-71.

31   Jean Chevalier et Alain Gheerbrant, *op. cit.*, articles «Bois», p. 134-135, et «Forêt», p. 455-456; C. Aziza, C. Olivieri et R. Strick, *Dictionnaire des symboles et des thèmes littéraires*, Paris, Fernand Nathan, 1978. Article «Arbre», p. 24 ss.

32   Germain Lemieux, *op. cit.*, vol. 1, p. 123.

33   *Ibid.*, vol. 1, p. 124.

34   Jean Chevalier et Alain Gheerbrant, *op. cit.*, article «Lièvre-lapin», p. 571-573.

35   Gilbert Durand, *Les Structures anthropologiques de l'imaginaire, Introduction à l'archétypologie générale*, Paris, Bordas, coll. «Études supérieures», 1969, p. 73 et 144.

36   Lilian Prestre de Almeida, «Le Bestiaire symbolique dans *Une saison au Congo*. Analyse stylistique des images zoomorphes dans la pièce de Césaire», *Présence Francophone*, n° 13, automne 1976, p. 94.

37   Jean Chevalier et Alain Gheerbrant, *op. cit.*, article «Perdrix»,
      p. 740.

38   *Ibid.*, article «Vert», p. 1002-1007.

39   D'où l'habit vert des 40 Immortels de l'Académie française.

40   *Ibid.*, article «Prince (princesse)», p. 785-786.

30

SÉRAPHIN MARION (1896-1983) :
UNE VIE BIEN REMPLIE

Écrit de circonstance rédigé en hommage à un ardent défenseur de la langue et de la culture françaises au Canada.

L'année 1983 aura été néfaste pour nos écrivains. Après Gabrielle Roy, Gatien Lapointe, Yves Thériault et René Garneau, Séraphin Marion s'en est allé, à son tour, le 29 novembre dernier. Le doyen des lettres canadiennes-françaises venait d'avoir 87 ans. Vigoureux et tenace comme un Canadien d'autrefois, il s'était imposé dans le monde des lettres de son milieu et de son époque par sa vaste culture, ses recherches historiques dans le domaine littéraire, la vigilance de son jugement, le pittoresque de son style et la profondeur de ses convictions politiques et religieuses. Durant cette longue vie, l'œuvre et l'action de cet universitaire peu commun ont su s'harmoniser avec efficacité et inspirer autour de lui le goût de la lutte franche, loyale et obstinée contre l'intolérance, les préjugés, l'ignorance ou le défaitisme, qui empoisonnent l'existence des francophones au Canada. Jusqu'à la fin, Séraphin Marion sera resté l'un des plus fidèles et des plus impétueux défenseurs de l'Ontario français.

Le rayonnement de cet homme d'action et de réflexion a depuis longtemps dépassé les frontières de l'Ontario où il est né et où il a passé toute sa vie. Devenu célèbre par ses recherches littéraires et la publication de la série de ses neuf volumes, parue sous le titre de *Les Lettres canadiennes d'autrefois*, il a joué un rôle déterminant dans l'enseignement de notre littérature à l'université. Renommé pour son généreux engagement dans l'essor de l'expression française au pays, Séraphin Marion a eu le bonheur – rare pour un simple mortel et rarissime pour un Canadien français de sa génération – de vivre suffisamment longtemps pour voir enfin reconnaître et honorer son travail, son dynamisme et son immense dévouement. Par sa présence, son enseignement, ses recherches, ses publications, ses conférences, ses causeries radiophoniques, ses entretiens et sa conversation, Séraphin Marion a bien mérité de la patrie.

Il y a un an exactement, *Lettres québécoises* reproduisait, dans son numéro d'été, les propos que lui confiait Séraphin Marion à l'occasion d'un long entretien à caractère biographique. Le gentilhomme de lettres se décrivait comme un homme d'instinct, favorisé par le destin : «Dans ma vie, vous savez, il y a beaucoup de coïncidences extraordinaires. Il y a beaucoup d'impondérables : des douzaines. Remarquez bien que j'ai travaillé toujours très fort parce qu'il fallait travailler dans mon temps, et avec une absence lamentable de moyens. Mais, moi, tout de même, j'ai été chanceux.»[1] Et l'écrivain s'est fait volontiers conteur pour rappeler avec un humour piqué de gravité cette vie bourrée de coups de théâtre qui l'avaient amené de la thèse de doctorat en Sorbonne, en passant par le Collège militaire de Kingston, à une passion imprévue et entière pour la littérature canadienne des origines, grâce à la lecture de liasses de vieux journaux jaunis, séchés et racornis, remisés aux Archives nationales.

C'est au chercheur impénitent, au découvreur de nos modestes débuts littéraires, à ce «premier historien de nos lettres à traiter de façon systématique toute la période avant 1900»[2] que nous voudrions aujourd'hui rendre hommage en évoquant son œuvre majeure, *Les Lettres canadiennes d'autrefois*, «premier monument de notre critique», que les moins de 40 ans prendraient plaisir à découvrir. Longtemps négligé parce que marginal à l'époque (on attendra dix-sept ans avant de le fréquenter et de l'apprécier à sa juste valeur), ce volumineux ouvrage contribua sérieusement et gracieusement à l'avancement des connaissances en histoire littéraire québécoise et fut généreusement pillé par des artisans historiens de la dernière heure. Ce fut là, d'ailleurs, l'un des deux regrets d'ordre professionnel du critique Séraphin Marion : qu'on ne lui ait pas toujours attribué les fruits de ses découvertes, l'autre étant de ne pas avoir été plus souvent invité dans ce Québec qui lui était cher, où il conservait des racines bien plantées et qu'il considéra jusqu'à la fin de sa vie comme sa véritable «petite patrie».

Dans son ensemble, l'œuvre écrite de Séraphin Marion compte une bonne vingtaine de livres et de très nombreux articles. Un récent numéro des *Cahiers des Dix*[3] vient de faire paraître le texte «L'Abbé Groulx, raciste?», sujet de la dernière conférence que prononçait l'écrivain à l'Institut canadien-français d'Ottawa, le 21 novembre 1982, soit un an avant sa mort. C'est là un trait carac-

téristique de la personnalité exceptionnelle que fut M. Marion :
malgré son âge avancé et la thrombose qui l'avait terrassé en 1954,
le privant de toute activité pendant deux ans, cet homme, qui
aimait à se présenter à l'âge de 83 ans comme «un authentique
vieillard»[4], aura maintenu un esprit alerte et une vie active pendant
la trentaine d'années qu'il aura été à la retraite.

Le professeur Paul Wyczynski, qui a bien connu Séraphin
Marion et lui a rendu hommage dans les pages du journal *Le Droit*,
partage cette œuvre prolifique en trois parties principales : des
«ouvrages dédiés à la littérature française»; des «études sur la
littérature canadienne-française»; des «livres ayant pour sujet la
problématique des Franco-Ontariens»[5]. La série des *Lettres
canadiennes d'autrefois* se rattache à la deuxième partie du classement. Elle se détache, toutefois, de l'ensemble par l'originalité, la
composition, l'unité de ton et surtout l'esprit qui anima, dès le début, un projet qui osait se définir comme la démonstration de
l'existence réelle d'une littérature canadienne-française («excusez du
peu», comme dirait Séraphin Marion), face aux doléances et aux
atermoiements d'une certaine intelligentsia québécoise d'alors qui
levait le nez sur ce qu'elle ignorait. Ce «dédain transcendant pour
nos lettres», Séraphin Marion aimait l'illustrer de belle façon en
rapportant, à l'occasion, cette anecdote :

> De 1939 à 1958, c'est-à-dire pendant vingt ans, j'ai rédigé et publié
> neuf volumes, de plus de deux cents pages, sur *Les Lettres canadiennes
> d'autrefois*. Un jour, le cher Louvigny de Montigny, taquin à ses heu-
> res, me présente à un Français de France, de passage à Ottawa :
> «Monsieur, dit de Montigny narquois, je vous présente Marion,
> auteur de neuf bouquins sur *Les Lettres canadiennes...* qui n'existent
> pas!»[6]

Cette fâcheuse mentalité, Séraphin Marion l'affrontait sans détour,
dès 1939, dans l'Avant-propos qui ouvre le premier volume de la série :

> L'un des pires malheurs qui puissent arriver à une littérature, c'est
> assurément de douter d'elle-même et de compromettre à la fois sa
> vitalité et sa survivance. De tout temps, cette misère fut le lot du
> Canada français. Chez nous, le défaitisme littéraire sévit à l'état
> endémique. [...]. C'est en marchant qu'on démontre le mouvement;

c'est en parlant de la littérature canadienne-française d'autrefois qu'on en atteste l'existence [...]. À ceux qui voudront bien me faire l'honneur de m'accompagner dans ces explorations d'un domaine qui est le nôtre, je crois pouvoir démontrer que si, depuis leur berceau, nos lettres n'ont pas réalisé d'exceptionnels progrès, elles n'en demeurent pas moins, elles aussi, un magnifique témoignage : le témoignage d'un petit peuple qui refuse de mourir et dont la devise, «Je me souviens», n'est que la transposition de cette autre devise bien française : «Petit bonhomme vit encore!»[7]

La lecture des vieux journaux entreposés aux Archives publiques devait amener Séraphin Marion à découvrir que «l'histoire littéraire canadienne-française commençait par le journal»[8]. Étienne Parent, Michel Bibaud, François-Xavier Garneau utilisaient les journaux pour livrer au public des fragments de leurs œuvres, avant de les rassembler sous la forme de livres. Si Séraphin Marion peut affirmer que le journalisme fut le «berceau des lettres canadiennes», on peut ajouter que la série de ses neuf volumes est la description minutieuse des phases précaires et difficiles de leur enfantement. Échelonnées sous des titres sans doute austères, mais que vient éclairer le charme un peu vieillot d'une écriture épique, ces phases se développèrent comme suit :

1. *La phase bilingue* constate d'abord «l'extrême pénurie de nos gens pendant le demi-siècle qui suivit la Conquête» (p. 187).

2. *La phase française*, vouée à l'insuccès, met en vedette deux gaillards de journalistes, Fleury Mesplet et Valentin Jautard, deux «Français de France» imbibés d'idées voltairiennes, ayant présidé aux aléas de *La Gazette littéraire de Montréal*. Toute la production de ce journal se réduit à deux incunables «bourrés de littérature» (p. 18), «vieux documents palpitants d'intérêt» (p. 19) qui ressuscitent «une versification et une prose en déshabillé» (p. 21).

3. *La phase canadienne* débute à la parution du *Canadien*[9] qui prit l'offensive, dès sa publication en 1806, pour réclamer les droits naturels, historiques, politiques et religieux du Canada français. Au dire de Séraphin Marion, la prose d'antan qui s'étalait avec impudeur réussit enfin «à force de concision et de sincérité, à devenir le

"mâle outil bon aux mains fortes"» (p. 203) de ces pionniers littéraires que furent les journalistes de l'époque.

4. *La phase romantique* est une phase transitoire où «le livre commence à s'émanciper du journal» (p. 11). Nous assistons à la gestation laborieuse de la prose romanesque canadienne-française, «souffre-douleur» des genres littéraires. Paraissent les premières œuvres. D'abord, deux romans : *L'Influence d'un livre* de Philippe Aubert de Gaspé fils, notre premier roman, et *Les Fiancés de 1812* de Joseph Doutre. Puis s'affirme un troisième : *Charles Guérin* de Pierre-Joseph-Olivier Chauveau. Quant à notre première tragédie, *Le Jeune Latour*, un long poème de douze cents vers, découpé en trois actes, nous la devons à la plume du jeune Antoine Gérin-Lajoie, qui la présenta sur les planches du Collège de Nicolet en 1844.

5. *Octave Crémazie, précurseur du romantisme canadien-français* est consacré à l'étude attentive de la vie, du portrait, des débuts malheureux, des thèmes, des strophes, des modèles, des défauts et des qualités de notre premier grand poète national. Crémazie, on le sait, est l'auteur du célèbre «Drapeau de Carillon» et du nostalgique «Vieux soldat canadien», dont le long chant de bonheur risque peut-être de s'échapper du tombeau à l'arrivée dans le port de Québec, cet été, des grands voiliers venus de France. Hanté par des soucis d'argent, par l'échec et la mort, Octave Crémazie fut un poète malheureux. Séraphin Marion entrevoit dans la physionomie même de l'homme le signe prémonitoire de son infortune :

> Il ne payait pas de mine; et ce fut là sa première malchance. [...] Octave Crémazie n'eut jamais rien d'un Adonis. Il semble que la nature l'ait taillé à l'aveuglette, à coups de hache ou de massue : de petites jambes supportant mal un corps gros et massif; un semblant de cou qui s'étonne de servir de socle à une tête de notaire rétif et empêtré dans ses grimoires; une calvitie précoce au sommet de la tête, mais, sur les oreilles, d'épaisses boucles de cheveux qui élargissent une figure déjà trop large; une moustache tombante qui forme un accent circonflexe sur quelques poils au menton et lui confère une apparence de bandit mexicain; des lèvres sèches et désabusées qui font la moue; un nez court et insignifiant; un front gonflé d'idées sombres. N'était la flamme du regard perçant, Crémazie serait franchement laid. Mais de

ses yeux jaillissent tant de feu, d'esprit et d'intelligence qu'on oublie souvent de voir le reste de la personne! (p. 12-13)

6. *La Querelle des humanistes canadiens au XIXe siècle* expose une controverse qui passionna les intellectuels canadiens-français de la seconde moitié du XIXe siècle et dont les éclats retentirent jusqu'au Vatican. Ce conflit opposa les partisans des classiques païens aux partisans des classiques chrétiens. L'allure militante du style utilisé dans ce récit s'accorde assez bien à la teneur des propos, à la nature combative de l'auteur, à la conception tout apostolique qu'il avait de l'Église catholique et, sans doute, à sa fréquentation prolongée du Collège militaire de Kingston. S'adressant un jour à Séraphin Marion qu'il présentait à une assemblée, Roger Le Moine lui dit, à ce sujet :

> À vous lire, on sent que l'acte d'écrire provoque chez vous une sorte de délectation, voire d'exaltation qu'amplifie encore la conception manichéenne que vous vous faites de l'existence; cela transparaît dans l'allure même de votre phrase ainsi que dans le choix des figures de style et du vocabulaire qui est volontiers martial. En guise d'exemple, permettez que je donne le titre des chapitres du tome six de vos *Lettres canadiennes*, lequel s'intitule d'ailleurs *La Querelle des humanistes*. Les voici : *Origines de la controverse, Premiers coups d'épée, Guerre ouverte, Interventions de Rome et de Paris, Guerre sans quartier, Lendemain de bataille* et *Double coup de foudre*. Et la couverture montre, outre deux têtes de curés, deux épées séparées par un éclair, celui de l'éditeur. Au risque de paraître irrévérencieux, je me suis amusé à imaginer le roman que vous auriez pu écrire si vous aviez eu la fantaisie de vous adonner à ce genre; et j'entrevois de fiers chevaliers boutant l'ennemi hors du royaume avec une impétuosité rappelant l'ancienne *furia francese*.[10]

7. *La Bataille romantique au Canada français* ressuscite avec une verve amusée le débat orageux de principes et d'idées qui s'éleva au XIXe siècle entre les adeptes du classicisme et les tenants du romantisme. Ces discussions tournèrent vite «aux traits injurieux, aux sarcasmes et aux persiflages» (p. 105). Querelle littéraire bruyante et haute en couleur, s'il en fut, que Séraphin Marion conclut par cette remarque incisive :

De 1826 jusqu'à 1894, points extrêmes de notre enquête, une cinquantaine de nos hommes de lettres prirent part au débat et portèrent
témoignage. Combien parmi eux eurent le courage d'étudier à fond le
problème? Il s'en trouva exactement deux : Thomas Chapais et [un]
critique anonyme. De tous les autres qui risquèrent quelques appré-
ciations hâtives, combien frappèrent juste? Une demi-douzaine tout
au plus. Voilà les faits. (p. 175)

C'est qu'au temps de la critique balbutiante, «nos pères», confiera
plus loin le critique Séraphin Marion, «généralement dépourvus
d'esprit de discernement, dans le domaine artistique tout au moins,
maniaient avec hésitation le scalpel de la critique et préféraient le
pavois des approbations globales ou la massue des éreintements sans
merci»[11].

8. *Littérateurs et moralistes du Canada français d'autrefois* reprend de
plus belle l'engagement duelliste amorcé dans les volumes
précédents; mais, cette fois, le problème porte sur l'esthétique :
«L'art doit-il se mettre au service de la morale?» La question de l'art
utilitaire contre l'art pour l'art a visiblement agité beaucoup
d'esprits chez les critiques littéraires d'hier, «délié quantité de
langues et vidé bien des encriers» (p. 179). Le dernier chapitre du
volume n'échappe pas à la passion d'un débat qui restait actuel pour
le critique Marion. Il faudrait citer en entier ce morceau de
bravoure littéraire où Séraphin Marion descend dans l'arène et,
d'un coup de plume fine, estoque avec brio un esprit fort du temps
qui prétendait impudemment, au grand dam de l'auteur, que «c'est
avec de bons sentiments que l'on fait de la mauvaise littérature»
(p. 180).

9. *La Critique littéraire dans le Canada français d'autrefois* attribue à
Louis Fréchette l'origine d'une authentique critique littéraire canadienne-française : l'original disciple de Victor Hugo eut l'heur
d'être la cible favorite des censeurs de l'époque. «Véritable brandon
de discorde dans le Landerneau littéraire» (p. 69) de la seconde
moitié du XIXe siècle, notre premier lauréat de l'Académie française
croisa un fer retentissant avec son rival William Chapman. C'est
dans «une atmosphère de poudre et de balles» (p. 193) qu'est née
notre critique. Et, sur cette belle empoigne littéraire, se clôt le dernier tome des *Lettres canadiennes d'autrefois*.

Séraphin Marion n'est plus, mais lui survit dans ses livres son incomparable vivacité d'esprit. En cet été mémorable du 450ᵉ anniversaire de la découverte de la Nouvelle-France par Jacques Cartier, quel meilleur hommage à lui rendre que d'aller se plonger quelques heures dans ces origines littéraires qu'il a su si bien célébrer!

***

Séraphin Marion : pour mémoire

– Né à Ottawa (Ont.), le 25 novembre 1896, du mariage d'Ernest Marion et de Floriane Comtois; aîné de six enfants (Philippe, Léo, Paul, Bibiane et Lucette).

– Études primaires chez les Sœurs Grises de la Croix, École Garneau, Côte-de-Sable, Ottawa.

– Études classiques, Collège d'Ottawa des Oblats (future Université d'Ottawa).

– Maîtrise ès arts, Université d'Ottawa (1921).

– Doctorat ès lettres, Université de la Sorbonne (1923).

– Mariage avec Monique Roy, à Westmount (Montréal) (1924). Le couple aura quatre enfants (Gilles, Colette, Jean et Claude).

– Professeur agrégé de français au Collège militaire royal de Kingston (1920-1925).

– Directeur des publications historiques, Archives publiques du Canada; professeur de littérature à l'Université d'Ottawa (1926-1952).

– Président de la Société des conférences de l'Université d'Ottawa (1927-1939).

– Lauréat du Prix de la Province de Québec au Concours d'Histoire du Canada (1927).

– Conférencier officiel de l'Association of Canadian Clubs (1929-1931).

– Secrétaire général de la Société royale du Canada (1945-1950).

– Secrétaire français de la Société canadienne d'Histoire de l'Église catholique.

– Professeur émérite de la Faculté des lettres de l'Université d'Ottawa (1955), après avoir contribué à sa fondation en 1927.

– Conférencier dans l'Ouest canadien, sous les auspices du Conseil de la vie française en Amérique (1964).

– Invité à prononcer de nombreuses causeries et à donner des entrevues diffusées sur le réseau français de Radio-Canada (radio et télévision).

– Membre de plusieurs sociétés savantes et culturelles.

– Décédé à Ottawa, le 29 novembre 1983. Inhumé au cimetière Notre-Dame d'Ottawa.

«Ontarois, on l'est encore!»

Récipiendaire de nombreux honneurs et décorations

- La Médaille de vermeil de l'Académie française (1933)
- La Médaille d'argent du pape Pie XI (1933)
- La Médaille d'or Tyrrell de la Société royale du Canada (1955)
- Docteur en Droit, *honoris causa*, Collège militaire royal de Kingston (Ont.) (1966)
- La Médaille d'argent du Conseil de la vie française en Amérique (1972)
- La Grande médaille de vermeil de la Ligue universelle du bien public (Paris) (1974)
- Officier de l'Ordre du Canada (1976)
- Officier de l'Ordre de la francophonie «La Pléiade» (1980)
- La Médaille de bronze de l'Académie canadienne-française (Montréal) (1980)
- Chevalier de l'Ordre de Saint-Grégoire-le-Grand (1982)
- La Médaille d'argent *Bene Merenti de patria* de la Société Saint-Jean-Baptiste de Montréal (1982).

Publications

- *Relations des voyageurs français en Nouvelle-France au XVIIe siècle*, Paris, PUF, 1923.
- *Pierre Boucher*, Québec, Ls A. Proulx, Imprimeur du Roi, 1927.
- *La Société des Nations dans la tradition française et la pensée catholique*, Montréal, Librairie d'Action canadienne-française (LACF), 1929.
- *Les Heures littéraires*, Montréal, LACF, 1929.
- *En feuilletant nos écrivains*, Montréal, LACF, 1931.
- *Sur les pas de nos littérateurs*, Montréal, Éd. Albert Lévesque, 1933.
- *Les Lettres canadiennes d'autrefois*, 9 tomes, Ottawa / Hull, EUO / les Éd. «l'Éclair», 1939-1958.
- *À la conquête du haut savoir*, Ottawa, EUO, 1945.
- *Tradition du Québec*, Montréal, Éd. Lumen, 1946. En collaboration avec Watson Kirkconnell.
- *Origines littéraires du Canada français*, Ottawa / Hull, EUO / les Éd. «l'Éclair», 1951.
- *Beaux textes des lettres françaises et canadiennes-françaises*, Hull, les Éd. «l'Éclair», 1958.
- *Innovations dans l'enseignement de la langue seconde au Canada*, Ottawa, Conférence canadienne sur l'éducation, 1962.
- *Hauts faits du Canada français, relevés et commentés par des anglophones*, Ottawa, EUO, 1972.

–   De nombreux articles et entrevues dans différents journaux et revues (*Le Travailleur, Le Droit, Revue de l'Université d'Ottawa, Les Cahiers des Dix, Culture, Rapport de la Société canadienne d'histoire de l'Église, Canadian Historical Review*, etc.).

Avril 1984 : La Société Saint-Jean-Baptiste de Montréal annonce la création d'un prix à la mémoire de Séraphin Marion. Ce nouveau prix de la S.S.J.B. de Montréal sera décerné annuellement à une personnalité francophone hors Québec pour souligner son militantisme à la cause française. Il comportera la remise de la médaille *Bene Merenti* et une bourse de 1 500 $.

(*Lettres québécoises*, n° 34, été 1984, p. 103-106.)

Notes

1   Yolande Grisé, «En causant avec Séraphin Marion, gentilhomme et hommes de lettres», *Lettres québécoises*, n° 30, été 1983, p. 40.
2   Roger Le Moine, «Un Franco-Ontarien se raconte», *Bulletin du Centre de recherche en civilisation canadienne-française*, n° 21, décembre 1981, p. 22-23.
3   *Les Cahiers des Dix*, n° 43, La Société des Dix / Les Éditions La Liberté, 1984.
4   Séraphin Marion, «Un Franco-Ontarien se raconte», *Bulletin du Centre de recherche en civilisation canadienne-française*, n° 21, décembre 1981, p. 23.
5   Paul Wyczynski, «Un hommage... Séraphin Marion – écrivain», *Le Droit*, 24 décembre 1983, p. 34.
6   Séraphin Marion, *op. cit.*, p. 27.
7   Séraphin Marion, *Les Lettres canadiennes d'autrefois*, tome 1, Ottawa / Hull, EUO / les Éd. de «l'Éclair», 1939.
8   *Ibid.*, p. 28.
9   Dans l'Avant-propos de ce tome III de la série (p. 11), la fondation du *Canadien* est attribuée à Michel Bibaud : il s'agit sans doute d'un lapsus de la part de l'auteur, Michel Bibaud ayant fondé de nombreux périodiques. Parmi les fondateurs-rédacteurs du *Canadien*, on compte Pierre-Stanislas Bédard et François Blanchet, mais aussi Joseph LeVasseur Borgia, Jean-Antoine Panet, Joseph-Bernard Planté, Jean-Thomas Taschereau.
10 Roger Le Moine, *op. cit.*, p. 22.
11 Séraphin Marion, *Les Lettres canadiennes d'autrefois*, tome VIII, 1954, p. 12.

31

UNE LITTÉRATURE QUI A DU CRAN!

Texte d'un exposé livré à Québec le 17 juillet 1984 dans le cadre de l'Atelier n° 315 consacré au thème du «Dialogue des cultures et de la formation de la personne» lors du 6ᵉ Congrès mondial de la Fédération internationale des professeurs de français, «Vivre le français». La réalisation d'une première anthologie de textes littéraires ontarois, en quatre volumes, destinée aux écoles de langue française de l'Ontario intéressa les milieux de l'éducation et de la culture tant à l'intérieur qu'à l'extérieur de la province. Nombre de causeries, conférences, tables rondes, entrevues et rencontres firent connaître les ouvrages auprès de publics variés.

Il importe de présenter ici le fruit d'une expérience collective menée en Ontario français, à savoir la création, la publication et la diffusion dans le réseau scolaire francophone de cette province canadienne, d'une première anthologie de textes littéraires ontarois. L'ouvrage est composé de quatre volumes, distincts les uns des autres par leur présentation, leur structure, leur propos et leur titre : I) *Parli, parlo, parlons!*; II) *Les Yeux en fête*; III) *Des mots pour se connaître*; IV) *Pour se faire un nom*. Toutefois, ceux-ci ont été conçus dans une suite continue qui s'adresse, particulièrement, aux élèves et aux enseignants de la première année du cours élémentaire à la treizième année du cours secondaire ainsi qu'au niveaux collégial et universitaire, et au grand public.

Cette réalisation littéraire et pédagogique est l'expression de la volonté d'affirmation culturelle, sociale et politique qui habite la minorité francophone de l'Ontario, doublement minoritaire dans son propre pays face à la majorité anglophone de ses concitoyens ontariens et à la majorité francophone de ses compatriotes du Québec. Un tel sujet m'apparaît s'inscrire dans la perspective du «Dialogue interculturel et interpersonnel» mis de l'avant à ce 6ᵉ Congrès de la Fédération internationale des professeurs de français, dont le titre «Vivre en français» interpelle si vivement toutes les énergies de la francophonie.

En Ontario, province la plus peuplée du Canada avec plus de huit millions d'habitants et l'une des plus fortes sur le plan économique au pays et voisine immédiate du Québec sur le front Ouest, on dénombre 475 605 citoyens[1] de langue maternelle française, mais seulement 332 945 d'entre eux parlent le français (à la maison), soit 5,5 % de la population provinciale; et environ 58 115 francophones de l'Ontario sont unilingues français. Au surplus, sur un territoire qui couvre pas moins de 1 068 464 km, la population francophone de l'Ontario est disséminée en plus de vingt points différents, situés principalement dans la pointe orientale de la province et dans ce qu'il est convenu d'appeler le Moyen-Nord; mais il se trouve aussi des francophones établis dans le Sud-Ouest, le Nord-Ouest et le Centre, surtout à Toronto, qui compterait près de 100 000 citadins d'origine ethnique française.

Les êtres et leur littérature étant étroitement liés, un bref aperçu du développement de la souche française en Ontario fera mieux saisir le contexte dans lequel s'insère la parution d'une première anthologie ontaroise dans ce milieu.

Jusqu'à la cession du Canada par la France à l'Angleterre en 1760, l'Ontario faisait partie intégrante de cette Nouvelle-France dont on célèbre cette année le 450e anniversaire de la découverte par le Français Jacques Cartier. Après 1760, l'Ontario est inclus dans la colonie du Québec. Au lendemain de la guerre de l'Indépendance américaine, l'arrivée de milliers de loyalistes dans le sud-ouest de l'Ontario change brusquement l'image française de cette région où se trouve implantée une première colonie française. Cependant, vers 1828, une deuxième colonie francophone, composée de familles de «voyageurs»[2], se développe du côté du Nord-Ouest, plus précisément dans la région de Penetanguishene, sur les rives de la baie Georgienne. À la même époque, une entreprise militaire (la construction du canal Rideau reliant le lac Ontario à la rivière des Outaouais) et l'exploitation de la nouvelle industrie du bois de coupe dans les chantiers de l'Outaouais voient naître, dans l'Est de l'Ontario, le village de Bytown (Ottawa, la future capitale nationale du Canada) à l'essor duquel sont intimement mêlés les francophones du temps.

Vers 1850, une première vague de Canadiens français du Québec, chassés par la misère ou poussés par l'idéologie conservatrice et colonisatrice du clergé catholique, émigre en Ontario, surtout dans l'Est, qui commence à s'affirmer comme le «château fort» des francophones de l'Ontario. Dans le Moyen-Nord et le Nord-Ouest, par ailleurs, l'industrialisation de la province ontarienne attire de plus en plus d'immigrants, parmi lesquels nombre de Canadiens français.

C'est ainsi qu'au début du XXe siècle, le tiers de la population francophone du Canada habite l'Ontario! Mais des circonstances diverses viennent bientôt enrayer cette «conquête silencieuse». Entre autres, l'influence au Canada anglais de la montée en Europe de l'idéologie du darwinisme social, qui justifie en quelque sorte sur le plan intellectuel le colonialisme, l'impérialisme et le racisme, et une politique canadienne tirée sans cesse à hue et à dia entre l'autorité du gouvernement central et les intérêts des Provinces. L'opposition au français en Ontario se manifeste de plus en plus ouvertement. En 1912, le conflit entre les Ontariens francophones et anglophones se polarise autour du fameux Règlement 17 qui supprime ni plus ni moins l'enseignement en français dans la province. Mais, avec la résistance continue des Canadiens français de l'Ontario et l'appui indéfectible des Canadiens français du Québec, la crise se résorbe : en 1927, le Règlement est abrogé; il ne disparaîtra des statuts provinciaux qu'en 1944.

Depuis cette lutte acharnée pour faire respecter ses droits, l'Ontario français a du mal à panser la blessure profonde qui lui a coûté, pendant longtemps, le meilleur de ses énergies et dont elle reste marquée aujourd'hui. Et ce, en dépit de la résorption de l'opposition directe au fait français en Ontario et, depuis le début des années 60, de l'aide apportée à la cause française par les différents paliers de gouvernement. Toutefois, portée sans doute par le vent libérateur puis contestataire qui souffle sur l'Occident industrialisé à la fin des années 60, une sorte de «tranquille révolution culturelle» se manifeste parmi un groupe de jeunes artistes et étudiants du Moyen-Nord ontarien, notamment à Sudbury, en rupture de ban avec la société traditionnelle et institutionnalisée et avec les vieilles valeurs stériles. D'autre part, vers le milieu des années 70, l'arrivée au pouvoir du parti nationaliste des Québécois francophones au Québec suscite chez les francophones de l'Ontario des remous qui ne sont sans doute pas étrangers au second souffle que connaissent alors les aspirations culturelles de l'Ontario français. Par exemple, une nouvelle conscience de soi émerge chez la jeunesse engagée de l'Est ontarien, en même temps que s'impose la nécessité pour elle de s'identifier à une image nouvelle correspondant mieux au vécu des années qui s'annoncent. Des groupes se forment autour d'intérêts vitaux dans les grands secteurs de la vie collective, qui tentent de cerner et d'affirmer au grand jour les besoins et les caractères distincts d'une collectivité francophone dispersée et diversifiée et dont les intérêts sont souvent divergents. Dans la foulée de cette volonté de changement, apparaît alors le nouveau vocable Ontarois pour désigner les francophones originaires (ou non) de l'Ontario et remplacer ainsi les noms de Canadien français de l'Ontario et de Franco-Ontarien, utilisés à ce jour.

C'est dans ce contexte de prise de conscience collective, mais pas nécessairement unanime, d'une identité culturelle originale et plurielle que s'élabore, à la fin des années 70, le projet d'inventorier le patrimoine littéraire des francophones de l'Ontario, afin de réaliser une première anthologie de textes littéraires franco-ontariens (ou ontarois), destinée à l'usage des élèves francophones de la province et apte à instruire une jeunesse en quête de son identité, identité toujours menacée de l'extérieur, souvent méprisée de l'intérieur ou, pire encore, ignorée du grand nombre.

Lancée par l'AEFO en 1978, l'idée de réaliser cet ouvrage est confiée au CFORP, organisme sans but lucratif au service des conseils scolaires et des enseignants de l'Ontario français dans la préparation et la diffusion d'un matériel didactique approprié aux besoins des éducateurs franco-ontariens. Fondé en 1974 et dirigé depuis par Gisèle Lalonde, le CFORP recrute en 1979 une responsable pour concevoir et exécuter le projet, en la personne d'un professeur de littérature, engagé depuis deux ans dans l'implantation et le développement de la littérature franco-ontarienne au Département des lettres françaises de l'Université d'Ottawa. Une subvention gouvernementale du ministère de l'Éducation de l'Ontario et une période de douze mois (en fait, il y aura une prolongation de six mois) sont allouées à la réalisation du projet.

Au départ, trois problèmes majeurs guettent l'exécution de cette entreprise orientée vers la découverte de soi et des autres par la littérature : 1) qu'est-ce qu'on entend par «littérature franco-ontarienne»? 2) existe-t-il suffisamment de textes littéraires franco-ontariens pour créer tout un recueil et, parmi ces textes, des textes valables qui puissent faire partie d'une anthologie? 3) à quels élèves va s'adresser une anthologie qu'on veut «à l'usage des écoles de l'Ontario français»?

Au fur et à mesure que se déroule la recherche et que s'établit un corpus de textes de création littéraire (la littérature de combat ou d'action et la littérature d'idées ne sont pas retenues) à partir de sources diverses (ouvrages, revues, journaux, archives, voire documents inédits), des voies de solution se dessinent :

1) Comme il s'agit d'une première anthologie, on préfère donner à l'expression «littérature franco-ontarienne (ou ontaroise)» une définition extensive. Sont donc considérées comme relevant du domaine littéraire franco-ontarien des œuvres de trois catégories : a) des textes dont les auteurs sont nés en Ontario; b) des textes dont les auteurs ont vécu ou vivent en Ontario et dont la création littéraire est liée de quelque manière à leur vie en Ontario; c) des textes qui traduisent quelque aspect de la réalité franco-ontarienne, de quelque auteur qu'ils soient, même si celui-ci n'est pas né ou encore n'a pas vécu ou ne vit pas en Ontario. Bien sûr, tout cela se conjuguant au masculin et au féminin.

2) Devant l'abondance de la cueillette, la variété du matériel répertorié, l'étendue des époques et des régions prospectées et la collaboration empressée de jeunes auteurs non encore publiés, l'idée d'innover en créant un ouvrage qui se rattache certes à l'anthologie, mais qui la dépasse en plus d'un point, s'impose peu à peu. C'est ainsi qu'au lieu d'astreindre le choix des textes à un tri axé sur la notion reçue d'anthologie – entendue au sens strict de morceaux choisis en fonction de qualités toutes classiques, qui ne correspondent plus nécessairement à la sensibilité et à l'esthétique modernes – la sélection est orientée délibérément vers une conception ouverte de la littérature, à l'exemple même de la réalité à laquelle les textes retenus renvoient, et selon des critères plus actuels de qualité littéraire et pédagogique. En d'autres mots, il est apparu indispensable, si on voulait rejoindre la jeunesse ontaroise de 1980, que cette première anthologie de textes littéraires tirés de son milieu emprunte une allure plurielle. C'est dans cet esprit qu'est conçu ce volumineux recueil en quatre volets, à vocation pédagogique, qui se

présente comme une œuvre collective à la fois démocratique, documentaire et engagée.

A) *Démocratique*

L'ouvrage réunit, en effet, des extraits et des textes complets, de longueur inégale, signés de plumes reconnues, connues, méconnues, inconnues ou inédites même; des textes écrits ou exprimés par des auteurs de tout âge : enfants, adolescents, adultes, seuls ou avec d'autres; des morceaux appartenant aux genres littéraires les plus nobles comme les plus populaires (de la poésie traditionnelle à la bande dessinée) et tirés du passé, du présent ou du jour qui monte. Il rassemble aussi des textes inscrits à des enseignes idéologiques différentes et représente, en outre, de nombreuses localités de l'Ontario français tant par les auteurs qui le composent que par les sujets que ces derniers y abordent.

B) *Documentaire*

L'ouvrage informe le lecteur sur les paysages qu'il décrit, les «petites patries» francophones de l'Ontario qu'il visite; les milieux sociaux qu'il explore; les tranches de vie qu'il raconte; les mots qu'il aligne; les images particulières qu'il étale; les rythmes qu'il enregistre; les rêves qu'il dévoile; les peurs qu'il livre au grand jour; l'inconscient qu'il traque. Plusieurs documents iconographiques illustrent ces franches réalités; dans certains cas, et sur les quatre couvertures, des tableaux d'artistes ontarois contemporains éclaboussent de formes vives et de couleurs lumineuses ou ombrées l'imaginaire de l'Ontario français. On trouve également consignés dans ces quatre recueils un certain nombre d'extraits qui accordent une importance évidente à la langue parlée, à la langue populaire. C'est que la tradition orale a joué un rôle primordial dans la transmission de l'héritage culturel des Ontarois, héritage culturel tiré à même la vie (et non l'école) d'un peuple peu nombreux, livré à lui-même, échelonné sur d'impossibles distances, dans un environnement étranger à sa langue, à sa foi et à ses habitudes, et rivé principalement à des occupations de survie : travaux de la terre, des chantiers, des chemins de fer, des mines ou des usines. Ce phénomène ne peut être tu. Chez les nouvelles générations scolarisées, il se répercute, en outre, sur une poussée plus vive de créativité en des champs littéraires où prédominent la parole, voire le spectacle, soit la poésie, la chanson, le théâtre et le récit verbal.

C) *Engagé*

Comme les quatre saisons dans la vie d'un peuple, les quatre tomes de cette première anthologie tentent de circonscrire l'identité originale des francophones de l'Ontario, sans la définir restrictivement pour autant, au moyen de textes où s'exprime une farouche détermination de VIVRE. À cet égard, cet ouvrage constitue une importante prise de parole collective dans l'affirmation de la réalité ontaroise d'aujourd'hui, en même temps qu'il pose un geste indispensable en vue de la réappropriation par les Ontarois de leur patrimoine littéraire. Témoin de l'éveil culturel qui l'exprime et qu'il exprime, il reflète une dimension fondamentale de leur identité, qu'on ne saurait plus nier. Par la lecture et les lectures qu'elle lui propose, cette première recension de textes cherche à amener la jeunesse francophone de l'Ontario à la découverte et à l'estime de soi, puis à la prise en main de son destin afin de sortir du cul-de-sac où risquent de la confiner la vieille tare minoritaire et l'arrogance des deux puissantes majorités dont elle participe, mais qui s'obstinent à l'ignorer ou à la rejeter.

3) Dans le but d'éveiller et d'alimenter un intérêt continu pour le fait littéraire chez les jeunes francophones de l'Ontario, l'anthologie s'adresse de façon progressive à différents groupes d'âges, établis en fonction des quatre cycles du système scolaire franco-ontarien, à savoir : le cycle primaire, de la 1re à la 3e année; le cycle moyen, de la 4e à la 6e année; le cycle intermédiaire, de la 7e à la 10e année; le cycle supérieur, de la 11e à la 13e année. En conséquence, chacun des quatre tomes comporte une présentation particulière adaptée au groupe auquel il est destiné. Ainsi, le tome I, *Parli, parlo, parlons!*, tend à privilégier l'apprentissage de la parole chez le jeune élève, en exposant sous ses yeux de courts textes faciles à lire ou à découvrir avec l'aide d'un éducateur, enseignant ou parent. Ce sont de petits poèmes, des comptines, des chansons ou de brefs contes, tous joliment illustrés en couleur et accompagnés d'un petit lexique des mots difficiles. Le tome II indique par son titre *Les Yeux en fête* que l'accent est mis ici, au contraire, sur la découverte du plaisir de la lecture, chez les élèves de 9 à 11 ans. Aussi ceux-ci y trouvent-ils de belles narrations de contes, de légendes, d'histoires ou d'anecdotes, entrecoupées de petites pièces poétiques descriptives. Le mer-

veilleux s'exprime dans les images qui illustrent les textes de prose, et la fantaisie s'étale dans la bande dessinée qui occupe le centre du volume. Le tome III est destiné à l'âge dit «ingrat», à l'adolescence inquiète des élèves de 12 à 15 ans : *Des mots pour se connaître*. Une ordonnance thématique des textes en treize sections invite ces jeunes lecteurs à découvrir en même temps que leur être particulier et personnel leur identité collective en tant que francophones de l'Ontario. Chacune des sections s'inscrit dans le prolongement du titre, par la forme verbale qui l'intitule : Des mots pour se connaître, pour... 1) s'empayser, 2) durer, 3) changer, 4) voyager, 5) s'affirmer, 6) chanter et danser, 7) grandir, 8) souffrir, 9) aimer, 10) sourire, 11) se souvenir, 12) prier et... 13) raconter. Un certain nombre de textes littéraires de tout genre compose les sections. Des notes explicatives et un petit dictionnaire des auteurs complètent les textes. Outre des photographies en noir et blanc qui ornent quelques extraits, on trouve au centre du volume des reproductions de tableaux d'artistes ontarois, qui initient les jeunes à la connaissance et à l'appréciation de la création artistique de leur milieu.

Par sa facture plus classique dans la présentation chronologique des textes relevés depuis l'arrivée d'Étienne Brûlé et de Champlain en Ontario jusqu'à nos jours (1975), le tome IV vise les étudiants des niveaux secondaire avancé, collégial et universitaire, voire le grand public. Le recueil *Pour se faire un nom* cherche, en effet, à montrer l'existence d'une littérature ontaroise autonome et, du même coup, à en exposer l'originalité et à en revendiquer la qualité. Chaque extrait répertorié est précédé d'une brève notice biographique de l'auteur et d'une courte mise en situation du texte. Les notes et les références sont plus abondantes que dans les tomes précédents. On remarque aussi la présence de documents photographiques et artistiques appropriés. Une carte géographique de l'Ontario oriente les lecteurs dans leur découverte des lieux et des gens.

Afin de permettre aux enseignants de tirer profit de ces volumes de littérature dans leur classe de français, le CFORP a développé pour chaque tome un document pédagogique particulier qui exploite avec soin et imagination chacun des textes choisis. C'est là un outil précieux au service de l'enseignement francophone en Ontario. Les documents pédagogiques (*Guides du maître*) et les quatre tomes de l'anthologie de textes littéraires de l'Ontario français sont disponibles au CFORP même. Parus en février 1982, les quatre volumes de l'anthologie et les guides qui les accompagnent circulent dans les écoles francophones et bilingues depuis plus d'un an maintenant. L'expérience est en cours et rien jusqu'à présent n'indique qu'elle ne puisse porter fruit dans l'épanouissement d'un puissant sentiment d'appartenance à la collectivité ontaroise chez les jeunes francophones qui parcourront ces volumes pendant leurs années scolaires, de même que dans l'inspiration d'œuvres littéraires nouvelles chez les jeunes talents littéraires du milieu.

En conclusion, il faudrait ajouter que, pour tout francophone curieux d'enrichir sa vision de la francophonie mondiale, l'anthologie de textes littéraires de l'Ontario français constitue un instrument unique. En parcourant les 252 textes que rassemblent ces 885 pages et qu'explicitent quatre *Guides du maître*, le lecteur et l'enseignant de la communauté francophone mondiale, qu'ils se trouvent en situation minoritaire ou non, découvriront chez les Ontarois du Canada : des partenaires de taille dans la lutte contre l'oppression culturelle et linguistique d'une parole libre; des complices innés dans l'usage d'une parole vivante – ici, une langue française incarnée dans un présent en pleine mutation – ; des compagnons de route fidèles dans la patiente édification d'une littérature qui a par les temps qui courent – c'est bien le moins qu'on puisse dire – du cran!

(Un extrait de l'exposé avait paru sous le titre «Une anthologie pas comme les autres», *La Fournée. Bulletin semestriel d'information*, Montréal, Fides, printemps 1982, p. 3.)

Notes

1   Recensement de 1981.
2   Terme qui désignait les employés des compagnies pelletières, qui s'engageaient à conduire les canots transportant les vivres, les fourrures et les marchandises d'échange, dans la traite des fourrures, au XIXe siècle.

32

VOYAGE AU CŒUR DE LA PAROLE NOUÉE

Recension du recueil de poèmes de Jean Marc Dalpé, *Et d'ailleurs*, Sudbury, Prise de parole, 1984, 78 p.

Et d'ailleurs est le titre du plus récent recueil de poésie que Jean Marc Dalpé a fait paraître, le printemps dernier, aux éditions Prise de parole de Sudbury. La première de couverture – c'est le moins qu'on puisse dire – ne passe pas inaperçue.

Énigmatique, peut-être, à première vue pour ceux qui ne connaissent pas les textes du poète ontarois, l'intitulé coordonne, en fait, le nouveau recueil et le précédent, *Gens d'ici* (1981), pour former avec le premier de la série, *Les Murs de nos villages* (1980), une trilogie. Pour être logique, cette suite poétique qu'est *Et d'ailleurs* n'en exprime pas moins les frémissements inévitables d'une mutation attendue – celle de l'homme Dalpé – et la mue (toujours ingrate) d'une voix – celle d'un poète qui a déclaré «ne plus jamais se taire»[1].

Il est difficile, en effet, de détacher ce troisième recueil des deux autres, qui viennent éclairer l'allure «primitive» (aspect le plus significatif, à mon avis, de cette écriture) d'une poésie et d'un ton en gestation. Car, jusqu'à présent, Jean Marc Dalpé a livré une expression poétique où domine un parcours dont le déroulement prend le pas, si l'on peut dire, sur l'exprimé, encore informulé ou vaguement balbutié. Avec ce troisième volet de son œuvre, il semble bien que Dalpé a franchi une étape importante, pour lui, sur cette espèce de voie initiatique où la poésie a entraîné l'homme de théâtre depuis bientôt cinq ans.

Dans ce sens, *Les Murs de nos villages*, c'était l'affranchissement de l'enfance, du cadre familier qui délimitait, protégeait et nourrissait l'homme du terroir qu'est Dalpé, comme le prolongement naturel et bienfaisant du giron maternel. Puis, vint le temps de la reconnaissance de la tribu inscrite dans la durée, du groupe auquel le poète appartient : les Franco-Ontariens. *Gens d'ici*, c'était l'émancipation du ghetto de l'histoire : l'autrefois des aïeux, l'hier des défricheurs et des bûcherons, l'aujourd'hui des travailleurs exploités dans les scieries, les usines, les mines, «nigger-frogs» d'ici. Une histoire à tout faire, comme ces femmes et ces hommes défaits par l'existence et refaits par la survivance.

Pour assumer pleinement sa vie, faire souche et porter fruit, il faut que la branche se détache du tronc : paradoxe de la liberté et tragique condition humaine. Aussi, arrive dans l'œuvre du poète le moment du départ, de l'aventure, de l'ouverture au monde. *Et d'ailleurs*, c'est l'arrachement au quotidien, au groupe familial, à la femme aimée. C'est le poème du Voyage. Un voyage, d'abord, vers le Même, bien qu'autre, dans le Nord d'ici, dans une ville d'ici : Sudbury-roc(k) – il faut lire la supplique à Clint Eastwood, assez réussie dans le genre. Puis, un voyage vers l'Autre, bien que semblable, dans une grande ville, la grande ville d'Amérique : New York. Enfin, un voyage à l'étranger, à Paris, où, très vite, le poète découvre que l'étranger, c'est lui. Et c'est la tournée ontaroise dans le tréfonds de l'Occident moderne : New York et Paris.

Mais si le voyage demeure une découverte, il se transforme rarement en dévoilement. Il reste plus en deçà qu'il ne se risque au-delà des apparences, qu'il n'ose transgresser. Cela tourne vite à la visite guidée dans les clichés rabâchés (avec talent, très certainement) d'une Amérique noire de jazz, striée de néons, intoxiquée de drogues et de violence ou du Paris-baguette, Paris-braguette, du Paris-putain, Paris-madone (rue St-Denis, église Notre-Dame), etc. Flamboyant, certes, mais peu convaincant. Ici, sauf quelques exceptions, point de voyage intérieur, point de descente dans le lieu intime de l'homme où couve la solitude. Le cœur reste noué, comme il est dit dans le texte, et la parole paralysée par le bruit hétéroclite des voix étrangères qui la brouillent.

En conclusion : *Et d'ailleurs*, c'est le dire en pleine mutation d'un poète qui devrait bientôt faire entendre sa propre voix.

(*Liaison*, n° 32, automne 1984, p. 42.)

Note

1   *Gens d'ici*, Sudbury, Prise de parole, 1981, p. 94. Avec des dessins de François-X. Chamberland.

33

VIVRE AU FÉMININ FRANÇAIS EN ONTARIO

En juillet 1985 avait lieu à Nairobi (Kenya) la Conférence mondiale des Nations Unies sur les femmes qui marquait la fin de la Décennie pour la femme proclamée par les Nations Unies en 1975. Ce dixième anniversaire de l'Année internationale de la femme devint le prétexte, à l'automne 1985, du premier grand rassemblement des femmes francophones en Ontario : le Symposium pour la femme francophone, parrainé par le Conseil des affaires franco-ontariennes et organisé par sa présidente sortante, Gisèle Lalonde, en collaboration avec le Comité organisateur de la rencontre des femmes ontariennes et la Direction générale de la condition féminine de l'Ontario. Des organismes gouvernementaux et communautaires participèrent activement à l'événement : le Conseil ontarien du statut de la femme, le ministère des Affaires civiques et culturelles de l'Ontario, le ministère de l'Éducation, l'Office des affaires francophones, l'Union culturelle des Franco-Ontariennes, la Fédération des femmes canadiennes-françaises, l'Association des fermières de l'Ontario, le CFORP, la Fédération des aînés francophones de l'Ontario et Direction-Jeunesse. La rencontre réunit 500 déléguées au Centre des congrès Harbour Castle Hilton de Toronto les 25 et 26 octobre en présence d'invités de marque : Bernard Grandmaître, ministre délégué aux Affaires francophones et ministre des Affaires municipales, Huguette Labelle, secrétaire associée du Cabinet et sous-greffière du Conseil privé (Gouvernement du Canada), et Lily Munro, ministre des Affaires civiques et culturelles de l'Ontario. La conférence d'ouverture de ces assises placées sous le thème «J'ai fait du chemin... Maintenant, je pense à demain» fut prononcée par Simone Veil, députée à l'Assemblée nationale et représentante de la France au Parlement européen, dont elle avait assumé la présidence de 1979 à 1982. L'allocation de clôture de ce ralliement historique des Ontaroises fut confiée à la directrice du CRCCF, dont le texte suit.

L e jour où Gisèle Lalonde, alors présidente du CAFO, m'a téléphoné pour me proposer de prendre la parole au premier Symposium pour la femme francophone en Ontario, j'ai compris qu'il se passait des choses pas ordinaires sous notre ciel ontarien. On sent passer l'histoire dans ce «château du Port» (Harbour Castle) et elle nous frôle de très près. Un événement pareil montre que le mouvement des femmes, du moins en Occident, est un courant irréversible comme une sorte de Renaissance en voie de germination dans la pourriture latente des vieux systèmes.

J'ai pourtant hésité avant d'accepter cette magnifique invitation. J'ai hésité non parce que je n'avais pas envie de participer à ce grand rassemblement historique de femmes qui parlent et se parlent de leur condition de femme en français dans une province unilingue anglophone et dans une ville où, en dépit de l'existence de près de 100 000 francophones, on a publié un livre intitulé *The Invisible French*[1]. Bien au contraire. En cette année 1985 qui marque le terme de la fameuse Décennie pour la femme décrétée à l'occasion de l'Année internationale de la femme en 1975, je trouvais on ne peut plus approprié de célébrer, à notre façon, dix ans d'efforts soutenus – et pas toujours récompensés – pour améliorer la condition des femmes sur la planète et, du même coup, pour relever la dignité humaine dans son ensemble.

Notre symposium vient donc s'inscrire tout à fait à propos dans le sillage, combien bouillonnant, de la Conférence mondiale des Nations Unies sur la femme qui s'est tenue à Nairobi (Kenya) du 15 au 26 juillet 1985. On doit savoir gré aux organisatrices de cette rencontre-ci de permettre aux Ontaroises de participer, à leur tour et à leur manière, à la réflexion collective du plus grand mouvement de notre époque qui aura tenté d'infléchir le cours des choses sur cette terre : le mouvement des femmes! De retour dans nos régions et milieux respectifs, chacune d'entre nous devrait faire sa part et communiquer à son entourage, à ses connaissances, à ses amies, à sa parenté, à sa famille un compte rendu détaillé de ces retrouvailles exceptionnelles afin que toutes puissent partager l'espoir qu'un tel événement soulève pour notre monde désenchanté. Ainsi, à l'Université d'Ottawa, dans le cadre de la Semaine franco-ontarienne qui se déroulera du 4 au 10 novembre 1985, une table ronde est prévue sur le thème «Retour sur le Symposium pour la femme franco-ontarienne»

Alors, me direz-vous, devant une occasion aussi belle pourquoi avoir hésité? J'ai hésité un moment avant de répondre affirmativement à Madame Lalonde parce que, prise ainsi au dépourvu, je me suis demandé si la voix d'une professeure – d'une universitaire par-dessus le marché – n'allait pas brouiller la spontanéité des ondes de cette première grande communication de femmes. Le point de mire que donne cette tribune ne devait-il pas être laissé à toutes celles qui auraient quitté leurs activités pour venir des quatre coins de la province échanger entre elles, parler de leurs problèmes, de leurs projets, de leurs attentes, de leurs angoisses, de leur découragement peut-être, de leur espoir aussi?

En outre, le thème de la rencontre me semblait vaste comme la vie des femmes. Je me demandais comment l'aborder d'une façon honnête, intelligente, originale, passionnante, qui pourrait faire oublier le dessert[2]! Qu'est-ce que les femmes francophones de l'Ontario pouvaient bien attendre de cette causerie? Qu'on y parle des femmes, en général, et de ce qui les caractérise en particulier? Qu'on décrive les femmes francophones en milieu minoritaire et les oppose aux femmes anglophones de la majorité? Ou encore qu'on compare les Ontaroises à leurs compatriotes québécoises? Ou même, enfin, qu'on relie toutes ces questions en une énorme ratatouille ou une copieuse macédoine, comme on préfère, qu'on aurait du mal à avaler en vingt minutes? Et puis je me suis demandé aussi quelles paroles magiques sauraient redonner confiance aux femmes par ces temps de morosité déprimante. Quelle formule merveilleuse aurait le pouvoir de faire en sorte que chacune reparte vers l'autre moitié du monde les yeux plus ouverts, le regard plus lucide, tournée vers une image moins terne. Comment arriver à opérer le petit déclic de la complicité, à stimuler les zones d'intérêt, à inspirer les gestes à poser chez toutes celles qui retourneraient ce soir ou demain auprès de leurs enfants, de leur mari, de leurs amours déçues, de leurs révoltes, de leurs petites lâchetés, de leurs ambitions, de leurs renoncements, de leur prochaine grossesse mal venue, de leur divorce éminent, de leur travail mal payé, de leur ménopause précoce, de leur cancer latent, de leur solitude à deux, de leurs jours comptés, de leur héroïsme quotidien, de leurs joies imprévues, de leur générosité étonnante, de leur destin anonyme...

Oui, tandis que j'étais pendue au fil du téléphone, dans ce petit moment d'hésitation, ma pensée EN A FAIT DU CHEMIN, comme chacune de nous dans sa journée d'hier, dans sa vie de tous les jours, depuis l'arrivée des premières pionnières dans l'Ontario d'autrefois.

Et c'est en pensant à l'avenir que j'ai accepté de prendre la parole. Dresser le bilan de la vie des femmes qui nous ont précédées serait une longue histoire, et cela risquerait de nous retenir à table assez longtemps! À ce sujet, on aura sans doute remarqué l'exposition de photos montée par l'actuelle responsable des archives auprès du CRCCF, Lucie Pagé, qui montre en quelques images éloquentes différents aspects de la vie des Canadiennes françaises de l'Ontario d'une époque pas si lointaine. Oui, les femmes d'ici ont fait du chemin; n'ont-elles pas, ici comme ailleurs, OUVERT LE CHEMIN? Il serait temps qu'on entreprenne des recherches tangibles sur tout ce chemin parcouru et qu'à l'exemple du travail réalisé sur l'histoire des femmes au Québec, un collectif de femmes ontaroises prépare un ouvrage solidement documenté (et illustré) sur les réalisations de toutes sortes accomplies par ces générations de femmes méconnues qui ont assuré, par leurs corps et leurs rêves, la survie de l'Ontario français. Le CRCCF espère avec impatience accueillir des projets de femmes, que le gouvernement de l'Ontario et le gouvernement fédéral pourraient financer...

Alors, parlons-en de cet avenir qui nous concerne toutes directement. Voici donc brièvement présentées deux ou trois choses qui me préoccupent en tant que femme francophone vivant en Ontario en 1985 quand JE PENSE À DEMAIN : à demain matin, à demain après-midi et à demain soir, c'est-à-dire à l'avenir à court terme, à moyen terme et à long terme.

Et si vous me le permettez, je commencerai par la fin, non seulement pour introduire un peu de fantaisie à une époque qui en manque terriblement, mais parce qu'il m'apparaît utile d'avoir une certaine vision du long terme au moment de poser des gestes à court terme. Et l'utilité majeure de procéder de cette façon, c'est de recréer la confiance, en écartant les fausses questions qui ne mènent nulle part, sauf au découragement, à la démission ou à l'indifférence. Alors posons-la, cette angoissante question de la survie de la collectivité franco-ontarienne ou ontaroise au XXIe siècle. En tant que directrice du CRCCF qui accorde une importance particulière aux études ontaroises, le sort de la collectivité tout entière de l'Ontario français me préoccupe assurément, surtout au moment où la culture canadienne-française que nous partageons avec le Québec et les autres communautés de l'Est et de l'Ouest canadiens, à l'instar de la civilisation occidentale contemporaine, d'ailleurs, est en pleine crise. Cependant, j'ajoute aussitôt qu'à ce terme de crise, je préfère substituer celui de mutation, qui me paraît mieux correspondre à la réalité qui est nôtre. En effet, en vertu même de sa définition, la crise n'exprime-t-elle pas une phase critique, une période donc plus ou moins prolongée, selon le cas, critique, il est vrai – d'autant plus critique que la crise est profonde –, mais tout de même une période passagère de la transformation vitale que connaissent un groupement humain, une société, une civilisation entière au même titre que chaque être vivant, puisque le changement comme le mouvement est la propriété de la VIE?

Notre civilisation est donc en pleine mutation, et ça fait mal... Dans ce contexte, la survie de l'Ontario français est-elle assurée? Allons-nous disparaître un jour? Paul Valéry a dit ceci : «Désormais, nous savons, nous, civilisations, que nous sommes mortelles.» Des sociétés, des civilisations et des empires beaucoup plus nombreux, beaucoup plus structurés, beaucoup mieux protégés que la collectivité franco-ontarienne ont disparu dans le cours de l'histoire humaine. Par exemple, la vieille civilisation chinoise, la civilisation égyptienne, l'Empire romain, l'Empire britannique, pour ne nommer que ces cas. Un jour, si cela peut nous consoler, notre puissant voisin, l'Empire américain, ou son rival, le géant soviétique, subiront le même sort.

Mais cette disparition n'est jamais totale, c'est la nécessaire transformation de la vie. Et c'est précisément parce que nous sommes promis, nous aussi, à cette transformation que surgissent la nécessité et l'urgence de nous affirmer authentiquement, de faire entendre notre voix particulière, de donner la pleine mesure de notre chant, d'exprimer l'originalité de notre expérience humaine dans l'histoire du monde, de réaliser ce qui vit en nous DE MEILLEUR pour la suite de ce monde. Et, nous les femmes, à qui le pouvoir sacré de la création a été confié, nous devrions comprendre cela mieux que quiconque et lutter pour que la vie arrive à s'exprimer librement et pleinement dans le contexte épineux et bourré d'obstacles de notre destin franco-ontarien. Et, pour y arriver, nous devons d'abord et surtout compter sur nous-mêmes, être vigilantes ensemble, pour affranchir la vie en nous, où que nous nous trouvions.

À moyen terme, cette fois, quel est le principal objet de mes préoccupations quand je pense à DEMAIN... après-midi? En cette Année internationale de la jeunesse qui clôture pour ainsi dire la

Décennie pour la femme, je vois un symbole d'espoir, mais aussi une interpellation spéciale devant le sort des adolescentes ontaroises d'aujourd'hui qui deviendront des femmes adultes dans une société largement modifiée.

Lorsque celle qu'on nomme la mère du féminisme américain, l'écrivaine de 64 ans Betty Friedan – conférencière invitée à la 7ᵉ rencontre annuelle Ben-Gourion tenue à Montréal ces jours derniers –, dénonce ce qu'elle appelle «le faux débat» de la pornographie, dans lequel lui paraît s'enliser le mouvement féministe nord-américain, et déclare que «la véritable obscénité, c'est la pauvreté des femmes», on ne peut lui donner tort. Ce qui déprave la sexualité, affirme-t-elle, c'est la dégradation économique des femmes[3]. Devant ce constat de pauvreté, qu'on peut observer également chez les femmes francophones de l'Ontario, Madame Friedan propose des solutions politiques globales qui donneront aux femmes des garanties de survie économique : les services de garderie, l'amélioration et l'aménagement des conditions de travail à temps partiel, les congés parentaux, etc.

À mon avis, à ces solutions, on doit en ajouter une autre qui m'apparaît primordiale quand on considère l'avenir des jeunes franco-ontariennes, doublement défavorisées sur le marché du travail en tant que femmes et en tant que francophones. En effet, cette dégradation économique des femmes de notre milieu s'aggravera, d'une part, tant et aussi longtemps que l'analphabétisme, la sous-scolarisation, le décrochage scolaire ne seront pas sérieusement enrayés et, d'autre part, tant et aussi longtemps que des politiques précises ne seront pas arrêtées pour permettre réellement aux jeunes Ontaroises d'accéder en plus grand nombre – pour ne pas dire en masse – à la formation professionnelle, aux études spécialisées et supérieures dans tous les domaines.

Alors qu'en Ontario, un effort important, voire héroïque dans les circonstances, a été apporté à l'éducation secondaire en français, la valorisation des études techniques, spécialisées et supérieures auprès des Franco-Ontariennes est encore balbutiante. Cet objectif devrait constituer pour les dix prochaines années un cheval de bataille privilégié si nous voulons assurer l'autonomie de la femme de demain en Ontario français. C'est moralement, intellectuellement et matériellement que les jeunes Ontaroises doivent être persuadées de la nécessité de poursuivre des études dans toutes les disciplines après leur cours secondaire.

Et cela, pour deux raisons majeures, au moins. La première, parce que la société se transforme rapidement et que des connaissances «objectives» seront désormais indispensables pour comprendre et interpréter ce monde de plus en plus sophistiqué dans lequel on évoluera et pour accéder à un marché du travail rémunérateur de plus en plus exigeant quant aux compétences techniques et intellectuelles. Dans ce monde du travail qui est en train de se constituer à un rythme très rapide et à très grand prix sur le plan des ressources humaines, l'époque qui vient sollicitera davantage les capacités intellectuelles que l'effort physique, comme ce fut le cas pour les masses ouvrières du XIXᵉ siècle, ou que la mécanique des robots industriels du XXᵉ siècle.

Quant à la seconde raison qui motive la nécessité de valoriser les études postsecondaires dans toutes les disciplines, humaines et scientifiques, chez les filles de l'Ontario français, elle repose précisément sur la perspective d'un monde du travail transformé par les nouvelles technologies, perspective qui offre aux femmes la chance inégalée jusqu'à maintenant de prendre leur juste part, dont elles ont été trop longtemps privées, dans le monde «musculanisé» du travail. En effet, dans l'ère informatique qui s'installe, la discrimination musculaire de la force physique ne devrait plus constituer d'obstacle majeur dans le partage d'emplois où les capacités intellectuelles prévaudront. Il faut se rappeler que c'est sous les traits d'une femme que les vieux mythes de la Grèce représentaient déjà, dans les temps anciens, la déesse de l'intelligence (Athéna/Minerve) ou encore celle de la sagesse-raison (Métis)! Tous nos espoirs sont donc fondés.

À court terme, maintenant, qu'est-ce que j'entrevois à notre sujet, quand je pense à DEMAIN... matin?

Depuis deux jours, nous soulevons un tas de questions urgentes, touchant toutes les sphères de l'activité humaine, parce que les Franco-Ontariennes ont des luttes à mener sur tous les fronts à la fois pour VIVRE AU FÉMININ FRANÇAIS dans cette province. Le combat apparaît, plus souvent qu'autrement, inégal; et le découragement peut survenir, surtout dans les moments de fatigue, qui se multiplient, car les femmes ne se ménagent pas.

Toutefois, j'aimerais rappeler que, pour affronter tous ces problèmes, nous avons à la portée de la main un élément de solution dont nous n'avons pas encore parlé de façon explicite à notre symposium, mais sans lequel nous ne nous serions pas même rassemblées ici. Je veux parler de ce moteur de toute civilisation qu'est la culture. Je veux parler de cette culture canadienne-française de l'Ontario, de cette culture franco-ontarienne dont nous vivons, qui nous fait vivre, sans que nous en soyons suffisamment conscientes. Les Ontaroises d'aujourd'hui ont hérité de traits spécifiques de ces milliers de femmes anonymes, fortes ou fragiles, qui ont humanisé et civilisé dans cette langue française apprise dans les bras de leur mère et transmise par elles aux générations suivantes, ces contrées du Nord, de l'Est, du Sud et de l'Ouest de l'Ontario, par 40 degrés sous zéro l'hiver ou par chaleur accablante l'été, à coups de naissances qui leur ont déchiré le ventre et la vie, et avec un courage, Mesdames, qui ne s'est jamais démenti. «La culture», a dit l'écrivain Gabriel Garcia Marquez, «c'est une richesse aussi grande que le pétrole». En tout cas, c'est, à mon avis, une source d'énergie capable de mettre en branle et de soulever des masses d'inertie. Mais, pour cela, il ne faut pas la laisser au fond du baril!

C'est en nous tournant vers cette culture authentique, profonde, créatrice, vers cette manière d'être au monde qui définit notre originalité – qu'on le veuille ou non, qu'on le comprenne ou non, qu'on y croie ou non – que nous trouverons des solutions qui seront vraiment accordées à nos besoins et à nos vies. C'est d'abord en nous-mêmes en tant qu'êtres individuels, bien sûr, mais aussi et surtout en tant que membres d'une collectivité originale, différente, diversifiée dans ses expériences, que nous trouverons ENSEMBLE des solutions durables.

Au surplus, en puisant dans la culture dont elles sont issues, qu'elles ont créée, contribué à maintenir vivante et à enrichir par leurs réalisations de toute nature, les Ontaroises d'aujourd'hui exploiteront à leur profit les qualités essentielles de cette identité franco-ontarienne, qui ont fait leurs preuves dans le passé et dont les atouts demeurent aujourd'hui, plus que jamais, enviés : l'amour inconditionnel de la langue française; le sens de la communication verbale et de l'animation communautaire; la confiance en soi et dans la vie malgré l'échec; l'acharnement dans la persévérance;

l'esprit de tolérance et le respect des cheminements de chacune (qu'on a développés au sein des familles nombreuses); la solidarité dans l'épreuve et dans le succès, sans laquelle rien ne peut s'accomplir; le talent inné de l'organisation; le goût de la liberté; le souci de la justice; l'entrain dans l'effort; un sûr et grand instinct dans l'art de vivre; et, par-dessus tout, l'abondante vitalité d'une imagination innovatrice.

J'aimerais terminer cette allocution par une brève réflexion sur la situation doublement minoritaire qui caractérise la condition des femmes francophones en Ontario.

Pour certaines d'entre nous, cette double difficulté de VIVRE AU FÉMININ FRANÇAIS en Ontario peut paraître insurmontable. C'est peut-être le cas. Mais c'est notre vie. Il y en a de plus cruelles, ce qui n'enlève rien, bien entendu, aux contradictions, parfois irréconciliables, de la nôtre.

Mais j'ajoute ceci : en tant qu'êtres humains, tous tant que nous sommes, hommes, femmes, enfants, nous faisons partie de la minorité. La majorité, elle, dort six pieds sous terre, dans les cimetières du monde. Cette constatation ne devrait jamais quitter notre esprit et devrait nous inciter à penser en songeant à demain qu'être minoritaires, par les temps qui courent, c'est peut-être encore, qui sait? la voie la plus sûre pour rester VIVANTS!

(Un extrait du discours a paru sous le titre «Le Premier Symposium pour la femme francophone en Ontario (les 25 et 26 octobre 1985)», *Canadian Woman Studies / Les Cahiers de la femme*, vol. 7, nᵒˢ 1 et 2, Post Nairobi, Spring/Summer 1986, p. 196-198.)

Notes

1   Thomas R. Maxwell, *The Invisible French. The French in Metropolitain Toronto*, Waterloo, Wilfrid Laurier University Press, 1977.

2   L'allocution a été prononcée au cours d'un repas.

3   Betty Friedan, *Le Devoir*, 18 octobre 1985, p. 1 et 10.

34

SINGULIER PROTÉE…

Texte de présentation d'un recueil de poèmes de Pierre Raphaël Pelletier.

Singulier Protée en cette postmodernité, Pierre Pelletier est philosophe, peintre et poète. C'est un philosophe qui rêve. C'est un peintre qui parle. Un homme qui rêve et qui parle, comme tout poète : «au seuil de l'être», selon l'intuitive expression du philosophe de la poésie, Gaston Bachelard.

Or, chez ce poète-Protée, l'être est multiple; le signe, mouvant; la précision, énigmatique; la prophétie, latente. L'active extension de cette parole poétique constitue, sans doute, ici le premier retentissement des images.

Ces images sont minérales. Extraites à même la veine de deux corps simples : le zinc et l'or, soumis à la métallurgie de transformation du verbe. D'un côté, le zinc galvanisateur d'où surgit l'énergie créatrice de la forme. De l'autre, l'or alchimique des mutations secrètes dans le creuset des amours chimériques :

t'aimer au retour
toi qui mues
hors de tout

Ces images sont ambivalentes. Images ombrées, comme l'or gris du zinc qui, le soir, magnétise la mélancolie de l'homme accroché au parapet métallique d'où sombrent, une à une, les rutilances de la journée : matin pourpre, robes de cœur, fatigues à sang, feux entre jambes, dedans saignants, haine, guerres… Chez l'homme gris (anonyme et ivre) du soir, refoulé au zinc des bars, afflue l'obscure inconscience des désirs écorchés.

À l'opposé, s'impose l'image lumineuse du nectar d'or qui rend si belles les femmes, et immortels les hommes. Or inaltérable des visions prospères – moissons abondantes, toisons douces et légères, tournoyantes – que viennent écheveler les glissements insolites de la danse, la migration des attraits, la caravane des gestes dans la traversée du désir.

Ainsi donc, l'or des nuits blanches exalte le poète insomniaque qui traîne dans la ville assoupie. Son recueil livre aux amants de la poésie le trésor intime de la terre : l'âme des rêves et des formes engloutie dans les tremblements du jour.

(«Préface», dans Pierre Pelletier, *Zinc or*, poèmes, Ottawa, Les Éditions du Vermillon, 1986, p. 9-10.)

35

LA THÉMATIQUE DE LA FORÊT
DANS DEUX ROMANS ONTAROIS

Texte d'une communication présentée au Colloque international de Dijon sur «L'homme et la forêt» organisé par le Centre d'études canadiennes de l'Université de Bourgogne les 27, 28 et 29 octobre 1986.

O n sait depuis longtemps que les histoires racontées par les écrivains ne sont, en fait, que des prétextes pour exprimer des images. D'autre part, on observe dans la littérature occidentale que la forêt est l'image par excellence de la puissance sacrée de la vie. Mais la vie n'est-elle pas «fille de la mort»[1]? Ainsi trouve-t-on, aux sources mêmes de cette littérature occidentale que constituent les contes populaires, l'image de la forêt, qui en forme l'un des attributs caractéristiques et permanents. Or, dans son ouvrage sur *Les Racines historiques du conte merveilleux*, Vladimir Propp a démontré le lien étroit qui existe entre la forêt du conte et celle figurant dans les rites d'initiation du monde entier, à ce point que «là où la forêt n'existe pas, les broussailles en tiennent lieu»[2].

Cette présence obligatoire de la forêt observée dans les rites archaïques s'explique par le rôle fonctionnel qu'elle occupe dans les rites de passage, lesquels expriment et formalisent la mutation profonde nécessaire à la traversée des différentes étapes de la vie. Cette mort momentanée du «vieil homme» indispensable à toute renaissance de «l'homme nouveau», que consacre le rite initiatique, ne pouvait avoir lieu que dans un emplacement retiré, infranchissable, en rapport direct avec le monde des morts : la forêt des récits traditionnels reflète le souvenir de la forêt initiatique en tant qu'«entrée du royaume des morts».

En parcourant les récits de l'Ontario[3], on remarque la présence significative de la forêt, en particulier dans *Les Engagés du Grand Portage*, *Le Flambeau sacré*, *La Vallée des blés d'or*, *Le Loup de Lafontaine*, *Le Coffre*, *La Vengeance de l'orignal* ou encore *Le Trappeur du Kabi*[4]. Bien qu'imposante, la forêt apparaît le plus souvent dans ces textes comme un simple milieu de vie ou encore comme une fresque impressionnante, objet de répulsion ou de fascination.

En revanche, le traitement du thème de la forêt varie profondément dans deux autres romans : *François Duvalet*[5] et *La Quête d'Alexandre*[6]. Dans ces récits, où chaque auteur raconte à sa manière le parcours initiatique d'un héros qui va, pour ainsi dire, frapper aux portes de la mort avant d'entreprendre une nouvelle vie, la forêt n'apparaît plus seulement comme un espace objectif où le héros doit affronter une série d'épreuves, mais constitue, en tant que médiatrice du monde des puissances obscures, l'épreuve par excellence indispensable à la réalisation du héros. Ici, c'est la forêt septentrionale qui aliène, morcelle et absorbe l'homme tout entier pour enfin le rendre à la vie, transformé. Alchimie de la forêt profonde, foyer occulte de la connaissance qui révèle l'homme à lui-même.

Autre fait qui ne manque pas de retenir l'attention dans les deux œuvres choisies, au terme du recensement des principaux éléments qui révèlent cette fonction initiatrice de la forêt : c'est l'image commune qui s'en dégage en dépit de la disparité des époques et des origines culturelles des auteurs. *François Duvalet*, dont l'intrigue se déroule dans le nord-ouest de l'Ontario, plus précisément dans la région de Chapleau, à l'époque de la crise économique de 1929, prend sa source dans l'expérience et les souvenirs de son auteur, Maurice de Goumois. Né en 1896 à Colmar, en Alsace, il est mort à Montréal en 1970[7]. *François Duvalet*, paru à Québec en 1954, était son deuxième roman. Par ailleurs, *La Quête d'Alexandre*, qui raconte l'aventure d'un jeune séminariste québécois à la recherche de son frère disparu dans le Nord-Est ontarien au début du siècle, s'inspire largement de l'histoire orale des pionniers canadiens-français attirés dans ces régions par la perspective d'un sort meilleur[8]. Née en 1923 à Saint-Léon de Val Racine dans les Cantons-de-l'Est, l'auteure, Hélène Brodeur, a quitté le Québec à l'âge de 4 ans quand sa famille vint s'établir à Val-Gagné, près de Timmins, dans cette région du nord de l'Ontario communément appelée le Nouvel-Ontario. Depuis les années 1960, elle vit principalement dans la région d'Ottawa. Publié en 1981, *La Quête d'Alexandre* était son premier roman[9].

Il convient d'examiner en premier lieu l'ouvrage d'Hélène Brodeur, plus près de nous par le temps de l'écriture, mais plus éloigné par le temps du récit que celui de Maurice de Goumois, afin de déceler dans l'image de la forêt qu'il projette l'antique fonction sacrée attribuée à ce lieu dans les rites de passage.

***

Au moment où le jeune séminariste Alexandre part à la découverte de lui-même sur les traces de son frère disparu, c'est l'époque de la Première Guerre mondiale. Notons que le seul rapport établi dans le récit avec ce tragique épisode du début du siècle est l'évocation de la mort toute-puissante (p. 271). De ce côté-ci du monde, dans le Nord ontarien, c'est surtout l'époque où des milliers de gens de toutes origines vont, par trains entiers, tenter fortune dans la ruée sauvage qu'entraîne la prospection minière sur les vastes territoires qui longent la frontière occidentale du Québec, de North Bay à Cochrane en direction sud-nord, et qu'on appelle le Nouvel-Ontario.

À la plupart des nouveaux arrivants remplis de rêves et d'espoirs, la terre promise réserve, cependant, de nombreux désenchantements, dont la découverte d'un milieu dit naturel qui s'avère, en fait, totalement étranger. En effet, au premier abord, l'étendue et la sauvagerie des lieux subjuguent l'imagination, réduisent paradoxalement les visions et acculent à l'insignifiance toute entreprise humaine. C'est ainsi qu'à peine entrevue, la forêt «illimitée» (p. 53) du Nord provoque un sentiment d'impuissance qui freine le moindre élan vital. Tout occupé par l'autre (la forêt), l'espace infini écrase, étouffe, anéantit; c'est un lieu investi où rien n'est familier, où l'être découvre subitement le sentiment du néant : «oppressé par cette immensité, fétu de paille emporté à toute vitesse dans ce paysage illimité vers une destination inconnue, [Alexandre Sellier] se remémora les paysages plus amènes de son enfance, dans les monts des Cantons de l'Est [...]» (p. 39).

Dans cet espace sans frontières qui défile interminablement, le héros aperçoit «ici et là» des fermes et des champs qui apparaissent bien «minuscules» (p. 53). L'angoisse ressentie devant ces étendues occupées, mais désertes, confine à l'aliénation.

De son côté, Rose Brent, jeune orpheline britannique fraîchement immigrée dans le Nouvel-Ontario afin de rejoindre un frère unique qui vient de se marier, voit à son tour se modifier, à mesure qu'elle pénètre au cœur du territoire, dans le train qui «s'enfonce sans relâche dans la forêt sombre» (p. 142), le tableau idyllique qu'elle se plaisait à imaginer dans son ignorance (p. 140). Dès les premiers regards dans le foisonnement de la forêt, c'est le bris du rêve, la désillusion complète, la brutale révélation de l'impénétrabilité de la nature et l'expérience immédiate d'un très fort sentiment de rejet : «Depuis son départ de Halifax, elle se voyait emportée à toute vitesse dans ce paysage inhumain et apparemment sans limites où les hauts conifères semblaient s'avancer en rangs serrés pour repousser l'intrus qui oserait vouloir y pénétrer [...] [T]out semblait étranger.» (p. 141)

Cet espace incommensurable (p. 39 et 140), réducteur et hostile, sécrète, comme une sourde menace, une végétation certes abondante, mais austère, rude, voire rébarbative (p. 109). Ainsi, Alexandre découvre sous le soleil une végétation sombre (p. 38), «bien différente de celle des forêts d'érable et de merisier de ses montagnes natales» (p. 74). Ce sont surtout des conifères à la taille élevée et aux teintes obscures (p. 53, 57, 141 et 142) : hautes épinettes (p. 38-39), grands pins gris (p. 57), hautes futaies de trembles vert argenté (p. 39), que viennent éclairer, par-ci par-là, des bouquets de bouleaux blancs (p. 39). Dans cette nature désolée et accidentée, fermente, en des replis humides bâillant à ciel ouvert, l'univers putréfié des muskegs, «sorte de marais où il ne pousse que des broussailles et des épinettes rabougries» (p. 148).

Les changements de saison ne viennent guère modifier ce tableau lugubre et menaçant. L'été étale un paysage monotone et sans charme (p. 39) d'où émergent les têtes acérées des épinettes (p. 143) et où se distinguent la surface rugueuse des framboisiers (p. 212), les bouquets durs vert foncé des arbustes de bleuets (p. 53), les fourrés «si combustibles» (p. 54), la cotte de lichens et de plantes ligneuses et sèches (p. 67) qui recouvre par endroits le sol piqué de «fleurs à feu à corolles magenta qui courent dans les baisseurs comme des flammes» (p. 53). D'autre part, l'hiver (p. 167) tient en réserve un paysage d'où la neige et le ciel gris drainent toute couleur : «L'étable était un cube gris fer; les arbres où s'accrochaient les dernières feuilles, les conifères étaient noirs; le pont gris enjambait la rivière, muée en sombre serpent dont les anneaux enserraient la lagune de terre où se dressait la maison. L'hiver avait repris son empire sur ce pays austère au paysage monochrome.» (p. 184)

Le sentiment d'oppression provoqué par le paysage se répercute sur le monde minéral qui s'accorde à une nature primordiale, farouche, rebutante et piégée :

> Le ciel était gris. D'énormes rochers gris et noirs, mouillés par la pluie qui tombait depuis North Bay, luisaient sinistrement parmi les arbres comme des bêtes tapies. Les nombreux lacs mêlaient le gris sale du ciel aux teintes sombres de leurs eaux. Enfin, dans l'après-midi, on arriva à une clairière dans le bois sombre. (p. 142)

L'hostilité de cette forêt s'exprime, enfin, dans l'horizon déchiqueté qu'étire à l'infini la ligne des arbres. Car ce qui retient l'attention du voyageur dans la masse uniforme de ces bois nordiques, c'est moins le nombre des arbres que le sauvage éventrement qui les traverse et préfigure en quelque sorte le démembrement et la dévastation intérieure du héros. En effet, deux traits essentiels caractérisent la forêt littéraire d'Hélène Brodeur : les troncs amputés et les troncs foudroyés. C'est ainsi que, sous les yeux du voyageur qui traverse ces contrées, le rempart ordonné des hauts sapins s'effondre par endroits sous l'amoncellement des grands arbres abattus, des tas de branches (p. 272) et des monceaux de broussailles déracinées (p. 53) qui traînent de chaque côté du chemin de fer, sans compter les trouées inattendues qui crèvent le rideau résineux en des clairières «parsemées de souches» (p. 57) :

> Ce nuage de poussière qui brillait au soleil et surtout les souches qu'on voyait partout, voilà ce qui avait le plus frappé Alexandre. Depuis qu'il avait quitté North Bay, il avait pu suivre le passage de l'homme dans cette forêt septentrionale par ces moignons de troncs mutilés qui se multipliaient entre les cabanes autour des exploitations minières, le long des chemins, sur le bord des cours d'eau. (p. 41)

Et encore : «Dans les minuscules clairières des fermiers, dans les vastes superficies des exploitations forestières, toujours les éternelles souches comme des poils de barbe sur une joue mal rasée.» (p. 53) Au tableau ravagé de la forêt abattue, éventrée, réduite à certains endroits à l'état de taillis, vient se juxtaposer le spectacle tourmenté des torches noires qui émergent abruptement entre les vagues sombres des conifères : «Les grands arbres noircis dressaient toujours leurs troncs lépreux, tendaient leurs branches décharnées d'où pendaient des lambeaux d'écorce calcinés. [...] Çà et là, des espaces gris, des creux remplis de cendres rappelaient la grande conflagration qui avait balayé la région.» (p. 53) Pareil cataclysme laisse derrière lui «une sombre et morne plaine s'étendant à perte de vue et se confondant à l'horizon, hérissée de troncs à demi calcinés» (p. 274).

Dans les rites d'initiation, il est attesté que des néophytes subissaient l'épreuve du feu sous les formes les plus variées[10]. Ces brûlures réelles, symboliques par la suite, devaient d'abord débarrasser la victime de ses points faibles, lui forger une âme nouvelle l'aidant à remplir ses nouvelles fonctions et lui étant bénéfique pour l'avenir. On voit donc chez Hélène Brodeur la forêt ontarienne aux essences résineuses se dresser comme un énorme bûcher offert «à l'étincelle du sacrifice» (p. 53). On peut y apercevoir, en préfiguration de la mise à mort indispensable à l'initiation, «des troncs mutilés d'où pendaient des lambeaux d'écorce noircie comme la peau des suppliciés» (p. 273). Le feu absorbe sa proie tout entière : c'est un véritable «fauve» (p. 269), une sorte de «bête frustrée» (p. 272), «monstre» (p. 269) «dévorant» (p. 278), «hydre aux mille têtes» (p. 272) qui «couve dans les tourbières de ce rude pays» (p. 13).

En réalité, l'initiation des élus constituait une véritable descente aux enfers, dans les entrailles chaudes de la terre où le germe doit se décomposer dans la pourriture afin que naissent l'arbre et l'homme renouvelé. Ainsi, en toutes saisons, la fumée imprègne l'atmosphère de la forêt nord-ontarienne. L'été, les abattis brûlent à foison (p. 53, 146 et 278); on apprend à fumer la pipe pour se défendre des moustiques de toutes sortes qui envahissent ces bois traversés de cours d'eau (p. 61); on cuisine à l'extérieur. L'hiver, l'odeur du bois brûlé s'échappe par les cheminées des poêles qui craquent (p. 194), on voit la fumée des lampes à huile qu'on craint de renverser (p. 189). Et, en tout temps, la fumée âcre noire et huileuse (p. 39) des locomotives, machines infernales bourrées de charbon, zèbre le ciel de ses traînées de suie (p. 142). Pareille odeur de soufre n'est pas loin d'évoquer l'antre de quelque lieu infernal.

En effet, dans cette forêt surchauffée par les températures élevées de certains étés (p. 278) – «[Alexandre] n'aurait jamais cru qu'il pût faire aussi chaud dans ces territoires septentrionaux» (p. 38) – on est aux portes mêmes de l'enfer, qui s'abattent avec fracas quand l'incendie éclate : «avec un bruit d'enfer, l'incendie se rapprochait toujours» (p. 272). Et c'est la catastrophe «d'une envergure inimaginable», qui transforme la forêt en gigantesque fournaise :

> L'incendie fonçait sur eux avec un grondement de cent locomotives lancées à toute vitesse, des locomotives qui auraient circulé sur un pont. Le vent hurlait et précipitait sur eux des étincelles et des braises. [...] Un à un, les grands conifères flambaient comme des torches. Puis la chaleur les faisait exploser avec des bruits d'obus tandis que les débris enflammés, portés par le vent, pleuvaient à cent pieds en avant, allumant de nouveaux foyers d'incendie. [...] Déjà les grands arbres de leur côté flambaient, au pied même de la colline où ils s'étaient réfugiés. Une détonation retentit toute proche et une tête d'épinette enflammée tomba carrément sur leur groupe. (p. 269)

Pour se mettre à l'abri, le héros et les siens n'ont-ils pas choisi de creuser des terriers dans le sol d'un ancien cimetière indien et de s'y allonger comme des morts recouverts du linceul de leurs couvertures mouillées? Ici, le mimétisme de la mise à mort est patent (p. 269).

L'épreuve du feu confère à l'initié une âme nouvelle marquée de son expérience de l'au-delà, où il a communié avec la nature divine et immortelle qui, seule, peut lui permettre d'acquérir les qualités essentielles à sa nouvelle vie. Dans le récit, le point ultime de l'initiation héroïque est atteint au paroxysme du sacrifice, au moment où, dans ce «décor dantesque», la forêt se tord dans un grand tourbillon de flammes, de vapeurs empoisonnées, et dans un vacarme d'explosions. À l'effroi ressenti devant un sinistre aussi redoutable, se mêle la fascination du sacré. L'homme est frappé par la toute-puissance d'un ordre supérieur qui se manifeste par le gigantesque embrasement des éléments naturels : «Sidérés, ils regardaient ce spectacle grandiose et terrifiant» (p. 272); «Longtemps, ils contemplèrent l'élément destructeur» (p. 272); «Le petit groupe s'était tu, saisi par la majesté terrifiante du spectacle» (p. 271).

Sur le plan des événements, la rupture avec l'ancienne vie est consommée dans un triple bénéfice pour l'avenir. Du côté profane, la forêt s'ouvre désormais aux projets de l'homme qui marquera le sol de son travail producteur : «[Eugène] se disait que [...] maintenant que la forêt avait disparu, il suffirait de nettoyer les débris et de labourer. Dans quelques années, presque toute sa ferme serait en culture. Et, comme on n'aurait plus à craindre le feu, ce serait mieux qu'avant.» (p. 280)

Du côté du sacré, le héros répond à l'appel d'une vocation supérieure à laquelle il sacrifie sa vie antérieure : «Quand j'ai vu venir cette muraille de flammes qui s'abattait sur nous, j'ai fait le vœu solennel, si nous étions épargnés, de devenir prêtre et de consacrer ma vie aux missions les plus pauvres, aux âmes les plus délaissées.» (p. 282) Enfin, le feu sacrificiel confère en même temps au héros une forme de jeunesse, gage de renouvellement de la vie : «Pour le moment, une pensée tournait dans [la] tête de [Rose] et elle s'y accrochait comme une noyée à une bouée : L'enfant? Advienne que pourra, il y aurait l'enfant... l'enfant d'Alex qu'elle portait dans son ventre.» (p. 283)

Au terme de la pérégrination initiatique du héros dans la sombre forêt nord-ontarienne, la vie triomphe de la mort temporaire : un nouveau cycle commence et Hélène Brodeur l'a bien compris en poursuivant son récit dans une trilogie.

***

Le roman de Maurice de Goumois expose le parcours initiatique de François Duvalet, jeune employé de banque parisien qui, assoiffé «de risque et d'action» (p. 9), émigre au Canada pour tenter fortune. Il débarque à Montréal à l'automne 1928, à la veille de la crise économique et de la dépression. Décidé à réussir coûte que coûte, le jeune commis aux écritures accepte de s'engager comme bûcheron dans les chantiers de la North-Star Lumber Company, situés au nord de Chapleau, petite localité perdue «quelque part dans le nord-ouest de l'Ontario» (p. 10). Rêvant d'accéder un jour à la direction d'une grande compagnie de bois (p. 25), l'émigré français se cogne aux dures réalités d'un pays totalement étranger. À ce citadin venu tout droit de Paris, image même de la civilisation, à ce modeste employé d'une administration routinière où il se sentait parfois «comme un écureuil en cage» (p. 9), le contact avec les contrées sauvages de la forêt du Nord-Ouest ontarien et la liberté d'une vie sans entraves réservent un choc aux retentissements considérables.

Dans ce second récit, la forêt est là aussi plus qu'une simple toile de fond exotique. Si celle-ci apparaît comme un lieu d'épreuves où le héros est contraint de pratiquer 56 métiers et se trouve acculé ainsi à subir 56 misères, elle représente, par ailleurs, l'épreuve suprême par laquelle François Duvalet refait peau neuve afin de s'implanter dans un nouveau pays, et quitte la défroque des vieux pays civilisés et le vernis de son urbanité pour découvrir non pas qui il est, mais «ce qu'il est» (p. 134). On assiste ainsi au périple initiatique qui valorise la découverte du «savoir magique», à la fois savoir pratique de la nature détenu par les hommes des bois et des métiers, connaissance abstraite comme celle de la langue anglaise, et, surtout, connaissance de soi. C'est, en somme, l'éducation totale de celui qui veut accéder à une nouvelle vie, celle d'un chef d'entreprise. La quête du «savoir magique» mise en scène dans ce roman est fréquente dans les contes populaires, l'enseignement constituant, on le sait, un trait caractéristique des rites d'initiation dans le monde entier[11].

De même qu'Alexandre Sellier dans le récit d'Hélène Brodeur, François Duvalet est soumis, dans un premier temps, à l'hostilité oppressante de la forêt. Dans ce monde de sapins et de durs à cuire, il est difficile pour l'étranger parisien de trouver sa place. L'immensité du pays donne la mesure de la tâche : «Personne ne lui avait parlé de la distance, mais deux jours et une nuit de chemin de fer ne lui laissèrent aucun doute : il courait vers l'autre bout du monde.» (p. 10-11) L'espace s'étend à perte de vue, échappe au contrôle du regard : «"la distance et encore de la distance!", pensa Duvalet : ici tout est à l'autre bout du monde!» (p. 72). Sur ce «continent dispersé» (p. 38), qui embrasse presque tout le septentrion (p. 37), la vastitude s'amplifie du vide des lieux (p. 11 et 37) : l'homme qui marche ne rencontre âme qui vive (p. 36) car, dans ces régions aussi isolées, le premier voisin, quand il y en a un, est «à deux cent cinquante milles» (p. 170). L'hiver, l'isolement s'accentue avec le silence prodigieux qui renvoie l'homme à sa solitude et au spectacle de la mort : «Seul au milieu de la nature ensevelie sur laquelle les sapins mornes et chargés semblaient pleurer en silence, Duvalet eut l'impression de profaner un immense sépulcre. Étreint d'un malaise indéfinissable, tout proche de la peur, il avança avec précaution. C'était terrible comme le grand silence pouvait être menaçant.» (p. 73)

Car l'immensité grandiose du paysage est terrifiante. Elle opprime et aliène le néophyte. Les dangers y sont nombreux et inattendus. L'uniformité d'une nature anonyme et monotone qui «offre toujours le même visage où que l'on tourne» (p. 76) cache des ruses irrésistibles qui abolissent l'espace et le temps (p. 36). Par exemple, l'homme inexpérimenté est condamné à errer pendant des heures jusqu'à l'épuisement complet, et les loups n'attendent que cela (p. 76). À la désorientation spatio-temporelle s'ajoute parfois l'égarement de l'esprit. Le silence, la solitude, la nuit, la faim et la fatigue perturbent, en effet, le sens des réalités : «Duvalet eut tout d'abord une hallucination lugubre. Pendant un moment, il crut qu'il perdait pied, qu'il s'enfonçait dans une masse qui n'avait plus rien de solide, mais refusait cependant de se refermer sur lui.» (p. 73) L'engourdissement dû au froid et au sommeil peut rallumer les illusions : «Accroupi contre un tronc, face à la flamme, il vient un moment où il ne se rendit plus compte qu'il avait cessé de songer. Il crut entendre une voix qui s'adressait à lui.» (p. 74) Sur la rivière, au sortir des rapides, l'élargissement du cours d'eau produit un effet magique qui semble arrêter le courant et auquel il est difficile d'échapper : «le retour au silence [...] donnait l'illusion de rester immobile entre les rives en fuite» (p. 162). Enfin, l'échec incessant du trappeur novice finit par tourmenter son imagination :

> Autour de lui, il sentait la présence de tout un monde invisible. Dehors sur la neige, il rencontrait des pistes d'animaux partout; par une ironie cruelle, seules les siennes se rendaient aux pièges. Dans le grand silence de la nature endormie, il avait parfois l'impression que les bêtes se tapissaient à son approche pour mieux rire de lui. (p. 77)

Ainsi, dans ce pays nouveau, parmi une foule de choses qu'il n'a jamais vues, dont les aurores boréales (p. 19), et qu'il ne comprend pas, Duvalet demeure véritablement «confondu : l'infini se mêlait au prosaïque pour fausser ce qu'il avait cru simple et normal» (p. 20). À chaque tentative d'implantation dans ce pays étranger, l'univers impénétrable de la forêt montre un visage hostile, qui risque de lui faire perdre pied.

La forêt ontarienne offre au jeune profane un spectacle peu engageant. Ici, c'est l'oppression d'une végétation noire et massive (p. 73); là, c'est la désolation d'un désert d'épicéas et la dislocation du paysage sous les éboulis de rochers rebelles à la charrue (p. 37); plus au nord, c'est l'aspérité d'une végétation chétive et rare : la toundra parsemée de bruyères et arrosée de deltas boueux (p. 163 et 164). La présence envahissante des bois enserre les pauvres endroits isolés et perdus «qui n'existent pour personne à l'extérieur sinon dans les archives des chemins de fer» (p. 94) et dont les quelques masures éparpillées le long de la voie ferrée se fondent dans la végétation. La forêt se presse aussi, grise et sale, toutes formes confondues, autour des bourgades essaimées en des relais plus importants aux points stratégiques du réseau ferroviaire, comme à Chapleau (p. 38).

Dans ce pays inexploité et avare qui «ne livre pas plus que ce qui peut s'emporter à dos d'homme ou entre les minces parois d'un canot» (p. 162), la nature est indomptable. «Le vrai maître est le climat» (p. 37) et il est chiche dans ses belles saisons. L'hiver est long et, malgré la blancheur dont il s'entoure, présente un sombre tableau (p. 44). Le froid sec, «un froid sibérien» (p. 97), donne aux choses «un relief impersonnel quasi hostile» (p. 139). Sous son éclat, l'immobilité du paysage inerte et cristallisé est choquante : «la neige au lieu de la recouvrir lui donn[e] une nudité accablante» (p. 139). La surface des lacs emprisonnés par la glace devient inhospitalière (p. 73). Quant au printemps, il éclate, bref et violent comme un fatal recommencement «où tout est à refaire» (p. 143). Et, dans cette nature inculte, l'été surgit brusquement comme une débauche d'énergie, un gaspillage de ressources (p. 144). Sous la clarté oblique et sournoise de l'automne qui dépouille le paysage de ses couleurs (p. 44), la silhouette découpée des conifères se dresse dans l'air «chargé d'effluves d'humus et de relents de résine [qui a] quelque chose d'opprimant» (p. 13). Puis quand le soleil est bas à l'horizon, mais encore chaud, la myriade de bestioles insaisissables qui grouillent dans cet air imbibé d'odeurs de débris organiques atteste, dit l'auteur, «la domination hostile de la création» (p. 35).

Pour ce qui est de la représentation de la mise à mort du candidat à son initiation au «savoir magique», celle-ci prend une forme différente de l'initiation à la fonction sacerdotale du héros précédent, mais n'en est pas moins réelle. En effet, au lieu d'une mort instantanée dans une conflagration fulgurante, on assiste plutôt au dépouillement progressif d'une série de signes distinctifs qui définissent les grands traits de l'identité acquise de l'individu. Ce détachement graduel a pour but de mettre à nu le noyau dur de l'identité intime de la nature humaine : c'est l'initiation à la connaissance fondamentale de soi. Ainsi, en premier lieu, on assiste à la manifestation d'un «geste symbolique» qui ouvre le drame en rappelant la traversée du Styx à l'entrée des Enfers : Duvalet noie dans un lac son chapeau melon de Parisien, «vestige d'un autre monde» : «Il s'était débarrassé de ce qu'il avait acquis dans l'enceinte fortifiée d'un milieu conventionnel et inflexible. Maintenant, il se trouvait seul, hors de ses murs, sans autre point de repère que ses propres ressources.» (p. 15)

À ce premier acte de répudiation du «vieil homme», viennent se greffer une suite de faits qui blessent l'amour-propre du héros. Ainsi, dès son arrivée au camp de bûcherons, on le prive de son propre nom pour le surnommer «Frenchy», diminutif qui «semblait désigner une race de second ordre» (p. 14). D'autre part, on lui attribue des tâches indignes d'un vrai bûcheron (p. 16 et 25); on l'humilie en le traitant de fille (p. 31) et on va jusqu'à lui retirer ses habits de travailleur de la forêt avant de le renvoyer (p. 33). À l'hostilité de la forêt s'ajoute celle des hommes. Ces cuisantes expériences provoquent une première transformation profonde : «personne n'eût reconnu en lui le citadin d'hier. Son nouveau milieu l'avait déjà absorbé. Comme une mauvaise herbe dans un champ inculte, il n'y faisait plus tache» (p. 35). La transformation est brutale : il se débarrasse d'une foule de notions (p. 61) pour acquérir le rythme de la grande nature : «la distance faisait maintenant partie du pays et marcher devint une habitude» (p. 107). La domination de la forêt s'étend ainsi peu à peu à ses manières : «[s]a cabane finit par ressembler à une tanière» (p. 76).

Au bout de cinq mois de ce régime nouveau, il eût été difficile, remarque l'auteur, de le reconnaître : «en apparence, le pays l'avait absorbé» (p. 130). Mais le véritable détachement, la transformation la plus profonde qui fera sauter tout à fait l'écorce de l'homme civilisé viendra quand François Duvalet devra affronter non plus les embûches extérieures ou les affronts personnels, mais sa vraie nature humaine. L'occasion qui se présente constitue alors l'étape ultime de la mise à mort figurée du néophyte; il atteint dès lors le paroxysme de l'épreuve du «savoir magique» où il découvre, en même temps qu'il la montre, son absorption totale par le monde de la forêt, force aveugle et violente. Ainsi, devant le saccage de son camp par un faux rival, François Duvalet ressent une «impulsion incontrôlable» (p. 160), d'une violence sauvage qui réclame la vengeance et le pousse au bord du crime pour défendre une cabane délabrée chèrement acquise. C'est la mise à nu de ses instincts les plus profonds, ce noyau dur de la condition humaine. Si le héros a pu résister à l'élan meurtrier, c'est encore, dit l'auteur, grâce à la force infaillible de la nature.

> Mais la puissance qui était intervenue et l'avait empêché de devenir meurtrier ne provenait pas de lui seul. Une volonté plus forte que la sienne, qui devait être la même que celle qui fait les saisons, avait retenu son bras. Ce fut la seule explication qu'il put se donner. Donc, il n'était pas si seul. (p. 146)

On surprend ici le saisissement de l'homme devant l'étendue de la manifestation d'une toute-puissance supérieure en même temps que l'acquisition du bienfait d'un enseignement, dernier stade de l'initiation :

> Ne regarder que soi empêche de voir autour de soi, finit-il par se dire; c'est le genre d'aveuglement qui mène fatalement à la turpitude! Plus soumis, il se sentit plus en paix. Rien ne servait de forcer la main à son destin; il vivrait au jour le jour au lieu de toujours interroger l'avenir. Il n'avait qu'à observer la nature; malgré un désordre apparent, malgré la profusion, rien ne s'y produisait avant le temps. (p. 146)

Au sortir de la forêt qu'il finit par quitter (comme Alexandre Sellier), le nouvel initié est muni d'un bagage de connaissances qui lui assurent un travail inespéré dans son nouveau pays d'adoption et lui ouvre ainsi le chemin d'une vie nouvelle : «Qui sait, conclut Duvalet, mon aventure ne fait peut-être que commencer.» (p. 263) Ainsi va le cycle de la vie.

***

Un bref regard rétrospectif sur la lecture proposée dans cette analyse de deux romans ontarois inspirés de faits historiques et de faits biographiques, montre, en premier lieu, que derrière ces deux romanciers se cache un conteur et que, derrière le conteur, surgit inévitablement la forêt. Une deuxième observation concerne, cette fois, la présence imposante des bois, qui innerve tout le récit et lui donne vie : plus qu'un simple rideau de scène ou encore un lieu privilégié d'action, la forêt constitue le ressort essentiel du drame sans lequel il ne pourrait y avoir d'action. Enfin, une troisième constatation renvoie à l'hostilité apparente de la forêt, qui décrit moins une réalité géographique qu'elle ne dévoile les traits fondamentaux de son efficacité fonctionnelle dans le récit. En effet, considérée comme l'entrée du royaume des morts, la forêt doit revêtir des propriétés telles qu'il est permis de penser que plus elle est éloignée du monde, plus elle se rapproche de cet autre monde où la mort, en son sein, trame à son aise le fil de la vie.

(«L'Édition littéraire au Québec», *Voix et images*, hiver 1989, n° 41, p. 269-280. La version initiale du texte avait paru dans les Actes du colloque publiés sous les auspices de l'Association des études canadiennes en France : «La Forêt dans le roman "ontarois"», *Études canadiennes / Canadian Studies*, revue interdisciplinaire des études canadiennes en France, n° 23, 1987, p. 109-122.)

Notes

1   Gaston Bachelard, *La Terre et les rêveries de la volonté*, Paris, Librairie José Corti, 1948, p. 251.

2   Vladimir Propp, *Les Racines historiques du conte merveilleux*, traduit du russe par Lise Gruel-Apart, Paris, Gallimard, coll. «Bibliothèque des sciences humaines», 1983, p. 69.

3   L'étude de la littérature de l'Ontario français est relativement récente. En effet, c'est en 1977 que le Département des lettres françaises de l'Université d'Ottawa acceptait de créer un cours sur la Littérature outaouaise et franco-ontarienne en vue d'explorer ce nouveau champ de recherche dans le domaine des lettres canadiennes-françaises. Pour une vue d'ensemble du corpus littéraire ontarois, on voudra bien se reporter à l'ouvrage de Paul Gay, *La Vitalité de l'Ontario français, premier panorama*, Ottawa, Éditions du Vermillon, coll. «Pœdagogus», n° 1, 1986, 240 p.

4   Léo-Paul Desrosiers, *Les Engagés du Grand Portage*, Paris, Gallimard, 1938; 2ᵉ éd., Montréal, Fides, coll. «Le Nénuphar», 1946; autres éditions plus récentes. Mariline, *Le Flambeau sacré*, Montréal, Bernard Valiquette, 1944; 2ᵉ éd., Sudbury, Prise de parole, 1982. Albertine Hallé, *La Vallée des blés d'or*, Montréal, éd. F. Pilon, 1948; 2ᵉ éd., Sudbury, Prise de parole, 1983. Thomas Marchildon, *Le Loup de Lafontaine*, Sudbury, Société historique du Nouvel-Ontario, 1955. Jocelyne Villeneuve, *Le Coffre*, Sudbury, Prise de parole, 1979. Doric Germain, *La Vengeance de l'orignal*, Sudbury, Prise de parole, 1980. Doric Germain, *Le Trappeur du Kabi*, Sudbury, Prise de parole, 1981.

5   Maurice de Goumois, *François Duvalet*, Québec, Institut littéraire du Québec, 1954.

6   Hélène Brodeur, *Chroniques du Nouvel-Ontario. La Quête d'Alexandre*, Montréal, Quinze, coll. «Prose entière», 1981; 2ᵉ éd., Sudbury, Prise de parole, 1986.

7   Yolande Grisé, «Un "Frenchy" à Chapleau au temps de la crise», *Le Droit*, 19 avril 1980, p. 18. Voir les textes 11 et 38.

8   Hélène Brodeur, «Faire revivre le passé», *Liaison*, nᵒ 30, printemps 1984, p. 47.

9   La trilogie des *Chroniques du Nouvel-Ontario* est composée également de : *Entre l'aube et le jour* (vol. II) et *Les Routes incertaines* (vol. III). Hélène Brodeur a reçu trois prix littéraires : le prix Champlain 1981, le prix du Nouvel-Ontario 1984 et le prix *Le Droit* 1985.

10   Vladimir Propp, *op. cit.*, p. 125.

11   *Ibid.*, p. 132 ss.

36

LE ROMAN CONTRE L'HISTOIRE,
TOUT CONTRE...

Quelque temps après l'adoption historique de la *Loi sur les services en français de l'Ontario* (loi 8) à l'automne 1986, le magazine culturel de l'Ontario français, *Liaison*, s'interrogeait sur la place de l'histoire dans l'imaginaire des Ontarois : «Raconter l'histoire» annonçait en sous-titre sa première page. C'était l'occasion de présenter un portrait littéraire de la romancière Hélène Brodeur, dont les *Chroniques du Nouvel-Ontario* avaient défrayé la critique dans de nombreux journaux, procuré des prix à son auteure et inspiré une première recherche universitaire en France.

Q ui, en Ontario, n'a pas entendu parler d'Hélène Brodeur? De puis la parution de *La Quête d'Alexandre*, premier volume de la trilogie *Chroniques du Nouvel-Ontario* (1981), jusqu'à la sortie du dernier volume (*Les Routes incertaines*) sous la nouvelle présentation de son éditeur actuel[1], Hélène Brodeur a reçu trois prix littéraires qui ont contribué à faire connaître son œuvre : le prix Champlain 1981, le prix du Nouvel-Ontario 1984 et le premier prix littéraire *Le Droit* décerné en 1985.

Par leurs nombreux comptes rendus, sympathiques dans l'ensemble, divers journaux et revues ont suscité l'intérêt des lecteurs francophones pour cette œuvre littéraire : *Le Droit*, *Liaison*, *Le Livre d'ici*, *La Presse*, *Le Nouvelliste*, *Le Temps*, *Lettres québécoises*, *Nos livres*, *L'Actualité*, etc. Une version anglaise de la trilogie, rédigée par l'auteure elle-même, a commencé de paraître en 1983 aux éditions Watson & Dwyer Publishers Ltd. de Winnipeg et devrait retenir l'attention des lecteurs anglophones. Le premier volume a vu le jour sous le titre de *Alexander. A Saga of Northern Ontario*; le deuxième est en préparation; le troisième suivra. En attendant, il est amusant de constater que le quotidien *The Citizen*[2] plaçait *Les Routes incertaines* sur la liste des best-sellers (recensés auprès de trois librairies françaises de la capitale nationale), en deuxième position après le roman *Red Fox* d'Anthony Hyde, mais avant les ouvrages *L'Œuvre de Dieu, la part du Diable* de John Irving, *Le Pacte Holcroft* de Robert Ludlum et *Un pur espion* de John Le Carré!

Une jeunesse à l'écoute de la tradition orale

Née à Saint-Léon de Val Racine dans les Cantons-de-l'Est le 13 juillet 1923, Hélène Brodeur a quitté le Québec quand sa famille s'est s'établie dans le nord de l'Ontario, plus précisément dans le village de Val-Gagné près de Timmins : l'enfant avait 4 ans. C'était à la veille de la crise économique et de la Grande Dépression qui allait charrier vers l'Ontario-Nord des milliers de chômeurs condamnés à chercher «un emploi introuvable»[3]. Époque tragique dans laquelle a grandi l'auteure des *Chroniques du Nouvel-Ontario* et qui allait, en quelque sorte, l'orienter vers la voie étroite de l'écriture :

> Lorsque j'étais enfant, durant les années de crise économique de 1930 à 1939, il n'y avait pas de radio, la télévision n'était pas inventée et, à l'exception de deux ou trois villes, il n'y avait ni bibliothèques publiques ni cinémas. L'unique divertissement durant les longues soirées d'hiver se limitait à des réunions de voisins et d'amis où chacun y allait de ses réminiscences soit des «Pays d'en-bas», le Québec, soit de son arrivée et de ses débuts dans le nord de l'Ontario. Il m'a ainsi été donné d'entendre bien des récits d'aventures et de connaître des personnages savoureux et hauts en couleur. Lorsque, à mon tour, j'ai appris à écrire, je me suis dit qu'un jour, je mettrais sur papier tous ces récits[4].

Une «forte» en français, avec un faible pour l'histoire

Pour l'heure, l'institutrice quitte tôt l'enseignement, trouve un emploi à Ottawa et se marie (une première fois). Par la suite, Madame Brodeur Nantais donne le jour à cinq enfants : Pierre, Giselle, Léo et des jumeaux, Jean et Sylvie. Cette vie de mère de famille accapare bien sûr une grande partie de ses énergies et de son attention, sans toutefois la détourner tout à fait de son intérêt réel et profond pour l'écriture. En effet, afin de subvenir aux besoins de sa famille, que les circonstances de la vie viennent à placer entièrement sous sa dépendance matérielle, Hélène Brodeur pratique la traduction et le journalisme à la pige.

C'est dans ce travail improvisé, ingrat et éreintant qu'elle apprend le métier. Elle est amenée à écrire des textes en tout genre, en français et en anglais, pour la radio et des revues canadiennes et

américaines : *Châtelaine, McLean, Flight Magazine, Extension,* etc.
C'est ainsi qu'avant la parution du magistral roman d'Umberto Eco,
Le Nom de la rose, il lui vient l'idée d'écrire une nouvelle policière
qui se déroule dans un monastère québécois, saint lieu où, en moins
de 24 heures, deux meurtres sont commis : *Murder in the Monas-
tery*[5]. Deux ans plus tard, paraît dans la revue du Département des
lettres françaises de l'Université d'Ottawa[6] une délicieuse et brève
nouvelle qui illustre les mœurs et la mentalité canadiennes-françaises
d'il n'y a pas si longtemps : *Les Amours d'Éphrem Maillot*[7].

La plongée dans la création littéraire

Grâce à l'expérience acquise dans les 56 métiers de l'écriture et de la
survie, Hélène Brodeur décrochait en 1964 un poste d'agent
d'information au gouvernement fédéral, où elle exerça sa plume à la
rédaction professionnelle. En avril 1975, elle occupa la fonction de
directrice adjointe de l'information à Statistique Canada, puis, en
septembre 1976, elle est nommée Directrice des communications
au Conseil du Trésor. En décembre 1977, Hélène Brodeur St-James
quitte définitivement cette occupation pour entrer de plain-pied
dans le monde de la création littéraire :

> Grâce à mon second mari, j'ai pu demander une retraite anticipée à la
> fonction publique puisque, à l'instar des princes du Moyen Âge, il se
> chargeait de subventionner les deux années de recherche et de rédac-
> tion que m'a demandé l'élaboration de *La Quête d'Alexandre*[8].

Un roman au service de l'histoire

Hélène Brodeur entreprend sa vocation littéraire sous le signe de la
recherche historique afin de situer dans le temps les histoires qu'elle
s'apprête à raconter. À la page 4 de *La Quête d'Alexandre,* on lit
cette petite phrase : «Ce roman est le premier de la série *Chroniques
du Nouvel-Ontario.*» D'entrée de jeu, l'opposition générique entre le
roman et la chronique surgit : s'agit-il d'une œuvre d'imagination
ou, au contraire, d'un document historique qui relate des faits
«vrais»? Posé en ces termes, le croisement des genres a fait sourciller
la critique. Par exemple, le père Paul Gay, après avoir défini la chronique, conclut prudemment :

> *Chroniques du Nouvel-Ontario* d'Hélène Brodeur tient un peu de tous ces sens, mais surtout du dernier [l'histoire de deux héros mêlés à tous les événements d'une époque], puisque émergent au milieu de tous les événements, deux personnages principaux : Alexandre Sellier et Rose Brent[9].

Mais il enchaîne aussitôt : «Le roman se divise en trois parties» et il affirme plus loin : «Telle est l'intrigue romanesque et fort bien construite de ces *Chroniques*.» Dans une autre recension[10], il évite avec adresse le piège des nomenclatures et désigne ces «Chroniques en spirale» par le «tome I» et le «tome II». De son côté, Gabrielle Poulin attaque de front[11] le problème :

> L'auteur a voulu écrire des chroniques, soit! [...] Mais elle a donné à son récit les caractéristiques d'un roman [...] L'auteur s'est mise seulement au service d'une histoire grande et belle : elle a su lui donner l'attrait du romanesque; à la fiction, elle a imposé des allures de vérité. Ses chroniques se lisent comme un roman; son roman comme une histoire[12].

Mais dans son analyse du volume II, elle établit que «[d]e ce nouveau livre, Hélène Brodeur a presque complètement évacué le romanesque au risque de mettre en péril l'unité de l'œuvre. Mais au jeu de qui-perd-gagne, les chroniques triomphent»[13].

La recension de Gilles Marcotte qualifie l'œuvre d'Hélène Brodeur d'«énorme entreprise romanesque» : «Le mot "chroniques" ne doit pas faire illusion. Ce sont bien des romans qu'écrit Hélène Brodeur, et les intrigues diverses qui s'y croisent composent un tableau d'ensemble bien organisé selon la formule américaine.»[14]

Pour sa part, Réginald Martel déclare : «Madame Brodeur ne prêche pas, elle écrit la chronique. L'analyse sociologique discrète est pourtant bien réelle, elle est le substrat du récit. Mais ce qui s'impose tout à fait à l'attention du lecteur, c'est la réalité humaine, charnelle d'une petite foule de personnages.»[15]

Les différents jurys littéraires ne s'y sont pas trompés; ils ont classé ces ouvrages dans la catégorie des œuvres de fiction.

Une histoire bien servie par le roman

Face à cette position, deux opinions divergent. D'une part, Normand Desjardins s'étonne que *Chroniques du Nouvel-Ontario*, «document bien écrit, honnête, fidèle», ait été publié dans la collection «Prose entière» des Quinze[16], réservée ordinairement aux romans. D'autre part, même si Fernand Dorais ne peut s'empêcher d'appeler, à deux reprises, ces œuvres des romans, il n'hésite pas à déclarer :

> D'entrée de jeu, il faut souligner que les deux œuvres valent ou s'imposent, d'abord et surtout comme fresques historiques : reconstitutions fidèles et patientes, curieuses, d'une origine, d'une genèse, puis d'un passé récent : ceux des Québécois venus en Ontario depuis un siècle. De ce point de vue, le titre général de «chroniques» ne saurait être mieux choisi[17].

Enfin, Nadia Legris réconcilie les deux principales positions de la critique en reconnaissant qu'Hélène Brodeur allie l'histoire au roman et que «jamais le côté historique ne [...] paraît astreignant ou déplacé. Les deux s'intègrent à merveille»[18]. Mais le point de vue le plus singulier de tous est certainement celui de France Simard qui dévore les livres d'Hélène Brodeur «comme une lettre»[19]!

***

Quoi qu'il en soit de ces subtiles distinctions qu'une nouvelle étude de l'œuvre d'Hélène Brodeur menée par une jeune étudiante à la maîtrise à l'Université de Dijon, Marie-Hélène Barbier Tainturier, saura tirer au clair[20], il m'apparaît que la romancière veut faire entendre dans son œuvre le témoignage de l'histoire non écrite et laissée pour compte dans les archives rangées de l'Histoire avec un grand «H». Dans une histoire d'amours interdites, condamnées d'avance par les mœurs et la mentalité de l'époque, elle fait surgir la voix des morts pour remémorer les misères, les échecs, les ambitions et les espoirs quotidiens de cohortes d'êtres anonymes qui ont tissé de leur vie la rude étoffe qu'il fallait produire pour réaliser le «dur désir de durer»[21]. En somme, il ne serait peut-être pas faux de conclure qu'Hélène Brodeur a créé une œuvre contre l'Histoire officielle, mais tout contre l'histoire authentique «consignée dans les archives du cœur et de la mémoire de ceux qui ont aimé. Jamais nous ne les oublierons»[22].

(Texte original de : «Hélène Brodeur. Une romancière au service de notre histoire», *Liaison*, n° 42, printemps 1987, p. 26-27.)

Notes

1   Les éditions sudburoises Prise de parole ont «rapatrié» en Ontario-Nord la production littéraire d'Hélène Brodeur après avoir acheté les droits des deux premiers volumes aux éditions Quinze de Montréal, et publient désormais la série des trois volumes sous une nouvelle jaquette unifiée.

2   Le 21 juin 1986, p. C-2. L'article de John Hare («Third volume in *Chroniques du Nouvel-Ontario* enhances author's success») paru dans la chronique «French books» attire l'attention des lecteurs anglophones sur la production littéraire ontaroise.

3   Hélène Brodeur, «Faire revivre le passé», *Liaison*, n° 30, printemps 1984, p. 47.

4   Hélène Brodeur, «Prix Champlain 1981», *Le Droit*, 13 nov. 1982, p. 18.

5   *Extension*, août 1964, p. 12-17; septembre 1964, p. 41-46.

6   *Incidences*, vol. I, n° 10, p. 21-24.

7   Cette nouvelle est reproduite dans Yolande Grisé, *Pour se faire un nom*, préface de Gisèle Lalonde, Montréal, Fides, 1982, p. 195-199.

8   Hélène Brodeur, «Prix Champlain», *Le Droit*, 13 nov. 1982, p. 18.

9   Paul Gay, avec la participation de Yolande Grisé, FRA 2566M Littérature ontaroise, Ottawa, Département des lettres françaises, Faculté des arts, Université d'Ottawa, janvier 1982, p. 65.

10   *Le Droit*, samedi 4 juin 1983, p. 30.

11   «Ce feu qui couve», *Lettres québécoises*, n° 24, hiver 1981-1982, p. 19.

12   *Ibid.*, p. 21.

13   «L'action par dévoilement», *Lettres québécoises*, n° 31, automne 1983, p. 19.

14   «Madame Jacob a pondu une oasis "médinnequébec"», *L'Actualité*, vol. 8, n° 10, octobre 1983, p. 150.

15   «L'Épopée des pauvres», *La Presse*, 20 août 1983, p. E-2.

16   *«Entre l'aube et le jour. Chroniques du Nouvel-Ontario*, tome 2», *Nos livres*, vol. 14, n° 5382, p. 38.

17   «Entre l'aube et le jour», *Liaison*, n° 30, printemps 1984, p. 49.

18   *«Chroniques du Nouvel-Ontario. La Quête d'Alexandre», Nos livres*, vol. 13, n° 104, mars 1982.

19   «Un rêve d'enfance réalisé», *Le Droit*, samedi 13 août 1983, p. 25.

20   *«Chroniques du Nouvel-Ontario*, Hélène Brodeur : Le roman régionaliste en question autour d'une étude du personnage d'Alexandre», mémoire de maîtrise sous la direction de Guy Lecomte, Centre d'études canadiennes, Université de Bourgogne, Dijon. Note de l'auteure : mémoire (215 p. et 13 annexes) présenté avec succès en 1987.

21   Réginald Martel, art. cité.

22   Beatriz Cristina Mangada Cañas, étudiante au Departamento de Filologia Francesca (Facultad de filosofia y letras) à l'Universidad autonoma de Madrid, a soutenu avec succès une thèse de doctorat en 2001, sous la direction de Margarita Alfaro Amieiro : «Estudio de la identitad franco-ontarienne en la trilogia *Chroniques du Nouvel-Ontario* de Hélène Brodeur», 245 f.

37

L'ÉCOLE : UN RESSORT CULTUREL!

Texte d'une allocution prononcée à Moncton, le 6 juin 1987, lors du Rassemblement 1987 organisé par le Conseil de promotion et de diffusion de la culture (CPDC) en collaboration avec la Fédération culturelle des Canadiens français et la Société acadienne du Nouveau-Brunswick.

Il y a cinq ans, l'Association des enseignants francophones du Nouveau-Brunswick m'invitait à participer à son Congrès d'Edmunston où s'étaient réunis plus de 1 700 enseignants venus de tous les coins de la province, et même du pays entier, pour discuter d'un thème toujours important à l'heure actuelle dans le monde scolaire : Se définir... dans une réalité nouvelle[1]. C'était alors ma première visite au Nouveau-Brunswick, en plein pays brayon, que je n'ai plus jamais quitté, puisqu'on m'a fait l'honneur de me conférer la citoyenneté honoraire de la République du Madawaska. (J'apprends que nous allons honorer ce soir une authentique citoyenne du Madawaska en la personne d'Audrey Côté-Saint-Onge, «pour sa contribution exceptionnelle au développement culturel des Acadiens et francophones du Nouveau-Brunswick», et je la félicite; comme je félicite les Acadiens de se montrer fidèles et reconnaissants.) L'accueil donc a été si attentif, si enthousiaste et tellement généreux que, pour dire la vérité, «j'en suis pas r'venue!». La preuve? Je suis encore là ce soir parmi mes amis acadiens.

Quand Lucille Richard, représentante de la FCCF au CPDC, qui sait si bien y faire, m'a invitée à prendre la parole à ce grand Rassemblement 1987 à Moncton, j'ai accepté avec joie, empressement et plaisir. Un plaisir d'autant plus vif que le sujet qu'elle m'a proposé de traiter, et que j'ai intitulé «L'école : un ressort culturel!», me prouve que les congressistes de 1982 n'ont pas hésité, au terme de cette mémorable rencontre, à passer rapidement à l'action afin que l'école se tourne, sans plus tarder, vers la culture pour retrouver sa raison d'être et son âme dans un monde désemparé. En effet, le sujet dont je veux vous entretenir à l'instant s'inspire directement de l'action commune entreprise par le CPDC et ses associations constituantes afin de sensibiliser les divers intervenants au rôle fondamental de la culture dans l'éducation. Cette action commune a donné lieu au récent *Rapport du Comité ad hoc provincial sur l'intégration culturelle en milieu scolaire*, et je m'en réjouis. Lors de son passage au CRCCF (à l'Université d'Ottawa), le 1er juin dernier, Marielle Gervais, qui a participé à la rédaction de ce *Rapport*, m'en remettait un exemplaire. C'est ainsi que j'ai pu prendre connaissance du travail énorme que vous avez accompli et des étapes parcourues depuis le Congrès d'Edmunston.

L'École : un ressort culturel! Qu'est-ce que cela signifie? En choisissant l'image du ressort pour exprimer et illustrer les liens privilégiés qui unissent viscéralement la culture et l'école, ou qui devraient désormais ne plus les séparer, je ne veux pas évoquer le sens propre du mot qui désigne, on le sait, cette pièce de mécanisme utilisée pour absorber du travail ou produire du mouvement. Je veux plutôt attirer l'attention sur le sens figuré du terme qui définit ainsi une cause agissante, c'est-à-dire une énergie, une force qui fait agir. En d'autres mots, à mon avis, l'école est, par définition, un foyer dynamique de culture. C'est là une fonction extraordinairement importante, à laquelle l'école ne peut se dérober sans consommer du même coup sa propre destruction et celle du milieu où elle s'insère. Pour approfondir cette affirmation, je poserai trois questions. La première : Pourquoi la culture a-t-elle sa place à l'école? La deuxième : Quelle place la culture doit-elle occuper à l'école? La troisième : Comment accorder à la culture sa place à l'école?

Pourquoi la culture a-t-elle sa place à l'école?

D'abord, pour éviter toute confusion, il faut s'entendre sur le mot culture qui recoupe en français des sens très divers. En effet, ce mot est un terme élastique que, pour les besoins de sa cause, chacun ou chacune essaie de tirer de son côté. Mais, puisqu'on reste libre de choisir ses définitions à la condition de s'y bien tenir, accordons ici au mot *culture* deux sens distincts, mais non incompatibles, qui servent, chacun à sa manière, notre propos.

Entendue au sens de développement de l'activité spirituelle et créatrice de l'être humain, la culture se situe dans le champ de la pensée. La «pensée méditante», selon la juste expression de l'écrivain français Alain Finkielkraut, par opposition à la «pensée calculante» telle qu'identifiée par le philosophe allemand Heidegger. La culture relève donc du domaine de la réflexion, qui est l'acte fondamental de l'esprit humain. Je dirai, en d'autres mots, que la culture est l'art de penser. Dans ce sens, elle apparaît comme l'instrument même de la connaissance. Et la connaissance, affirme l'écrivaine italienne Elsa Morante dans son roman *La Storia*, «est l'honneur de l'homme» (entendre ici l'être humain). La culture s'impose alors comme l'agent d'émancipation par excellence qui extirpe l'être humain de sa condition (dont la minorité chez l'enfant et l'adolescent). Elle le rend autonome, elle en fait un être libre, c'est-à-dire pleinement capable et responsable de ses actes. Or, l'école n'a-t-elle pas pour objet justement de former les esprits? D'assurer le développement de l'être humain chez l'enfant et l'adolescent? D'en faire des êtres libres?

Entendue, cette fois-ci, dans un sens moins large et plus précis, la culture peut également signifier *la tournure d'esprit* du peuple dont on fait partie et qui influence à la fois notre pensée, notre comportement de même que les gestes les plus modestes de notre vie de tous les jours. Car l'être humain est non seulement incarné dans un corps, mais il est aussi situé dans l'espace et dans le temps. Refuser d'assumer cet élément essentiel de la condition humaine serait compromettre la germination même et, par conséquent, la survie, la croissance et l'épanouissement d'un être humain véritablement autonome. Bien qu'elles ne soient pas une fin en soi, mais un moyen indispensable d'affranchissement, la découverte et l'affirmation de son identité culturelle développent chez l'enfant et l'adolescent un fort sentiment d'appartenance sur lequel est fondée cette confiance profonde nécessaire à tout accomplissement humain. Le «Connais-toi toi-même» de Socrate s'adresse à l'être humain dans tous ses aspects, particuliers et universels. L'ignorer, c'est favoriser l'aliénation de l'individu; c'est consacrer et entretenir la condition minoritaire de la jeunesse. Aussi, l'école qui veut former des êtres humains à part entière doit-elle s'engager à reconnaître, à respecter et à favoriser l'expression de cette dimension culturelle dans toute son étendue.

Quelle place la culture doit-elle occuper à l'école?

Si l'on accepte de considérer que la culture, suivant les sens qu'on vient de lui attribuer, a un rôle déterminant dans la formation des individus parce qu'elle les rend aptes à penser par eux-mêmes, leur donne les moyens d'être effectivement autonomes, leur permet, en somme, de devenir des êtres majeurs, l'importance de sa place à l'école, on en conviendra, est primordiale.

Tout le monde n'est pas appelé à gagner sa vie de telle ou telle manière, en utilisant tel savoir-faire particulier, telle technique spécialisée ou encore telle marque d'ordinateur. Mais chaque individu affronte tous les jours les multiples problèmes, de toute nature, que lui réserve une vie devenue de plus en plus complexe. Or, qu'est-ce que la culture si ce n'est le résultat de l'exercice de la réflexion qui, aiguillonnée par la curiosité, c'est-à-dire le désir de savoir, apprend à observer, à s'étonner et à questionner, à inventer des solutions et à les vérifier en même temps auprès de la réalité. La culture n'est pas du domaine de l'utile, mais de *l'essentiel*. C'est ce qui fait dire au héros David dans *La Storia* d'Elsa Morante : «la pire violence contre l'homme, c'est la dégradation de l'intellect». C'est pourquoi la culture, vue sous cet angle, ne peut pas ne pas occuper la première place dans un lieu de formation de base comme l'école, afin que tous et toutes aient la chance et l'occasion d'avoir durablement accès au plus précieux moyen de survie dans un monde en perpétuelle transformation : soi-même! Car c'est bien en lui-même d'abord et avant tout – dans son intelligence, son imagination, sa sensibilité – que l'être humain a toujours trouvé les ressources indispensables pour affronter de nouvelles réalités : «Lorsque la religion, la science et la morale [...] sont ébranlées», écrit le peintre Kandinsky dans son ouvrage *Du spirituel dans l'art*, «et lorsque les appuis extérieurs menacent de s'écrouler, l'homme détourne ses regards des contingences extérieures, et les ramène sur lui-même».

Un enseignement qui ne cherche qu'à répondre à la satisfaction immédiate d'une seule partie des besoins de l'individu – un emploi, par exemple – tombe dans le piège de l'utilité, dont une caractéristique importante – on l'oublie trop souvent! – est celle d'être limitée. Il n'y a pas loin du mot usage au mot usagé, puis au mot *usé*. Dans le monde actuel de la consommation et de la loi du marché, l'utile est une denrée vite périmée. On le constate tous les jours. La preuve? Les emplois, on les abolit, d'autant plus rapidement qu'ils sont plus spécialisés puisque plus exposés au changement; les nouvelles techniques sont vite chassées par de plus récentes et personne ne peut savoir de quel pain demain il ou elle se nourriront.

Outre la *réflexion*, un autre moyen de culture est l'*art*. L'art est l'un des agents les plus puissants de la vie spirituelle. La première raison de cette souveraineté de l'art, c'est qu'il s'adresse à l'âme, principe de la sensibilité humaine. Comme l'affirme le philosophe Bergson, le procédé essentiel de l'art «consiste à enchanter, charmer, fasciner l'âme par des moyens sensibles : rythmes, mesures, sons, couleurs, lignes, formes, images, équilibres, etc. L'art interpelle donc le sentiment, provoque l'émotion intime de l'être.

La seconde raison qui me paraît assurer la suprématie de l'art sur la science, par exemple, qui occupe exagérément tout le champ des préoccupations modernes, c'est cette loi méconnue que Victor Hugo, entre autres, a fait valoir et qui justifie la place privilégiée que nos lieux d'éducation de la jeunesse devraient réserver aux arts, particulièrement par les temps angoissés que nous connaissons, où le matérialisme de la consommation nous enferme dans l'éphémère. Cette loi est la suivante. Contrairement à la science qui est entièrement soumise au progrès, au changement, à l'amélioration (une découverte élimine l'autre), l'œuvre d'art échappe à l'imperfection de la limite, de la quantité, du relatif. Elle se situe du côté du définitif, de l'infini, de l'absolu. C'est là sa puissance, sa force, sa valeur. Dans l'incertitude, qui est le pain quotidien de notre époque, l'art est le garant le plus sûr de l'avenir humain. Il se situe du côté de l'immortalité. C'est pourquoi, constatait Hugo, les poètes et les artistes «s'appuient sur l'avenir avec une confiance hautaine». Le poète latin Horace écrivait déjà au premier siècle avant notre ère, à la fin de ses *Odes* : *«Exegi monumentum aere perennius»* («J'ai achevé un monument plus durable que l'airain»). Il y a de l'infini dans l'art. C'est la raison pour laquelle il est si puissant et occupe une place d'exception dans la vie humaine. C'est cette place qui lui revient aussi à l'école.

Comment accorder à la culture sa place à l'école?

Jusqu'ici, nous avons examiné les raisons d'être de la culture à l'école ainsi que son importance vitale dans l'éducation. Voyons maintenant, de manière plus concrète, les moyens qui sont à notre disposition pour incorporer la culture générale, d'une part, et la culture acadienne, d'autre part, dans le milieu scolaire. Autrement dit, quelles sont les voies possibles pour que l'école devienne une force agissante de la culture en même temps qu'un foyer dynamique d'expression culturelle?

L'étude présentée par le CPDC s'est déjà abondamment exprimée là-dessus et je ne veux pas revenir sur les 22 recommandations qui y sont proposées. Je me contenterai, toutefois, d'exprimer deux souhaits.

En premier lieu, j'insisterai sur un point qui m'est cher parce qu'il me paraît fondamental et qu'il s'impose avec une urgence capitale dans nos sociétés minoritaires de l'Acadie ou de l'Ontario français. Je veux parler de la lecture et de son complément, la rédaction ou la composition. Je ne vous cacherai pas que j'aurais aimé voir figurer en toutes lettres dans le *Rapport* une recommandation spéciale sur la nécessité de développer, toutes affaires cessantes, une politique qui favoriserait la lecture dans le milieu scolaire comme méthode d'apprentissage. Parce que la lecture est le moteur de la culture : c'est le meilleur moyen d'acquisition rigoureuse de la langue et de développement de la pensée personnelle quand elle est assortie d'exercices de rédaction. Dans notre monde de la communication, ne pas maîtriser sa langue est un handicap majeur. Et, pour une société minoritaire de tradition largement orale qui, sans ancrage solidement établi dans la tradition écrite, verse comme tout le monde autour d'elle dans l'âge technique de l'image et des vibrations, il y a menace sérieuse de couler à pic. D'autre part, aussi paradoxal que cela puisse paraître, c'est au moment même où l'on a chanté les bienfaits pour «les masses populaires» d'une éducation axée sur la consommation du savoir-faire spécialisé plutôt que sur la formation de l'être que les exigences sont devenues de plus en plus grandes envers la maîtrise de la langue orale et écrite. En effet, il suffit d'ouvrir les yeux pour constater que la nouvelle réalité à laquelle nous devons faire face prend l'allure d'un monde de plus en plus bureaucratique et technologique. Cette société nouvelle exige et permet tout à la fois une connaissance et une exploitation de plus en plus sophistiquées de la communication écrite et des ressources intellectuelles.

Par ailleurs, cette course vers l'excellence ne doit pas faire perdre de vue que l'objectif de l'école n'est pas la performance, mais la formation. Et, à l'heure actuelle, on fait face à un grave problème quand on constate que l'école parvient difficilement à enrayer l'analphabétisme. À cet égard, l'engagement de l'école est essentiel et le développement concerté de la lecture est indispensable. Si l'expression langagière, qui est le propre de l'être humain, ne devient pas une valeur fondamentale dans les lieux de formation de la jeunesse, vers quelle impasse courons-nous? En tout cas, pour ceux et celles qui ont l'esprit pragmatique et qui se montrent volontiers plus sensibles aux arguments pratiques que spéculatifs, j'ajouterai ceci : la *maîtrise* du discours oral et écrit, denrée plus rare de nos jours comparativement à la demande accrue et, partant, plus précieuse, sera la clé de voûte de la réussite dans le monde du travail au cours des années qui viennent, bien avant toute autre spécialité.

L'autre souhait que j'aimerais exprimer concerne, cette fois, les ressources intellectuelles et artistiques exceptionnelles qui ont surgi ces derniers vingt ans dans la société acadienne, sans compter les richesses de son passé. Le passé...! Cette enfance des peuples qu'on s'empresse d'oublier quand on ne l'ignore pas tout simplement; ou qu'on le regarde de travers; ou encore à qui on accorde une pensée bien timide; ou dont on veut se dégager le plus vite possible pour plonger tête première dans un présent aléatoire. Ce passé mort a pourtant en nous un avenir, dirait le philosophe-poète Gaston Bachelard. Et le bien connaître n'est-il pas le plus sûr garant d'un avenir ouvert et fécond? Couper le fil avec le passé, c'est se rompre le cou, car il est le lien avec la nuit des temps qui gît en nous et que toute notre vie cherche à faire naître à la lumière. Un peuple sans mémoire est livré à l'impuissance.

Mais ce n'est pas le cas de l'Acadie, qui n'a jamais renoncé à son passé et qui bénéficie d'atouts nombreux et divers pour relever le défi qu'elle vient de se lancer dans le domaine culturel. En effet, par son histoire, sa géographie et ses traditions, ses écrivains et ses artistes visuels, ses chansonniers, ses musiciens et ses comédiens, son patrimoine et ses écrits, ses réalisations de toutes sortes et ses talents variés, la société acadienne dispose d'une matière abondante pour l'implantation du développement culturel à l'école auprès des enfants et des adolescents.

Sur le plan strictement scolaire, des disciplines gagneraient à s'ouvrir à la réalité acadienne afin de faire connaître aux élèves leur milieu de vie et de leur rendre celui-ci non seulement attrayant, mais encore familier et surtout précieux. Ainsi vivre en Acadie deviendrait une entreprise moins menaçante pour les jeunes francophones, car cela deviendrait une opération plus consciente. Ce pas vers la connaissance de soi stimulerait sans doute la volonté de s'exprimer en français et de s'affirmer comme Acadiens par des réalisations ou des engagements concrets, tout en endiguant ainsi, peut-être plus efficacement, le fléau de l'assimilation. La valorisation n'est-elle pas, par définition, un phénomène «rentable»?

Du côté artistique, soit dans le domaine de l'apprentissage des arts, soit dans celui de la création (œuvres et créateurs) ou encore dans le secteur de la diffusion et de la promotion culturelle ou du simple divertissement, j'invite les uns et les autres à développer à l'usage des écoles des documents détaillés sur tous les aspects du monde culturel acadien. Pour y parvenir, on n'hésitera pas à s'inspirer des réalisations accomplies dans le domaine de la littérature par Marguerite Maillet, Gérard LeBlanc et Bernard Émond ou encore Melvin Gallant, pour ne nommer qu'eux. Car, en plus d'avoir l'avantage de démontrer noir sur blanc aux élèves la fécondité d'une culture qui a choisi d'enfanter l'avenir malgré les obstacles majeurs qui ont entravé et continuent d'entraver sa libre expression, ces documents permettraient non seulement aux Acadiens, mais aux autres communautés francophones du Canada, de découvrir, d'inviter ou de faire circuler dans leurs propres écoles les œuvres, les artistes, les spectacles, les livres, le matériel pédagogique acadiens et même de créer, entre l'Acadie et ces autres communautés francophones, des échanges d'élèves et d'enseignants pour une période définie. L'intégration culturelle en milieu scolaire doit faire flèche de ce bois-là aussi puisque, outre l'idée de formation, de soin de l'âme et d'affirmation de l'identité collective spécifique, la culture est un mot rempli de l'idée d'ouverture aux *autres*.

La collaboration et la solidarité entre les différentes communautés francophones du Canada dans le milieu scolaire est une voie nouvelle à explorer et à encourager. À l'heure du 2ᵉ Sommet de la francophonie mondiale, au moment où le président de la République française vous a rendu visite à Moncton, il m'apparaît tout à fait approprié de chercher naturellement à consolider les liens qui unissent nos propres communautés. Et l'Année de la francophonie en Amérique que nous célébrons en 1987 me paraît tout indiqué pour susciter des projets ou des résolutions en ce sens. Il est bon de savoir et de sentir qu'on n'est pas seuls pour affronter le monde à venir, mais qu'on peut compter d'abord sur ses compatriotes pour vivre ensemble ces nouvelles réalités.

C'est d'ailleurs le monde de l'enseignement dans son entier, à tous les niveaux, qui doit se préoccuper de l'expression culturelle des communautés francophones. À cet égard, j'aimerais, en terminant, vous faire part d'une expérience menée en Ontario, en 1984, lorsque le Département des lettres françaises de l'Université d'Ottawa, en collaboration avec le CRCCF et l'Éducation permanente, organisa sur le campus de Cornwall un colloque universitaire ouvert, pour la première fois, au monde scolaire et à la communauté francophone environnante sur «Les "autres" littératures d'expression française en Amérique du Nord». Pour l'Acadie, Melvin Gallant livra lors de cette rencontre un aperçu de l'évolution du roman acadien. Dans la foulée de cet événement, l'année suivante, le Département des lettres françaises mettait sur pied un cours sur ces littératures francophones hors Québec et d'Amérique. Récemment, le CRCCF était fier de lancer dans le cadre du 55ᵉ Congrès de l'Association canadienne-française pour l'avancement des sciences (ACFAS) tenu à Ottawa les actes de ce colloque innovateur. Il me fera plaisir d'en remettre un exemplaire, en cadeau d'anniversaire, aux trois associations organisatrices de ce Rassemblement 1987, en témoignage d'encouragement, d'amitié et de remerciements pour leur aimable invitation en pays acadien.

Note

1   Voir le texte 22.

38

UN ROMAN TIRÉ DE L'OUBLI

Texte de présentation d'un roman ontarois à l'occasion de sa réédition[1].

Au printemps 1954, deux auteurs publiaient un ouvrage à Québec. L'un, déjà célèbre, signait le roman *Alexandre Chevevert* : c'était Gabrielle Roy; l'autre, inconnu, lançait son roman *François Duvalet* : il s'appelait Maurice de Goumois. Fait à souligner, chacun des romanciers avait choisi de camper dans le rôle principal de son récit un commis de banque éprouvant de l'ennui, voire un certain dégoût, pour ses fonctions. Mais là s'arrête la comparaison : les deux personnages devaient connaître un sort bien différent; leur aventure et leur auteur aussi.

À 35 ans de distance, la jeune maison d'édition ontaroise Le Nordir entreprend de tirer de l'oubli le roman de Maurice de Goumois. Une telle initiative se justifie dans la mesure où il se trouve en Ontario peu de romans d'expression française qui soient situés dans la région du Nord-Est de l'Ontario, plus précisément à Chapleau, à une époque qui a marqué profondément les Canadiens, soit celle de la crise de 1929 et de la dépression qui s'ensuivit.

On se rappellera que la localité de Chapleau doit son nom à sir Joseph-Adolphe Chapleau (1840-1898). Professeur de droit criminel et international à l'Université Laval de Montréal (1878-1885), Joseph-Adolphe Chapleau est élu Premier ministre de la province de Québec (1879-1882) sous le régime conservateur; pendant son mandat, il détient les portefeuilles de l'Agriculture, des Travaux publics puis des Chemins de fer. Il est décoré de la Légion d'honneur par le gouvernement français en 1882. Cette même année, il devient secrétaire d'État du Canada (1882-1892), et, par la suite, lieutenant-gouverneur de la province de Québec (1892-1898). Dans sa jeunesse, il avait été l'un des propriétaires du journal *Le Colonisateur* (1862-1863); plus tard, il possédera avec d'autres le quotidien *La Presse* (1889) et dirigera pendant quelque temps les compagnies de chemins de fer «Laurentides» et «Pontiac et Pacifique». Longtemps important relais ferroviaire sur «le mince tracé transcontinental reliant l'Atlantique au Pacifique», la ville de Chapleau porte donc bien le nom qui l'honore.

En tant que point de rencontre obligé entre les trains provenant de l'Est et ceux repartant pour l'ouest du pays, la localité de Chapleau a été le témoin au début du siècle d'un vaste mélange de populations immigrantes qui fuyaient la guerre et ses misères et, pendant la crise de 1929, le fléau d'un chômage devenu chronique partout en Occident. Ces immigrants tentèrent fortune tant bien que mal dans les chantiers forestiers ou les exploitations minières du Nord ontarien. À l'heure où la question de l'immigration défraye les manchettes au Canada, la réimpression d'un roman qui met en scène le voisinage et l'adaptation des ethnies de toutes origines ayant contribué à développer le Nord-Ouest ontarien, et cela, dans des conditions de survie très difficiles, ne manque pas d'à-propos.

Parmi ces nouveaux arrivants, se trouvaient aussi des citoyens de pays francophones comme la France ou le Luxembourg. Le roman *François Duvalet* relate, en fait, l'aventure nord-américaine d'un de ces jeunes immigrants français assoiffés «de risque et d'action» dans un Canada mythique. Mais, au fil des jours, le «pays de cocagne» perd de ses attraits et s'impose comme une terre étrangère, voire hostile, qui «réclame son dû» avant de s'ouvrir à l'Autre. Ce roman retient l'attention aussi parce qu'il fait état d'un regard «étranger» posé sur la réalité d'ici, dans le contexte d'un passé qui n'est pas si éloigné de nous. Devant certains détails qui peuvent agacer notre fibre nationale (mais qui n'en demeurent pas moins authentiques pour celui qui les a observés) ou devant la description des mœurs relâchées qui y sont parfois étalées certes en connaissance de cause, des lecteurs s'indigneront peut-être, à l'instar du chroniqueur qui écrivait à la parution du roman, en 1954 : «On ne peut avoir là une idée exacte de la population canadienne. Dans les camps et les villages de l'Ontario, il n'y a pas seulement des buveurs, des vicieux, des femmes avenantes et faciles.»[2] Mais ce jugement hâtif n'est pas sans évoquer la réception plutôt froide que connurent chez nous des œuvres littéraires de premier ordre, comme *Maria Chapdeleine* de Louis Hémon ou encore *La Scouine* d'Albert Laberge. Il faut replacer les choses dans leur contexte littéraire et comprendre que l'auteur ne prétend pas faire œuvre d'historien ou de sociologue, mais bien de romancier. Un roman demeure largement tributaire de son auteur : de son éducation, de son milieu, de son temps, de ses rêves, de ses idées et de son expérience personnelle.

Canadien de citoyenneté, mais Français d'origine, Maurice de Goumois est né en 1896 à Colmar, petite localité de la France alsacienne voisine de la frontière suisse. Son père était horloger de métier. La famille tire son patronyme du petit village de Goumois situé au bord de la rivière au joli nom de Doubs (prononcer doux). Née dans le Jura, celle-ci arrose la France et la Suisse, puis se jette dans la Saône, après avoir parcouru de longs kilomètres. Maurice-Marc-Albert de Goumois passa sa jeunesse à Neuchâtel et dans ses environs. Le titre de son roman, *François Duvalet*, évoquerait par un jeu de mots ces souvenirs de la Suisse : un Français du Valais.

L'auteur émigra au Canada en 1920. Son premier point de chute fut Chapleau en Ontario, région où se déroule une partie importante du roman et où reposent, comme on le sait, les mânes de son compatriote Louis Hémon. En 1924, Maurice de Goumois s'installa à Québec où il devait connaître une longue carrière dans les assurances. Dans les années 1950, il vécut toutefois quelque temps à Sainte-Adèle et à Montréal. Plus tard, il occupa un poste de haut fonctionnaire au ministère de l'Industrie et du Commerce du Québec. Ses fonctions l'amenèrent à participer à l'ouverture des premières «Maisons du Québec» en Europe, par exemple, à Dusseldorf. Lors de l'Exposition universelle à Montréal en 1967, il fut nommé commissaire du Pavillon des industries du Québec. Maurice de Goumois est décédé à Montréal en 1970.

Au cours des années 1950, il avait connu une certaine activité littéraire. Outre *François Duvalet*, il fit paraître deux autres romans : *Destin de femme*[3] et *A World Goes by*, publié à compte d'auteur à New York et inspiré de sa jeunesse européenne. Il écrivit aussi des textes pour la radio de Radio-Canada, dont *Tobias, enquêteur privé* («Nouveauté dramatique», radiodiffusée le 28 avril 1956) et *L'égarement* («Nouveauté dramatique», radiodiffusée le 22 juillet 1956). Cela dit, *François Duvalet* s'impose avant tout comme un roman initiatique : un jeune homme en quête d'aventures quitte la civilisation des vieux pays et subit une série d'épreuves qui l'habiliteront à s'insérer dans les dimensions inattendues du Nouveau Monde. À peine débarqué à Montréal en pleine crise économique, assuré et impatient de se tirer rapidement d'affaire dans un pays dont on lui a vanté les ressources, François Duvalet part pour les chantiers de la North-Star Lumber Company, situés à une quarantaine de milles au nord de Chapleau. Il rêve déjà d'accéder un jour à la tête d'une grande compagnie de bois. Mais la réalité est tout autre. Des déboires successifs entravent ses projets et tempèrent son enthousiasme. Les désillusions s'accumulent. Le sobriquet de Frenchy dont il est affublé dès son arrivée lèse sa fierté.

Mais François est un brave. Il tâte de tous les métiers dans ce damné pays où «le vrai maître est le climat» : il est d'abord bûcheron, puis aide-cuisinier, «helper» dans un dépôt de locomotives, trappeur, coupeur et vendeur de bois de poêle, voyageur sur la Pagwa et l'Albany, cheminot et charpentier à Fort William, sarcleur de pommes de terre près de New Liskeard et, enfin, livreur à Chapleau, où le ramènent irrémédiablement ses malheureuses équipées. Car, en dépit de sa volonté, de son acharnement et de ses nombreuses callosités, le pays se refuse à lui. Impuissant à prendre pied quelque part, frustré devant le mauvais sort qui le poursuit, Frenchy décide, au bout de seize mois d'insuccès, de plier bagage et de rentrer en France, pas plus riche qu'à son départ, mais délivré de son envie d'agir. Or, à Toronto où il se rend pour régler une vieille dette auprès de son premier employeur, la chance lui sourit : il se voit offrir inopinément par le président de la North-Star Lumber le poste inespéré d'inspecteur des comptes. Au bout de tant d'épreuves, le Nouveau Monde lui ouvre enfin ses portes : une nouvelle vie peut commencer.

Au fil des nombreux épisodes qui morcellent l'action, le roman met en scène une multitude de personnages : immigrants issus de toutes les nations qui ont fourni des bras pour développer les contrées inhospitalières de la forêt nord-ontarienne, Canadiens français et Amérindiens, tous s'accrochent tant bien que mal à la vie, traqués par la crise économique dans une immensité grandiose mais terrifiante, où le voisin «tout proche» loge «à seulement deux cent cinquante milles». En 1929, les conditions de survie dans l'Ontario-Nord sont particulièrement pénibles : on voit la misère «du pas de sa propre porte» et le travail, rare et dur, «n'est plus supporté par l'espoir». Dans la petite communauté de Chapleau où les chômeurs affluent continuellement par la voie ferrée, les relations humaines sont souvent compromises. La crise économique engendre l'inquiétude, laquelle fait naître la méfiance : des jalousies naissent, des haines se tissent, des drames éclatent. Par les temps qui courent, ce tableau d'époque ne devrait pas laisser indifférents les lecteurs d'aujourd'hui. Certains détails pourraient aussi aiguiser leur curiosité. Par exemple, sait-on que, pendant la crise, un homme gagnait à peine 50 cents l'heure pour décrasser les locomotives ravitaillées au charbon; ou encore qu'on contournait la prohibition avec une ordonnance médicale, procédé qui permettait d'éviter les risques de la cécité, laquelle guettait les consommateurs d'alcool de bois frelaté?

Jusqu'ici, le roman de Maurice de Goumois était passé inaperçu. Un des mérites de sa relance serait de lui faire connaître un sort meilleur en attirant, par exemple, sur ce texte l'attention d'un producteur ou d'un réalisateur. *François Duvalet* constitue un excellent canevas pour qui cherche à réaliser une série télévisée propre à intéresser les téléspectateurs d'ici et d'ailleurs. C'était mon avis en 1980 lorsque je découvrais le roman[4] et je suis toujours de cet avis aujourd'hui. La structure hachée de la composition, l'abondance des épisodes, le foisonnement et l'originalité des personnages, la bousculade de l'action, la poésie tourmentée du Nord ontarien, les détails historiques, l'humour, l'idylle brièvement entrevue entre François et une compatriote, tout se prête à une adaptation imaginative de «Hé! Frenchy» au petit écran. Il suffit de prendre le train (avant qu'il ne disparaisse) et de lire le roman pour comprendre que ses pages couvent une autre réussite : celle d'un aventurier contemporain de la trempe de François Duvalet.

(«Préface», dans Maurice de Goumois, *François Duvalet*, 2ᵉ édition, Hearst, Le Nordir, 1989, p. 11-15. Illustration de la première de couverture : la sculpture «Frenchy» de Maurice Gaudreault.)

Notes

1   Voir le texte 11.

2   Paul-Émile Racicot, s.j., «Nos romans de 1954», *Relations*, 1955, nᵒ 15, p. 214.

3   Québec, Institut littéraire du Québec, 1953, 205 p.

4   Voir "Un Frenchy" à Chapleau au temps de la crise», *Le Droit*, 19 avril 1980, p. 18.

39

PROSPECTION DES ARTS VISUELS EN ONTARIO FRANÇAIS

Au milieu des années 1980, la révision du programme-cadre pour l'enseignement des arts visuels aux cycles intermédiaire et supérieur dans les écoles de l'Ontario suscita des protestations de la part d'enseignants affectés à cette discipline : le nouveau programme-cadre du ministère de l'Éducation émis en 1986 laissait peu ou pas de place à l'art canadien, aux œuvres réalisées par des femmes, aux artistes de langue française ou autochtones. Ainsi, la liste de la centaine d'œuvres proposées à l'appréciation des élèves ne comptait qu'une seule œuvre attribuée à une artiste[1], et l'ironie du sort voulut que le titre en fût *Total Obscurity* (1962). Le ministère de l'Éducation s'avisa de rectifier le tir en faisant préparer un document d'appui[2] par une équipe d'enseignants et de spécialistes des arts, assistée de collaborateurs et collaboratrices[3] issus des milieux négligés. C'est dans ce contexte favorable à la reconnaissance de toutes les composantes de l'art canadien que fut entreprise, avec l'aide financière du ministère de l'Éducation de l'Ontario, une première recherche fondamentale en vue de constituer une banque documentaire sur les arts visuels en Ontario français depuis les origines de la Nouvelle-France jusqu'à l'actualité d'alors, documentation qui devait servir au développement d'études et autres travaux dans ce domaine inexploré du fait français en Ontario. On lira ci-après des extraits du rapport final de cette vaste enquête menée au sein du CRCCF. Au terme de la recherche, l'entière documentation recensée fut remise au Service des ressources documentaires du CRCCF afin que celle-ci devienne accessible au public.

L e but de cette recherche, qui n'est pas exhaustive, est de rassembler pour la première fois une vaste documentation sur les arts visuels de l'Ontario français dans les secteurs de l'architecture, de la sculpture et de la peinture, depuis 1640 jusqu'à nos jours (1985).

Ce travail constitue une étape préalable et un instrument de recherche indispensable pour découvrir les formes d'art développées de longue date chez les francophones de l'Ontario.

Au terme de deux ans de recherche dans les sources écrites et les banques de données disponibles et auprès d'organismes, de personnes-ressources et des artistes, six mètres linéaires de documents ont été recueillis et classés selon un système établi en fonction de sept régions ontariennes : Ottawa-Hull, Toronto, le Nord-Est, l'Est, le Centre, le Nord-Ouest et le Sud-Ouest. On observe ainsi que la ville d'Ottawa-Est regroupe le plus grand nombre d'artistes répertoriés tandis qu'aucun artiste recensé ne provient de la région du Nord-Ouest.

La documentation se présente sur différents supports : il s'agit, en majeure partie, de photocopies d'articles de journaux, de revues ou d'imprimés (livres, brochures, rapports, dépliants, etc.); s'y joignent des coupures de presse, des livres, des cartons d'invitation, des curriculum vitae, des formulaires de renseignements, des reproductions d'œuvres d'art, des cartes postales, des affiches, des diapositives, des photographies, des cassettes, etc.

Ces documents fournissent une information, de sources primaire ou secondaire, sur la pratique des arts en Ontario français et sur près de 800 artistes professionnels de langue française, dont on retient 581 noms classés en trois catégories : 512 artistes sont nés en Ontario ou y ont demeuré au moins un an ou y demeurent depuis un an, et ont été ou sont engagés dans la pratique de leur métier; 62 artistes ne sont pas nés en Ontario et n'y ont pas résidé pendant un an, mais y ont laissé au moins une œuvre publique, ce mot étant entendu au sens d'une œuvre commandée à l'artiste par un organisme officiel (le gouvernement fédéral ou provincial, une Municipalité, etc.), possédée par l'Ontario et accessible au public; 7 artistes ne sont pas nés en Ontario et n'y ont pas résidé ou n'y résident pas, mais y ont travaillé ou y travaillent à titre de professeurs d'art à l'Université d'Ottawa, pendant ou depuis au moins cinq ans.

Parmi les buts de l'éducation tels que définis par le ministère de l'Éducation de l'Ontario[4], figurent trois éléments essentiels dans la formation de tout adolescent[5] : la connaissance de son milieu, le développement de ses capacités d'expression et l'acquisition d'un jugement critique. Les moyens offerts aux éducateurs pour atteindre ces buts sont nombreux. Il en est un qui les résume tous, parce qu'il exploite les aspects multiples de la vie en s'adressant à la fois à l'intelligence, à la sensibilité et à l'imagination : c'est l'ART.

Le ministère de l'Éducation de l'Ontario a prévu dans ses programmes une place pour les arts et l'initiation esthétique[6]. Des initiatives montrent l'importance accordée aux arts par les responsables de l'éducation dans le milieu franco-ontarien : la création d'une concentration en «Arts» à l'école secondaire publique De La Salle, à Ottawa, confirme cet engagement de l'école envers les arts visuels, en particulier, comme moyen indispensable de la formation des membres d'une société dynamique, éclairée et démocratique[7].

L'enseignement des arts visuels à l'école cherche surtout à développer le potentiel créateur des élèves, à former leur goût et leur jugement par la pratique et l'usage de techniques et de supports variés, à les initier, en somme, au langage des lignes, des formes, des volumes et des couleurs, et aux chefs-d'œuvre de l'histoire de l'art.

De l'avis de nombreux éducateurs, cette conception des arts visuels à l'école néglige, toutefois, une dimension essentielle, à savoir que le public étudiant est composé d'adolescents canadiens à la recherche, comme tout adolescent, de leur identité personnelle et collective.

Dans le cas des adolescents franco-ontariens, l'art en tant que facteur d'expression et d'identité personnelles et collectives joue un rôle extrêmement important. Pour s'en convaincre, on n'a qu'à se reporter aux observations que formulent les auteurs du RAVFO présenté au CAO, en 1977, sous le titre *Cultiver sa différence* :

la conception des arts comme élément d'expression et d'identification franco-ontariennes est de plus en plus répandue. Pour contrecarrer les progrès de l'assimilation, pour redonner la fierté d'être francophone en Ontario, ou pour répondre à l'insouciance voire au mépris affichés par trop de Québécois à l'endroit des minorités francophones hors Québec, il faut [...] exprimer l'identité franco-ontarienne par les arts[8].

Plus loin, ils ajoutent :

Les écoles ont un rôle capital à jouer dans cette prise de conscience artistique et culturelle du vécu franco-ontarien. Elles ne peuvent fermer les yeux sur le monde qui les entoure sous prétexte de n'exposer les élèves qu'aux valeurs sûres d'ailleurs [...] L'école n'est pas seulement un lieu d'apprentissage de techniques artistiques ou autres : c'est aussi une préparation à la vie. La sensibilisation à l'environnement socio-culturel fait partie de l'éducation[9].

Les résultats de la recherche sur les arts visuels en Ontario français présentés [dans ce rapport-ci] devraient éventuellement permettre de combler une lacune dans l'enseignement franco-ontarien.

À l'heure actuelle, il n'existe aucun ouvrage d'ensemble ni aucun ouvrage particulier sur les arts visuels en général ou dans un secteur précis de ce domaine en Ontario français. En fait, deux livres, récents, sont consacrés à l'étude d'œuvres artistiques précises : l'ouvrage de Norman Pagé et celui de Karen Stoskopf Harding[10].

Avant de parvenir à élaborer quelque ouvrage général d'importance dans le large domaine des arts visuels en Ontario français, il fallait donc explorer le terrain et rassembler des matériaux en nombre suffisant.

Dépouiller des monceaux d'imprimés (journaux, revues, brochures, bulletins, catalogues, dépliants, cartons d'invitation, etc.), pour tenter de regrouper les éléments du trésor artistique de l'Ontario français, est une tâche ingrate. Mais c'est un travail préalable indispensable pour fonder notre connaissance des formes d'art développées dans le milieu franco-ontarien et restituer à la communauté qui les conserve, les interprète ou les transforme, les connaissances sur son savoir artistique. C'est aussi un premier pas nécessaire pour réaliser un objectif ultérieur : la création d'instruments pédagogiques pratiques pour l'enseignement des arts aux adolescents franco-ontariens du cycle supérieur, selon les exigences mêmes du nouveau *Programme-cadre des Arts visuels* en vigueur dans les écoles de l'Ontario depuis 1986.

La recherche entreprise en 1979 sous l'égide du CFORP, en vue de réaliser une première anthologie de textes littéraires franco-ontariens, publiée en quatre volumes[11], est véritablement à l'origine de ce projet de prospection des arts visuels de l'Ontario français. En effet, ce travail avait nécessité un long dépouillement d'imprimés, de nombreux déplacements dans la province et des rencontres enrichissantes avec les gens et les organismes communautaires et culturels. À la faveur de ces recherches, il était ressorti qu'il existait en Ontario français non seulement une tradition littéraire, mais aussi une tradition artistique. Au surplus, il était apparu que la jeunesse contemporaine trouvait dans les arts visuels un moyen d'expression privilégié puisque la langue n'en constituait pas, comme en littérature, la matière obligée. C'est pour témoigner de cette richesse artistique que l'auteure de l'anthologie avait décidé d'insérer dans les volumes 2, 3 et 4 de ses recueils [de même que sur la couverture des quatre ouvrages] des illustrations de la production artistique ontaroise contemporaine.

La recherche sur les arts visuels en Ontario a demandé la collaboration de nombreux organismes, institutions et personnes, qu'il est impossible d'énumérer tous ici, mais qu'il faut remercier tous bien chaleureusement.

Ma gratitude s'adresse, bien sûr, en premier lieu, au ministère de l'Éducation de l'Ontario dont les représentants, à tous les niveaux, se sont montrés attentifs et généreux envers le projet. Sans l'existence du CRCCF, la réalisation de l'entreprise aurait été tout simplement impossible : ses archives et sa bibliothèque spécialisée sur l'Ontario français constituent une véritable mine d'or pour les chercheurs en sciences humaines.

Que ce soit au Canada, en Ontario ou au Québec, des préposés aux bibliothèques, aux centres de documentation, aux Départements des arts visuels, des responsables d'organismes communautaires et culturels, des professeurs d'art et les artistes vivants concernés ont été d'un concours inestimable.

L'ampleur, la difficulté et l'aridité de la recherche n'ont pas découragé la ténacité des auxiliaires de recherche : Carole Farmer, Gilles Dupuis, Gilles Lacombe et Christiane Lemire. Des secrétaires, soit Louise Beauregard, Francine Dufort Thérien, Manon Lamirande, Lise Nadon et Monique Parisien Légaré, ont prêté leur concours au classement de la documentation recueillie, à la dactylographie du rapport, à l'interminable travail de révision et aux mille petites tâches pratiques que nécessite une recherche de cette ampleur. Il faut savoir gré au service de reproduction audiovisuelle de l'Université d'Ottawa de son apport efficace et soigné.

Enfin, je ne saurais trop souligner l'exceptionnel engagement de mon assistante de recherche, Lucie Pineau, dans ce travail. Elle n'a compté ni son temps ni son énergie ni ses talents ni son enthousiasme pour mener à bien une entreprise qui l'a entraînée, même enceinte, aux quatre coins de l'Ontario pour recueillir, dans le temps alloué, une masse de documentation imprimée, orale, sonore et visuelle qui constitue une part importante du patrimoine artistique des Franco-Ontariens et le témoignage d'une culture plus vivante que jamais.

[Les sections du rapport se lisent comme suit :]

I. *L'établissement d'une méthode de travail*
A) la répartition régionale de l'Ontario; B) les critères généraux de sélection des artistes; C) la conservation de l'information; D) le classement de l'information.

II. *Le dépouillement des sources écrites*
A) les journaux; B) les autres périodiques [revues et magazines]; C) les imprimés.

III. *L'examen de banques de données*
A) l'organisme culturel Pro-Arts (Ottawa); B) la Bibliothèque du Musée des beaux-arts du Canada; C) le Centre des arts visuels de l'Université Western; D) le Canadian Artists' Representation / Front des artistes canadiens (CARFAC) en Ontario; E) le CRCCF; F) la diathèque du Département des arts visuels de l'Université d'Ottawa; G) la Banque d'œuvres d'art (BOA) du CAC.

IV. *L'enquête sur le terrain*
A) la participation des artistes; B) la participation des organismes culturels et communautaire ; C) la participation du public.

Les Annexes
1. Sources consultées : a) livres, brochures et documents; b) journaux; c) autres périodiques; d) organismes. 2. Formulaire expédié aux artistes et ayant servi à constituer leur dossier. 3. Recensement des artistes de l'Ontario français d'hier et d'aujourd'hui : a) liste des dossiers d'artistes francophones originaires ou résidents de l'Ontario; b) liste des dossiers d'artistes francophones non natifs ou non résidents de l'Ontario, qui ont laissé une ou des œuvres publiques en Ontario. 4 Liste illustrée d'œuvres visuelles d'artistes francophones en Ontario : a) liste de 100 œuvres d'artistes de l'Ontario français; b) liste de 20 œuvres publiques laissées en Ontario par des artistes francophones non natifs et non résidents de l'Ontario. 5. Documents divers : a) lettre d'invitation aux artistes; b) communiqué de presse; c) historique du CRCCF; d) deux lettres de rappel aux artistes; e) lettre de remerciements aux artistes; f) lettre d'invitation aux organismes; g) article paru dans *Liaison*; h) article paru dans *Femmes d'action*; i) encart publicitaire dans *Au courant*.

[…] Il est bien entendu qu'un pareil travail de défrichement […] ne constitue, en fait, qu'une étape préalable dans la découverte des arts visuels de l'Ontario français. Il serait présomptueux de croire qu'on puisse, dans l'état actuel des choses, se prononcer, au surplus, sur la qualité intrinsèque du matériel recueilli. Jusqu'à présent, la cueillette a évolué dans un axe strictement documentaire;

elle s'est faite la plus large et la plus accueillante possible. Étudier sur-le-champ la dimension esthétique des œuvres repérées aurait été maladroit, car ç'aurait été brûler les étapes.

Aussi, bien que la recherche envisagée soit terminée et qu'un premier corpus soit établi, ce serait se méprendre de penser qu'il faut s'arrêter là et de croire que la mission qu'on s'est donnée est achevée. Les retombées inattendues de cette prospection artistique sont nombreuses et variées. On peut penser au bénéfice que les données recueillies pourraient apporter aux divers organismes culturels tels les Galeries éducatives de l'Ontario français, le CAO ou le Musée des beaux-arts du Canada ou aux répertoires officiels comme celui du Bureau franco-ontarien du CAO ou celui de *The Index of Ontario Artists*. Il est certain qu'un handicap sérieux pour l'enseignement de l'art canadien, en général, dans les écoles est le manque de ressources visuelles mises à la disposition des enseignants. L'absence de fournisseurs en matière de reproductions d'œuvres d'art, d'affiches, de cartes postales, de diapositives, de vidéocassettes, de films, etc. défavorise la connaissance et l'appréciation de l'art canadien par la population scolaire, entre autres, au profit de l'art américain ou européen. L'abondante documentation réunie au cours de l'enquête sur les arts visuels de l'Ontario français est une source intéressante qui pourra être exploitée dans la préparation d'un matériel didactique pour tous les niveaux scolaires.

La recherche qu'on vient de terminer montre donc à quel point tout reste à faire dans le domaine des arts visuels en Ontario français pour que les gens soient en mesure de connaître et d'évaluer la production de leurs artistes d'hier et d'aujourd'hui. Des thèses de maîtrise et de doctorat en histoire de l'art canadien ou encore des émissions radiophoniques ou télévisées pourraient tirer parti et profit de cette riche banque de données. Cette matière pourrait contribuer à alimenter l'imagination des réalisateurs de la Chaîne française de TVO ou de Radio-Canada et, pourquoi pas, de la nouvelle chaîne de télévision de la francophonie internationale, TV5.

Si les prédictions de John Nesbitt, le célèbre futurologue américain, s'avèrent exactes, on doit comprendre que la prochaine décennie verra un essor extraordinaire des arts en Occident. L'appui apporté à cette recherche sur les arts visuels en Ontario français aura donc été pour le ministère de l'Éducation de l'Ontario un premier pas dans la bonne direction sur la voie de l'avenir.

(*Les Arts visuels en Ontario français,* Toronto, Imprimeur
de la reine pour l'Ontario, 1991, p. iii-xii; p. 59-60.)

Notes

1   La sculpteure états-unienne Louise Nevelson.
2   *Un regard critique, cycles intermédiaire et supérieur,* Toronto,
         ministère de l'Éducation de l'Ontario, 1990, 109 p.
3.   Au nombre des personnes ayant apporté une contribution à l'éla-
         boration et à la critique du document d'appui, se trouvent
         Michel Cheff (Musée des beaux-arts du Canada), Yolande Grisé
         (CRCCF), Claire [Guillemette] Lamirande (Conseil scolaire
         d'Ottawa).
4   Dans le texte, le masculin est employé indifféremment pour les
         personnes des deux sexes.
5   *Les Écoles de l'Ontario aux cycles intermédiaire et supérieur. La
         préparation au diplôme d'études secondaires de l'Ontario,* Toronto,
         le ministère de l'Éducation de l'Ontario, 1984, p. 1-3.
6   *Ibid.,* p. 7, art. 2.6 : *Les Arts.*
7   *Programme-cadre. Préparation à la vie, cycles intermédiaire et supé-
         rieur,* Toronto, le ministère de l'Éducation de l'Ontario, 1985,
         p. 12, 57-61 : *L'Esthétique.*
8   Voir ce rapport élaboré par Rhéal Beauchamp, Pierre Savard et
         Paul Thompson, p. 41.
9   *Ibid.,* p. 46.
10   Norman Pagé, *La Cathédrale Notre-Dame d'Ottawa : histoire, ar-
         chitecture, iconographie,* Ottawa, PUO, 1988, 162 p. Karen
         Stoskopf Harding, *Architecture française en Ontario : quatre exem-
         ples marquants de l'œuvre de nos premiers bâtisseurs,* Sudbury, Prise
         de parole, 1987, 107 p.
11   Yolande Grisé, vol. 1 : *Parli, parlo, parlons!*; vol. 2 : *Les Yeux en
         fête*; vol. 3 : *Des mots pour se connaître*; vol. 4 : *Pour se faire un
         nom,* Montréal, Fides, 1982, 143 p.; 201 p.; 220 p.; 322 p. Voir
         les textes 17-20.

40

LES DERNIERS SERONT LES PREMIERS

Recension de l'ouvrage de Jean Éthier-Blais, *Fragments d'une enfance*, Montréal, Leméac, coll. «Vies et Mémoires», 1989, 179 p.

Quelque part dans ses «Carnets» du *Devoir*, Jean Éthier-Blais a écrit qu'il sera un écrivain de la maturité. Comment aurait-il pu en être autrement quand le sort lui a assigné une place particulière dans la vie : «Avant moi, lit-on dans *Fragments d'une enfance*, ma mère avait eu neuf enfants» (p. 10); «je suis le dernier-né, le dernier des derniers. Je suis le point final de cette phrase baroque qu'est ma famille» (p. 18)? Fidèle d'instinct à ce destin, Éthier-Blais a su résister, le temps nécessaire, avant d'«accepter le fardeau de l'écriture et l'étude du genre humain» (p. 179). Aujourd'hui, au seuil de la maturité, il est en mesure de pénétrer le sens de son histoire, et de la nôtre; il nous en livre magistralement quelques leçons dans ses mémoires dont il vient d'entreprendre l'écriture. La première partie, *Fragments d'une enfance*, est un ouvrage émouvant sous ses airs d'indifférence et de hauteur que suppose le don pour le style, la forme, l'expression (Thomas Mann, *Tonio Kröger*).

Bien des souvenirs de l'auteur intéressent le lecteur dans le récit de cette existence d'une douzaine d'années, qui se déroule en douze courts chapitres, depuis les premières nuits d'insomnie d'un bébé tiraillé par la faim jusqu'aux derniers jours de l'école primaire. Le livre s'ouvre et se clôt sur un succès : à peine âgé de 6 mois, l'auteur est couronné le plus bel enfant de l'année de sa localité natale; en 1937, il devient le premier lauréat d'un concours de français d'envergure provinciale en Ontario. Heureux parcours qui est on ne peut plus dans la nature des choses : n'est-il pas enseigné dans l'Évangile que les derniers seront les premiers? L'homme ne fait que suivre son destin.

Destin heureux d'un petit garçon plongé dans un univers de femmes aimantes, vives, rieuses et loquaces, où règne la mère vénérée, qui n'est plus très jeune, mais dont l'intelligence, le bon goût et la passion de la langue animent la fierté de l'enfant et lui inculquent l'amour inconditionnel du verbe. Dans ce monde de l'enfance, les hommes se font rares. Le père disparaît tôt de la vie du fils, après avoir joué un rôle nourricier (p. 11); les grands-pères brillent par leur absence, de même que la grand-mère paternelle à peine évoquée dans un bref commentaire (p. 40); les oncles prennent peu de place ou sont marginalisés; les maris, comme ce Monsieur Lalonde, ingénieur forestier, parlent peu; les vieillards, tel le vieux Monsieur Gagné, se taisent, profils à demi cachés derrière les dentelles des fenêtres.

Livré à lui-même, l'enfant se réfugie tôt dans les livres. Le hasard, un banal accident de voiture à l'âge de 5 ans, lui révèle, à la lecture des livres de la comtesse de Ségur (encore une femme!), «un monde autre que le [s]ien» (p. 56). C'est «la chiquenaude initiale» qui projette l'écrivain en devenir sur ses propres terres. La voie est désormais ouverte, mais demeure sans balises : «Combien je regrette que personne ne m'ait guidé dans mes lectures» (p. 144), s'exclame Éthier-Blais, pas même un grand-père comme celui de cette Catherine Dimier qui ne lisait dans son enfance que les ouvrages choisis pour elle par Louis Dimier, esprit cultivé et lucide de l'époque de Maurras. Pourquoi l'homme accepte-t-il si difficilement la responsabilité d'être ce qu'il est et envie-t-il autant le destin d'autrui?

Éthier-Blais est un imaginatif qui a le sens aigu du théâtre. D'entrée de jeu, le premier paragraphe de son récit, consacré à la naissance, baigne dans le sang, la folie et la singularité. La venue au monde de l'enfant, né sous le signe ténébreux du Scorpion, advient, en effet, dans une sorte de mise en scène qui tient à la fois de l'incongru et de la menace. Cette mise en situation quelque peu caricaturale occulte l'acte réel de la naissance, mais illustre tout ensemble l'étrangeté de la société dans laquelle l'enfant est projeté (ambiance qui n'est pas sans évoquer une certaine atmosphère des *Originaux et détraqués* de Louis-Honoré Fréchette), et la misère pathétique et médiocre de ce bas monde, dont la famille cherche à s'extirper. Sous une espèce d'humour noir, la hantise de la mort et de la violence occupe toute la place dans ce scénario des origines; on y entrevoit déjà, sur une note plus grave, la mort de la mère adorée et, avec elle, la disparition de valeurs aimées et protégées.

Les voisins immédiats de la famille où l'enfant naît marquent l'entourage de signes incertains, voire néfastes : langage et comportement incompréhensibles de la famille Laborie; geste irrévocable d'un voisin avocat qui, un beau matin, se tranche la gorge au lieu de se raser; folie irrémédiable de l'épouse : rêvant par trop de gloire et d'honneurs, elle sera enfermée dans un asile; fin imprévue d'une de ses filles qui, sans crier gare, se pendra dans un placard à l'âge de 60 ans. Étrange ouverture qu'a choisie l'écrivain pour entrer dans la vie. Les forces du mal cernent la «blanche» maison familiale et son petit héros, mais les bonnes fées, et elles sont nombreuses, veillent au grain!

Tout au long du récit, interviennent d'autres silhouettes qui traversent, au rythme des jours, l'univers de l'enfant : le fils Prud'homme à la tête d'eau; la grand-tante Olivine, liseuse invétérée, mais ménagère de dernier ordre; le grand-oncle Bébé et sa femme Marguerite, cleptomane incorrigible; l'oncle Zotique, vagabond laissé pour compte dont la spécialité est de jouer de l'harmonica avec ses pieds; l'affreuse Ninon cul-de-jatte, se traînant sur sa table à roulettes, etc. Autant de «figures saillantes» (p. 49) qui alimentent l'imagination effervescente de l'enfant et attisent sa curiosité et son effroi pour tout ce qui sort de l'ordinaire.

Au milieu de ces réminiscences sociales à saveur brueghellienne, la politique «avec ses aperçus si singuliers sur l'être humain et la sauvagerie de ses mœurs» (p. 114) occupe une part importante du récit. En cette période critique de notre vie collective (crise linguistique en Ontario, crise constitutionnelle au pays), le livre d'Éthier-Blais tombe pile. Il faut lire toutes ces pages où l'auteur rappelle le destin tragique des Franco-Ontariens («lutter et toujours lutter», p. 77); l'absence d'éducation historique des Québécois («Le Québec nous ignorait. Mais que n'ignorait pas le Québec?», p. 82); l'ignorance politique des Anglais qui «ne pensaient que sous forme de slogans» (p. 84) et la technique anglaise d'appropriation qui ressemble à celle des nécrophores (p. 88); enfin cette «mélancolie historique où nous baignons» (p. 88), trahis par ces hommes qui «n'aimaient que les demi-mesures» (p. 90).

Mais l'homme qui a toujours vécu «les antennes dressées» (p. 89) avoue avoir maintenant «honte en silence» (p. 78). Faut-il rappeler à l'écrivain de la maturité – de nature oublieuse comme bon nombre de ses compatriotes – que les Ontarois ne mangent pas du pain de l'abdication? S'il y a un temps pour se taire et un temps pour parler, il y a aussi un temps pour agir. Dieu merci, *Fragments d'une enfance* est à cet égard d'un bel enseignement : au siècle des communications, la plume demeure une arme redoutable «dans le bruit des combats» (p. 78), creuset incontournable de toute conscience politique.

(*Lettres québécoises*, n° 58, été 1990, p. 41-42.)

L'UNIVERSITÉ À L'AUBE DE L'AN 2000

L'année 1989 fut particulièrement effervescente en matière d'éducation en langue française en Ontario. Dès janvier, le Conseil de l'éducation franco-ontarienne remettait aux ministres concernés (des Collèges et Universités et de l'Éducation) un Plan directeur de l'éducation franco-ontarienne qui appuyait au nombre de ses cent vingt recommandations la création de trois collèges de langue française en Ontario et priait le gouvernement de reconnaître aux francophones le droit à l'autogestion au niveau universitaire. Le 16 juin, la SULFO était fondée à Midland et recrutait ses membres aux quatre coins de la province. L'ACFO inscrivait le dossier de l'université française au nombre de ses priorités; des dossiers de presse circulaient sur la question dans le réseau des ACFO. Comme l'écrivit Adrien Cantin du *Droit* le 1er septembre 1989, «l'Université française» était «la question chaude de l'automne» (p. 15). Le 13 octobre, le Département de sociologie de l'Université d'Ottawa en collaboration avec le Secteur des activités socioculturelles organisait une journée de «Réflexion sur l'avenir linguistique de l'Université d'Ottawa et la pertinence d'une université de langue française en Ontario». Des rencontres privées et publiques sur la question de l'université française eurent lieu dans d'autres régions, notamment à Toronto et à Sudbury. On discutait non seulement des besoins et des ressources de la communauté francophone à cet égard, mais aussi du type d'université qui pourrait le mieux servir le développement de la francophonie ontarienne en même temps que favoriser l'avancement des connaissances.

À l'aube du nouveau millénaire, devant la mutation grandissante de la société occidentale et la menace des puissants intérêts économiques qui souhaitaient asservir de plus en plus l'institution universitaire à l'idéologie du «profit», il convenait aussi de s'interroger sur le destin même de l'université. Le texte qui suit a été rédigé en vue d'une allocution dans le cadre des journées Portes ouvertes à l'Université d'Ottawa, lors de l'événement «Retour 1990» le 20 octobre 1990.

En acceptant de prendre la parole à l'occasion de l'événement «Retour 1990», je n'avais pas l'intention de me travestir en prophète et encore moins de proférer des oracles, à la manière de la Pythie de Delphes ou, si l'on préfère, de la pythie de Paul Valéry, toute parcourue de transes et traversée de messages divins à livrer aux humains.

Il s'agit plutôt de proposer quelques pistes de réflexion sur un sujet aussi important que l'avenir de l'institution universitaire, institution «vouée à la formation des personnes pour leur bien propre et celui de la société», selon la définition donnée par le Conseil supérieur de l'éducation d'une province voisine.

Si, au dire de certains penseurs, tels le sociologue français Edgar Morin et Jacques Julliard, historien et directeur de l'École des hautes études en sciences sociales de Paris, le XXe siècle est mort il y a un an, sous les décombres du socialisme autoritaire de l'Allemagne de l'Est et les grands bouleversements politiques que connaissent nombre de pays[1], il semble moins assuré que le XXIe siècle soit déjà commencé. Car des relents têtus du XIXe siècle persistent derrière ces appels populaires à la liberté, cette affirmation montante de l'identité collective, ces aspirations pressantes à l'autonomie nationale que connaît, par exemple, l'Empire soviétique, toutes questions mal réglées par un XXe siècle dévastateur par ses pillages dans le Tiers-Monde et ses gaspillages dans le monde industrialisé. Au Canada, les événements qui marquent actuellement notre vie constitutionnelle ne témoignent-ils pas qu'on ne sait toujours pas comment sortir de l'impasse créée par l'Union de 1840 et les intérêts privés de sociétés de marchands?

Je serais plutôt d'avis que nous traversons, présentement, une sorte de no man's land historique, vaste marécage obscur, enchevêtré et vagissant où pourrissent et fermentent les dépouilles du siècle. Ne pourrait-on pas comparer l'état actuel de notre monde à celui des habitants du vestibule des Enfers décrit par le poète latin Virgile : un endroit particulièrement lugubre dans la région achérontique, ce carrefour d'outre-tombe où les âmes des morts passaient pour attendre d'avoir accompli leur destin avant de pouvoir s'engager soit sur la voie du Tartare, horrible lieu de désolation où sont punis les criminels, soit sur la voie qui mène aux délices des Champs-Élysées, séjour des bienheureux? Sur laquelle de ces voies s'engagera l'humanité à partir d'aujourd'hui? Si une armée d'experts n'ont pu prévoir l'écroulement du Mur de Berlin, je ne vois pas comment on pourrait prétendre être en mesure de répondre à cette question. Le mondialiste Chris Giannou, ce chirurgien torontois qui a vécu plus de vingt ans dans les pays arabes et qu'on surnomme notre «Norman Bethune contemporain», n'a-t-il pas raison d'affirmer que «désormais toutes les règles des 40 dernières années ne tiennent plus. Personne ne sait où on va [...] Tout le monde avance à tâtons vers le XXIᵉ siècle»²?

C'est dans ce contexte de tâtonnement qu'il convient de situer l'avenir de l'université. Un avenir qui a de la difficulté à se déployer dans un monde de plus en plus dominé par un surdéveloppement technico-scientifico-économique, dont se nourrit la surenchère de la compétition des marchés, et un sous-développement des valeurs qui ont fondé de tout temps l'humanisme des civilisations. Ainsi, l'état de délabrement chronique de l'environnement est l'aboutissement logique d'une vision étroitement mercantile des rapports de l'être humain avec la nature et ses semblables. On me permettra de me reporter au récent ouvrage de Jacques Julliard, *Le Génie de la liberté*³, dans lequel l'auteur exprime des vues percutantes sur notre monde, dont j'aimerais vous faire part. Il démontre que l'une des principales menaces du libéralisme capitaliste triomphant d'aujourd'hui est une menace encore plus terrible pour notre civilisation que la menace extérieure que constituait le régime communiste, car elle vient de l'intérieur de notre système : c'est l'incapacité de ce système de se donner des valeurs. Un système économique fondé sur l'entreprise et sur le marché, dit-il, ne produit pas de valeurs; c'est un vampire qui se nourrit des valeurs produites dans des secteurs non marchands. Et il poursuit en affirmant que, dans toutes les sociétés, y compris dans celles dites capitalistes, ce sont les saints, les héros, les artistes, qui, traditionnellement soustraits au système marchand, produisent des valeurs. Dès lors qu'on est tenté d'étendre ce système mercantile à ces domaines, il y a péril en la demeure. Et le danger ne concerne pas seulement ces secteurs névralgiques, mais la société dans son ensemble. C'est, en somme, le message même du film québécois *Jésus de Montréal*, où le cinéaste-artiste Denys Arcand, dans une scène superbement transposée, rappelle l'unique et sainte colère du Christ chassant à coups de fouet les vendeurs du temple : leçon évangélique qui s'adresse à tous les temples, «dont celui du haut savoir» dont se réclame l'université, et au consommateur invétéré auquel chacun d'entre nous est en passe d'être réduit dans ce type de société. Bien qu'il faille reconnaître la légitimité du secteur marchand dans la société, il faut fermement réagir devant les prétentions de ce dernier à imposer ses intérêts à l'ensemble de la société, où tout est désormais examiné à l'aune de la rentabilité et des profits.

C'est dans cet esprit, je crois, que l'université doit se préparer à aborder le XXIe siècle. Comment? Premièrement, en renouant avec l'esprit critique; deuxièmement, en renouant avec la culture; troisièmement, en se tournant vers les deux sources susceptibles de la revitaliser : la jeunesse et les femmes. Sans trop m'étendre sur le développement de ces propositions (nous pourrons en débattre à la période des questions), j'aimerais toutefois préciser rapidement ma pensée.

Renouer avec l'esprit critique

Par définition, l'université est le foyer intellectuel et scientifique d'une nation, donc le lieu de la formation de l'esprit, de la sensibilité et de la créativité, un lieu où la conscience d'être humain s'éveille et s'affirme au contact du savoir et des méthodes. L'enjeu fondamental de cette formation de la pensée est d'apprendre à distinguer la vérité de l'erreur afin d'enrichir notre connaissance du monde et d'en faire bénéficier la société. Cette mission fondamentale de l'université ne peut s'exercer que dans la critique, c'est-à-dire dans l'examen continuel des méthodes et une remise en question continue du savoir. Autrement dit, la contestation des certitudes et le développement de la réflexion critique doivent nourrir les humanités et les sciences au sein d'une université vivante.

Reconstituer un milieu de culture

L'université n'est pas seulement un lieu d'instruction, mais aussi un milieu de culture. Le premier aspect de cette affirmation repose sur l'importance de la maîtrise de la langue, véhicule de la pensée. J'ajouterai, avec Noël Audet, la maîtrise de «toute» la langue, non seulement la langue familière de la maison, de la rue et des médias, mais aussi les langues littéraire et scientifique. En cette Année internationale de l'alphabétisation, il faut rappeler la misère linguistique qui frappe bien des couches de la société, au moment où la percée technologique et la démocratie bureaucratique rendent de plus en plus nécessaire la maîtrise de la langue écrite. Un second aspect de cette notion de culture repose sur le fait que l'université est également un lieu d'étude, c'est-à-dire où la discipline personnelle, l'*otium* (au sens latin de temps libre, c'est-à-dire qui n'est pas consacré au commerce, ou *negotium*, entendu au sens d'activités payées) et le silence, ou du moins une certaine atmosphère propice au recueillement, sont par définition essentiels.

Elle est aussi un lieu de rencontres et d'échanges. Deux découvertes du XXᵉ siècle sont sans équivoque celles de la variété des modes de pensée et de la complexité de l'univers. Par culture, il faut donc entendre aussi l'ouverture aux différentes disciplines, par le développement de la transdisciplinarité des apprentissages, et aux autres cultures humaines.

Une formation moins pointue, plus englobante, est réclamée de manière de plus en plus pressante par différents milieux. C'est ainsi que, phénomène récent qui devrait aider l'université à avoir le courage d'agir à cet égard, les milieux d'affaires exigent désormais (dans leur intérêt, bien entendu) de leur personnel des têtes mieux faites plutôt que bien pleines.

S'ouvrir à la jeunesse et aux femmes

Il importe de rappeler que la mission de l'université est la formation de la relève, c'est-à-dire de la jeunesse. On observe que les impératifs présents de la société économique et vieillissante tendent à faire pression pour augmenter les effectifs sur les campus en sollicitant davantage la présence de groupes de passage et plus âgés, le plus rapide étant le mieux financièrement (les secteurs professionnels en période de ressourcement, par exemple), au détriment des véritables besoins des jeunes. L'enseignement, entre autres, se ressent malheureusement de cet état de choses.

Si le monde a besoin de sang neuf pour se renouveler, l'apport incommensurable des femmes doit être reconnu partout dans le monde universitaire. Faire autrement les choses, c'est aussi les faire avec des personnes autres que celles qui ont dominé pendant longtemps le monde universitaire, et le monde en général. L'université a besoin des femmes et elle doit faire une place accueillante à leurs idées neuves, originales, différentes, et cela dans tous les secteurs et à tous les échelons de la vie universitaire. Étant donné les efforts péniblement consentis jusqu'à présent, l'université doit avoir le courage d'ouvrir grandes ses portes à ces ressources humaines indispensables à son ressourcement, surtout à un moment où les cas de retraite se font de plus en plus nombreux alors que les femmes déploient des efforts inouïs pour faire leur part dans ce milieu.

Je conclus en affirmant qu'à l'aube de l'an 2000, l'université, comme d'autres milieux essentiels à la sauvegarde d'une civilisation plus humaine, n'a pas le choix : *elle doit changer, se transformer pour se régénérer.* Les grandes mutations sont en marche et seuls les institutions et les individus qui seront capables d'apprivoiser rapidement le changement au service même de leur mission et de leur identité authentiques, de trouver la voie nouvelle de l'ouverture par laquelle ils peuvent donner et recevoir, auront un avenir assuré et meilleur. S'il est désormais attesté scientifiquement, comme l'affirme l'éminent physicien Hubert Reeves[4], que la vie n'est pas déterminée et que la nature adore les combinaisons audacieuses qui façonnent la variété des formes, il faut trouver de nouvelles combinaisons qui permettent à la vie intellectuelle, à la culture et à la science de rebâtir entre elles des ponts aussi solides que ceux qu'ont empruntés des esprits de la trempe d'un Léonard de Vinci, d'un Blaise Pascal ou, plus près de nous, d'un Hubert Reeves, «Rousseau des sciences» et physicien-poète.

Notes

1   Lia Lévesque, «Le 20ᵉ siècle est terminé selon E. Morin», *La Presse*, 4 octobre 1990, p. A-15. Fulvio Caccia, «Jacques Julliard. Le XXᵉ siècle est déjà mort l'automne dernier», *La Presse*, 14 octobre 1990, p. C-10.

2   Paroles rapportées par Jooneed Khan, «Pour Chris Giannou, mondialiste du 21ᵉ siècle, la patrie, c'est là où les humains se libèrent», *La Presse*, 13 septembre 1990, p. C-7.

3   Voir Lia Lévesque, *op. cit.*

4   Heinz Weinmann, «Hubert Reeves. Réflexions du promeneur solitaire», *Le Devoir*, 13 octobre 1990, p. D-1 et D-4.

42

L'ÉDUCATION, C'EST POUR LA VIE!

Texte d'une allocution prononcée le 6 mai 1991 devant quelque 900 élèves et enseignants à la cérémonie d'ouverture de la Semaine de l'éducation organisée par l'école secondaire publique De La Salle (Ottawa).

Je remercie la direction de l'école de m'avoir invitée. Pour moi, ce n'est pas seulement un plaisir de m'adresser aux jeunes adolescents et adolescentes, mais une urgence. C'est avec ce sentiment d'urgence que j'ai accepté de prendre la parole ce matin à l'occasion de l'ouverture de la Semaine de l'éducation pour vous communiquer, en quelques mots, non pas le secret du feu, comme le héros Prométhée, qui l'avait dérobé aux dieux pour le confier aux hommes et assurer ainsi l'éclosion de la civilisation, mais une petite étincelle de ce feu sacré de la parole, une parole qui attisera peut-être la part du «génie» en chacun et chacune, qui fait la richesse de sa vie, de toute vie humaine.

L'Éducation, c'est pour la vie! Je veux vous parler du thème choisi pour célébrer cette Semaine de l'éducation, à un triple point de vue : comme universitaire, comme femme et comme francophone. Mais d'abord, entendons-nous bien sur le mot lui-même. Le mot *éducation* emprunte la combinaison de deux mots latins : «*ex*» et «*ducere*», c'est-à-dire conduire quelqu'un quelque part en tirant hors de... soit : hors d'un lieu (la maison); hors d'un milieu (la famille); hors de soi-même (l'enfance). Il y a donc là une idée de rupture en vue d'une renaissance : on amène ainsi l'enfant aux portes de la vie adulte. L'éducation, c'est une initiation et un apprentissage : l'initiation à la maîtrise de soi et l'apprentissage des connaissances et aussi de ses talents en vue d'améliorer la vie, la sienne et celle des autres, et la condition humaine elle-même; c'est donc une étape cruciale dans la vie, un passage bénéfique, une initiation à la découverte et à la création, qui sont les bases d'un véritable développement de la personne et de la communauté.

YOLANDE GRISÉ

Comme universitaire

Il faut comprendre que notre civilisation, à l'aube du XXIe siècle – d'un troisième millénaire moderne – est entrée dans une de ces grandes mutations que d'autres époques ont connues avant nous : je pense, en particulier, au IIIe siècle après J.-C. lors de l'effondrement de l'empire romain d'Occident. Ceux qui n'acceptent pas de se transformer, de changer, vont se trouver délaissés par la vie qui bouge, qui bourgeonne autour d'eux, car la vie est mouvement et le mouvement apporte des changements. Dans un tel contexte, les études, autant la connaissance intellectuelle que la formation professionnelle ou technique, sont primordiales. C'est l'avenir qui est engagé dans la formation des personnes, c'est-à-dire le bonheur même de ces personnes et celui de toute la société.

Si j'insiste sur ce point en l'abordant en premier, ce n'est pas seulement pour évoquer une visée purement matérialiste de l'éducation qui assurerait à la personne quelque emploi rémunérateur; on sait, en effet, que même si le marché du travail connaît des difficultés, les personnes scolarisées sont plus favorisées sur ce marché que celles qui n'ont pas de diplômes. Mais c'est surtout parce que l'enjeu fondamental de la formation, de toute formation dans quelque secteur de la vie que ce soit, c'est d'apprendre à distinguer la vérité de l'erreur afin d'enrichir notre connaissance du monde et d'en faire bénéficier la société, et surtout de nous permettre de nous libérer du fardeau de l'ignorance. Cette mission fondamentale de la formation de l'esprit, de la sensibilité, de l'imagination et du cœur est d'autant plus nécessaire dans notre monde contemporain, qui ne sait pas où il s'en va... où tout le monde avance à tâtons vers un XXIe siècle qui avance, lui, à grands pas.

Comme femme

Le monde a besoin de sang neuf pour se transformer, se renouveler. Pour y parvenir, l'apport considérable des femmes (52 % de l'humanité) doit être reconnu sur tous les plans et dans tous les milieux. Les femmes ne revendiquent que leur place, une place légitime, non toute la place! L'école, parce qu'elle transmet le savoir et propose des modèles de comportement social, doit préparer la jeunesse pour le

332

monde nouveau qui surgit : elle doit développer des attitudes de solidarité, de collaboration, d'inclusion, car sans partenariat entre femmes et hommes, le renouvellement de la vie est voué à cette impasse que le monde occidental connaît actuellement sur bien des plans, dont le plan écologique quand on considère l'état lamentable de l'environnement...

Longtemps, les valeurs dominantes ont favorisé la hiérarchie entre les humains, l'exclusion de la majorité par une minorité de privilégiés, l'obsession de l'unité (pour mieux dominer), le développement de spécialités pointues au service d'intérêts spécifiques, la fermeture sur soi et le protectionnisme, la compétition à outrance, l'exploitation d'une source d'énergie dominante. Devant le constat d'échec de ces valeurs dans l'amélioration de la vie du plus grand nombre, il faut travailler à favoriser le développement de nouvelles valeurs, dont les femmes, dit-on, ont une longue expérience dans la sphère où la vie sociale les a longtemps confinées, soit la famille : une vision plus organique de la vie collective; l'inclusion de tous, car tous sont nécessaires à la vie; le respect de la pluralité des points de vue, car personne ne possède seul la vérité; le développement d'approches globales pour trouver des solutions viables et vivables; l'ouverture sur les autres, vu que nous dépendons tous les uns des autres; la recherche de la synergie entre les ressources de même qu'entre les talents et les êtres, ce qui multiplie les possibilités et les chances de réussite; la coopération et la solidarité, des leviers redoutables contre toute menace d'assujettissement.

Une découverte scientifique récente vient de démontrer le rôle «actif» de premier plan dévolu à l'élément femelle dans le processus même de la création de la vie, alors qu'on a longtemps cru à la passivité de ce rôle. Les jeunes femmes doivent comprendre les exigences et les responsabilités qui leur incombent pour améliorer leur vie et la vie. Mais les nouvelles valeurs dites «féminines» n'appartiennent pas qu'aux femmes. Hommes et femmes doivent tous apprendre à surmonter leur peur de l'inconnu, de l'univers, des autres pour se raccorder à la nature, la comprendre, la respecter, mettre ses richesses en valeur au lieu de la combattre, de l'exploiter et de prétendre la maîtriser, la dominer.

Comme francophone

J'aimerais rappeler aux jeunes une phrase du grand écrivain latino-américain, Gabriel Garcia Marquez : «la culture», a-t-il dit, «est une richesse au même titre que le pétrole parce que c'est l'utilisation sociale de l'intelligence humaine». Oui, la culture est une ressource essentielle pour l'individu comme pour sa communauté; et, comme je me plais à le répéter, encore ne faut-il pas la laisser au fond du baril!

La première retombée de cette constatation concerne l'importance de la maîtrise de la langue, véhicule de la pensée. J'ajouterai avec l'écrivain et professeur de littérature québécoise Noël Audet : la maîtrise de *toute* la langue, c'est-à-dire non seulement la langue parlée (à la maison, à l'école, dans la rue), mais la langue écrite (les langues littéraire et scientifique). Il faut combattre l'analphabétisme, qui est paradoxalement le cancer des sociétés «avancées». La langue écrite est une langue qu'il faut apprendre : ce n'est pas parce que le français est notre langue maternelle qu'on le connaît bien et qu'on le maîtrise ipso facto. La langue française est le véhicule d'une des grandes civilisations ayant façonné l'histoire universelle et nous en sommes les héritiers de plein droit.

La seconde retombée de l'affirmation de l'écrivain Marquez, c'est qu'il faut également posséder sa culture, toute sa culture. Comme l'affirme l'essayiste Pierre Vadeboncœur dans un article récent du *Devoir* : «L'amnésie culturelle est la pire des menaces pour une société.» Cela signifie qu'il faut reconnaître toutes les sources de sa culture, s'y nourrir, n'en négliger aucune, et non s'abreuver aux seules modes étrangères (toutes-puissantes) et passagères du jour. Ces sources pour nous, francophones issus de la culture française, sont doubles : l'héritage judéo-chrétien et l'héritage gréco-latin, transmis par la France à la Nouvelle-France, dont nous sommes la descendance. L'éducation des francophones ne peut faire abstraction des exigences culturelles de ces ascendances-là. Nous n'avons pas les moyens de nous priver d'une assise de mille ans, qui demeure nôtre par la langue et la culture de nos origines. Pour nous-mêmes et pour les autres cultures qui nous côtoient chaque jour, nous devons maintenir cet héritage. Une culture dont il nous faut non seulement reconnaître toutes les provenances et nuances, mais qu'il faut maintenir vivante, en plus de contribuer à l'enrichir de tous nos talents par la création artistique et l'innovation scientifique.

Nous n'avons pas le droit de douter de cette culture qui est nôtre, de l'ignorer, de la mépriser, car, ce faisant, nous travaillerions à couper la branche vigoureuse qui nous porte ici en Ontario depuis plus de 350 ans! L'éducation, ce n'est pas seulement une affaire d'école : c'est un investissement pour toute la durée de la vie. L'éducation, c'est un geste favorable à la vie. L'éducation, c'est la vie. Voilà pourquoi il est essentiel que l'éducation demeure vivifiante à l'école.

43

LA CULTURE A L'AVENIR POUR ELLE

Texte de l'allocution prononcée à l'ouverture des États généraux du théâtre franco-ontarien organisés par l'organisme Théâtre Action à l'Université d'Ottawa les 17, 18 et 19 mai 1991.

L'UNESCO l'a bel et bien déclaré à la fin des années 1980 : la dernière décennie du XXe siècle est consacrée à l'identité et à la culture. Dans plusieurs pays, le monde connaît une effervescence culturelle extraordinaire avec la résurgence des nationalismes. L'effondrement du Mur de Berlin a donné le coup d'envoi avec la réunification de l'Allemagne; l'agitation des pays de l'Est en quête d'autonomie et l'ébranlement de l'Union soviétique sont, parmi d'autres, le témoignage que l'aliénation culturelle ne peut indéfiniment assujettir les collectivités humaines sans que le ressort énergétique de la vie ne vienne, un jour, à se détendre brusquement, et ce, avec d'autant plus de vigueur que la vie a été plus systématiquement comprimée.

«Tout homme, sur la Terre [affirme le philosophe français Michel Serre dans son récent ouvrage *Le Tiers-Instruit* (p. 112)], vit sa propre culture, sans laquelle il ne survivrait pas.» Dans ce cas, il n'est pas étonnant de constater avec quelle énergie des peuples acculés au désespoir savent trouver dans leur identié profonde les ressources nécessaires – souvent insoupçonnées d'eux-mêmes – pour se libérer de l'aliénation qui les a longtemps opprimés. À l'aube du IIIe millénaire, on sent grandir en différents coins de la planète une soif immense de justice pour la reconnaissance de l'originalité et de la diversité des peuples, de même que pour le respect et la valorisation de la personne humaine. Cela ne va pas, bien sûr, sans le raidissement ou le cabrage de pouvoirs en place, qui résistent activement ou passivement aux mutations en marche.

La vague de fond au Canada

Le Canada subit, à sa façon, la poussée de cette vague de fond qui bouleverse différemment les pays, mais en atteint certes un grand nombre. La crise autochtone et la crise constitutionnelle s'inscrivent dans le courant du monde nouveau, sinon transformé, en gestation au sein de la confusion politique, du marasme économique et de la misère sociale.

Pour sa part, conscient plus que jamais de son identité, le Québec s'active en vue de se doter de politiques culturelles propres à canaliser le flux des synergies qui sourd de la métamorphose des consciences et des sensibilités. Que ce soit au niveau provincial avec le rapport Arpin, prévu en juin prochain, que ce soit au niveau municipal avec le rapport Blanc de la Ville de Montréal ou le rapport Filiatrault de la Ville de Hull, on cherche non seulement à sauvegarder les acquis durement conquis aux temps de la prospérité, mais à accorder enfin à la culture ses lettres de créance dans le développement de la société de demain. Car, par les temps qui courent, toute société qui choisit de se projeter avec plus de vigueur dans l'avenir n'a tout simplement plus les moyens de se passer de cette matière première, trop longtemps négligée, qu'est la culture, source de renouvellement perpétuel, et de ses travailleurs les plus engagés, à savoir *les créateurs.*

En Ontario, «le dur désir de durer»

En Ontario, voici qu'après avoir assouvi son dur désir d'*exister,* pendant les deux dernières décennies, la culture ontaroise connaît, à son tour, dans de nombreux secteurs le «dur désir de *durer»,* selon l'émouvante formule du poète Éluard. Et le défi est grand en pleine récession (pour ne pas dire dépression) économique. Si besoin est de s'en convaincre, il suffit de lire l'introduction de l'impressionnant document de réflexion que soumet à notre examen le Comité d'orientation des États généraux du théâtre franco-ontarien, qui ouvrent leurs assises ce soir. Voici ce qu'il y est dit :

> Entre garder artificiellement en vie un théâtre franco-ontarien plus mort que vif, nous, du Comité d'orientation, avons fait notre choix. Si notre théâtre est pour survivre de peine et de misère dans le plus triste anonymat, alors qu'il meure! Agir autrement serait faire insulte à notre intelligence et à notre histoire.

Faut-il voir dans cette déclaration fracassante l'abdication de vingt ans de luttes, d'efforts et d'engagement authentique pour affirmer sa présence au sein de la société ontarienne, démontrer sa différence, conquérir sa place au soleil?

Des coupures sauvages

J'y discerne plutôt l'impatience à vif de ceux et de celles qui, à 20 ans d'abord, pendant 20 ans ensuite, n'ont cessé d'investir le meilleur de leurs énergies pour «changer la vie» et récoltent, au bout du compte, des coupures sauvages de budgets en même temps qu'une hausse faramineuse des coûts, que l'indifférence des médias, l'absence de la relève, l'inaccessibilité à la formation, le désert du sous-développement, bref la pauvreté garantie à vie. Il y aurait de quoi céder à la tentation de tout balancer. Mais ce n'est pas le temps de lâcher!

Un ultime sursaut d'énergie

Tels ces coureurs de fond qui, épuisés au point de ne plus savoir s'ils avancent, piétinent ou reculent, n'ayant plus même la force d'arrêter, savent, pour arracher une victoire longtemps convoitée, trouver au tréfonds d'eux-mêmes un ultime sursaut d'énergie, les travailleurs de la scène s'apprêtent à faire le point sur la situation critique du théâtre franco-ontarien. Au même moment, d'autres signes évidents d'une volonté de changement des conditions faites jusqu'ici à la culture ontaroise s'affirment publiquement. C'est le cas, notamment, de la récente création par le nouveau gouvernement de l'Ontario d'un Groupe de travail pour préparer une politique cadre sur la culture française en Ontario, 22 ans après la formulation dans la première recommandation du *Rapport Saint-Denis* (en janvier 1969), commandé par le premier ministre lui-même d'alors, John Robarts, de la nécessité de l'établissement d'une telle politique culturelle.

Comme vous le savez, la présidence de ce Groupe m'a été confiée, et je l'ai acceptée avec fierté et modestie, consciente que l'histoire nous tend aujourd'hui inopinément la main et qu'il faut s'empresser de la saisir pour préparer aux générations à venir, qui comptent sur nous, une meilleure place dans un monde amélioré.

C'est dans cet esprit que notre groupe a commencé ses travaux le 1er mai et s'est réuni pour la première fois vendredi dernier. Un calendrier serré a été arrêté afin de préparer, pour le 30 juin prochain, un document de réflexion globale qui sera mis à la disposition des intéressés et donnera lieu, du 15 au 31 août 1991, à la consultation, aux quatre coins de la province, d'une quarantaine d'organismes et individus engagés dans les différents secteurs du domaine culturel. La liste de ces rencontres devrait être définitivement établie avant la fin de mai.

Ce document de réflexion s'inspirera fortement des travaux existants, anciens et récents, proposera une direction, déterminera des objectifs précis, articulera les grandes lignes d'une stratégie d'action commune pour les atteindre. En ce sens, il est bien entendu que des travaux comme ceux qui résulteront de la rencontre de cette fin de semaine sont essentiels au succès de la démarche, de même que tous ceux qui sont en cours au sein de divers regroupements, associations, fédérations, etc. Nous sommes à l'affût de tout ce qui mijote à cet effet et invitons tous les intéressés à faire parvenir leur documentation au Groupe de travail nouvellement constitué.

Une fois les consultations achevées, un texte final sera rédigé, pendant le mois de septembre, à la lumière des remarques, critiques, suggestions, commentaires recueillis lors des rencontres. Ce rapport sera remis au ministre de la Culture et des Communications de l'Ontario, Rosario Marchese, le 30 septembre 1991. Cet exercice paraît rapide, mais comme on l'entend répéter dans le milieu : «le fruit est mûr», «on veut que ça bouge!», «On sait ce qu'on veut!». Nous sommes à l'écoute; nous sommes déjà tous ensemble à l'œuvre avec la tenue de ces États généraux du théâtre franco-ontarien pour bâtir l'avenir.

(Un extrait du texte a paru sous le titre «La Culture, l'avenir et la soif de justice» dans *Le Droit*, 18 mai 1991, p. A-8.)

44

VISION DE L'AVENIR

Texte de l'allocution prononcée le 19 mai 1991 au Centre culturel Le Patro d'Ottawa à l'occasion du Festival Jeunesse organisé par Direction-Jeunesse en collaboration avec la Fédération des élèves du secondaire franco-ontarien.

On m'a proposé de vous exposer ma vision de l'avenir. D'abord, il me faut vous dire que je ne suis ni voyante, ni astrologue ni cartomancienne. L'avenir je ne l'entrevois ni dans les astres ni dans les cartes ni dans les tasses de thé. L'avenir je le vois là, droit devant moi. C'est vous, c'est la jeunesse actuelle. Or cette jeunesse ne semble pas avoir «le moral» : selon le dernier sondage de la revue *Clik* qui interrogeait entre le 14 janvier et le 8 février dernier 600 jeunes Ontarois âgés de 14 à 25 ans, 70 % des répondants affirmaient que le monde serait pire en l'an 2000, c'est-à-dire dans moins de huit ans! C'est peut-être parce que le sondage a eu lieu pendant l'hiver et dans cette période creuse d'après les Fêtes... Je suppose que j'ai devant moi les 30 % qui, eux, croient en un monde meilleur et sont prêts à travailler ensemble à l'avènement de ce monde nouveau.

Qu'est-ce que cela prouve, cette attitude pessimiste?

D'abord, cela montre que la jeunesse demeure sensible et impressionnable devant les forces dépressives qui semblent triompher partout. Ensuite, cela signifie clairement que les 30 % de jeunes qui échappent au climat de morosité ont du pain sur la planche pour changer cette perception de la vie.

I

Quelle attitude recommander aux chefs de file de la jeunesse francophone de cette province et des autres provinces, réunie ici en ce beau dimanche matin, porteuse de promesses comme l'est la vraie vie?

Quand je constate dans le sondage mené auprès des jeunes de l'Ontario français qu'à peine 51 % des garçons estiment que les études sont «le plus important» pour eux, il y a péril en la demeure. En effet, quand l'avenir est aussi incertain, le meilleur parti qui puisse être pris, c'est d'investir dans son éducation : toute autre conduite est suicidaire. La voie royale de l'avenir complexe qui s'annonce, c'est la voie exigeante *de l'acquisition des connaissances et de la formation de l'esprit.* Que ce soit les connaissances générales, essentielles à chacun et chacune pour se doter d'un esprit critique, se former le goût et le jugement; les savoirs professionnels ou techniques, indispensables pour gagner sa vie; les connaissances et les savoirs artistiques ou scientifiques qui enrichissent la vie – toute cette «science» est indispensable pour saisir et affronter le monde de demain, car personne ne sait vraiment parmi ces connaissances et ces savoirs celles et ceux dont on aura le plus besoin à une certaine étape de sa vie.

Pour pouvoir se sentir à l'aise dans ce monde qui se prépare, le meilleur instrument qui reste à notre disposition pour apprivoiser ces connaissances et ces savoirs, c'est la maîtrise du moyen d'expression fondamental de l'être humain : la langue dont il hérite de sa famille (de ses ancêtres); c'est la maîtrise de toute cette langue – parlée et écrite, familière et soutenue, littéraire et scientifique. Cette maîtrise de «sa langue» ne peut se faire sans la connaissance approfondie de «sa culture» – dont la langue ne demeure qu'un des moyens d'expression! Par culture, j'entends aussi toute sa culture. Non seulement les chansons à la mode dans l'année en cours, mais les réalisations de cette culture selon les époques : en connaître les sources, les racines, les piliers.

Il ne faut jamais oublier que notre culture canadienne-française est issue d'une des grandes civilisations occidentales : la civilisation française, dont la contribution au développement de la société humaine est exceptionnelle. Soucieuse de démocratie authentique, elle a donné au monde «la Déclaration des droits de l'homme». Elle a su s'arracher à sa condition spécifique, sans la renier, pour mettre de l'avant des valeurs universelles qui continuent d'inspirer le monde entier : égalité, liberté, fraternité, qu'on pourrait traduire dans un langage plus moderne par justice (équité), autonomie, solidarité. Nous ne sommes pas nés de rien; nous devons être fiers de nos origines et, surtout, nous montrer à la hauteur de cet exigeant héritage.

Affirmer son appartenance à une culture, c'est non seulement en recueillir l'héritage et en profiter, mais surtout contribuer à enrichir ce précieux patrimoine. Comment? En y puisant à pleines mains pour «changer la vie». Notre contribution décisive à l'amélioration du monde ne peut avoir lieu en dehors de ce que nous sommes : ce que nous sommes en tant qu'individus, bien sûr, mais aussi en tant que membres d'une communauté humaine originale. Si nous renonçons à notre culture ou si nous abandonnons la responsabilité de ce que nous sommes, non seulement nous lésons les générations qui suivront, mais nous privons l'humanité entière de notre part au développement des ressources de la terre et de l'esprit. C'est toute une responsabilité que nous avons là!

II

Comment faire face à cette responsabilité et contribuer ainsi à la réalisation concrète de ce monde meilleur dont nous rêvons? En s'appuyant sur les valeurs fondamentales de notre culture. Quelles sont-elles? Certes, elles sont nombreuses; rappelons-en quelques-unes.

- *Le sens de la gratuité*, qu'on retrouve dans le bénévolat pratiqué sous bien des formes dans notre histoire, depuis la simple corvée pour venir en aide à ses voisins jusqu'au dévouement de nombre d'hommes et de femmes pour instruire les enfants, soigner les malades et soutenir les malheureux. Pour la jeunesse actuelle, cette valeur peut se pratiquer de bien des façons : par exemple, par une intervention directe des jeunes auprès de camarades plus démunis sur le plan scolaire (qu'on pense seulement à l'analphabétisme et au taux élevé de décrochage); on peut organiser à l'intérieur de l'école un réseau de solidarité pour aider les plus faibles et favoriser, au lieu de la concurrence entre les élèves, le travail d'équipe, l'enseignement mutuel, le rattrapage. Il faut s'entraider, s'appuyer les uns les autres pour réussir ensemble.

- *Le sens du partage* peut s'exprimer de bien des façons. Partager son temps, par exemple (voilà un bien dont nous disposons tous et toutes), en accordant du temps à ses proches, non seulement à faire ce qui nous plaît avec eux, mais ce qui rend les autres plus libres et heureux; entretenir des relations humaines axées sur «l'accueil» de l'autre pour ce qu'il est, sur «l'écoute» de l'autre afin de répondre, si possible, à ses besoins au lieu de chercher son propre intérêt dans ses rapports avec autrui et en espérer son seul profit. Partager ses ressources matérielles, ce n'est pas seulement faire l'aumône de quelques pièces de monnaie, mais cela peut aller jusqu'à renoncer volontairement à s'adonner à un travail rémunérateur dans ses temps libres si ce dernier n'est pas de stricte nécessité, mais est accompli aux seules fins de la consommation de vêtements, d'objets ou de plaisirs pour rassurer sa vanité, conforter son pouvoir auprès des camarades, satisfaire ses passions au lieu d'investir dans de vraies valeurs telles que l'étude, la vie familiale, l'activité physique, l'amitié, le bénévolat. Partager ses talents : mettre ses aptitudes à la disposition des autres en s'engageant au sein de sa communauté dans des activités culturelles, sportives, scientifiques, écologiques, voire politiques.

- *L'audace* : fuir le conformisme (des modes, quelles qu'elles soient); surmonter les préjugés et réviser les idées toutes faites; refuser «la pensée unique»; oser s'affirmer en remettant en question des conduites stériles; accepter de faire l'effort de sortir de soi pour aller vers les autres afin de connaître d'autres points de vue et ainsi se transformer, s'améliorer. Favoriser le métissage des esprits en accueillant les différences comme un enrichissement; faire confiance aux autres plutôt que de cultiver la peur devant ce qu'on connaît peu ou mal. Créer des réseaux, car on ne fait rien seul, et oser faire appel aux autres au lieu de mariner dans sa timidité ou son isolement; pour s'encourager quand on est timide ou hésitant, se répéter à soi, ou à l'autre : «T'es capable!» Éviter de se déprécier en se comparant continuellement aux autres, ou plutôt à sa perception subjective des autres, cesser de se juger négativement, souvent impitoyablement, car cela paralyse le goût d'agir. Oser affronter l'échec, ou le succès, qui crée encore plus d'attentes...

- *La joie de vivre* : de toute la force, l'inventivité et le dynamisme de sa jeunesse, il importe d'éviter de cultiver la «morosité», qui se distille comme un poison insidieux en ces temps-ci, sous la pression d'une consommation à outrance, laissant les gens sans autre issue qu'une insatisfaction exacerbée. On peut combattre les forces dépressives qui rongent de toutes parts et la vie quotidienne de chacun, chacune et la vie collective (par exemple, la guerre du Golfe) en entretenant une attitude délibérément positive, en cultivant non seulement le goût de vivre, mais en montrant sa joie de vivre en participant à des activités ou en entreprenant des projets avec les autres qui soient gratifiants pour tous. Nos ancêtres nous ont aussi indiqué la voie dans laquelle s'engager à ce chapitre. Ce n'était ni des «niaiseux» ni des pleurnichards, ces hommes et ces femmes qui ont bâti de leurs mains le pays. Entretenir dans son cœur la joie d'être vivant ou vivante, célébrer la vie dans ses actions, inspirer la vie autour de soi : autant de signes manifestes de notre culture.

En somme, cette culture canadienne-française que nous avons en partage deviendra ainsi, au seuil du nouveau millénaire, un instrument de paix pour l'avenir; elle nous donne confiance en l'avenir; elle nous incite audacieusement à imaginer un monde meilleur ; elle nous communique le courage nécessaire pour nous engager personnellement à y travailler ensemble. Car cette culture française qui est nôtre a fait ses preuves de part et d'autre de l'Atlantique : c'est une culture qui développe en chacun et chacune le sentiment de la grandeur de l'être humain. Plus on est grand dans son cœur, plus on a de chances de voir loin dans sa tête et d'entrevoir, envers et contre tous les esprits chagrins d'aujourd'hui, ce que sera l'avenir : il sera meilleur, parce qu'en vous ressourçant à même les valeurs de cette culture qui est vôtre, vous serez devenus/es vous-mêmes MEILLEURS/ES!

45

UNE PREMIÈRE POLITIQUE CULTURELLE POUR LES FRANCOPHONES DE L'ONTARIO

Propos recueillis par Paul-François Sylvestre pour la revue culturelle de l'Ontario français, *Liaison*.

Yolande Grisé est professeure à l'Université d'Ottawa, directrice du CRCCF, présidente du Groupe de travail pour une politique culturelle des francophones de l'Ontario[1], membre du conseil d'administration du CAO et, très bientôt, présidente de ce Conseil. Au moment où Liaison *l'a rencontrée, fin septembre, elle venait de terminer[2] le rapport de son Groupe de travail et s'apprêtait à le remettre à la ministre de la Culture et des Communications. Bien que le caractère encore confidentiel de son rapport l'empêche de répondre à toutes nos questions, elle a accepté de partager avec nous des impressions de premiers moments à la suite des deux nominations dont elle a fait l'objet en 1991.*

Liaison : Est-ce que votre fonction au CRCCF vous préparait à accepter la tâche de présidente du Groupe de travail?

Y.G. : Je pense qu'on ne serait jamais venu me demander cela si je n'avais pas été directrice du Centre de recherche. C'est dans l'évolution normale d'un Centre comme le nôtre; c'est dans le champ d'intérêt normal du Centre de recherche de réfléchir sur une politique culturelle des francophones de l'Ontario. Mon prédécesseur avait d'ailleurs été sollicité de la part du CAO pour un exercice différent en 1977.

L. : Comment avez-vous réagi à cette invitation du gouvernement?

Y.G. : J'ai été pressentie une semaine avant l'annonce publique de l'événement. J'étais enchantée de voir qu'il allait enfin se passer quelque chose du côté de la culture en Ontario français et que ça venait de très haut. Emballée mais aussi un peu inquiète, je me suis dit qu'il faut saisir l'occasion et prendre le train quand il passe. Je suis entrée dans cette aventure avec beaucoup de dynamisme et de réalisme aussi. Si on veut que les choses changent, il faut que les universitaires s'engagent sur le terrain, avec la population. Je n'ai donc pas hésité une seconde.

L. : *En quoi le rapport de votre Groupe de travail diffère-t-il des* Rapports Saint-Denis *(1969) et* Savard *(1977)?*

Y.G. : Notre mandat a été d'élaborer une politique cadre pour la vie culturelle des francophones de la province. Nous n'avons pas été invités à faire une analyse de la situation ni à régler chaque problème soulevé par la constatation de faits. Notre mandat consistait à utiliser les analyses déjà faites, à voir ce que la population demande en 1991 et à proposer au gouvernement des actions à entreprendre. On vit dans une histoire accélérée et je crois qu'il va falloir agir rapidement. Le gouvernement voulait savoir dans quelle direction agir. Nous avons proposé une orientation générale. Vous savez, il y a toutes sortes de directions qui s'offrent. Il s'agit d'en choisir une et d'éviter de se tromper. La consultation publique a été, à cet égard, extrêmement importante.

L. : *Cinq mois pour un tel exercice, c'est court. Comment y êtes-vous parvenus?*

Y.G. : L'exercice peut être qualifié de petit exploit. C'était un défi de taille et je crois que nous étions tous plus ou moins inconscients de la taille de ce défi. Sans la réponse de la population, des groupes, des intervenants culturels, nous n'aurions pas pu rencontrer notre échéance. Je suis fière de dire que la version française du rapport a été terminée dix jours avant la date limite du 30 septembre. Dans son contrat, le gouvernement nous avait demandé de consulter une quarantaine de groupes et individus engagés de façon plus active. Puisque l'occasion nous en était donnée et que nous faisions de si grands déplacements, de si grands efforts, nous en avons consulté trois fois plus afin de bien étayer notre argumentation. Nous n'avons pas le droit de nous tromper. L'exercice a certes été périlleux, mais c'est à ce prix-là que nous pouvons être sûrs que la voix à faire entendre sera juste.

L. : *Quelle a donc été l'envergure de votre consultation?*

Y.G. : Nous avons approché 150 organismes ou individus et nous avons entendu environ 130 intervenants... en plein été! Si peu de temps pour réagir. Cela démontre que la communauté était prête. Les Franco-Ontariens et les Franco-Ontariennes sont arrivés à une certaine maturité. Ils savent ce qu'ils veulent. Ils ont fait un exercice extrêmement rigoureux. Il n'y a pas eu de demandes extravagantes. Les gens sont très conscients qu'ils sont dans un contexte difficile sur le plan économique. Par contre, il y a des faits incontournables qu'ils nous ont mis sous les yeux et je crois que notre travail se devait de faire ressortir les grandes lignes de fond.

L. : *Qu'est-ce qui a été le plus exaltant dans cette démarche?*

Y.G. : À titre personnel, je dois dire que, douze ans après avoir suivi le même parcours pour réaliser l'*Anthologie de textes littéraires franco-ontariens* (j'avais fait le tour de la province pour rencontrer les auteurs, les écoles, les gens susceptibles de m'aider), donc douze ans plus tard, j'arrivais avec un groupe de travail et je me rendais compte de tout le travail accompli. Cela a été extrêmement motivant. On était sur la bonne voie et avec un peu d'aide on pouvait faire tellement plus. Comme groupe, ce qui a été exaltant, ce fut de mettre ensemble des personnes de différentes régions, de réunir des personnes d'expérience, comme dans une équipe de hockey, et de les obliger à gagner. Notre esprit d'équipe s'est répercuté sur notre tournée. Les gens ont bien vu que nous étions une équipe solide, qui s'était compromise, qui avait envie de réaliser quelque chose de bien. Déjà on sentait que les gens nous prenaient au sérieux. Et ils nous ont donné de la matière!

L. : *Au cours de cet exercice, vous avez été pressentie pour faire partie du CAO. Quelle a été votre première réaction?*

Y.G. : J'ai été surprise, renversée. Je me suis dit : il se passe vraiment quelque chose en Ontario. Le changement est en marche. Ce n'est pas nous qui allons créer le changement; c'est parce que le changement est déjà en marche qu'on nous a créés (groupe de travail) et qu'on s'est adressé à moi. J'ai trouvé cela très stimulant et, en même temps, j'ai eu peur. C'est un budget qui frise les 50 millions, tout compris. C'est extraordinaire de pouvoir travailler, en plein temps de récession, à la stimulation de la créativité. Si j'ai accepté, c'est à cause des circonstances. Autrement, cela ne m'aurait pas autant interpellée. Quelles sont ces circonstances? J'ai d'abord été nommée en même temps que quatre autres nouveaux membres qui représentent bien l'intention du gouvernement de vouloir élargir l'organisation du CAO aux différentes régions et, aussi, de se rapprocher de sa clientèle. Ma nomination en tant que francophone a un aspect d'ouverture aux réalités culturelles de l'Ontario; elle coïncide avec la nomination d'un autochtone, d'un expert en relations interraciales et de deux artistes en pleine création. Autre circonstance très importante : la situation que nous vivons à l'heure actuelle au pays. Je pense, par exemple, à la dévolution dans le domaine de la culture qui est sur la table des négociations constitutionnelles. Je pense aussi au dossier de la culture qui est sur la table du libre-échange avec les États-Unis. Dans ce contexte-là, et avec le travail que nous faisons au Centre de recherche, l'occasion était unique. Je ne pouvais pas refuser.

L. : *Le 22 novembre 1991, vous serez présidente du conseil d'administration du CAO. Quels seront alors vos dossiers prioritaires?*

Y.G. : Ce n'est pas un dossier en particulier qui m'intéresse, c'est une cause qui me tient à cœur : la cause des artistes, qui sont le fer de lance de la culture. Je crois que, dans les années qui viennent, l'avenir de notre pays devra nécessairement passer par la créativité et la recherche. Deux secteurs malheureusement trop négligés au moment où nous sommes plongés en pleine concurrence internationale, en pleine ouverture sur le monde. Je trouve ça très stimulant d'être à la tête d'un organisme ontarien qui est reconnu partout au Canada et, surtout, de travailler avec une équipe de professionnels. Au cours de mon mandat, ce sera la cause des artistes qui me tiendra le plus à cœur... pour l'avenir de la province, pour l'avenir du pays.

(*Liaison*, n° 64, 15 novembre 1991, p. 10-11.)

Notes

1   Voir l'extrait reproduit dans l'Annexe du présent ouvrage.
2   La revue *Liaison* rend compte du *Rapport final* dans sa livraison de janvier 1992, n° 65, p. 14-15.

46

LES ARCHIVES, NOTRE MÉMOIRE COLLECTIVE

Texte d'un commentaire radiophonique diffusé durant l'émission *Ontario 30* de Radio-Canada le 3 mai 1993. C'était pour souligner le 35e anniversaire de la fondation du CRCCF, dont le secteur de ressources documentaires «acquiert, conserve, traite, organise et met à la disposition du public» un important corpus de sources primaires sur le Canada français, et en particulier sur l'Ontario français.

Quand le Temps, ce maître absolu, aura digéré toute chose, que restera-t-il de nous? Que reste-t-il de l'aventure humaine au fil des siècles? Des traces. Les traces du passage fulgurant des puissantes et riches civilisations humaines. Mais quelles traces! Traces-repères pour la suite du monde. Sans elles, à chaque génération, la vie devrait repartir à zéro. Entre le passé et l'avenir, elles jettent un pont de mémoire dans la mouvance du présent. Ces traces sont les témoins intimes de l'expérience humaine. Elles servent de guide en ouvrant une piste aux caravanes humaines. Elles portent notre passion de vivre jusqu'aux sentiers inexplorés d'où surgit la vie nouvelle.

Des traces tangibles sur le fil du temps : telles se présentent les archives! Chaque génération consigne les informations de son existence sur des supports documentaires de toutes sortes (pierre, terre cuite, bois, tissus, papier, film, bandes magnétiques, disquettes d'ordinateur).

Les archives se constituent dans l'exercice des activités humaines, et nous en sommes tous et toutes les créateurs. Elles sont une mémoire-miroir de ce que nous sommes en tant qu'individus, mais aussi en tant que sociétés. Tout à la fois, elles expriment et enrichissent l'identité culturelle d'une collectivité humaine. Elles jouent donc un rôle essentiel dans la survie d'un peuple : pour qu'il reconnaisse son point d'ancrage dans l'histoire, l'originalité de son identité et la puissance de sa vitalité; afin qu'il soit reconnu par les autres groupes humains; pour qu'assuré d'une continuité, il trouve l'élan nécessaire en vue de se projeter vers l'avenir.

Une prise de conscience de l'importance des archives pour la survie de la collectivité s'avère urgente, surtout au moment où nous traversons une crise «déstructurante» sur les plans politique, économique et social. L'amnésie collective risque de nous égarer dans l'épais brouillard que nous traversons. Elle peut nous faire perdre de vue ce pont médiateur de la culture, en éternelle construction, qui se dresse au-dessus de l'abîme, entre le passé et l'avenir. Oublieuse et impalpable, la mémoire des êtres a besoin du support tangible de la mémoire collective inscrite dans les archives. Bien qu'elle soit tangible, la mémoire archivistique est fragile. Sans soins, les empreintes de la longue marche humaine peuvent venir à s'effacer. Aussi, chaque société, par la voie de ses organismes publics et privés, a-t-elle le devoir d'assurer la conservation et la diffusion des archives, points d'enracinement et de renouvellement de l'identité collective. Pour ce faire, elle doit se préoccuper de la mise en place de politiques de traitement des documents. Cela, bien sûr, requiert de la volonté et des ressources.

En l'année de son 35ᵉ anniversaire, le CRCCF souhaite que le gouvernement de l'Ontario reconnaisse concrètement l'importance du patrimoine archivistique franco-ontarien pour le développement de la culture française en Ontario.

(*Rapport annuel 1992-1993 du CRCCF*,
Ottawa, CRCCF, 1993, p. 44-45.)

47

L'ÉDUCATION,
PIERRE ANGULAIRE DE LA SURVIE DU PAYS

Texte ayant servi à la *Déclaration* présentée le 8 novembre 1994 par les membres[1] de la délégation de la Fédération canadienne des études humaines devant le Comité permanent des finances de la Chambre des communes[2] en faveur d'un investissement accru de fonds publics dans la recherche en études humaines et en sciences sociales au Canada[3].

L e Canadien McLuhan avait prévu l'éclatement des frontières et le contact des mondes dans son «Village global». Le XIXe siècle, ère de l'industrie, et le XXe siècle, ère de la technologie, ont été des siècles du savoir pour faire. Le XXIe siècle, que nous enfantons dans la douleur aujourd'hui, sera le siècle du «savoir pour communiquer». Les Canadiens, qui habitent un gigantesque territoire, ont compris mieux que quiconque l'importance des communications et l'ont prouvé par leur contribution exceptionnelle à cet essor technologique.

Il faudrait maintenant que ces derniers et leurs dirigeants saisissent bien l'exigence de pensée que comporte ce monde éclaté et interactif que nous avons contribué à créer, et qu'ils y investissent les ressources nécessaires pour que non seulement le Canada y connaisse une fructueuse participation et en retire une juste part, mais aussi qu'il survive dans cette énorme vague de changements qui frappe le monde entier.

Un coup de barre nécessaire

1) Dans ce but, il est essentiel que les jeunes Canadiens maîtrisent d'abord le moyen d'expression fondamental qu'est le langage pour tout être humain. Dans ce pays, cela se traduit par la connaissance de l'anglais et du français, les deux langues officielles. L'étude de sa langue est essentielle à l'épanouissement de la personne, et la connaissance d'autres langues est un atout majeur dans les relations humaines. N'oublions pas, comme nous le rappelait récemment

Hervé Sérieyx, auteur de l'ouvrage *L'Effet Gulliver*, qu'«on n'a que la pensée de son langage».

Il est essentiel que l'Histoire du Canada, depuis les origines jusqu'à nos jours, soit connue de tous les citoyens; de même, toutes les composantes de la culture canadienne, entendue au sens ethnologique, et toutes les dimensions de la culture canadienne, entendue au sens d'œuvres de l'esprit, devraient être mieux connues des citoyens. Dans tous ces cas, cela signifie qu'il faut axer nos efforts sur l'éducation, à tous les niveaux. Si l'on hésite à donner le coup de barre nécessaire, immédiatement, en faveur d'un investissement majeur des ressources communes dans l'éducation et la recherche en études humaines, on risque gros. La vie qui pousse ne nous attendra pas.

Investir...

2) La guerre économique que nous traversons coûte cher, très cher, aux Canadiens. On connaît le chômage et on peut, peut-être, l'évaluer en terme de pourcentage, mais a-t-on évalué les coûts humains et économiques, à court terme et à long terme, de la montée du décrochage scolaire, de la pauvreté, de la violence, de l'alcoolisme, de l'abus des drogues, des maladies physiques et mentales et de tous les autres maux sociaux liés au stress de la situation actuelle et future? C'est au moment même où l'on a le plus besoin des études humaines et des sciences sociales pour trouver des solutions à ces problèmes que le gouvernement coupe les fonds à la recherche dans ces domaines. Le gouvernement devrait continuer à appliquer la philosophie du «petit livre rouge», où l'on affirme qu'on va prendre l'argent investi dans des secteurs qui ne rapportent pas pour le réorienter dans des secteurs plus prometteurs pour l'emploi et le bien-être des Canadiens. Ce serait véritablement au plus grand bénéfice des Canadiens qu'on investisse dans des emplois qui permettent de chercher et de trouver des solutions humaines à des problèmes humains.

On est toujours prêt à compter les dépenses qu'on engage dans la culture et les études humaines, mais a-t-on jamais calculé les bienfaits considérables qui en découlent?

…des fonds publics

3) Il est fondamentalement faux de dire et de faire croire que l'éducation profite à l'individu seulement. En faisant de l'individu un meilleur citoyen, en permettant au citoyen d'exploiter tous ses talents, ce sont chaque Canadien et toute la société canadienne qui en bénéficient, parce que tous ces talents, toutes ces découvertes, toutes ces connaissances sont diffusés au grand jour, sur la place publique, et ainsi rendus accessibles à tous. D'où l'importance d'y investir des fonds publics et non seulement des ressources privées pour la jouissance de quelques privilégiés.

L'éducation pour tous est la pierre angulaire de la survie de notre pays : il faut investir dans ce secteur d'avenir, un secteur sûr… pour tous.

(Un extrait du texte a été publié : «La Pierre angulaire de la survie du Canada», *Le Droit*, 21 novembre 1994, p. 17.)

Notes

1 Les autres membres de la délégation étaient : J. Craig McNaughton, directeur général de la Fédération; Dale Schlitt, recteur de l'Université Saint-Paul; Denyse Maxwell, étudiante au Département des langues modernes de l'Université d'Ottawa; Joanne Wolcox, présidente de Multilingual Communication for Management, Manotic.

2 Parmi les membres du Comité permanent des finances, étaient présents à la séance Jim Abbott, Barry Campbell, Ron Fewchuk, Yvan Loubier, Jim Paterson (président), Brent St-Denis.

3 La transcription intégrale de la *Déclaration* est consignée dans les Procès-verbaux et témoignages du Comité permanent des finances, Ottawa, Chambre des communes, fascicule n° 75, 8 novembre 1994, p. 31-32.

48

PLUS D'ARGENT POUR LES ARTS!

Texte d'une prise de position comme présidente sortante du Conseil d'administration du CAO en faveur d'une augmentation substantielle des fonds publics versés par le gouvernement fédéral aux artistes canadiens.

Voir la culture accéder au nombre des priorités gouvernementales, quelle bonne nouvelle! Deux éditions du *Devoir*, en octobre dernier, rapportaient l'intention du gouvernement fédéral de faire de la culture «un des volets prioritaires de la politique étrangère canadienne»; de la sorte, le Canada augmenterait de façon importante sa présence culturelle à l'étranger, en particulier à Paris, capitale de l'Europe.

Enfin, un geste de leadership envers la culture, qui arrive comme de l'air frais après huit années difficiles, dont on mesure encore trop peu l'effet désastreux sur l'avenir du pays!

Pour que la présence culturelle du Canada se taille une place de choix et prenne pied en terre européenne, où la vie artistique et culturelle est profondément implantée, il est nécessaire d'assurer, en même temps, la vitalité des arts et le dynamisme culturel du Canada en terre canadienne; le rayonnement sur la scène internationale sera d'autant plus éclatant que le feu sera activé dans le foyer national.

La création artistique de grande qualité qui anime la scène culturelle partout au pays, a été rendue possible, en premier lieu, bien sûr, grâce aux artistes eux-mêmes. Grâce à leur considérable talent, à leurs rares deniers (constamment réinvestis dans leur production), à leur indomptable entêtement et à leur travail colossal. C'est également le résultat des efforts consentis par d'autres partenaires, publics et privés, depuis une quarantaine d'années : les organismes culturels gouvernementaux, des particuliers et des entreprises, sans oublier l'engagement et le dévouement de plusieurs générations de milliers de bénévoles, de tous les milieux sociaux, dont une majorité de femmes.

Dans cet esprit, donc, je propose au gouvernement que, tout en assurant une importante présence culturelle canadienne à l'étranger, il veille à accorder, du même coup, une attention prioritaire aux arts et à la culture en sol canadien et à investir les fonds appropriés dans une production artistique et culturelle qu'il souhaite voir rayonner non seulement en France, mais dans le monde entier.

En ce sens, le gouvernement devrait, sans hésiter une seconde, doubler le budget du CAC, par exemple, et accorder, sans l'ombre d'une hésitation, une allocation directe annuelle aux principales institutions culturelles au pays, telles l'École nationale de théâtre et l'École nationale de ballet, pour n'en nommer que quelques-unes.

Que les contribuables canadiens soient rassurés! Cet investissement dans les arts et la culture contribuerait à réduire, à terme, le déficit fédéral. D'abord, il favoriserait une politique de plein emploi, en particulier chez les jeunes, tout en augmentant la production collective de la richesse nationale et en stimulant l'exportation d'un produit de haute qualité, dont les Canadiens ont tout de même le monopole : leur culture.

En appuyant la création artistique, fer de lance de la culture, la production et la diffusion culturelles, le gouvernement investirait, du même coup, dans de nombreux secteurs d'activité, rejoignant tout le monde, dans tous les milieux et toutes les communautés, puisque la culture irradie, par le truchement de la radio et de la télévision en particulier, dans toute la société.

L'art est essentiellement un acte de communication. Or, si le XIXᵉ siècle, ère de l'industrie, et le XXᵉ siècle, ère de la technique, ont été les siècles du «savoir pour faire», le XXIᵉ siècle sera l'ère du «savoir pour communiquer», avec l'éclatement des frontières et le contact des mondes. À l'époque de la Renaissance, ère de renouveau, de découvertes, de contact avec le Nouveau Monde, on avait compris cet aspect essentiel de l'art comme acte de communication accessible à tous. Les papes eux-mêmes injectèrent des fonds substantiels dans de grands travaux artistiques et architecturaux de notoriété publique. Aujourd'hui, l'Italie bénéficie de ces investissements à long terme : à elle seule, la richesse incommensurable du patrimoine culturel fait de ce pays un véritable trésor collectif.

Au bout du compte, la vraie richesse, la plus durable, celle qui demeurera quand toutes les autres, incluant les découvertes scientifiques les plus prestigieuses, auront disparu sous l'action du temps dévastateur, que restera-t-il des avoirs et des êtres humains?

L'héritage culturel du passé que sont les œuvres d'art : œuvres littéraires, visuelles, architecturales. Autrement dit, le meilleur de l'humanité : le rêve absolu de l'artiste.

(*Le Devoir*, 16 décembre 1994, p. 11.)

YOLANDE GRISÉ

49

À PROPOS DE LA RECHERCHE SUR LA FRANCOPHONIE À L'EXTÉRIEUR DU QUÉBEC

Texte d'un exposé présenté à un atelier consacré à l'examen de la situation des études canadiennes au pays, lors d'un colloque de l'Association des études canadiennes tenu à Calgary dans le cadre du Congrès annuel des sociétés savantes du 12 au 14 juin 1994.

En juin 1993, le Regroupement des universités de la francophonie hors Québec confiait au CRCCF la coordination d'un colloque qui réunirait, au printemps 1994, les centres et instituts de recherche et d'étude sur le Canada français, autour d'un sujet d'intérêt commun pour la francophonie à l'extérieur du Québec.

Le Regroupement est un organisme créé le 14 novembre 1990, en vue de stimuler la coopération interuniversitaire et de développer un espace scientifique francophone en milieu minoritaire. Il rassemble, en fait, dix établissements universitaires entièrement ou partiellement de langue française, situés dans cinq provinces canadiennes[1].

Engagé jusqu'alors dans les dossiers du perfectionnement linguistique et de la formation universitaire des étudiants, de la publication de manuels en langue française, de l'accès à la documentation en langue française et de la mobilité des personnes entre les institutions, le Regroupement, sous la présidence de Harley d'Entremont, recteur de l'Université Sainte-Anne, parrainait, pour la première fois, un colloque consacré à la recherche.

Les assises de la recherche sur la francophonie à l'extérieur du Québec se sont distinguées, dès l'abord, par la composition du Comité organisateur, les sept membres ayant été recrutés dans un contexte géographique élargi[2]. Au terme d'échanges téléphoniques individuels, d'une télé-conférence et de messages télécopiés, le groupe (pour éviter les délais et les coûts, le Comité ne s'est jamais réuni en personne avant le colloque) convenait des objectifs de la rencontre : rallier les principaux acteurs de la recherche sur la francophonie à l'extérieur du Québec, au-delà des limites régionales, des approches disciplinaires, des rattachements professionnels, des préoccupations individuelles, afin de faire le point sur la situation, le développement et l'avenir de cette recherche, dans un contexte scientifique, social, politique et culturel de plus en plus exigeant à tous points de vue. D'où l'idée d'attribuer à ce colloque un nom mobilisateur et rassembleur comme les *États généraux de la recherche sur la francophonie à l'extérieur du Québec.*

La présente communication veut faire état de ces assises. Les constatations, les évaluations et l'orientation des recherches et études sur la francophonie à l'extérieur du Québec depuis une dizaine d'années peuvent être bénéfiques à une meilleure connaissance du fait français au Canada et, partant, à une meilleure compréhension de la réalité canadienne en cette ultime décennie du XXe siècle, qui complète plus de quatre siècles et demi d'histoire canadienne-française.

Dans une attitude d'ouverture à toutes les composantes de la recherche en milieu minoritaire de langue française, des invitations formelles ont donc été adressées à la communauté universitaire, aux agents et agentes de recherche des mouvements associatifs nationaux et provinciaux, à des organismes gouvernementaux et paragouvernementaux, à des firmes privées d'experts-conseils, et à des particuliers – chercheurs autonomes tels qu'étudiants et étudiantes à la maîtrise et au doctorat. Par voie de communiqués, une invitation a été lancée aussi au grand public. Il semble que la rencontre a suscité un certain intérêt, dans la mesure où 175 personnes ont répondu à l'appel.

Bien entendu, dès le départ, dans un esprit de coopération interuniversitaire, le Comité organisateur s'est assuré de la participation d'organismes québécois de recherche tels que le CEFAN et l'Institut québécois de recherche sur la culture (IQRC), membre de l'Institut national de la recherche scientifique. Nous avons aussi bien volontiers associé à ces délibérations la francophonie internationale par le biais du Bureau pour l'Amérique du Nord de l'Association des universités partiellement ou entièrement de langue française (AUPELF) et de l'Université des réseaux d'expression française (UREF).

Ce n'était certes pas la première fois que les centres et instituts de recherche et d'étude sur le Canada français prenaient l'initiative de se regrouper dans le cadre d'un colloque. Par exemple, à l'automne 1981, dans la foulée de l'intérêt marqué pour les études canadiennes, surtout depuis la parution du *Rapport Symons* en 1975, et avec le soutien financier du Secrétariat d'État, on procéda, à Ottawa, à la fondation du Regroupement des centres de recherches et d'études en civilisation canadienne-française afin de mettre en commun les idées, les besoins, les projets[3].

Toutefois, la rencontre du printemps 1994 a été une «première» par le fait qu'on y a inclus d'emblée des collègues franco-américains et associé le réseau universitaire de la francophonie internationale, tout en y accueillant des chercheurs de milieux extérieurs au circuit universitaire.

Plusieurs constats justifiaient le projet. Il y a une trentaine d'années environ, la recherche sur la francophonie à l'extérieur du Québec émergeait, en majeure partie, grâce à des initiatives individuelles ou collectives dans les communautés concernées, et à l'appui circonstanciel de fonds publics. Les efforts réels déployés par les uns et les autres jusqu'ici n'ont pas produit tous les résultats escomptés, on le comprend. Depuis quinze ans, l'appui des fonds publics alloués déjà parcimonieusement à la recherche sur la francophonie à l'extérieur du Québec diminue graduellement.

Plus récemment, la restructuration des ministères et des organismes gouvernementaux tant sur le plan fédéral que sur le plan provincial complique et multiplie les démarches déjà complexes, allonge ou prolonge les délais, tandis que la décentralisation des responsabilités vers les provinces, les régions ou les municipalités, sans contrepartie financière, défavorise les francophones vivant en milieu minoritaire. La situation nationale, en suspens depuis le double échec des accords du lac Meech et de Charlottetown, ainsi que l'approche d'élections provinciales au Québec et en Ontario, ravivent l'inquiétude des communautés francophones vivant à l'extérieur du Québec quant à leur avenir. La complexité des questions soulevées par les mutations rapides des sociétés contemporaines, auxquelles les communautés francophones à l'extérieur du Québec se heurtent elles aussi, nécessite une étude attentive des besoins et des problèmes, de même que la recherche de solutions inédites et la production de résultats tangibles.

Ce nouvel état des choses proclamait l'urgence d'une mise en commun des réflexions, des expériences, des entreprises de chacun et chacune : pour assurer la vitalité, l'avancement et la diffusion des connaissances de la francophonie à l'extérieur du Québec; pour contribuer à une meilleure compréhension de la réalité francophone à l'extérieur du Québec; pour envisager avec réalisme et confiance la vitalité, l'avancement et l'avenir de ces communautés elles-mêmes. Faire avancer la recherche, oui, pour faire avancer la société! Il devient donc essentiel de se concerter sur les moyens à prendre pour sortir et les chercheurs et l'objet de leurs recherches de la marginalisation académique (sujet de cours ou de thèses, direction de thèses, documentation, etc.), scientifique (accès aux fonds de recherche, aux équipes de recherche, à la diffusion des travaux, etc.) ou encore professionnelle (promotion, comités, représentations universitaires, etc.), à laquelle ce champ d'études est confiné dans les universités canadiennes ou québécoises.

Une telle réflexion commune des chercheurs sur la francophonie à l'extérieur du Québec paraissait pertinente vu que les communautés francophones elles-mêmes, par le truchement de leurs réseaux associatifs, ont exprimé ces récentes années, dans des rencontres et des documents de synthèse, leurs besoins, leurs attentes et leurs projets. À titre d'exemples, signalons que la Fédération des communautés francophones et acadienne du Canada a publié le document *Dessein 2000 : pour un espace francophone* (2 vol., 1992) et que la Fédération des jeunes Canadiens français a fait paraître les résultats des recherches effectuées dans le cadre du projet *Vision d'avenir*[4]. En Ontario, pour ne parler que de cette province, à la suite du Sommet de la francophonie ontarienne tenu à Toronto les 7, 8 et 9 juin 1991, le Comité du suivi a rendu public, un mois après la tenue de l'événement, un Plan de développement global de la communauté franco-ontarienne 1992-1997 (*Notre place aujourd'hui pour demain*), sous l'égide de l'ACFO. En novembre 1991, le rapport final du Groupe de travail pour une politique culturelle des francophones de l'Ontario (*RSVP! Clefs en main*, 1991) était rendu public par la ministre de la Culture et des Communications de l'Ontario. Nombre de chercheurs universitaires, d'agents gouvernementaux ou d'experts-conseils de firmes privées ont pris part, directement ou indirectement, à ces opérations de planification stratégique.

Dans cette conjoncture, il apparaissait évident que le temps était venu de faire le point sur tous les types, les voies et les travaux de la recherche menée sur la francophonie à l'extérieur du Québec. Le colloque des «États généraux de la recherche sur la francophonie à l'extérieur du Québec» s'est tenu au Château Laurier, à Ottawa, du 24 au 26 mars 1994. Il s'agissait moins d'une rencontre d'orientation proprement dite que d'une démarche prospective en vue de découvrir les strates, les frontières, les divergences et les convergences de la recherche menée jusqu'ici, de resserrer des liens et d'en créer, de faire en sorte que des rencontres aient lieu, que des projets naissent, que des solidarités se manifestent, que des pistes d'avenir émergent au sein de la pluralité des démarches, des points de vue, des intérêts.

Le volet scientifique de la rencontre comportait cinq séances : 1) Les conditions de la recherche depuis 1980 : témoignages; 2) Les pratiques actuelles de la recherche : observations; 3) Les besoins et les priorités de la recherche en 1995-2000 : analyses; 4) Le financement de la recherche : politiques; 5) Les nouvelles collaborations possibles entre les chercheurs de tous les milieux : solutions. Au total, une trentaine d'exposés donnèrent lieu à de fructueux échanges et interventions avec un auditoire nombreux, attentif et interactif. Grâce à l'expertise de Norman Felx, membre du Service d'audiovisuel et de reprographie de l'Université d'Ottawa, tous les propos ont été soigneusement enregistrés aux fins de publication dans les Actes de la rencontre, actuellement en préparation au CRCCF.

Il ne s'agit pas de résumer ici chaque exposé et discussion. Car, d'une part, nous souhaitons trouver preneurs pour les Actes de la rencontre, quand ils paraîtront; d'autre part, la transcription des échanges n'est pas encore complétée : il serait prématuré d'en faire la synthèse. Je présenterai donc un bref aperçu des points saillants de la table ronde qui a clôturé la rencontre. Ces derniers peuvent être regroupés en deux volets : des constatations sur l'état actuel des collaborations entre les chercheurs; des moyens de collaboration pour créer, maintenir et resserrer des collaborations nouvelles ou renouvelées.

Au chapitre des constats, la collaboration entre les différents milieux de la recherche sur la francophonie à l'extérieur du Québec se bute à un certain nombre d'obstacles : la difficulté de réconcilier la recherche disciplinaire et la recherche commanditée; la carence des liens et des lieux de rencontre entre la recherche universitaire et les firmes d'experts-conseils du secteur privé; l'inégalité des capacités des différents partenaires; l'absence de soutien aux initiatives des chercheurs, notamment dans les universités bilingues. Néanmoins, on a cherché à montrer, à l'aide d'exemples précis, les résultats de collaborations réussies.

La recherche sur la francophonie à l'extérieur du Québec se heurte à deux exigences qui, dans le contexte actuel de l'enseignement postsecondaire en français au Canada, sont difficiles à réconcilier : celle de l'excellence, qui permet aux chercheurs de figurer parmi les chefs de file de leur discipline respective; celle de la pertinence sociale, réclamée par les communautés qui font l'objet de la recherche et qui en sont ultimement les récipiendaires.

Les liens entre les universitaires en lettres, en arts et en sciences humaines et les experts-conseils du secteur privé sont ténus, ce qui diminue la crédibilité des uns et la pertinence sociale des autres. L'information ne circule pas entre ces deux milieux, qui, de plus, se connaissent mal.

La collaboration soulève aussi la question de l'inégalité des partenaires en cause : les régions n'ont pas les mêmes infrastructures de recherche; certains milieux ne peuvent compter que sur une poignée de chercheurs qualifiés. Souvent ces milieux défavorisés quant à la recherche offrent, en revanche, des terrains riches pour la prospection, mais quasiment inexplorés.

Un des freins les plus importants à la collaboration entre les différents partenaires de recherche sur la francophonie canadienne à l'extérieur du Québec est, sans contredit, l'absence d'appui aux initiatives individuelles ou collectives : une seule chaire, celle de l'Université de Moncton; des centres de recherches et d'études sous-équipés, sous-financés, sous-utilisés; pas ou peu de postes de recherche dégagés de l'enseignement et des tâches administratives dans les universités; un accès difficile aux fonds de recherche des universités, aux grands organismes subventionnaires ainsi qu'aux réseaux de diffusion de la recherche. Cette absence de soutien frise la marginalisation scientifique dans les universités bilingues, où la recherche sur la francophonie est perçue comme une activité de second plan peu susceptible de contribuer au rayonnement national et international de l'institution.

Mais ces nombreux obstacles n'ont pas empêché des collaborations fructueuses entre les chercheurs de la francophonie. À titre d'exemples, on a rappelé quelques expériences positives : les colloques annuels itinérants du Centre d'études franco-canadiennes de l'Ouest (CEFCO), qui mobilisent un grand nombre de chercheurs de l'Ouest et d'ailleurs; la bibliographie sur les francophones de l'Ouest, qui a mis à profit les forces vives de la recherche sur la francophonie de ces régions; le séminaire d'été sur la francophonie (offert à l'Université de l'Alberta, cet été), qui se veut itinérant afin de susciter la participation du plus grand nombre possible de professeurs, d'étudiants et étudiantes et d'autres collaborateurs et collaboratrices au projet. On a souligné aussi les colloques, les séminaires, les ateliers et autres rencontres organisés par la CEFAN de l'Université Laval, qui ont contribué à développer les collaborations entre les chercheurs québécois et les chercheurs d'expression française en Amérique du Nord.

Au chapitre des collaborations possibles, différentes avenues ont été proposées : la réalisation de projets précis de type interdisciplinaire faisant appel à l'expertise de différents milieux de recherche; la création d'un institut national de recherche sur le fait français au Canada; la centralisation de la documentation et l'accès à l'information; le financement d'un programme stratégique de recherches sur la francophonie à l'extérieur du Québec, par le Conseil de recherches en sciences humaines du Canada (CRSHC).

C'est essentiellement autour de projets rassembleurs qu'on croit pouvoir développer une collaboration réelle des chercheurs. S'inspirant de l'ouvrage sur l'*Acadie des Maritimes* préparé par la Chaire d'études acadiennes de l'Université de Moncton, ces projets catalyseurs pourraient prendre la forme d'une histoire des francophones en milieu minoritaire ou encore un portrait actuel des communautés francophones et acadienne du Canada pour une année donnée. Ces projets seraient l'occasion d'un travail conjoint d'élaboration d'une grille d'analyse et d'identification des thèmes à explorer. Ils permettraient non seulement de faire le point, de développer des avenues négligées, mais aussi de propulser la recherche tant sur le plan théorique que sur le plan méthodologique.

Certains croient – comme le regretté sociologue Roger Bernard – qu'une recherche approfondie sur la situation de la francophonie à l'extérieur du Québec doit pouvoir s'appuyer sur des travaux de pointe en recherche fondamentale (démographie), en analyses sociales (mobilité) et en outils de recherche spécialisés (bibliographies, dictionnaires, ouvrages de synthèse, manuels de référence, etc.). La production de tels travaux de longue haleine pourrait être assurée par un organisme public. Il s'agirait moins de remplacer les centres de recherches et d'études existants ou de créer une nouvelle structure que de se doter d'instruments de recherche de base utiles à la recherche elle-même pratiquée aux quatre coins du pays, dans les différents milieux de recherche : cette forme de reconnaissance nationale pourrait favoriser et revaloriser la recherche sur la francophonie à l'extérieur du Québec.

L'isolement des chercheurs doit être brisé par la centralisation de l'information et l'amélioration de l'accès aux travaux de recherche issus des différentes disciplines, des divers milieux et des nombreux partenaires (universitaires, communautaires, gouvernementaux et ceux du secteur privé). L'organisme mandaté en ce sens devrait faire circuler l'information par divers moyens : un bulletin d'information, un répertoire de tous les partenaires dans la recherche, en empruntant l'autoroute de l'information, ou encore en se servant de médias tels TV5 ou la télévision éducative, qui devraient jouer un rôle plus actif dans la dissémination des résultats de la recherche et la vulgarisation des travaux.

Afin de pallier le sous-financement chronique de la recherche sur la francophonie à l'extérieur du Québec, il a été proposé, enfin, que le CRSHC développe un programme stratégique pour ces recherches en s'inspirant de ce qui a été fait, entre autres, pour les recherches sur les femmes, le travail, le vieillissement, l'environnement.

Différentes activités se sont greffées au colloque proprement dit, pendant ces trois jours. Pour sa part, le Comité régional Amérique du Nord de l'AUPELF-UREF a parrainé, à l'instigation de son président Jules Tessier, professeur au Département des lettres françaises de l'Université d'Ottawa et directeur de la revue *Francophonies d'Amérique*, un atelier sur la «Promotion et diffusion des publications en langue française sur le continent nord-américain», avec la participation d'une dizaine d'intervenants associés à la publication de livres en langue française à l'extérieur du Québec et dans les régions frontalières : de l'écrivain au libraire, en passant par l'éditeur, le diffuseur, le critique, les médias et les gouvernements.

Un déjeuner-rencontre a été organisé par Dyane Adam, principale du Collège Glendon à l'Université York et présidente du Comité de soutien à l'édition de manuels universitaires du Regroupement des universités de la francophonie hors Québec, afin d'explorer avec les personnes intéressées les possibilités de réalisation d'un ouvrage portant sur la francophonie canadienne hors Québec, d'établir son contenu, de suggérer des collaborations éventuelles[5]. Les autres membres de ce comité sont : Gérald Boudreau de l'Université Sainte-Anne; Denis Carrier, vice-recteur adjoint à la recherche et à l'enseignement de l'Université d'Ottawa; et André Fréchette du Collège universitaire de Saint-Boniface (Manitoba).

Un communiqué de l'IQRC annonçait aux participants la parution à l'automne 1994, sous forme de disque compact de même qu'en accès direct et éventuellement sous forme d'imprimé, d'une première bibliographie systématique de près de 10 000 titres sur la francophonie de l'Ouest canadien; c'est une réalisation conjointe du CEFCO, de la Faculté Saint-Jean de l'Université de l'Alberta (Gratien Allaire) et de l'IQRC (Paul Aubin). Des démarches sont en cours auprès de différents organismes de l'Ontario dans le but de produire un instrument de recherche équivalent pour la francophonie ontarienne.

Coordonnateur de l'événement, le CRCCF a profité de ce rassemblement exceptionnel pour associer diverses composantes de la francophonie canadienne à son lancement annuel prévu cette année, dans le cadre des festivités du 15e anniversaire du Salon du livre de l'Outaouais, au Palais des congrès de la ville de Hull. Ainsi, pour célébrer ce quinzième anniversaire de la fête du livre, le Centre a lancé quinze ouvrages savants touchant des disciplines variées[6]. Le CRCCF a ensuite bénéficié d'une remise officielle d'archives de la part de Paul Wyczynski, professeur émérite au Département des lettres françaises et directeur-fondateur du CRCCF pendant quinze ans (de 1958 à 1973), et d'Hélène Brodeur, romancière ontaroise connue et estimée.

Comme le colloque avait l'heur de se dérouler pendant la Semaine nationale de la francophonie, des agapes de la francophonie ont réuni les participants au salon du CNA, sous la présidence d'honneur de Michel Dupuy, ministre du Patrimoine canadien. Au cours du banquet, le président du jury du Conseil de la vie française en Amérique, André Lalonde, directeur de l'Institut de formation linguistique de l'Université de Régina, a dévoilé le nom du lauréat du prix Champlain 1994 : Robert Major, directeur du Département des lettres françaises de l'Université d'Ottawa, pour son ouvrage *Jean Rivard ou l'art de réussir : idéologies et utopie dans l'œuvre d'Antoine Gérin-Lajoie* (PUL, coll. «Vie des lettres québécoises»).

En conclusion, les participants et participantes se sont montrés favorables à la poursuite de la démarche de concertation bien engagée par ces États généraux. Ils ont alors confié deux missions spécifiques au parrain de la rencontre, le Regroupement des universités de la francophonie hors Québec : trouver les fonds nécessaires pour assurer la publication des Actes de la rencontre; former un Comité de suivi, comptant des représentants de la communauté et du secteur privé, qui serait en mesure d'assurer l'avancement des dossiers, la réalisation des projets, le rapprochement des partenaires et d'améliorer le soutien des universités à l'égard de la recherche sur la francophonie à l'extérieur du Québec.

(*Les Cahiers d'histoire du Québec au XXe siècle*,
n° 3, hiver 1995, p. 122-129.)

Notes

1   Ces établissements sont : la Faculté Saint-Jean de l'Université de l'Alberta (Edmonton); le Collège universitaire de Saint-Boniface (Manitoba); l'Université Laurentienne (Sudbury, Ontario); le Collège Glendon de l'Université York (Toronto, Ontario); le Collège militaire royal de Kingston (Ontario); l'Université Saint-Paul (Ottawa, Ontario); le Collège dominicain de philosophie et de théologie (Ottawa, Ontario); l'Université d'Ottawa (Ontario); l'Université de Moncton (Nouveau-Brusnwick); l'Université Sainte-Anne (Nouvelle-Écosse).

2   David Barry, directeur des Études francophones à l'University of Southwestern Louisiana (Lafayette, Louisiane); Richard Benoît, président du CEFCO, au Collège universitaire de Saint-Boniface; Jean Daigle, titulaire de la Chaire d'études acadiennes à l'Université de Moncton; Donald Dennie, directeur de l'Institut franco-ontarien à l'Université Laurentienne; Yolande Grisé, directrice du CRCCF à l'Université d'Ottawa; Claire Quintal, directrice de l'Institut français au Collège de l'Assomption (Wor-

cester, Massachusetts); Jules Tessier, directeur de la revue *Franco-phonies d'Amérique* (PUO).

3   *Quatre siècles d'identité canadienne*, Actes d'un colloque tenu au CRCCF, le 23 octobre 1981, présentés et publiés par René Dionne (s. la dir. de), Montréal, Éditions Bellarmin, 1983, p. 8-12.

4   Quatre volumes, sous la direction de Roger Bernard : livre I, *Le Déclin d'une culture*, 1990; livre II, *Le Choc des nombres*, 1990; livre III, *Un avenir incertain*, 1991; livre IV, *L'Avenir devant nous* : rapport de la Commission nationale d'étude sur l'assimilation, 1992.

5   Depuis, a paru *Francophonies minoritaires au Canada : l'état des lieux*, s. la dir. de Joseph-Yvon Thériault, Moncton, Éditions d'Aca-die, 1999, 576 p.

6   *L'Acadie des Maritimes*, s. la dir. de Jean Daigle, 2ᵉ édition, Monc-ton, Chaire d'études acadiennes, 1993; *Aux origines de l'identité franco-ontarienne*, par Chad Gaffield, Ottawa, PUO, 1993; *Aux origines du parlementarisme québécois*, par John Hare, Septen-trion, 1993; Pamphile LeMay, *Contes vrais*, édition critique par Jeanne Demers et Lise Maisonneuve, PUM, coll. «Bibliothèque du Nouveau Monde», 1993; *Émile Nelligan : cinquante ans après sa mort*, s. la dir. de Yolande Grisé, Réjean Robidoux et Paul Wyczynski, Fides, coll. «Le Vaisseau d'Or», 1993; *État de la re-cherche sur les communautés francophones hors Québec 1980-1990*, par Linda Cardinal, Jean Lapointe et Joseph-Yvon Thériault, CRCCF, 1994; *L'État et les minorités*, s. la dir. de Jean Lafontant, Les Éditions du Blé et Les Presses universitaires de Saint-Boniface, 1993; *Les Franco-Ontariens*, s. la dir. de Cornelius J. Jaenen, PUO, 1993; François-Xavier de Charlevoix, *Journal d'un voyage fait par ordre du roi en Amérique septentrionale*, tomes I et II, édition critique par Pierre Berthiaume, PUM, coll. «Biblio-thèque du Nouveau Monde», 1993; *La langue, vecteur d'organi-sations internationales*, s. la dir. de Françoise Massart-Piérard, Éditions d'Acadie, 1993; *Passion et désenchantement*, par Pierre Daviau, Fides, 1993; *Les Textes poétiques du Canada français*, vol. 6, *1856-1858*, par Yolande Grisé et Jeanne d'Arc Lortie, s.c.o., avec la collaboration de Pierre Savard et Paul Wyczynski, Fides, 1993; *Une langue qui pense : la recherche en milieu minoritaire francophone au Canada*, s. la dir. de Linda Cardinal, PUO, 1993; *Cahiers franco-canadiens de l'Ouest*, vol. 6, nᵒ 2, automne 1993; *Francophonies d'Amérique*, nᵒ 4, 1994, PUO.

50

UNE SUSPENSION COÛTEUSE
DES SUBVENTIONS AU PATRIMOINE

Texte d'une lettre de la directrice du CRCCF, adressée à la présidente du Conseil d'administration de la Fondation du patrimoine ontarien[1] et reproduite dans la section «Commentaires» du journal *Le Droit*.

Le Conseil d'administration de la Fondation du patrimoine ontarien a décidé, sans préavis, de suspendre indéfiniment tous les octrois de subventions générales. Selon la présidente, «le ministère de la Citoyenneté, de la Culture et des Loisirs a clairement fait savoir au conseil d'administration que, dans la conjoncture économique présente et alors que le gouvernement rationalise le financement des programmes discrétionnaires, il s'avère difficile de justifier les programmes de subventions de la Fondation. Celle-ci étant un organisme gouvernemental, le conseil d'administration estime donc que la poursuite de ses programmes de subventions générales irait à l'encontre des orientations clairement définies par le gouvernement.» (Note de la rédaction.)

Madame,

J'ai bien reçu votre lettre du 17 janvier dernier, dans laquelle vous annoncez la suspension indéfinie, à compter du 15 décembre dernier, de tous les octrois de subventions générales de la Fondation du patrimoine de l'Ontario.

Une décision aussi radicale met en péril le mandat même de la Fondation, principal organisme du patrimoine de la Province, et compromet sérieusement les efforts accomplis dans différentes communautés, par les citoyens et citoyennes, pour préserver et mettre en valeur le patrimoine de l'Ontario. Et cela, au moment même où la mise en valeur du patrimoine constitue, en de nombreux pays, un secteur de développement et d'innovation en ce qui concerne la création d'emplois, l'attraction touristique et l'accès, à l'échelle mondiale, par la voie d'Internet, à de riches et rares ressources documentaires (le patrimoine archivistique).

Sous couvert de rationalisation et d'économie, une telle décision s'avère, en réalité, coûteuse : elle mine le travail de longue haleine accompli jusqu'à présent, grâce aux fonds publics – modestes, par ailleurs – investis dans les programmes de la Fondation du patrimoine, pour préserver des biens hors de prix. Contrairement aux biens de consommation, les monuments et les documents anciens sont uniques et irremplaçables. Les préserver, c'est augmenter la valeur d'un trésor commun; c'est nous enrichir collectivement. Les abandonner, c'est accepter de dilapider irrémédiablement l'héritage du passé; c'est nous appauvrir collectivement.

L'abandon du mince soutien public accordé au patrimoine, par le gouvernement conservateur de l'Ontario, survient au moment le plus critique de l'histoire de ce pays. Outre le dommage matériel réel que provoquera une telle décision, ce geste a une charge symbolique de valeur négative : il montre le peu d'importance accordé par le gouvernement de l'Ontario à la question de l'identité. Quand de tels gestes sont posés par ceux-là mêmes dont la responsabilité est de veiller à la sauvegarde du bien commun et à la protection des citoyens, force est de constater que l'avenir du pays est en danger!

À titre de principal dépositaire des archives franco-ontariennes, le CRCCF demande donc à la Fondation du patrimoine ontarien, au ministère de la Citoyenneté, de la Culture et des Loisirs, à l'Office des affaires francophones et au gouvernement de reconsidérer cette décision radicale qui frappe, en particulier et sans égards, la communauté franco-ontarienne, laquelle dispose de ressources extrêmement limitées pour conserver et mettre en valeur son patrimoine.

Au moment où l'unité canadienne traverse une période si critique, le gouvernement de l'Ontario a l'obligation de mettre tout en œuvre pour montrer au Québec et au Canada que la communauté franco-ontarienne est équitablement desservie en Ontario et ce, particulièrement au chapitre du patrimoine, qui assure la cohérence et la signification (pour reprendre le langage de la révision de la politique du patrimoine ontarien) du vouloir-vivre individuel et collectif de ses membres, et contribue à la définition et à l'enrichissement de son identité.

(*Le Droit*, 13 février 1996, p. 19.)

Note

1   Madame Joanna Bédard.

51

LA LITTÉRATURE ONTAROISE
SE PORTE BIEN, MERCI!

Texte rédigé à la défense de l'existence de la littérature franco-ontarienne. Quelques semaines avant sa mort, l'écrivain Jean Éthier-Blais accordait une entrevue à la journaliste Karine Terrien-Tardif, dont un passage fut publié dans le journal *Le Droit*. Au cours de cet entretien, l'écrivain originaire de Sturgeon Falls exprima son avis sur ce qu'est la littérature («des œuvres», c'est-à-dire des écrivains vers lesquels «nous pouvons nous tourner dans quelque situation où nous nous trouvons dans la vie») avant de conclure que, bien qu'il y eût d'excellents écrivains de langue française en Ontario, il n'y avait pas encore de littérature.

Au printemps suivant, à l'occasion de la tenue du Salon du livre de l'Outaouais, un article du *Devoir* semblait remettre en cause l'existence de la littérature franco-ontarienne.

Ce n'est pas d'hier que le droit à l'existence est contesté à la littérature d'expression française au Canada. La littérature ontaroise n'y échappe pas[1]. Mais elle poursuit son aventure. Les critiques meurent; les œuvres demeurent.

L a littérature d'expression française de l'Ontario n'existerait pas. Cette rengaine colportée par des journaux éclairés[2] rappelle étonnamment des propos proférés au début du siècle et rapportés avec humour par Séraphin Marion. En 1981, l'éminent historien de la littérature canadienne-française (comme on désignait la littérature d'expression française au Canada avant le grand virage québécois des années 1960) et auteur des neuf volumes de la série *Les Lettres canadiennes d'autrefois*, «premier monument de notre critique» (Roger Le Moine), écrivait à une correspondante :

> Aujourd'hui, on croit sans la moindre hésitation à l'existence d'une littérature canadienne-française. Dans la première moitié du siècle, on n'y croyait pas. Olivar Asselin[3] l'appelait «notre [vieille] ferblanterie nationale». Mgr Camille Roy niait le bien-fondé de cette constatation. Pionnier de la critique littéraire au Canada français, le recteur de l'Université Laval accueillait avec une bienveillance quelquefois exagérée les rares auteurs de cette époque. Olivar Asselin accusait le recteur

371

magnifique «de peser des chiures de mouches dans une balance faite de toiles d'araignées».

De 1939 à 1958, j'ai eu le courage – il en fallait alors – de publier neuf volumes intitulés *Les Lettres canadiennes d'autrefois.* Un jour, le cher Louvigny de Montigny, taquin féroce à ses heures, me présente à un Français de France, de passage à Ottawa : «Monsieur Marion, auteur de neuf bouquins sur les lettres canadiennes... qui n'existent pas!»[4]

Ces remarques n'ont pas empêché la littérature canadienne-française/québécoise de s'imposer, d'abord par ses écrivains, qui ne sont pas tous nés dans le lit québécois. Quand cesserons-nous de refuser l'évidence? La vie croît, s'émancipe et se multiplie. La littérature française existe. La littérature québécoise existe. La littérature ontaroise existe. Et *tutti quanti.* Comme tout être vivant, ces littératures ont une histoire, une évolution et un destin, communs et distincts. Et tant mieux pour l'avenir de la littérature, la liberté des auteurs et les délices des lecteurs! Vivre et laisser vivre sont du ressort de la création.

Lue et étudiée

La littérature de l'Ontario français est bien vivante. On la lit. Depuis vingt ans, on l'étudie même à l'université, grâce à l'initiative de professeurs et de chercheurs : Germain Lemieux et Fernand Dorais à Sudbury; René Dionne et Paul Gay à Ottawa; Pierre Karch, Mariel O'Neill-Karch et Pierre Fortier à Toronto; François Paré à Guelph, etc. Des colloques attirent ses adeptes; des communications savantes sont présentées ici et à l'étranger, où des chercheurs s'y intéressent : en Irlande, Patrick Gormally [Padraig O'Gormaile] examine les personnages irlandais dans les romans franco-ontariens. Des étudiants étrangers s'y penchent au doctorat, comme Imeyen Noah (Nigeria) à l'Université d'Ottawa («La Symbolique des animaux dans les contes ontarois», 1995), ou à la maîtrise, comme Marie-Hélène Barbier Tainturier, à l'Université de Bourgogne («Le personnage d'Alexandre dans les *Chroniques du Nouvel-Ontario* d'Hélène Brodeur», 1987). Même au Québec, des étudiants y trouvent leur bien : à l'Université de Sherbrooke, Maurice Lamothe a consacré une thèse de doctorat à la chanson populaire ontaroise de

1970 à 1990 : son étude a été publiée en coédition (1994) par une maison ontaroise (Le Nordir) et un éditeur québécois (Triptyque). Des rencontres sur la francophonie ontarienne attirent, depuis plusieurs années, des étudiants et des professeurs du domaine littéraire.

On l'étudie aussi à l'école, en Ontario. Il y a quinze ans, l'AEFO et le CFORP ont uni leurs efforts pour que soit réalisée une première anthologie de la littérature ontaroise (4 vol. : *Parli, parlo, parlons!, Les Yeux en fête, Des mots pour se connaître, Pour se faire un nom*, Fides, 1982), accompagnée de quatre documents d'appui à l'usage des professeurs. La contribution de l'Ontario figure en bonne place dans le recueil *Reflets d'un pays, poèmes et chansons* et son guide pédagogique, préparés par Anthony Mollica et Bernadette LaRochelle (éditions Soleil Publishing, Welland, 1990). Des romans (*La Vengeance de l'orignal* de Doric Germain, *François Duvalet* de Maurice de Goumois, *Le Flambeau sacré* de Mariline) sont scrutés par les élèves des cycles intermédiaires et supérieurs.

Une place au soleil, grâce aux éditeurs

Depuis vingt ans, des éditeurs ont travaillé d'arrache-pied pour lui faire une place au soleil : Gaston Tremblay, Robert Dickson, denise truax (Prise de parole, Sudbury); Monique Bertoli et Jacques Flamand (Vermillon, Ottawa); Robert Yergeau, Jacques Côté et Jacques Poirier (Le Nordir, Ottawa/Hearst); Jacques Ménard, Roch Tassé, denise truax (L'Interligne, Vanier); la regrettée Micheline Persaud et Paulette LeBrun (Pierre de lune, Ottawa); Yvon Malette (David, Orléans); Alain Baudot (Le GREF, Toronto). Au Québec, des maisons d'édition (Quinze, Boréal, Québec/Amérique, Bellarmin, Fides) et des revues réputées (*Lettres québécoises, Spirale, Voix et Images*, etc.) accueillent des textes signés par des auteurs de l'Ontario français. L'écriture ontaroise est de plus en plus appréciée par des marques de reconnaissance publique : le prix Trillium à Andrée Lacelle; le prix littéraire du Gouverneur général à Cécile Cloutier, à Jean Marc Dalpé, à Michel Ouellette, à François Paré; des prix et des honneurs à Hélène Brodeur, à Gabrielle Poulin, à Lucie Brunet, à Daniel Poliquin, etc. Animée, au fil de quinze ans d'existence, par des rédacteurs en chef convaincus (aujourd'hui, Paul-François Sylvestre, le troisième de la lignée), la revue culturelle de l'Ontario français, *Liaison,* contribue activement au rayonnement de tous les genres littéraires. Sous la présidence expérimentée de Pierre Raphaël Pelletier, l'Association des auteurs francophones de l'Ontario mobilise les forces de l'écrit au *Participe présent.* Ici comme ailleurs, les écrivains luttent contre la pingrerie dévoreuse qui gruge les budgets culturels.

Jean Éthier-Blais s'est éteint, mais son œuvre vivra

En décembre 1995, la littérature ontaroise a perdu l'un des siens, son plus grand représentant : Jean Éthier-Blais. Les hommages rendus, dont celui d'Hubert Larocque dans *Le Droit* (10 janvier 1996, p. 15), attestent la renommée de cet homme de lettres originaire de Sturgeon Falls. Quelques semaines avant sa mort, ce dernier déclarait, rapporte-t-on : «La littérature de l'Ontario n'existe pas encore comme littérature.» Les explications avancées par le professeur Éthier-Blais pour justifier ce point de vue montrent que le *critique littéraire* Éthier-Blais n'était pas en mesure de juger l'«œuvre» de *l'écrivain* Éthier-Blais. Œuvre que celui-ci avait pourtant conscience de construire, comme en témoignent ses écrits, et vers laquelle nous pouvons, assurément, «nous tourner [...] dans quelque situation où nous nous trouvions dans la vie». Mais quel écrivain est en mesure de juger son «œuvre» dans la vie et la pensée de ses lecteurs? Puissent vivement des études sur l'œuvre de Jean Éthier-Blais éclairer sa condition ontaroise, approfondir l'universalité de sa quête, explorer la démarche de son écriture, analyser le sens de cette œuvre, percer le secret de l'homme enfin, et confirmer derechef l'existence de la littérature ontaroise. Une littérature à distance de la littérature québécoise, mais intimement liée comme elle, par la voie du destin historique et la voix de la langue française, à la littérature française, qui s'enrichit ainsi de toutes les composantes de la littérature d'expression française dans le monde.

On se plaira à découvrir la littérature ontaroise en parcourant un premier panorama brossé par Paul Gay dans le volume *La Vitalité littéraire de l'Ontario français* (Vermillon, 1986) et l'esquisse historique proposée par René Dionne dans l'ouvrage *Les Franco-Ontariens* (Cornelius J. Jaenen, s. la dir., PUO, 1993, p. 341-417). On consultera aussi avec profit le dossier préparé par la revue *Nuit blanche* (hiver 1995-1996, n° 62). On lira, surtout, l'abondante production des écrivains franco-ontariens qui, à l'instar de Patrice Desbiens, ne résident pas tous en Ontario. Plus vivante que jamais à l'aube du XXIe siècle, la littérature ontaroise fait page de tout bois pour rejoindre un vaste public. Dans son récent roman *L'Ermitage*, Hélène Brodeur s'est inspirée de l'expérience d'un important manufacturier de bâtons de hockey pour captiver les lecteurs. Avis aux amateurs.

(Une version abrégée du texte a été publiée dans *Le Droit*, 19 avril 1996, p. 19; et reproduite dans *Le Devoir*, 13 mai 1996, p. A7, sous un titre de la rédaction «La littérature ontaroise au pied de la lettre».)

Notes

1   Voir l'intitulé du texte 1. En 1982, Laure Hesbois, professeure de lettres à l'Université Laurentienne, soulevait la problématique sous l'angle du fond et de la forme («La Littérature franco-ontarienne : réalité ou mirage?», *Revue du Nouvel-Ontario*, n° 4, «Littérature sudburoise : Prise de parole 1972-1982», 1982, p. 103-114).

2   «Une race de lutteurs», *Le Droit*, 13 janvier 1996, p. A/13-14; Louise Leduc, «La Littérature franco-ontarienne en cause», *Le Devoir*, 21 mars 1996, p. D 7.

3   Olivar Asselin (1874-1937), journaliste; il participa à la fondation du *Devoir* en 1910.

4   Paul Gay, *Séraphin Marion*, Ottawa, Vermillon, 1991, p. 72-73. Voir aussi : Séraphin Marion, «Un Franco-Ontarien se raconte», *Bulletin du CRCCF*, n° 21, décembre 1980, p. 27.

52

LA PEINTURE ONTAROISE

Texte de présentation d'un livre d'art.

Avec ce livre, le CFORP révèle un secret bien gardé : la palette variée des peintres de l'Ontario français et le talent de ces travailleurs solitaires voire isolés, souvent méconnus dans leur propre milieu.

En 1979, le CFORP entreprit de réaliser une première anthologie de textes littéraires franco-ontariens. Au cours de la recherche menée aux quatre coins de l'Ontario, il se révéla que la communauté franco-ontarienne fourmillait non seulement de poètes, de chansonniers, de dramaturges, de conteurs et de romanciers, mais de plasticiens originaux. Afin de partager avec les élèves franco-ontariens, premiers destinataires du répertoire, tous les fruits de la cueillette, il fut décidé de mettre à contribution de nombreux peintres pour illustrer la couverture des quatre volumes de l'ouvrage ou figurer parmi les textes.

Depuis quinze ans, la peinture ontaroise a pris sa place dans la création artistique franco-ontarienne. Pour leur part, les peintres ontarois se sont affirmés en Ontario de même qu'à l'extérieur de la province : dans les galeries d'art, les expositions collectives et itinérantes, les associations artistiques, dont le Bureau des regroupements des artistes visuels de l'Ontario (BRAVO), les colloques, les publications, les médias d'information (radios, télévisions, films, vidéos, journaux, réseaux électroniques), les musées ou les collections privées.

L'initiative présente du CFORP, circonscrite à une vingtaine de peintres, montre le dynamisme de la peinture chez les artistes ontarois, en dépit de la critique artistique contemporaine qui a tendance à bouder ce moyen d'expression. Dans les milieux spécialisés de l'art actuel, il y en a qui s'entendent pour déclasser la peinture : certains croient l'œuvre picturale statique et dépassée dans notre monde en perpétuel mouvement; d'autres vont même jusqu'à condamner à mort ce mode de représentation symbolique à l'ère de la communication électronique. Ironie du sort, la peinture refait surface d'une manière étonnante.

Le 18 décembre 1994, un groupe d'archéologues et de spéléologues ont découvert dans une grotte souterrraine (grotte Chauvet) de l'Ardèche au sud de la France, précisément dans la commune de Vallon-Pont-d'Arc, au lieu-dit «la Combe d'Arc», des peintures rupestres âgées de plus de 30 000 ans. Ces vieux chefs-d'œuvre de l'humanité sont éblouissants de modernité avec leurs lignes épurées, leurs couleurs fraîchement conservées, leurs formes animales bondissantes. La peinture demeure l'art primordial par excellence.

Réceptacles silencieux de la pensée, de l'émotion et du travail humains, que les artistes y ont déposés dans un geste d'effervescence, ces images peintes, premières créations de l'humanité, franchissent le temps et l'espace sans la barrière des langues et des cultures. Imprégnées d'énergie, d'âme, d'intelligence et de cœur, elles revivifient l'imagination, assurent la permanence de la sensibilité et de l'esprit, témoignent de la solidarité humaine dans l'aspiration à l'immortalité.

Quand tout a disparu, quand tout s'est tu, reste la peinture. Fragile comme le matin. Puissante comme le silence. Émouvante comme la prière. Il y a une part de sacré dans ce métier contemplatif, tourné vers la vie intérieure.

Les peintres ontarois marchent sur les traces de ces premiers artistes du monde. En parcourant les pages qui suivent, on constate qu'ils partagent la même vision et la même passion : exprimer, célébrer, transmettre la vie et l'émotion à l'aide de traits, de formes et de couleurs. Ils font œuvre authentiquement humaine. Sachons gré au CFORP, à Jeanne Doucet, instigatrice du projet, et à Anne Lengellé, auteure de l'ouvrage, de nous le rappeler.

(«Préface», dans Anne Houpert Lengellé, *Galerie franco-ontarienne. Vingt peintres*, Ottawa, CFORP, 1996, p. 3-4.)

YOLANDE GRISÉ

53

DYNAMISME DE LA RECHERCHE SUR LE FAIT FRANÇAIS EN ONTARIO

Recension du collectif *La Francophonie ontarienne : bilan et perspectives de recherche* réalisé sous la direction de Jacques Cotnam, Yves Frenette et Agnès Whitfield, Ottawa, Le Nordir, 1995, 364 p.

Cet ouvrage collectif réunit une quinzaine de travaux présentés dans le cadre d'un séminaire de recherche offert par le Collège Glendon de l'Université York, en 1994-1995, grâce à l'appui de la Fondation Gerstein. Les collaborateurs sont rattachés respectivement à six universités ontariennes (Guelph, Laurentienne, d'Ottawa, de Sudbury, de Toronto et York), et une université québécoise (Concordia). Ils examinent divers aspects de la situation française en Ontario depuis le passage de Champlain, sous l'angle de huit disciplines : l'éducation, l'ethnologie, l'histoire, la linguistique, la littérature, la science économique, la science politique et la sociologie. L'ouvrage témoigne du dynamisme remarquable qu'a connu la recherche sur le fait français en Ontario au cours des deux récentes décennies. Les étudiants, les chercheurs ou le public préoccupés de l'état des connaissances sur la francophonie canadienne à l'extérieur du Québec y découvriront les réalisations et les avancées, les retards et les lacunes, les défis et les limites des chantiers ouverts dans le vaste domaine d'étude que constitue la réalité de la plus importante communauté francophone en situation minoritaire au Canada.

Engagés de longue ou de fraîche date dans la recherche sur l'Ontario français, les collaborateurs exposent ici, chacun et chacune à sa manière et selon son port d'attache disciplinaire, qui un tour d'horizon, qui une mise à jour ou une mise au point; les uns proposent des hypothèses, d'autres balisent des veines d'exploitation pour la prochaine décennie. L'intérêt certain de cet ouvrage réside dans le corpus de références bibliographiques, non exhaustif certes, mais utile à qui veut explorer le terrain. Au-delà du bilan partiel et explicatif, rarement dialectique ou synthétique, qu'il présente, ce recueil devrait, selon l'objectif des responsables du projet, servir de «catalyseur» (p. 7 et 10) : déclencher la «réflexion et la discussion», favoriser «l'essor» de la recherche sur l'Ontario français et «ouvrir des perspectives nouvelles».

Dans ce but, les textes ont été regroupés en cinq sections principales. Cet arrangement montre la difficulté d'organiser la pensée et de créer une certaine cohésion dans un ouvrage collectif : à lire ces ouvrages, on a souvent l'impression que le plan du projet a succédé à la rédaction des textes. Si on peut excuser ce défaut dans les Actes de colloques, en revanche, la plus grande rigueur est de mise dans un séminaire de recherche, lieu par excellence de formation intellectuelle des étudiants. Dans le cas présent, ce problème méthodologique de base défie la clarté de la composition et, par conséquent, la saisie et l'évaluation des enjeux. Le choix hétéroclite des intitulés généraux des sections, qui exposent, en principe, les grandes lignes du sujet traité, met ici sur le même pied des concepts de nature distincte, voire opposée : discipline, secteur de recherche, approche disciplinaire et pluridisciplinaire (ou encore interdisciplinaire), thème, réflexion, instrument de recherche. Ainsi, dans ce qui constitue une sorte de premier volet, figurent les bilans annoncés dans le sous-titre. Douze textes s'y trouvent répartis en trois sections. La première réunit trois textes sous la rubrique «Sociologie, éducation et condition des femmes» (F. Boudreau, N. Frenette, S. d'Augerot-Arend); la deuxième rassemble quatre études sous le titre «Histoire, science politique et économie» (G. Gervais, F. Ouellet, M. Martel, G. Hénault/P. Laurent/G. Paquet); dans la troisième, on trouve cinq textes consacrés à la «Langue et [à la] culture» (R. Mougeon, J.-P. Pichette, F. Paré, S. Larose/G. M. Nielsen, L. Tardif-Carpentier).

Une quatrième section intitulée «Perspectives» forme, en fait, le second volet annoncé dans le sous-titre de l'ouvrage. Elle est occupée par un seul article, qui livre les «Réflexions critiques d'un chercheur» (R. Bernard), observations éclairantes au demeurant à plusieurs égards, dont celui d'une nécessaire rigueur scientifique en matière de recherche en sciences humaines. Ce déséquilibre entre les deux principaux volets (*bilan* et *perspectives*) de l'ouvrage dessert l'objectif même du projet, essentiellement conçu pour susciter l'essor, soit un développement hardi et fécond, de la recherche sur l'Ontario français. Il déroute aussi les lecteurs avides de découvrir dans les perspectives un carrefour de voies nouvelles à explorer; les chemins de l'avenir demeurent éparpillés à l'intérieur des bilans.

Il eût été souhaitable que ce second volet, qui constitue une part essentielle et originale d'une recherche réalisée dans le contexte d'un séminaire universitaire, présentât de véritables résultats. Pour ce faire, il aurait fallu que les membres du groupe de travail (étudiants et professeurs) procèdent à l'examen approfondi des exposés; dégagent les problématiques et les enjeux; posent des questions et suggèrent des moyens appropriés pour découvrir des solutions; circonscrivent des pistes de recherche inédites; illustrent, enfin, leurs conclusions en puisant dans l'abondante matière des présentations. En guise de perspectives étoffées, on trouve, dans l'Introduction, l'esquisse de «quatre thèmes qui se sont dégagés [du] séminaire et qui devraient [...] faire l'objet de recherches ultérieures» (p. 10) : «les inventaires», «les relations avec le Québec», «les réseaux» et «l'identité». Une analyse substantielle des exposés aurait permis, en outre, d'éviter de court-circuiter la pensée d'autrui par des formules parfois chancelantes, comme celle-ci : «"se construire [...]", à condition [...] de s'appuyer sur le "soubassement" [...], qu'il faut reconstruire» (p. 8)!

La cinquième section, qui forme en réalité une annexe au séminaire, est réservée à une «Bibliographie des thèses sur l'Ontario français» (J. Y. Pelletier) : il s'agit plutôt d'une recension partielle de thèses. Il aurait été utile d'indiquer les dates limites de la recension de même que les critères précis de sélection. La compilation est dotée, par ailleurs, d'un index par sujets, lieux, organismes/institutions et personnalités, outil apprécié de tout usager. Dans la table des matières de l'ouvrage, cette section bibliographique est classée, à tort, dans la section «Perspectives». Ironie du sort, les thèses en cours ont été omises.

Ces quelques remarques visent à mettre en relief l'importance de la méthode pour la formation intellectuelle, la qualité de la recherche en sciences humaines et le développement durable de la recherche. Elles tendent aussi à mettre en lumière les conditions de la recherche dans un domaine particulier et les défis imposés aux chercheurs qui s'aventurent dans des territoires moins fréquentés. Souhaitons qu'elles permettent d'apprécier à leur juste valeur les tableaux d'ensemble dressés dans ces pages par quelques spécialistes pour le bénéfice d'un grand nombre de chercheurs. Ce premier rapport (depuis 1974) de l'état de la recherche sur le fait français en Ontario démontre, sans conteste, l'étendue et la richesse d'un gisement sous-exploité où, dans plus d'un secteur, «[t]out le travail reste à faire» (p. 273).

(*Canadian Journal of Political Science / Revue canadienne de science politique*, vol. XXX, n° 4, décembre 1997, p. 749-751.)

54

LE DÉFI CULTUREL DES MINORITÉS
FACE À LA MONDIALISATION :
LE CAS DE L'ONTARIO FRANÇAIS

Texte d'une communication présentée lors du colloque international
«Kanada/Europa : Chancen und probleme der Interkulturalität. Canada/
Europe : Opportunities and Problems of Interculturality. Canada/Euro-
pe : Chances et malaises de l'interculturalité», organisé par le Centre des
études canadiennes de l'Université de Vienne (Autriche) les 9 et 10 octobre 1998.

Dans sa lettre d'invitation, le directeur de l'Institut d'études
romanes et vice-directeur du nouvel Institut d'études canadiennes, le professeur Peter Kirsch, a proposé que je prépare un
exposé «présentant une vision personnelle, en tant que spécialiste de
civilisation canadienne-française et à partir des problèmes spécifiques au Canada», en ce qui a trait aux chances et malaises de
l'interculturalité. Il s'agit donc ici de l'exposé d'une expérience
personnelle réalisée dans le contexte de la première moitié de la
présente décennie (j'étais alors directrice du CRCCF), soit ma participation – à la demande du gouvernement de l'Ontario – à
l'élaboration d'une première politique culturelle en faveur des
francophones de l'Ontario, en vue de soutenir la vitalité de cette
minorité francophone, héritière, au sein de la plus importante province majoritairement anglophone du Canada, du patrimoine
linguistique et culturel d'une des deux nations fondatrices du pays.

Cette expérience a permis de mettre au jour les malaises et les
chances de la vie culturelle dans une communauté de langue française en situation minoritaire au Canada et à l'extérieur du Québec.
On était alors en plein climat d'incertitude politique, économique,
sociale et culturelle : par exemple, la «dévolution» des responsabilités fédérales aux provinces, assortie de contraintes financières sans
précédent à tous les paliers de gouvernement (fédéral, provincial,
régional et municipal), faisait craindre le pire aux communautés
francophones en situation minoritaire au Canada.

En 1990, les citoyens de la plus populeuse province du Canada
– l'Ontario compte actuellement plus de dix millions d'habitants –
se sont donné pour la première fois de leur histoire un gouvernement de centre-gauche dirigé par le Nouveau parti démocratique
sous la gouverne de son chef, le Premier ministre Bob Rae. À cette
date, au niveau fédéral, l'Accord de libre-échange avec les États-
Unis était entériné par le gouvernement canadien (1988). Malgré
une clause culturelle visant à protéger la culture canadienne de sa
totale américanisation, le tiercé de l'impérialisme américain dans la
course commerciale des industries culturelles (deuxième plus grand
secteur d'exportation des États-Unis après l'armement) imposait
son succès avec sa triple combinaison gagnante, à savoir : 1) la fabrication massive de produits culturels à bas prix par les industries
du disque, de la vidéo et du film, du livre et du magazine, du spectacle etc.; 2) le monopole des réseaux de distribution de ces
produits par des entreprises transnationales; 3) l'usage accéléré des
nouveaux instruments de communication – Internet et le Web. Ce
tiercé triomphant de la mondialisation d'une «culture unique»
américanisante laissait entrevoir peu de place et d'avenir à l'expression d'une identité culturelle proprement canadienne si aucun
redressement draconien n'était opéré dans la logique aberrante et
l'aveuglement insensé du laissez-faire marchand, dont la planète
subit aujourd'hui des conséquences si désastreuses pour une majorité d'êtres humains.

Dans ce scénario déjà éprouvant pour le Canada majoritaire,
quelle place la minorité francophone de l'Ontario, dispersée aux
quatre coins de la province et fragmentée en de nombreuses associations aux intérêts variés voire divergents, pouvait-elle se permettre d'envisager occuper en la dernière décennie du XXᵉ siècle,
coincée entre une majorité de concitoyens anglophones historique-
ment imperméables à ses besoins et à ses légitimes aspirations, et
une majorité de compatriotes francophones installés à proximité
certes sur le territoire du Québec mais engagés, depuis les années
1960, sur la voie accidentée de l'autonomie politique?

Dans ces conditions, pour la population francophone de l'Ontario, le défi de l'accomplissement culturel, indispensable à sa pleine
réalisation humaine, paraissait accablant sinon insurmontable.

Pourtant, les Canadiens français et les Canadiennes françaises
de l'Ontario, comme on les appelait jusqu'aux environs de la

Révolution tranquille du Québec (1960) avant qu'on les désigne – à une date indéterminée – par l'appellation de Franco-Ontariens et Franco-Ontariennes ou encore que je les baptise moi-même, en 1979, d'un nom à la résonance française d'Ontarois et Ontaroises (ce néologisme ayant causé quelques protestations dans le Landerneau franco-ontarien) dont on trouve encore trace ici et là dans des écrits ou le discours, ces francophones de l'Ontario, dis-je, s'expriment et s'affirment comme tels aujourd'hui plus que jamais. Le cas des revendications exprimées au sujet du projet d'une restructuration désavantageuse de l'hôpital Montfort, unique hôpital universitaire de langue française en Ontario, en est, à l'heure présente, le plus éminent exemple. Ils s'affirment sur tous les plans : éducatif, social, politique, économique et culturel.

Un tour de force de créativité et d'invention en matière de formules alternatives s'accomplit dans le secteur culturel d'expression française en Ontario, malgré les obstacles de tous genres qui entravent la légitime aspiration de la plus importante minorité de langue officielle à l'extérieur du Québec, à son plein épanouissement dans un Canada qui se définit comme un pays bilingue, ouvert et démocratique... Ce tour de force s'accomplit en dépit des indices alarmants d'un recul de la continuité linguistique repéré au sein de la communauté francophone de l'Ontario. Ce tour de force s'accomplit malgré de sombres prédictions statistiques établies par des experts en précision des nombres et annonçant la disparition de cette communauté. Mais quiconque a pratiqué tant soit peu sérieusement les nombres sait pertinemment que la précision n'est pas la vérité : la précision statistique reflète rarement la complexité d'une réalité quantifiée sans analyse de la vitalité profonde des faits dénombrés. Les trois tableaux à la fin de cet article témoignent, d'une part, de l'expression culturelle structurée de l'Ontario français et, d'autre part, du déclin «statistique» de la réalité du fait français en Ontario. Ces chiffres sont tirés des «Avis» présentés, en mars 1998, au ministre d'alors délégué aux Affaires intergouvernementales canadiennes, Jacques Brassard, dans le gouvernement du Québec, par deux (culture et économie) des trois Tables sectorielles de concertation établies entre le Québec et les communautés francophones et acadienne du Canada, dans le cadre de la nouvelle politique québécoise de partenariat avec ces communautés.

Le 12 avril 1991, le ministre de la Culture et des Communications de l'Ontario, Rosario Marchese, appuyé par le ministre délégué aux Affaires francophones, Gilles Pouliot, annonçait la création par son gouvernement d'un groupe de travail à qui était confié le mandat d'élaborer «une politique cadre visant le soutien de la vie culturelle des francophones de l'Ontario». Pour ce faire, le Groupe devait, selon la formule ministérielle utilisée, «formuler des recommandations sur le mandat ainsi que sur les programmes et services offerts par le ministère de la Culture et des Communications, en se penchant particulièrement sur le rôle et le financement des centres culturels; le financement des arts, du patrimoine et des organismes culturels au service des francophones; les industries culturelles d'expression française; le rôle du ministère dans la distribution et la promotion de l'information et des services à la population francophone (c'est-à-dire la radio communautaire, la télévision de langue française, les bibliothèques, etc.)». C'était tout un programme pour l'équipe de six membres, appuyée par un recherchiste et une assistante, qu'on me demandait de présider.

L'entreprise était innovatrice, pour ne pas dire extraordinaire : c'est la première fois que le gouvernement de l'Ontario prenait l'initiative de considérer l'établissement d'une politique dans le domaine culturel à l'égard de la minorité francophone de la province. C'est aussi inhabituel que la réalisation d'un pareil projet ait été confiée non pas à une batterie de fonctionnaires avisés et aguerris ou encore à des bureaux renommés de consultants professionnels, mais à de simples citoyens et citoyennes, issus de milieux universitaire, artistique et culturel et choisis dans des composantes distinctes (de souche ancienne et de souche récente) de la communauté francophone. En accordant ainsi une attention prioritaire au dossier culturel dans son ensemble et, particulièrement, au dossier culturel de la minorité francophone de l'Ontario; en ayant recours pour réaliser l'objectif visé à la population elle-même, le gouvernement de l'Ontario plaçait les priorités là où elles doivent être : du côté des GENS plutôt que des systèmes.

Astreint à des conditions de travail exigeantes (budget modeste, échéance serrée – à peine quelques mois échelonnés en pleine période estivale –, vaste étendue du territoire à parcourir, diversité et complexité des domaines à couvrir, sans compter des démarches difficiles dans les dédales d'une fonction publique bousculée par l'audace de l'initiative et méfiante devant des citoyens décidés à faire bouger les choses), le projet comportait de nombreux défis. En fait, disons-le franchement : de prime abord, toute l'affaire m'apparut rien de moins qu'exaltante, mais terriblement risquée. Or l'appui manifeste, immédiat et soutenu de la communauté franco-ontarienne à cet exercice innovateur de participation populaire s'est vite révélé non seulement un gage de confiance pour mener le projet à terme, mais la garantie de son succès. La mobilisation des organisations et des acteurs culturels, le nombre et la qualité des interventions présentées au cours des rencontres publiques et privées tenues dans six centres régionaux de l'Ontario (Ottawa, Hawkesbury, Toronto, Windsor, Timmins, Sudbury), l'accueil et l'hospitalité des populations locales lors de la tournée provinciale, la disponibilité, le respect manifeste et l'expertise des personnes consultées formellement ou informellement sur des questions complexes (telles la diffusion de la télévision éducative de langue française à l'échelle de la province, l'instauration de radios communautaires) ou dans des domaines spécifiques (par exemple, la radio communautaire de langue française dans les régions autres que les grands centres), l'abondant courrier reçu au cours de l'exercice, tout témoignait éloquemment de l'intérêt et des attentes de la communauté ontaroise dans cette vaste consultation populaire menée par une poignée d'individus résolus à comprendre les besoins et les dossiers, attentifs à écouter les critiques et les suggestions et à détecter les consensus. D'autre part, une fois surmontées certaines réticences et résistances, la nécessaire collaboration des divers services appropriés dans les ministères et organismes gouvernementaux concernés par la question (ministère de la Culture et des Communications, ministère de l'Éducation, Office des affaires francophones, CAO, Fondation du patrimoine ontarien, Office de la télécommunication éducative de l'Ontario, Société de développement de l'industrie cinématographique ontarienne, Archives publiques de l'Ontario, etc.) a permis au Groupe de travail d'obtenir certaines informations et le soutien essentiels à la compréhension de l'ensemble du dossier de la vie culturelle des francophones en Ontario et à l'exécution efficace de la tâche prescrite, dans les délais alloués.

Au cours de son mandat, le Groupe a entrepris une série d'actions réparties selon les étapes envisagées dans le déroulement des opérations. Sur le plan de la recherche, il a procédé à l'examen de documents publiés portant directement sur la question culturelle de l'Ontario français, à la consultation d'ouvrages spécialisés sur la culture en général et à l'étude d'articles pertinents dans des journaux et des revues; il a participé à d'importants événements consacrés aux arts, au patrimoine, aux communications et à la jeunesse francophone de l'Ontario, qui se sont déroulés au cours de son mandat; il a consulté un nombre appréciable de personnes-ressources dans les milieux professionnels, communautaires et administratifs des divers secteurs de l'activité culturelle. À partir du résultat de ces recherches, il a élaboré un questionnaire et l'a adressé à une liste répertoriée de 150 individus et organismes engagés dans la vie culturelle et communautaire ou dans les domaines d'expression artistique les plus divers. Il a organisé une tournée de consultation partout dans la province (entre le 15 et le 24 août 1991), tournée au cours de laquelle il a entendu trois fois plus de personnes que prévu, devant l'extraordinaire réponse des intéressés; toutes les audiences publiques ont été enregistrées. Il a dépouillé un nombre important de questionnaires, de mémoires, de lettres et de commentaires qui lui ont été adressés sur le sujet. Au terme de la consultation, il a compilé les résultats, les a analysés, critiqués et synthétisés avant de les présenter dans un rapport dont il a préparé deux ébauches avant d'en rédiger une version finale en français (66 p.) et en anglais (64 p.), sous le titre *RSVP! Clefs en main / RSVP! Keys to the Future*. L'intitulé avait une double signification : dans son acception dénotée, le sigle *RSVP* (Répondre s'il vous plaît) s'adressait d'abord au gouvernement en l'invitant à répondre aux besoins signalés dans les recommandations proposées, clefs de la solution aux problèmes soulevés; l'expression était aussi porteuse d'un sens figuré pour la population à qui s'adressait aussi le rapport, issu de ses constats, en l'invitant à AGIR selon ses propres vœux : R pour «Rêver», S pour «sentir», V pour «vouloir», P pour «pouvoir».

Pendant les cinq mois (du 1er mai au 30 septembre 1998) qu'ont duré ses activités, le Groupe a tenu une dizaine de réunions, le plus souvent étalées sur deux ou trois jours consécutifs. Au cours des différentes étapes du projet, les membres ont élaboré une stratégie de communication avec les médias dans les deux langues officielles du Canada, incluant des communiqués de presse, des entrevues avec la radio et la presse, une conférence de presse majeure; ils ont même participé à un film de l'ONF tourné sur l'Ontario français (dans la série de *L'Homme invisible*, soit le 12ᵉ épisode consacré aux «Ontaroises»).

Pour réaliser sa tâche, le Groupe avait l'usage d'un secrétariat à Toronto qu'il administrait lui-même; pendant son mandat, il a rendu compte au ministère de la Culture et des Communications de l'Ontario de ses activités et de son budget dans quatre rapports d'étape. Chose rarement vue dans les annales de groupes de travail mandatés par un gouvernement, notre Groupe a complété son travail un mois avant la fin de son mandat officiel (du 1ᵉʳ mai 1998 au 30 octobre 1998) et a réussi à boucler un budget modeste en deçà de la somme allouée par les fonds publics!

Au terme de cet exercice, il a été possible de constater que, malgré les progrès et les acquis des vingt années précédentes (1970-1990), la principale intéressée dans le dossier de la culture en Ontario français, soit la population cible, apparaissait insuffisamment concernée, peu touchée par sa propre culture. Plusieurs causes ont été identifiées pour expliquer ce phénomène de démotivation généralisée. En fait, ce n'est pas la production culturelle d'expression française en Ontario qui était en cause, mais le peu d'intérêt pour cette production affiché par les médias de diffusion, d'une part, et par le public cible, d'autre part, soit la communauté francophone elle-même, en particulier les jeunes qui, partagés entre l'anglais et le français, semblaient atteints d'une sorte de «dyslexie culturelle». Privée du public qui en constitue son essentiel terreau, vouée à une production culturelle de qualité mais sans résonance, la culture de la minorité française de l'Ontario semblait vouée à se développer sans racines, réduite en quelque sorte à l'état, à la saveur et aux effets d'une sorte de «culture hydroponique».

Avant de formuler ses dix recommandations au gouvernement de l'Ontario pour l'inciter à soutenir l'opération visant à établir une synergie revitalisante entre une communauté «déprimée» par son statut minoritaire et sa culture, le Groupe s'est inspiré de près des résultats de la consultation populaire afin de déterminer des objectifs réalistes à atteindre et de proposer des stratégies efficaces pour parvenir à l'effet souhaité avant la fin de la dernière décennie du présent millénaire. Parmi ces stratégies, mentionnons, entre autres, l'importance de l'animation culturelle appréhendée comme un outil majeur de développement de la communauté. Favorisant le bénévolat, le partenariat, la communication, le métissage, le réseautage, la cohésion et le partage, l'animation culturelle est un moyen de rejoindre chaque groupe d'âge et l'ensemble des gens dans leur propre milieu. Pratique alternative à la consommation aliénante des produits culturels en langue anglaise des mass media, l'animation culturelle favorise, en outre, l'échange entre les différentes composantes ethniques de la communauté francophone de l'Ontario, apportant ainsi un enrichissement culturel à tous ses membres. Grâce à cet outil de taille humaine, des gens ordinaires ont l'occasion de s'exprimer et de participer activement à la vie culturelle de leur environnement social en exploitant leurs talents et en apportant une contribution communautaire inestimable en ces temps de pénurie économique. En devenant active, accessible et «populaire», la culture ainsi revitalisée est propice à attirer les jeunes, qui y trouvent un moyen d'identification et y découvrent un sentiment d'appartenance, deux facteurs essentiels pour le développement d'une communauté en situation minoritaire.

Le rapport du Groupe de travail fut rendu public un mois environ après avoir été remis au ministre. Tel que souhaité, quelque temps plus tard, un Comité consultatif ministériel sur la politique culturelle des francophones de l'Ontario fut formé : il réunissait des représentants du ministère de la Culture et des Communications, de l'Office des affaires francophones, du CAO, de l'Alliance culturelle de l'Ontario, de l'organisme Action-Jeunesse et du Groupe de travail. La coprésidence fut partagée par les deux ministres responsables de l'initiative originale. Le comité évalua et examina la mise en œuvre des dix recommandations du Rapport regroupées autour de dossiers prioritaires (par exemple, la création d'une Division franco-ontarienne au sein du ministère de la Culture et des communications de l'Ontario afin de veiller aux intérêts réels de la communauté, une politique fiscale en matière culturelle qui profiterait à tous les Ontariens, le patrimoine franco-ontarien, etc.).

Qu'est-il advenu de cette initiative extraordinaire qui a mobilisé si fort les éléments dynamiques du milieu culturel de toute une communauté?

Bien que la mise en œuvre des recommandations ne se soit pas réalisée formellement et que le gouvernement qui en avait pris l'initiative n'ait complété qu'un seul mandat, on ne pourrait pas affirmer que rien n'a résulté de l'entreprise et que l'événement n'a donné aucune retombée. Au contraire, des actions concrètes ont été entreprises en ce qui concerne, par exemple, l'animation culturelle favorisée par le ministère de l'Éducation pour les écoles franco-ontariennes ou encore une présence accrue des Ontarois sur la scène médiatique en Ontario. La conscientisation des producteurs culturels à l'importance de la synergie entre les disciplines, les diffuseurs et les publics dans des regroupements innovateurs, conjuguée aux efforts soutenus des milieux artistiques, culturels et institutionnels à l'échelle provinciale, interprovinciale, nationale et internationale et à l'implantation des nouvelles technologies, semble donner sept ans plus tard certains résultats stimulants, qui ne m'apparaissent pas étrangers à l'élan et aux efforts amorcés au début de la décennie. Par exemple, le 24 septembre dernier, dans le cadre d'une téléconférence organisée depuis Ottawa, avec Sudbury, Toronto et Limoges en France où s'est déroulée la quinzième édition du Festival international des francophonies en Limousin, on procédait au lancement de la création du Réseau Ontario, dont l'objectif consiste à offrir au public ontarois un accès plus large et plus régulier aux artistes d'expression française. Les principaux artisans de cette opération sont trois regroupements de créateurs ontarois : Théâtre Action, l'Assemblée des centres culturels de l'Ontario et l'Association des professionnel(le)s de la chanson et de la musique. Ajoutons que, dans le contexte du festival limousin, trois compagnies théâtrales de la francophonie canadienne (la compagnie Sortie de secours de Québec, le Théâtre de la Vieille 17 de l'Ontario et le Théâtre de l'Escaouette de Moncton au Nouveau-Brunswick) ont présenté le projet ambitieux de la création d'une œuvre collective, *Exils*, qui devrait voir le jour en 1999. Ici, au pays, la création du Centre de théâtre du Nouvel-Ontario à Sudbury et l'ouverture prochaine au sein même de la capitale nationale d'une salle (La Nouvelle Scène) à l'usage de quatre troupes de théâtre ontaroises de la région montre qu'on va de l'avant dans l'invention de formule alternatives qui «fonctionnent» malgré des temps difficiles. Enfin, un dernier exemple fort encourageant : la télévision éducative de langue française de l'Ontario (TFO) a vu confirmer récemment son statut de télévision publique après que le gouvernement ontarien actuel eut laissé planer une menace de privatisation. Les projets de programmation mis de l'avant par TFO en collaboration avec la francophonie canadienne et la francophonie internationale démontrent bien que si la ligne droite est le plus court chemin pour aller d'un point à l'autre et atteindre son objectif, force est de constater qu'ils sont tout de même nombreux, les chemins qui mènent à Rome!

S'il existe quelques voies ouvertes à l'avenir de la vitalité culturelle des communautés en situation minoritaire, ce sont bien celles du libre «réseautage» et du libre «métissage» par le regroupement des gens eux-mêmes qui cherchent à réinventer la vie et à la rendre plus intéressante pour eux et leurs proches en cette aube d'un nouveau millénaire. Propices aux rencontres imprévues et enrichissantes, ces nouvelles approches coopératives stimulent la créativité et la liberté hors des censures de l'argent, des milieux et des polices de tout ordre. En s'alliant avec d'autres, l'affranchissement du nombre qui paralyse l'action et brime la vie est ainsi rendu possible pour les communautés en situation minoritaire et cela, à l'ère même de la mondialisation de la promotion d'une «culture unique». L'une des possibilités positives de cette ouverture accélérée au monde, à l'Autre et à la différence, c'est de permettre aux individus et aux collectivités de se soustraire à l'isolement, à l'ennui, aux diktats des petits et grands pouvoirs en place, de s'extraire des zones sclérosées d'une société autoritaire ou routinière, d'échapper à l'arrêt de mort culturel d'une surdose de consommation médiatique aliénante et débilitante.

Devant les malaises garantis par l'impérialisme commercial d'une «culture unique» prétendument mondiale, mais essentiellement américanisante, mercantile et matérialisante, la chance qui se présente, en cette ère d'ouverture accélérée sur le monde, pour des pratiques culturelles authentiques, originales et humanisantes, c'est de prendre le large, à cette occasion, dans la vie qui se fait avec les autres sur des voies de traverse, des routes alternatives afin d'affirmer ses rêves, son génie et sa liberté.

(Waldemar Zacharasiewicz und Fritz Peter Kirsch, *Kanada/Europa : Chancen und Probleme der Interkulturalität. Canada/Europe : Opportunities and Problems of Interculturality. Canada/Europe : Chances et malaises de l'interculturalité*, Kanada-Studien, Band 28, ISL-Verlag, 2000, p. 45-58.)

Tableau I

Les activités culturelles des communautés francophones et
acadienne du Canada [hors Québec] – 1997[1]

PROVINCES	Associations culturelles et générales	Centres culturels	Producteurs de films et de vidéos	Troupes de théâtre	Éditeurs	Festivals culturels	Stations de radio	Stations de télévision
Régions de l'Atlantique								
Nouveau-Brunswick	5	16	6	3	8	6	13	4
Nouvelle-Écosse	4	2			1		3	1
Î.-P.-É	2					2		1
Terre-Neuve	4						2	
Région centrale								
ONTARIO	14	18	1	9	9	1	16	4
Régions de l'Ouest								
Manitoba	4	1	1	1	2	3	2	1
Saskatchewan	7	1		1	4		1	1
Alberta	3	2		2	1		3	1
Colombie-Britannique	9	1		1			1	1
Régions du Nord								
Yukon	1							
T.N.-O.	3						1	
TOTAL	56	41	8	17	25	12	42	14

---

1   Note insérée dans l'*Avis* : «Si l'on se fie aux statistiques recueillies pour ce tableau, certaines activités culturelles à caractère moins formel sont sous-évaluées.» *Francophonie nord-américaine. Répertoire descriptif, Édition 1996-1997*, Sainte-Foy, Éditions Québec dans le monde, 1997, 174 p.

Tableau II

Population francophone et «bilingue» du Canada – 1996

Provinces	Population francophone			Francophones et anglophones	
	Langue maternelle	Langue d'usage		Connaissance du français[2]	
	Nombre	Nombre	Part de la population	Nombre	Part de la population
Régions de l'Atlantique					
Nouveau-Brunswick	239 730	219 390	29,8 %	311 180	40,8 %
Nouvelle-Écosse	35 040	19 970	2,1 %	85 355	9,0 %
Île-du-Prince-Édouard	5 555	2 915	2,1 %	14 740	10,8 %
Terre-Neuve et Labrador	2 275	880	0,2 %	21 415	3,7 %
Régions centrales					
Québec	5 700 150	5 770 920	78,1 %	6 612 305	89,5 %
ONTARIO	479 285	287 190	2,6 %	1 281 835	11,4 %
Régions de l'Ouest et du Nord					
Manitoba	47 660	22 015	2,0 %	104 635	9,2 %
Saskatchewan	19 080	5 380	0,5 %	51 115	5,0 %
Alberta	52 375	15 730	0,6 %	180 120	6,4 %
Colombie-Britannique	53 035	14 085	0,4 %	250 365	6,5 %
Yukon	1 110	495	1,6 %	3 260	10,4 %
Territoires du Nord-Ouest	1 360	545	0,7 %	4 075	6,1 %
TOTAL GÉNÉRAL	[6 636 655]	[6 359 515]	21,2 %	[8 920 400]	29,8 %

Source : Recensement du Canada, 1996.

---

2   Note insérée dans l'Avis : «En réponse à la question du recensement : "Cette personne connaît-elle assez le français pour soutenir une conversation?".»

Tableau III

INDICE DE CONTINUITÉ LINGUISTIQUE SELON LA PROVINCE
1981 ET 1996[3]

Provinces	Population de langue maternelle française		Population parlant le français à la maison		Indice de continuité linguistique	
	1981	1996	1981	1996	1981	1996
Terre-Neuve	2 580	2 275	1 845	880	0,72	0,387
Île-du-Prince-Édouard	5 835	5 555	3 745	2 915	0,64	0,525
Nouvelle-Écosse	35 385	35 040	24 435	19 970	0,69	0,570
Nouveau-Brunswick	231 970	239 730	216 745	219 390	0,93	0,915
ONTARIO	465 335	479 285	333 050	287 190	0,72	0,599
Manitoba	51 620	47 660	31 030	22 015	0,60	0,462
Saskatchewan	25 090	19 080	10 295	5 380	0,41	0,282
Alberta	60 605	52 375	29 690	15 730	0,49	0,300
Colombie-Britannique	43 415	53 035	15 090	14 085	0,35	0,266
Québec	5 254 195	5 700 150	5 253 070	5 770 920	1,00	1,01

Source : *Statistique Canada, Recensements de 1981 et 1996.*

---

3   Note insérée dans l'Avis : «N'inclut pas le nombre de personnes d'autres langues maternelles qui connaissent le français.»

ANNEXES

ANNEXE A

EXTRAIT DU RAPPORT FINAL DU GROUPE DE TRAVAIL POUR UNE POLITIQUE CULTURELLE DES FRANCOPHONES DE L'ONTARIO

RSVP! CLEFS EN MAIN
RÊVER SENTIR VOULOIR POUVOIR

> *Ne faut, d'une âme coüarde*
> *Reculer quand la saison*
> *De bien faire se présente.*
> *Marc Lescarbot (vers 1570-1642),*
> *premier poète de la Nouvelle-France.*

LE MANDAT DU GROUPE DE TRAVAIL
Le 12 avril 1991, le ministre de la Culture et des Communications de l'Ontario, l'honorable Rosario Marchese, annonçait la création d'un groupe de travail à qui il confiait le mandat d'élaborer «une politique cadre visant le soutien de la vie culturelle des francophones de l'Ontario» : «[p]our y parvenir, le Groupe de travail doit formuler des recommandations sur le mandat ainsi que sur les programmes et services offerts par le ministère de la Culture et des Communications, en se penchant particulièrement sur le rôle et le financement des centres culturels; le financement des arts, du patrimoine et des organismes culturels au service des francophones; les industries culturelles d'expression française; le rôle du ministère dans la distribution et la promotion de l'information et des services à la population francophone (c'est-à-dire la radio communautaire, la télévision de langue française, les bibliothèques publiques, etc.).»

LE GROUPE DE TRAVAIL
Présidente : Yolande Grisé, directrice, CRCCF, Université d'Ottawa
Membres : Clément Bérini, artiste en arts visuels (Timmins); Michel Gérin, directeur de la programmation française CHUO-FM (Ottawa); Marie Monique Jean-Gilles, fondatrice, professeure et chorégraphe de la troupe de danse Soloba, animatrice culturelle (Toronto); Derrick de Kerckhove, directeur, Programme McLuhan en culture et technologie, Université de Toronto; denise truax-leith, directrice générale, Éditions Prise de parole (Sudbury).
Recherche : Jean Malavoy
Assistante : Élise Ménard

LES ACTIVITÉS DU GROUPE DE TRAVAIL
PENDANT SON MANDAT

Pour remplir son mandat, le Groupe de travail a entrepris, du 6 mai au 30 septembre 1991, une série d'actions dans le respect des étapes suivantes :

a) LA RECHERCHE

Examen des principaux documents parus sur la question culturelle franco-ontarienne depuis une vingtaine d'années, du réputé *Rapport Saint-Denis* (1969) jusqu'à l'actuel *Plan de développement global de la communauté franco-ontarienne, 1992-1997*, issu du premier Sommet de la francophonie tenu à Toronto, en juin 1991.

Consultation d'ouvrages spécialisés sur la culture en général; étude d'articles pertinents dans des quotidiens, des hebdomadaires et des revues d'actualité.

Participation de membres du Groupe à différents événements consacrés aux arts, au patrimoine, à la culture, aux communications, à l'avenir de la communauté franco-ontarienne, pendant la durée du projet : les États généraux du théâtre franco-ontarien / Théâtre Action (17, 18 et 19 mai 1991), le Festival Jeunesse / Direction-Jeunesse (17, 18 et 19 mai 1991), le 3e Congrès de l'Association des auteures et auteurs de l'Ontario français (25 mai 1991), le Congrès de l'Association des musiciens et chansonniers franco-ontariens (1er et 2 juin 1991), le Sommet de la francophonie ontarienne (7, 8 et 9 juin 1991), le Congrès «Dessein 2000» de la Fédération des francophones hors Québec, connue depuis sous le nom de Fédération des communautés francophones et acadienne du Canada (14, 15 et 16 juin 1991) et le Festival franco-ontarien (du 19 au 24 juin 1991).

Entrevues, entretiens téléphoniques et correspondance échangée avec des personnes-ressources (individus et organismes) de la communauté, des ministères et de leurs organismes affiliés.

b) LE DOCUMENT DE TRAVAIL *RSVP!*

Préparation et composition du document (texte et questionnaire), à partir des résultats de la recherche.

Rédaction de deux ébauches du *RSVP!*. Rédaction finale du *RSVP!* et de son questionnaire, et traduction de l'ensemble.

c) LES AUDIENCES PUBLIQUES

Recensement de 150 participants et participantes (individus et organismes) aux quatre coins de la province et invitation adressée à chacun et chacune.

Organisation de l'itinéraire de la tournée du Groupe.

Audiences enregistrées d'environ 130 des participants et participantes recensés, provenant de diverses régions et localités de l'Ontario. Ces rencontres ont eu lieu à Vanier, Hawkesbury, Toronto, Windsor, Timmins et Sudbury, entre le 15 et le 24 août 1991.

d) LE RAPPORT FINAL *RSVP! CLEFS EN MAIN*

Examen de 225 réponses au questionnaire, de 46 mémoires, des lettres et des commentaires reçus entre le 25 juillet et le 20 septembre 1991.

Composition et rédaction de deux ébauches du rapport final.

Rédaction de la version finale du rapport *RSVP! Clefs en main*, et sa traduction.

e) LES RÉUNIONS DU GROUPE

Au cours des cinq mois alloués au projet, le Groupe a tenu une dizaine de réunions de travail, le plus souvent de deux à trois jours consécutifs. Lors de ces réunions, le Groupe a aussi élaboré une stratégie de communication, adaptée aux différentes étapes du projet : communiqués de presse dans les deux langues, entrevues avec les médias, conférence de presse, etc.

f) L'ADMINISTRATION

Installation et organisation d'un bureau (101, rue Bloor Ouest) à Toronto.

Gestion du budget de fonctionnement, en collaboration avec le personnel attitré du ministère de la Culture et des Communications.

Remise, à la représentante du ministre, de quatre rapports mensuels sur les activités du Groupe.

ÉNONCÉ D'UNE POLITIQUE CADRE
POUR LE DÉVELOPPEMENT DE LA VIE CULTURELLE
DES FRANCO- ONTARIENS ET FRANCO-ONTARIENNES
Toronto, le 30 septembre 1991

Après avoir lu quelques centaines de mémoires, commentaires, lettres et réponses au questionnaire *RSVP!*, après avoir entendu environ 130 acteurs culturels (organismes et individus) provenant de diverses régions et localités de l'Ontario et appartenant à différents milieux de la communauté franco-ontarienne, nous pouvons affirmer sans hésitation que les efforts entrepris, depuis une vingtaine d'années, pour soutenir la vie culturelle d'expression française en Ontario ont doté la province d'une communauté d'artistes et d'institutions culturelles dont le talent, la créativité et la richesse des réalisations constituent d'excellents moyens de faire face aux situations nouvelles provoquées par le choc du futur.

Ces acquis vont permettre, à la province entière, de compter sur une source d'énergie humaine de premier ordre, qui attend d'une politique culturelle un effort de coordination et de mise en scène.

L'énoncé de politique cadre qui suit propose, dans ses parties principales, un plan en sept volets, tous également prioritaires : c'est le cadre où s'inscrivent toutes les idées qui sous-tendent les grandes orientations de cette politique. Tel un champ magnétique, l'activation ou l'inactivation d'un de ces points ne peut se faire sans avoir des répercussions sur l'ensemble.

I- LES ENJEUX

De nombreux experts s'accordent à dire que, de nos jours, la culture devient un enjeu majeur pour les sociétés qui sont à la recherche de la qualité de la vie. De même que l'environnement naturel constitue un des sujets les plus préoccupants de la décennie actuelle, de même la culture, environnement mental de l'être humain, est le ressort le plus puissant chez de nombreux peuples, à la fin de ce siècle. Nombreux aussi sont les spécialistes qui s'entendent pour affirmer que c'est désormais de «la création» que vont venir les nouvelles formes de vie.

Dans ce contexte mondial et, plus particulièrement, dans le contexte national et provincial qui est le nôtre, où la «dévolution» des pouvoirs fédéraux aux provinces dans le domaine de la culture et la menace que fait peser sur la culture l'Accord de libre-échange nord-américain, la communauté franco-ontarienne ne peut rester indifférente à son avenir : elle veut apporter sa contribution originale aux efforts communs entrepris «pour changer la vie» en Ontario et bâtir, au seuil du XXIᵉ siècle, ce que le sociologue Edgar Morin appelle «de nouveaux commencements».

A) UNE DÉFINITION DE LA CULTURE

On ne peut concevoir de politique culturelle sans définir le terme de culture. La définition adoptée ici tient compte à la fois de la complexité de la question et des observations recueillies tout au long des consultations.

1. Sur le plan *humain*, la culture est un enracinement sensoriel et psychologique dans le milieu occupé par une communauté; elle s'exprime par des habitudes, des tournures d'esprit, des coutumes, des croyances, des connaissances, des goûts et des tendances qui reflètent tous les sens.

2. Sur le plan *temporel*, la culture s'enracine dans l'histoire passée et présente de la communauté et de ses membres; cette histoire évolue avec elle; c'est la mémoire collective en action.

3. Sur le plan *spatial*, la culture s'ancre d'abord dans la famille et l'école; elle s'enrichit ensuite de l'expérience d'une œuvre commune sur le plan

local, régional, national et international. La culture franco-ontarienne fait le tour de la Terre : elle appartient à l'une des grandes civilisations du monde.

4. Sur le plan de *l'action*, la culture est une dynamique en mouvement permanent, qui enregistre, absorbe, reflète et diffuse son expérience dans des réseaux de communication humains et techniques.

5. Sur le plan de la *création*, la culture produit par ses acteurs culturels, dont les artistes sont le fer de lance, des œuvres qui forment, reforment et précisent son identité.

6. La culture est aussi une *émotion* : émotion de l'artiste, émotion du public, émotion de l'appartenance à la communauté. La tâche de l'artiste est de renouer inlassablement le contact avec cette émotion de la vie, avec cette émotion de la multitude en vie.

7. *Il n'y a pas de langue sans culture*, comme il n'y a pas de culture sans artistes. Les mots de la langue ne sont que l'abstraction de tout ce qui constitue la culture. Prise dans son ensemble, la langue est le contenant, la forme globale et la filière de la culture. Dans ses usages particuliers, la parole n'est qu'un seul des contenus de la culture.

B) LES PRINCIPES DIRECTEURS

Les principes énumérés ci-dessous reflètent ces sept aspects de la culture et fondent toute la politique culturelle pour les Franco-Ontariens et les Franco-Ontariennes mise de l'avant dans les pages qui suivent.

1. *La culture est un besoin humain fondamental.* Comme respirer, s'éduquer, travailler, vivre avec les autres, elle n'est ni un luxe ni un ornement, mais un élément essentiel de la vie.

2. *La culture est un droit fondamental, reconnu par la Déclaration universelle des droits de la personne.* De plus, en Ontario, conformément au préambule de la *Loi de 1986 sur les services en français*, qui reconnaît l'obtention de ces services comme un droit acquis et non comme un privilège, ce droit doit être étendu à l'expérience culturelle, qui est vitale.

3. *La raison d'être d'une politique culturelle, c'est d'abord le peuple qui la vit.* La culture est l'affaire de tout le monde : c'est le peuple lui-même qui imprime son mouvement premier à la culture; les artistes et les autres acteurs culturels en sont, pour ainsi dire, les «accélérateurs».

4. *L'art est un moyen incontournable de développer la culture.* Il est tout à la fois le cadre indispensable à la culture et la somme de ses manifestations. Si l'art n'est pas toute la culture, il en est le point ultime d'expression. Une politique culturelle repose d'abord sur les attentes de la communauté qu'elle sert; cependant, celle-ci ne peut prendre de réelle signification sans l'existence et l'épanouissement de ses artistes.

5. *La culture est un investissement.* Au même titre que la santé, la culture est

une richesse et une source de richesses. Aussi, les efforts humains et financiers engagés dans l'activité culturelle doivent être traités comme des investissements tangibles dans le développement d'une société, et non comme des «dépenses».

6. *L'artiste est le ferment de la culture.* Comme la profession et la fonction du législateur, du médecin ou encore du professeur, la profession et la fonction de l'artiste sont essentielles à la communauté.

7. *La langue et la culture sont indissociables.* La langue appartient à la culture comme un arbre appartient au sol, par ses racines. La culture donne à la langue sa pleine signification.

C) LES PROBLÈMES IDENTIFIÉS

Malgré les progrès et les acquis des vingt dernières années, naturellement plus perceptibles dans les régions à forte concentration franco-ontarienne, mais néanmoins assez bien répartis dans la province, force est de constater que la principale intéressée, la population cible, n'est pas suffisamment touchée par ces réalisations : elle n'est ni assez motivée ni assez concernée par sa culture. Cet état de choses tient à plusieurs causes.

1. *Un effet du bilinguisme : prendre la langue pour la culture*

Héritiers du patrimoine linguistique d'une des nations fondatrices du Canada, mais situés dans des environnements presque partout majoritairement anglophones, les Franco-Ontariens et Franco-Ontariennes sont acculés à respecter leurs obligations linguistiques comme un devoir moral. Beaucoup, à des degrés divers, sont forcés de vivre dans des conditions de «traduction permanente». Pour certains, cette condition est intenable : «Chaque fois que je dois parler en français, je dois faire un demi-tour schizophrénique dans ma tête; ça me détruit psychologiquement.» (Sudbury, 24/08/91) Cette situation a pour effet de réduire le français à un système de communication coupé de ses racines culturelles. D'autres se disent «sans pays»; cela ne signifie pas qu'ils ne se sentent pas citoyens et citoyennes à part entière, mais que les circonstances ont réduit la profondeur culturelle de la langue au statut étriqué d'une langue de surface, sans écho. D'autre part, il n'est que trop facile de séparer la langue de la culture, car la langue, c'est une réalité concrète qui s'apprend, tandis que la culture est insaisissable comme la vie.

2. *Dispersion et fragmentation des Franco-Ontariens et Franco-Ontariennes*

Dans un contexte minoritaire, pour que la langue puisse se rattacher naturellement à la culture, il faut qu'une masse critique de la population la pratique sans trop d'interférences de la part de la langue majoritaire. Comme l'a fait observer un intervenant, ce phénomène n'est pas une question de quantité, mais de densité. Autrement dit, il est plus facile de «vivre en français» dans un village de trois mille habitants dont les deux tiers sont francophones qu'au sein d'une population de cent mille francophones dispersée dans une métropole de trois millions d'habitants. Au surplus, la dispersion de la communauté franco-ontarienne aux quatre coins de la province a de graves répercussions sur l'ensemble de sa vie culturelle. Celle-ci devient vite clandestine et se marginalise, faute de communication et d'échanges. Le sentiment d'isolement, voire d'«isolation», des groupes conduit à la dilution et à l'épuisement de l'énergie.

3. *Sous-utilisation des services existants*

Les centres culturels et communautaires, les bibliothèques, les galeries, le théâtre, les médias imprimés et électroniques de langue française ne reçoivent pas la moitié de l'attention et de la participation publiques qu'on serait en droit d'en attendre. La population francophone, même privilégiée par une abondante couverture médiatique en français, notamment dans la région d'Ottawa, préfère s'informer et se divertir en anglais.

4. *Exploitation de l'artiste, mais pas de ses œuvres*

Grâce au *Rapport Saint-Denis* (1969), les organismes culturels de la province ont pris conscience de la situation critique de la vie artistique franco-ontarienne. Toutefois, faute d'une politique culturelle globale, la politique culturelle implicite de toutes ces années a été de parer au plus pressé et de financer au compte-gouttes les principaux acteurs culturels, à savoir les artistes. Les politiques de financement culturel des gouvernements se sont surtout attachées à subventionner la réalisation des œuvres sans se soucier de les mettre sur le marché, et sans tenir compte de la communauté desservie par les arts. Cette pratique a abouti à une exploitation de l'artiste en lui faisant produire le maximum pour un minimum d'investissement. D'autre part, le résultat paradoxal a été de faire porter sur l'artiste toute la responsabilité du développement culturel sans jamais lui donner les moyens de l'assumer. Or rien n'est plus démoralisant pour un créateur et une créatrice que de produire des œuvres qui ne circulent pas. En prêtant attention aux œuvres sans tenir compte des moyens de diffusion, de promotion et de distribution, la bureaucratie gouvernementale a oublié la base : le public.

5. *Absence d'infrastructures cohérentes*

Si l'absence de motivation est le problème principal identifié sur le plan du public, son corollaire, l'absence de coordination, est celui des institutions. La pauvreté de notre réseau de diffusion et de distribution tient au fait qu'il n'existe qu'en pièces détachées et en des chasses gardées.

Quel que soit l'organisme qu'on examine – bureau ministériel, organisme gouvernemental, réseau local, médias, structure d'accueil ou organisme de service –, on en voit presque tout de suite le bout : il n'y a ni continuité ni transfert d'énergie d'un élément à l'autre. Il y a très peu de concertation pour développer un public commun. Le manque de vision à long terme des bailleurs de fonds publics et la dispersion de la communauté franco-ontarienne sur un vaste territoire sont encore aggravés par l'individualisme des uns, le chauvinisme des autres, la rivalité des groupes, toutes choses qui rongent les fondements mêmes de la fragile infrastructure culturelle franco-ontarienne.

6. *Désaffection de la jeunesse franco-ontarienne*

Victime du cloisonnement des intervenants scolaires et communautaires, la jeunesse franco-ontarienne, placée dans l'impossibilité de s'épanouir dans sa culture, bien souvent ignorée ou perçue comme une «option» de cours et non comme une manière globale d'être, se réfugie dans le mirage américain, qui satisfait pleinement son désir légitime d'intégration sociale. Pour la plupart, cette intégration à une culture empruntée est un moindre mal, puisque l'être humain ne peut vivre sans culture. Les plus défavorisés sont ces jeunes qui, coincés entre l'anglais et le français, ne réussissent même pas ce transfert : ils sont complètement déracinés. Ce sont des «dyslexiques culturels».

7. *Marginalisation des Franco-Ontariens et Franco-Ontariennes de souche récente*

Au carrefour d'un grand nombre d'ambiguïtés – différences culturelles, différences linguistiques, différences géographiques, différences de générations et différences de mentalités –, les Franco-Ontariens et Franco-Ontariennes de souche récente se sentent souvent marginalisés. Confiants d'avoir trouvé au Canada une terre d'accueil ouverte et favorable, ils se butent, malgré eux, à une situation dont ils ont de la difficulté à saisir la complexité. Les artistes francophones venus d'ailleurs ne se sentent pas toujours invités à participer de plain-pied avec les autres. Plusieurs, après quelques vains efforts, sont tentés de se tourner vers la culture majoritaire. Cette perte affaiblit la culture franco-ontarienne au lieu de l'enrichir. Ces constatations amènent à conclure que, si l'art franco-ontarien est bien vivant, son public, lui, ne l'est pas. En fait, il n'est pas mort : il est déprimé. Il n'a pas faim, il n'a pas soif : il est sans désir. La sous-utilisation des ressources existantes n'indique pas que celles-ci sont superflues, mais plutôt que la communauté franco-ontarienne dans son ensemble n'est pas motivée. Alliée au court-circuit des réseaux de diffusion qui donne au public une culture par lambeaux, cette sous-utilisation montre qu'en dépit de tout le chemin parcouru depuis vingt ans, on a perpétué une grave erreur tactique : celle d'oublier le public. À force d'arroser les plantes sans tenir compte du sol, on finit par obtenir une «culture hydroponique», c'est-à-dire sans racines.

II- LES OBJECTIFS

L'objectif fondamental de toute politique culturelle est de présenter une approche globale de la question culturelle, qui puisse offrir de grandes orientations et inspirer une action déterminante pour l'essor de la vie culturelle de la communauté. Un vif sentiment de justice et un réel besoin de partage sont ressortis de toutes les consultations.

Nombreux sont ceux et celles qui ont le sentiment qu'une répartition plus équitable des ressources dans la province la plus riche du pays enrichirait l'ensemble de l'expression culturelle de l'Ontario. Que ce soit le Festival franco-ontarien ou les émissions de la Chaîne française de TVO, on s'accorde pour reconnaître que leur bénéfice atteint le public ontarien dans son ensemble. La culture ne se vit pas en vase clos. Un investissement dans la culture franco-ontarienne est, en fait, un investissement dans la créativité elle-même et dans l'esprit de partage, deux valeurs essentielles pour relever le défi de l'avenir.

Les objectifs énoncés ci-après, tous également prioritaires, s'offrent comme des solutions pour résoudre les problèmes identifiés.

A) *Fonder l'identité sur la culture et non sur la langue*

Il est essentiel de rendre sa profondeur culturelle à la langue. La langue française en Ontario doit retrouver ses assises et ses résonances culturelles. À tous les niveaux (écoles, collèges, universités, centres culturels, institutions), il est urgent de reconstruire la sensibilité culturelle : c'est à cette condition seulement qu'on pourra éviter l'asthénie. Les produits culturels et les activités culturelles franco-ontariens d'abord, et du reste de la francophonie ensuite, doivent être diffusés à flot dans la vie quotidienne des gens pour redonner son tonus à la communauté.

B) *Créer l'unité et assurer l'autonomie de la communauté franco-ontarienne*

Tout le monde s'accorde pour dire que l'union fait la force : à plus forte raison pour la communauté franco-ontarienne. Unité de perception d'abord : si on ne peut pas la regrouper géographiquement, on peut, en revanche, regrouper psychologiquement la communauté en infusant un sentiment de solidarité interrégionale par des échanges et des tournées et en resserrant les liens médiatiques. La communauté a besoin de sentir battre son pouls de façon régulière : se voir à la télévision, s'entendre à la radio, découvrir les différents accents de ses «villages et visages». Elle doit, pour cela, obliger les médias à participer à la synergie franco-ontarienne : tous les canaux de diffusion doivent être mobilisés dans ce projet, car ils sont complémentaires.

Unité d'action, ensuite : il importe que les énergies soient concentrées en certains relais de base dans le réseau énergétique. Une demande est revenue en force pendant les audiences publiques et dans les réponses au questionnaire *RSVP!* : la gestion par et pour les Franco-Ontariens et Franco-Ontariennes de leurs institutions (garderies, écoles, collèges, universités, entreprises culturelles, etc.).

C) *Rendre désirable chez tous les membres de la communauté la participation culturelle*

Pour motiver les gens à prendre l'habitude d'utiliser les ressources et services existants, il ne suffit pas de rendre ces derniers disponibles ou de les multiplier. Encore faut-il les signaler à l'attention de tous, les diffuser, les rendre attrayants. Mais il y a plus : il faut réussir à établir chez le public à qui ils s'adressent un important facteur d'identification. Il faut cesser de présenter la langue française aux Franco-Ontariens et Franco-Ontariennes comme «un devoir d'état» et commencer à y voir une nouvelle complicité avec un groupe significatif d'acteurs et d'actrices sociaux et culturels.

La mise en œuvre de la politique culturelle doit démarrer avec beaucoup d'élan si elle veut connaître le succès. Et cet élan doit provoquer chez la population concernée un déclic salutaire, une sorte d'acte de foi en soi-même et des autres envers elle-même, sans lequel toute entreprise reste sans écho. Pour prendre goût à sa culture et développer l'habitude de se parler aux quatre coins de la province, la communauté a besoin d'*un projet culturel commun* qui lui permette de créer ensemble, de prendre connaissance de ses ressources, de ses réseaux, de son dynamisme, bref de développer la *synergie* recherchée : par exemple, la création d'une «Année de la culture» en Ontario, dont le comité organisateur pourrait compter des membres expérimentés de la communauté franco-ontarienne et dont la programmation, un important secteur franco-ontarien, serait un excellent stimulus.

D) *Dynamiser l'image de l'entreprise culturelle*

La tendance des bailleurs de fonds publics à fonctionner dans le domaine des arts, de la culture et du patrimoine à coup de subventions à la pièce, où chaque sou doit être justifié, où chaque démarche doit être entrevue et expliquée avant même la mise en œuvre du projet (pourtant il est bien connu que toute création a ses parcours imprévus), où chaque résultat doit être rapporté à période fixe, où le candidat, ou la candidate, est sans cesse considéré comme un débutant, a réduit les artistes et les organismes artistiques à développer le syndrome de l'assisté social : on attend le chèque suivant pour joindre les deux bouts. Une telle image ne rend pas justice au travail accompli. On sait depuis plusieurs années que, par l'ensemble des retours d'impôt, l'État retire plus d'argent des artistes qu'il ne leur en verse. «Des calculs ont montré [au Québec] que chaque dollar investi dans la culture, investi [donc] au profit de la collectivité et pour l'enrichissement des individus, engendre à peu près treize dollars.» (*L'Artiste, le prince*, p. 57) Il faut redéfinir le travail artistique et considérer que tout investissement le concernant relève du domaine du développement. L'acteur et l'actrice culturels sont des travailleurs autonomes voire des entrepreneurs au même titre que n'importe quel autre travailleur de cette catégorie dans la société. Refuser de les considérer comme tels, c'est non seulement accepter l'injustice quotidienne qui leur est faite, mais faire son pain de cette injustice.

E) *Coordonner les ressources institutionnelles*

Les organismes au service de la culture sont nombreux : centres culturels et communautaires, écoles, collèges, universités, bibliothèques, théâtres, maisons d'édition, festivals, etc. Ils devraient, localement, se doter d'un plan stratégique pour se concerter et développer leur public commun. Les organismes de services et de regroupement devraient faire de même, en misant sur un échange des produits et services culturels. La mise sur pied d'un réseau de diffusion et de distribution pluridisciplinaire, à l'échelle de la province, devrait recevoir un traitement prioritaire des organismes et ministères du gouvernement de l'Ontario par le développement de politiques d'intervention, taillées à la mesure de la communauté franco-ontarienne.

Dans la sphère gouvernementale, il s'agirait, d'une part, de s'assurer que, dans tous les ministères, les décisions relatives au sort des membres de la communauté franco-ontarienne sont prises en connaissance de cause, communiquées clairement et diffusées à l'ensemble de la population concernée, par des gens attentifs au milieu. D'autre part, il apparaît de première importance, tant sur le plan des ressources que sur le plan des structures et des réseaux, que les ministères et organismes gouvernementaux particulièrement concernés par l'une ou l'autre dimension de la culture franco-ontarienne coordonnent leurs efforts pour mieux servir la communauté.

F) *Accorder aux jeunes un rôle actif dans la participation à la culture*

Aujourd'hui, comme jamais auparavant, la jeunesse franco-ontarienne a un besoin urgent d'un foisonnement de visions, de rêves et d'espoirs afin de propager dans ses rangs le goût de vivre en français. Il faut encourager les échanges interscolaires afin de permettre aux jeunes de se rencontrer d'une région à l'autre. Il faut maximiser les ressources du milieu et les mettre réellement à leur disposition (institutions scolaires, centres culturels et communautaires, bibliothèques, radios communautaires et autres médias électroniques), afin que les jeunes y découvrent des modèles où ils pourront se voir et se projeter, et ainsi mieux fonctionner culturellement dans la société. Il faut souligner aussi l'importance considérable de l'animation culturelle comme force mobilisatrice auprès des jeunes, dans leur milieu. Les responsables de l'éducation franco-ontarienne ont un rôle capital à remplir dans ce dossier.

G) *Faire place à la diversité culturelle dans l'identité franco-ontarienne*

L'histoire humaine est en constante évolution; à notre époque, elle subit un phénomène inattendu d'accélération. Grâce à la présence accrue, ces récentes années, en Ontario de francophones du monde entier, l'identité franco-ontarienne reçoit des apports nouveaux, qui contribuent à sa mutation. Ainsi, depuis quelques années, des Franco-Ontariens et Franco-Ontariennes de souche récente font entendre leurs voix et expriment le désir de se joindre à leurs concitoyens et concitoyennes d'expression française en Ontario, sans perdre pour autant leur propre identité culturelle, source d'enrichissement dans le métissage recherché de la culture postmoderne. Il importe d'ouvrir des voies pour inclure ces nouvelles composantes de l'identité franco-ontarienne, garantes de forces substantielles pour la communauté. Connaître, faire connaître et fructifier pour le bien commun ces nouveaux apports, demeurent des objectifs prioritaires dans une politique culturelle destinée à la communauté franco-ontarienne.

III- ÉVALUATION DE LA SITUATION ACTUELLE

Pour que les objectifs visés puissent être atteints, il est de première importance d'évaluer les obstacles à franchir et les atouts dont on dispose.

A) UNE COMMUNAUTÉ EN ATTENTE

Dans toute organisation humaine, les deux sources principales d'énergie sont l'argent et la motivation des gens. Le premier s'épuise quand on s'en sert; la seconde s'épuise quand on ne s'en sert pas. Lors des audiences publiques, plusieurs interventions, accompagnées ou suivies de mémoires éloquents, ont signalé la pénurie de financement comme un problème important.

Mais ce n'est peut-être pas le problème principal. Une vue d'ensemble de la situation permet de constater que, même si tous les fonds augmentaient considérablement du jour au lendemain, si aucun autre changement n'intervenait dans les comportements individuels et institutionnels, on améliorerait sans doute la condition de certains artistes et l'état de santé de quelques organismes, mais on n'atteindrait pas l'objectif fixé : engager la participation active du plus grand nombre de gens dans l'appréciation et dans l'enrichissement de la valeur culturelle et, par conséquent, dans l'amélioration tangible de la qualité de vie pour l'ensemble de la population.

Les consultations ont permis aussi de découvrir que, même si l'argent manque presque partout, la motivation des acteurs et actrices culturels, et particulièrement celle des artistes, demeure très forte. Or cette motivation, si essentielle à toute vie humaine, a tendance à se dissiper de plus en plus devant la pénurie des ressources, la fragmentation des institutions et l'absence de communication. Faute de répondants, de très bons artistes ont déjà quitté la province ou sont en voie d'exil, pour se faire entendre ailleurs. Faute de soutien et de communications institutionnelles, plusieurs acteurs et actrices culturels perdent espoir et intérêt et changent d'occupation.

Malgré cela, le trait qui ressort du tableau d'ensemble est celui d'une communauté en attente, dont l'engagement culturel est trop fort pour se résigner à tout laisser tomber, mais dont l'énergie est vouée à péricliter si la situation n'est pas vigoureusement reprise en main. En fait, sur la carte culturelle franco-ontarienne, il y a des zones vives et des zones dormantes : il s'agit de faire passer l'énergie des unes aux autres.

B) LES PRINCIPAUX OBSTACLES

Sur le plan de l'argent, tout le monde s'accorde pour reconnaître que l'énergie est trop faible à la source. Au niveau provincial, le manque de ressources financières n'arrive pas à motiver une population franco-ontarienne d'un demi-million d'habitants, éparpillée sur un vaste territoire. Encore ce peu d'argent est-il, le plus souvent, placé dans des planifications à court terme, au coup par coup, projet par projet, œuvre par œuvre, spectacle par spectacle, sans vision d'avenir. Comment peut-on attendre des organismes de création, de diffusion et de services, sans parler des créateurs et créatrices individuels, une action suivie, si ces entrepreneurs essentiels à la vie culturelle doivent vivre au jour le jour, sous la coupe de la «One-time-only-grant»? Le syndrome des demandes de subventions mine l'action culturelle de toute la communauté artistique; celle-ci y consacre jusqu'à 50 % de son temps de travail et de son énergie créatrice.

Un autre obstacle majeur, c'est l'absence d'organisation et de concertation entre les groupes constitués, ce qui a pour principal effet la désaffection de la communauté pour sa culture. Sur ce plan, on constate que la communauté franco-ontarienne souffre d'«autisme institutionnel», tendance de presque toutes les institutions en place à se replier sur elles-mêmes sans chercher à coordonner leurs efforts avec ceux des autres, sans répondre à une cause commune, faute de la connaître. Le même comportement se vérifie au sein des ministères et organismes gouvernementaux : l'éparpillement des ressources financières, la multiplication des programmes et des critères contribuent à entretenir l'ignorance à leur sujet. L'absence de lignes ouvertes de communication et de réseaux branchés de diffusion tisse un mur de silence entre les membres de la communauté, d'une part, et entre la communauté et les services gouvernementaux, d'autre part.

Il est sûr que, si l'on pouvait susciter une concertation active entre les organismes communautaires, artistiques et de services et entre les organismes et ministères gouvernementaux, on pourrait donner au dossier de la culture l'assise dont il a besoin pour prendre son envol dans toutes les institutions et dans toutes les régions de la province.

C) LES PRINCIPAUX ATOUTS

On ne reviendra jamais assez sur la qualité de la production artistique professionnelle des Franco-Ontariens et Franco-Ontariennes, qui ne cessent d'innover. L'engagement personnel des artistes franco-ontariens et franco-ontariennes est sans réserve, sans condition, toujours sur le qui-vive. C'est là un grand atout pour la communauté. Il faut aussi reconnaître que certaines infrastructures de base et quelques embryons de réseaux sont en place. Ils n'attendent qu'un effort de coordination et une planification à long terme, soutenue par un financement adéquat, pour fonctionner à leur plein rendement. Le désir, souvent exprimé lors des audiences, que les Franco-Ontariens et Franco-Ontariennes accèdent à la gestion de leurs propres institutions ne peut que faciliter ce mouvement.

Les médias en place représentent un autre atout majeur s'ils arrivent à travailler tous dans la même direction au lieu de se concurrencer. Les radios communautaires ont un effet stimulant sur la population locale. Celles-ci annoncent une décentralisation des moyens médiatiques et l'apparition, dans la décennie 1990, de «communautés électroniques», tant sur les ondes que dans les réseaux numériques.

La volonté de changement et d'ouverture du gouvernement ontarien constitue aussi un atout. Le contexte des négociations constitutionnelles rend d'autant plus urgente l'attention spéciale qu'il faut accorder à la dimension culturelle francophone à l'extérieur du Québec, et particulièrement à celle de l'Ontario.

Enfin, trois autres atouts importants s'offrent à nous. L'appartenance de notre communauté à la francophonie mondiale devient un atout important dans les échanges économiques entre la province et le reste du monde francophone, dont les Franco-Ontariens et Franco-Ontariennes de souche récente sont un écho et un lien. De nouvelles alliances sont en train de se former avec les écoles d'immersion et ce demi-million d'Ontariens et Ontariennes anglophones qui parlent français et reconnaissent ainsi la culture franco-ontarienne comme une ressource qui enrichit la province entière. Le Québec représente un atout inestimable pour la communauté franco-ontarienne. Foyer de la francophonie en Amérique du Nord, le Québec a des liens particuliers avec la communauté franco-ontarienne, liens ancrés dans la géographie et l'histoire.

Le gouvernement ontarien engage des sommes importantes pour sauver des emplois et des industries en danger, pour ne rien dire du coût des infrastructures sportives, qui s'élève à plusieurs centaines de millions de dollars. La vie culturelle des Franco-Ontariens et Franco-Ontariennes n'est pas une industrie en danger; au contraire, ses entreprises culturelles n'ont jamais aussi bien produit, même si elles doivent faire face à *un marché inexploité*. Y infuser des fonds publics, c'est un moyen sûr d'atteindre les gens de la base : de toutes les régions et de tous les milieux; en fait, c'est investir dans une ressource énergétique de premier plan : la ressource humaine. Il s'agit de mettre en marche la communauté pour qu'elle assume sa culture et enrichisse du même coup, chez tous, la qualité de la vie.

IV- LES STRATÉGIES

Pour atteindre les objectifs identifiés, sept priorités d'importance stratégique se dégagent des consultations :

A) *Faire de l'animation culturelle un véritable outil de développement*

Pour redonner vie à la culture, il importe de l'intégrer dans tous les secteurs de la vie, notamment à tous les paliers de l'institution scolaire et dans les centres culturels. Parce qu'elle favorise le bénévolat, le partenariat, la communication, la cohésion et le partage, l'animation culturelle est un moyen de rejoindre l'ensemble des gens dans leur propre milieu. Au surplus, l'animation culturelle fait appel à la créativité des gens ordinaires qui, grâce à cet outil, ont l'occasion de s'exprimer et de participer à la vie culturelle de façon pas ordinaire.

B) *Obtenir le contrôle de ses institutions*

Une des principales affirmations qui ressort des consultations est celle de la nécessité pour la communauté franco-ontarienne de gérer ses propres institutions pour assurer son avenir. Clef de voûte de son dynamisme, l'autonomie constitue à ses yeux une condition essentielle au développement du sentiment d'appartenance et de l'identité de ses membres, à l'unité de toutes ses composantes, à la fécondité et à la qualité de ses accomplissements. La communauté franco-ontarienne ne peut laisser à d'autres la responsabilité et le soin de revitaliser sa culture.

Pratiquée à l'intérieur des structures existantes, à l'exemple de la

Direction francophone de l'éducation en langue française récemment mise sur pied au ministère de l'Éducation, la gestion, par les Franco-Ontariens et Franco-Ontariennes pour les Franco-Ontariens et Franco-Ontariennes, d'institutions et d'infrastructures qui leur sont propres, paraît le meilleur moyen de remédier à l'effritement des énergies, en leur permettant de contrôler les décisions qui les touchent et d'assurer ainsi la cohésion des efforts et l'essor de la communauté.

C) *Se doter d'un réseau de communication et de diffusion efficace*

La communauté entière doit avoir accès à sa production culturelle, par l'intermédiaire des réseaux établis. Il faut utiliser au mieux les services qui existent pour la population : médias officiels et communautaires, bibliothèques, centres culturels, programmes et services gouvernementaux, etc. Il est crucial pour la vie culturelle des Franco-Ontariens et Franco-Ontariennes qu'un circuit de diffusion, de promotion et de distribution, à l'échelle de la province, soit solidement constitué. Cet effort est urgent et devrait recevoir un traitement prioritaire de la part des organismes et des ministères gouvernementaux intéressés : dans le champ magnétique de la carte culturelle, c'est là que la transmission de l'énergie ne passe pas.

D) *Investir dans les artistes comme dans un bien essentiel*

Les artistes sont des personnes qui remplissent, par leur travail, une fonction essentielle dans la société. À cette fin, le gouvernement doit investir dans ses artistes comme on investit dans une ressource précieuse. L'ensemble du secteur artistique franco-ontarien doit être développé de front : chaque discipline artistique a son importance et doit être financée en conséquence. Les programmes artistiques destinés à favoriser le développement de chacune de ces disciplines ne doivent pas être de simples copies conformes des programmes offerts aux artistes anglophones, mais plutôt des programmes adaptés aux besoins spécifiques de la communauté artistique franco-ontarienne.

Ainsi, pour garder les artistes franco-ontariens et franco-ontariennes en Ontario, il faut que ceux-ci et celles-ci aient les moyens de travailler et de rayonner dans leur communauté. Pour produire et diffuser leurs œuvres, les artistes ont besoin de lieux et de locaux bien équipés. De tels lieux, gérés par et pour les créateurs et créatrices, allumeraient aux quatre coins de l'Ontario les feux de position de la création franco-ontarienne.

E) *Établir des mécanismes de concertation et de liaison*

Un grand nombre d'intervenants et d'intervenantes dans les consultations ont signalé le fait que la responsabilité du dossier de la culture déborde les cadres du ministère de la Culture et des Communications de l'Ontario et du CAO : elle concerne plusieurs ministères et aussi différents paliers de gouvernement. D'autre part, une rigoureuse utilisation des ressources, une planification dynamique des efforts et la nécessité d'une action efficace rendent essentielle et urgente la coordination des engagements afin de développer une politique cohérente et de projeter une vision claire et concertée du développement des arts et de la culture de la communauté franco-ontarienne.

De même, du côté de la communauté, le forum d'échanges et de concertation constitué par l'Alliance culturelle de l'Ontario représente une pierre angulaire stratégique pour cimenter les différentes composantes de l'infrastructure franco-ontarienne. C'est un exemple à développer au sein de la communauté.

F) *Rendre la culture populaire*

Si l'on veut que la population franco-ontarienne, notamment la jeunesse, adhère naturellement à sa culture comme à une réalité familière, il est d'une importance capitale que la culture reflète l'univers contemporain, sans pour autant renier le passé. L'univers quotidien des gens se nourrit de constantes «alluvions» de sources diverses dans le temps et dans l'espace. Pour que la culture occupe une place de choix dans l'existence des Franco-Ontariens et Franco-Ontariennes, il lui faut occuper une place publique aussi importante que les sports, qu'elle englobe d'ailleurs comme facteur d'expression culturelle. Des héros et héroïnes, des modèles stimulants, voilà ce qui peut capter l'attention et l'intérêt des jeunes sur le plan culturel; des activités et des défis communs lancés aux quatre coins de la province, voilà encore ce qui peut canaliser l'énergie de la jeunesse dans l'expression de sa culture et assurer sa confiance dans l'avenir.

L'accessibilité aux produits, aux activités et aux événements culturels de tous niveaux est une assise importante dans la «popularisation» de la culture auprès des différentes couches de la communauté franco-ontarienne. Les gens sont les premiers juges de la culture qui les reflète.

G) *Élargir l'accès des groupes ethnoculturels aux structures, aux ressources et aux circuits en place dans la communauté*

On s'entend pour reconnaître que la communauté franco-ontarienne est formée de plusieurs composantes qui l'enrichissent et la fortifient. Aussi s'accorde-t-on sur la nécessité de favoriser les points et les occasions de rencontres et d'échanges avec les Franco-Ontariens et Franco-Ontariennes de souche récente; de reconnaître leurs talents; de leur confier des responsabilités au sein des organismes; de partager des expériences d'ordre artistique et culturel; de les associer à des projets; bref d'accélérer sur tous les fronts l'accueil, l'ouverture et la participation de ces nouveaux alliés à tous les aspects de la vie franco-ontarienne. Cette diversité culturelle constitue, en outre, pour la communauté franco-ontarienne un bienfait indéniable à l'heure de la francophonie internationale.

V- LE PLAN D'ACTION : LES RECOMMANDATIONS
Quatre principes inspirent l'ensemble des recommandations.

i. Éviter le dédoublement des services et le gaspillage des ressources humaines et financières, en réaménageant les ressources existantes.

ii. Rattraper par des augmentations budgétaires les conditions de sous-financement chronique signalées par la majorité des intervenants et intervenantes lors des consultations.

iii. Assurer une politique culturelle à long terme, en proposant que les investissements financiers dans la culture puissent se faire sur des périodes de trois ans.

iv. Faciliter l'accès aux octrois, en simplifiant les formulaires de demande et les rapports afférents, en publicisant l'information sur les programmes, etc.

A) LES TROIS GRANDS AXES DE LA POLITIQUE CADRE
À la lumière des consultations et au terme de l'examen attentif des besoins exprimés par la communauté; face aux enjeux exposés, aux objectifs visés et aux priorités envisagées, il est recommandé que la politique cadre pour le développement de la vie culturelle des Franco-Ontariens et des Franco-Ontariennes s'articule autour de trois recommandations principales :

1. *Que soit créée une Division franco-ontarienne au sein du ministère de la Culture et des Communications de l'Ontario*
1.1 Que cette Division ait la responsabilité des dossiers suivants : les médias (entre autres, les radios communautaires et la presse francophone), les organismes de services, les entreprises artistiques, les centres culturels, les bibliothèques, le patrimoine, l'animation culturelle, ainsi que la coordination des services en français au sein dudit ministère et de ses organismes. Cette Division franco-ontarienne aurait une responsabilité toute particulière quant à la mise en marché, à la diffusion et à la distribution des produits artistiques et activités culturelles franco-ontariens.
1.2 Que cette Division ait le mandat d'élaborer des programmes adaptés aux besoins réels de la communauté franco-ontarienne et qu'elle adopte le

principe d'une planification triennale de financement.

1.3 Que cette Division ait aussi la responsabilité des demandes de fonds d'immobilisation provenant de la communauté.

1.4 Que cette Division, de concert avec le Bureau franco-ontarien du CAO et en collaboration avec les artistes franco-ontariens et franco-ontariennes, élabore un plan de création et de financement (immobilisation et exploitation) de quatre centres artistiques dans la province.

1.5 Que cette Division soit dotée de ressources humaines et financières adéquates :

1.5.1 que sur le plan des ressources humaines, le personnel francophone en place dans les différentes divisions et directions du ministère puisse être réaffecté à cette Division franco-ontarienne;

1.5.2 que les sommes allouées au financement des programmes de cette Division franco-ontarienne soient prélevées sur les budgets des programmes existant au sein de chaque division et direction, et assorties d'un fonds spécial de démarrage;

1.5.3 que l'équipement, les locaux et le budget résiduaire du Groupe de travail pour une politique culturelle des francophones de l'Ontario soient affectés à la mise sur pied de cette Division franco-ontarienne;

1.5.4 que le budget d'exploitation affecté à cette Division franco-ontarienne soit attribué selon les règles en vigueur dans les autres divisions du ministère.

1.6 Que la direction de la Division franco-ontarienne soit confiée à un sous-ministre adjoint, dont ce serait le mandat exclusif.

2. Que soit consolidées les responsabilités du Bureau franco-ontarien du CAO

2.1 Que le mandat du Bureau franco-ontarien du CAO soit d'appuyer les artistes, les organismes et les activités artistiques professionnels franco-ontariens.

2.2 Que le CAO élargisse les responsabilités du Bureau franco-ontarien de façon que celui-ci reçoive toute demande émanant de la communauté franco-ontarienne (organismes et individus) dans quelque discipline ou programme que ce soit, tel que recommandé dans l'article 1-d du Rapport Savard (*Cultiver sa différence*, 1977, p. 179).

2.3 Que le budget de ce Bureau franco-ontarien renouvelé soit modifié pour refléter ses nouvelles responsabilités et qu'il soit assorti d'un fonds spécial de rattrapage, principalement affecté aux disciplines qui ont été le moins favorisées.

2.4 Que le Bureau franco-ontarien renouvelé procède à une révision d'ensemble de ses programmes en vue de les adapter aux besoins de sa clientèle; qu'une attention particulière soit apportée au financement des programmes s'adressant aux artistes professionnels.

2.5 Que l'attribution de toutes les bourses accordées, par le Bureau franco-

ontarien renouvelé, aux artistes professionnels se fasse par voie de jurys.
2.6 Que les jurys du Bureau franco-ontarien renouvelé reflètent les différentes composantes culturelles et régionales de la communauté franco-ontarienne.
2.7 Que le Bureau franco-ontarien renouvelé adopte le principe d'une planification triennale de financement, afin d'assurer aux artistes et aux organismes la stabilité financière dont ils ont besoin.

3. Que soit créée, au sein de l'Office des affaires francophones de l'Ontario, une Direction interministérielle et intergouvernementale

3.1 Que cette Direction interministérielle et intergouvernementale soit responsable de la concertation, de la coordination et de la cohésion de la livraison des services culturels aux Franco-Ontariens et Franco-Ontariennes, et ce, aux trois paliers de gouvernement (provincial, fédéral et municipal) :

En Ontario, les ministères et les organismes plus particulièrement concernés sont les suivants : Culture et Communications et certains de ses organismes (notamment le CAO, la Chaîne française de TVOntario, la Fondation du patrimoine et le Centre de l'édition), Éducation, Collèges et Universités, Affaires civiques, Formation professionnelle, Affaires municipales, Tourisme et Loisirs, Industrie et Commerce, Développement du Nord et des Mines, Services sociaux et communautaires, Environnement.

Au niveau fédéral, les ministères et les organismes plus particulièrement concernés sont les suivants : le Secrétariat d'État, le ministère des Communications, le CAC, l'Office national du film, Téléfilm Canada, la Société Radio-Canada, le CRTC et le ministère des Affaires extérieures. Au Québec, les ministères et organismes concernés sont les suivants : le Secrétariat des affaires intergouvernementales, et ses délégations de Toronto et d'Ottawa, le ministère des Affaires culturelles et le ministère de l'Éducation.

3.2 Que le mandat de cette Direction soit axé sur la réalisation d'un environnement favorable à l'épanouissement de la communauté franco-ontarienne.

B) LES SEPT DOSSIERS PRIORITAIRES

Il est recommandé, en outre, que la politique cadre prenne en considération sept importants dossiers, tous également prioritaires.

1. *Les organismes franco-ontariens de services*

1.1 Que les organismes de services qui ont un mandat provincial (par exemple, l'Alliance culturelle de l'Ontario et ses huit organismes membres, le Regroupement des organismes du patrimoine franco-ontarien) reçoivent un financement de base triennal, avec rapports annuels et évaluation au terme de ces trois années.

1.2 Que ces organismes de services demeurent admissibles à un financement du Bureau franco-ontarien du CAO pour leur programmation artistique professionnelle.

2 *Les centres culturels franco-ontariens*
2.1 Que le CAO continue de financer la programmation artistique professionnelle des centres culturels.

2.2 Que le gouvernement de l'Ontario reconnaisse qu'un financement de base pour les centres culturels est essentiel. Que ce financement de base soit pris en charge par les Municipalités, et que le gouvernement assure la mise en œuvre de cette politique, sous forme de loi.

2.3 Que l'Office des affaires francophones, en collaboration avec la nouvelle Division franco-ontarienne du ministère de la Culture et des Communications, élabore le projet de loi qui spécifiera les obligations tant des centres culturels que des Municipalités dans ce dossier.

2.4 Que le ministère de la Culture et des Communications prenne, par le truchement de sa nouvelle Division franco-ontarienne, les mesures adéquates pour assurer le financement de base des centres culturels.

2.5 Que le gouvernement fédéral reconnaisse ses responsabilités dans le dossier du développement des communautés francophones à l'extérieur du Québec et qu'en vertu de cet engagement, il garantisse au moins la moitié des fonds nécessaires au financement de base des centres culturels franco-ontariens.

3. *Les radios communautaires et les services d'information*
3.1 Que le ministère de la Culture et des Communications de l'Ontario appuie financièrement le développement des radios communautaires (y compris les radios étudiantes, détentrices d'une licence du CRTC) tant sur le plan de l'implantation que sur le plan de l'immobilisation et du fonctionnement.

3.2 Que les radios communautaires deviennent admissibles aux programmes existants du ministère de la Culture et des Communications de l'Ontario, par exemple la formation en administration et en gestion, la planification organisationnelle, l'achat de matériel et d'équipement.

3.3 Qu'une part équitable des dépenses publicitaires du gouvernement de l'Ontario soit consacrée aux médias francophones et qu'au besoin, les critères de placement publicitaire présentement en vigueur soient amendés à cette fin.

3.4 Que le Village électronique francophone soit reconnu comme un organisme de service provincial admissible aux programmes du ministère de la Culture et des Communications de l'Ontario et que des allocations de financement soient attribuées spécifiquement à la diffusion de ses services dans toute la province.

3.5 Que la Société Radio-Canada accorde une priorité nouvelle à son mandat de refléter la culture des communautés francophones à l'extérieur du Québec et que la Direction régionale des services en français en Ontario acquière l'autonomie qui lui permette de réaliser ce mandat.

3.5.1 Que les diverses composantes de la Société Radio-Canada soient encouragées à refléter dans leur programmation respective les réalités et les réalisations franco-ontariennes de toutes les régions de l'Ontario.

3.5.2 Que le mandat de la Direction régionale des services en français de Radio-Canada en Ontario inclue l'obligation de prendre le «leadership» dans la coordination des médias (radio, télévision et presse) dans toute opération d'ensemble touchant la province.

4. *Le patrimoine franco-ontarien*

4.1 Que le Gouvernement de l'Ontario reconnaisse formellement la contribution originale du patrimoine franco-ontarien à la richesse patrimoniale de la province et qu'en conséquence, des ressources financières soient octroyées par le ministère de la Culture et des Communications de l'Ontario et la Fondation du patrimoine à la Division franco-ontarienne pour répondre aux besoins particuliers des organismes œuvrant dans ce domaine : sociétés historiques, sociétés de généalogie, dépôts d'archives, centres de folklore, etc.

4.2 Que le gouvernement de l'Ontario reconnaisse le travail accompli en matière de conservation et de diffusion par les services d'archives franco-ontariennes; qu'en conséquence, il contribue à un financement de base adéquat pour ces services, en tenant compte du développement que connaît actuellement la science archivistique.

5. *Une politique fiscale en matière culturelle*

Que le ministère de la Culture et des Communications de l'Ontario, en collaboration avec le Bureau du Trésor de la province, élabore une politique fiscale qui favorise la consommation, l'acquisition et la diffusion du produit culturel ontarien, et accorde à l'artiste un statut professionnel avec tous les droits, les privilèges fiscaux, les assurances et les obligations que cela comporte.

6. *L'animation culturelle dans la communauté franco-ontarienne*

6.1 Que la responsabilité du dossier de l'animation culturelle, qui relève présentement de la Direction de l'éducation en langue française du ministère de l'Éducation de l'Ontario, soit partagée avec les ministères et organismes ontariens suivants : Culture et Communications, Collèges et Universités, Tourisme et Loisirs, Affaires civiques, et le CAO, sous la coordination de l'Office des affaires francophones.

6.2 Qu'une formation professionnelle en animation culturelle soit offerte en Ontario dans les programmes des collèges communautaires de langue française et les universités partiellement de langue française, et appuyée financièrement par le ministère des Collèges et Universités.

6.3 Que l'animation culturelle fasse partie intégrante de la formation des enseignants et enseignantes franco-ontariens ainsi que des tâches professionnelles reconnues dans les écoles de langue française.

7. La Chaîne française de TVOntario

7.1 Que le gouvernement de l'Ontario prenne en charge le financement des huit émetteurs réclamés par la Chaîne française en vue d'assurer la diffusion de la programmation de celle-ci dans tous les foyers ontariens.

7.2 Que la Chaîne française développe une politique d'embauche de discrimination positive envers les diverses composantes de la communauté franco-ontarienne dans le choix de son personnel administratif, technique, artistique, ainsi que dans la sélection des personnes-ressources et des artistes invités.

7.3 Que La Chaîne française puisse se doter de deux autres unités de production régionales, l'une à Ottawa et l'autre à Sudbury, et qu'avec le concours du ministère de l'Éducation de l'Ontario et du ministère des Collèges et des Universités, elle puisse assurer la formation en production télévisuelle dans les institutions scolaires.

7.4 Que la programmation de la Chaîne française consacre, sur une base régulière, une partie de ses émissions à refléter spécifiquement la production culturelle des diverses composantes de la communauté franco-ontarienne.

C) LA MISE EN ŒUVRE DE LA POLITIQUE CADRE

Pour assurer la mise en œuvre de cette première politique cadre pour le développement de la vie culturelle des Franco-Ontariens et des Franco-Ontariennes, le Groupe de travail recommande :

1. *Que son rapport final soit rendu public avant la fin d'octobre 1991.*

2. *Que soit créé, dans les meilleurs délais après la remise du rapport, un comité exécutif tripartite formé des représentations suivantes :*
– l'Alliance culturelle de l'Ontario;
– le ministère de la Culture et des Communications de l'Ontario et le CAO;
– la communauté franco-ontarienne, en s'assurant de la participation de la jeunesse; que ce comité relève directement de la ministre et qu'il ait le mandat d'élaborer un programme d'actions spécifiques pour réaliser l'im-

plantation rapide et efficace de cette politique.

3. *Que, tout au long du présent mandat du gouvernement, la ministre rende compte publiquement, chaque année, des actions entreprises pour mettre en œuvre cette politique.*

CONCLUSION

Un souhait adressé par le Groupe de travail au gouvernement de l'Ontario

Dans l'esprit de la déclaration de l'UNESCO qui a consacré la dernière décennie du XXe siècle à la culture et à l'identité et invité la collectivité internationale à entreprendre des projets dans ce but, le Groupe de travail, au terme de son mandat, propose au gouvernement de l'Ontario de déclarer 1993 «L'Année de la culture en Ontario». Dans ce sens, il accompagne sa proposition des points suivants :

- Qu'un budget spécial soit alloué par le gouvernement pour financer les projets de la population ontarienne pour «L'Année de la culture».

- Qu'une partie de ces fonds provienne de la création, par le gouvernement, d'une loterie spéciale.

- Que les projets financés par les fonds publics pour célébrer cette Année de la culture reflètent la diversité culturelle de la société ontarienne.

- Que l'organisation du projet de «L'Année de la culture» soit confiée à un comité de coordination provincial, composé d'un nombre important d'artistes ontariens, de toutes origines; que ce comité compte une section franco-ontarienne.

ANNEXE B

APERÇU D'AUTRES CONTRIBUTIONS DE L'AUTEURE À LA DIFFUSION DE LA CULTURE ONTAROISE

1. *Ateliers, forums, salons du livre, tables rondes*

- Animation de deux ateliers sur *la création littéraire* au colloque sur «L'intégration de la vie culturelle dans nos écoles» à Sudbury, sous l'égide de l'AEFO, 8 mai 1982.
- Participation à une table ronde sur «La littérature franco-ontarienne : Pourquoi se dire?», dans le cadre de la Semaine franco-ontarienne à l'Université d'Ottawa sur le thème *Se dire comme Ontarois et Ontaroises*, 26-30 octobre 1982. Voir *La Rotonde*, 9 novembre 1982, p. 8 et *Le Temps*, décembre 1982, p. 7.
- Animation d'un atelier sur «La littérature ontaroise» au Conseil scolaire d'Ottawa, 16 février 1983.
- Participation à une table ronde sur «La femme franco-ontarienne», 7 novembre 1985, dans le cadre de la Semaine franco-ontarienne à l'Université d'Ottawa.
- Présidente du jury, «La chanson-thème» de la ville de Vanier, 19 avril 1986. Les autres membres du jury étaient : Marie-Thérèse Morissette, directrice adjointe du CFORP, et Denis Proulx, conseiller pédagogique en musique à l'Université d'Ottawa.
- Animation d'une table ronde sur «L'alphabétisation égale l'auto-détermination», 6ᵉ Congrès sur les travailleurs et les travailleuses et leur milieu : «Les luttes syndicales et collectives face à la crise», organisé par le Département de sociologie de l'Université d'Ottawa, 9-11 mai 1986.
- Présentation du recueil de poésie *L'Écouté* de Cécile Cloutier, une rétrospective de sa poésie 1960-1983 (Montréal, l'Hexagone, 1986). L'ouvrage avait reçu le prix littéraire du Gouverneur général 1987, section «Poésie». Salon du livre de l'Outaouais, 26 mars 1988.
- Participation à une table ronde sur «La culture en procès» dans le cadre de la Semaine franco-ontarienne à l'Université d'Ottawa, 18 janvier 1988. Des extraits ont été diffusés à Radio-Canada FM les 17 et 24 juin 1988, à 16 h 30.
- Animation d'un atelier sur «La culture franco-ontarienne» au colloque de la Faculté d'éducation de l'Université d'Ottawa «Regards sur le jeune Franco-Ontarien», le 6 mai 1989.
- Animation et participation à une table ronde sur «Un regard de la critique sur la littérature franco-ontarienne», Association des auteurs et auteurs de l'Ontario français, Ottawa, 12 février 1992.

- Animation d'une table ronde sur «Hors des métropoles, point de salut!», Salon du livre de l'Outaouais, 27 mars 1992.
- Participation à une table ronde sur «La place des arts dans l'éducation», dans le cadre du colloque «Art savant 1992», Ottawa, 8 avril 1992.
- Présentation du livre *Blancs gris et noirceurs* de l'artiste, poète et romancier Gilles Lacombe au lancement annuel des Éditions David, Bibliothèque nationale du Canada, 25 mars 1997.
- Participation au Forum sur la littérature canadienne-française : «Rétrospective et vision d'avenir», Salon du livre de Toronto, 16 octobre 1999.

2. Communications/causeries

- «La littérature de l'Ontario-français : passé et avenir», à l'atelier de la Guilde française de l'Ontario Library Association, 81ᵉ conférence annuelle, Toronto, le 29 octobre 1983.
- «La littérature franco-ontarienne», École secondaire André-Laurendeau (Vanier), Semaine de l'Éducation et Semaine nationale du livre, mars 1984.
- «L'étude de la civilisation canadienne-française à l'Université d'Ottawa», Cercle Marion, 16 septembre 1986.
- «Les archives du CRCCF et le projet de l'école Guigues», Club Richelieu d'Ottawa, 4 mars 1987.
- «La culture canadienne-française, un secret trop bien gardé», Club du midi, Cercle des femmes journalistes, 17 mars 1987.
- «Les activités du CRCCF sur la culture et les archives franco-ontariennes», ministère des Collèges et Universités de l'Ontario, 8 mars 1990.
- «Les arts en Ontario», Club Richelieu Hélène-de-Champlain, 27 novembre 1991. À cette occasion, la conférencière a été reçue parmi les membres du Club Richelieu international, Cercle Horace Viau.
- «Le chef de file : ses qualités, ses défis, ses limites», séminaire sur le Leadership, Collège catholique Samuel-Genest (Ottawa), 31 mars 1992.
- «La première politique culturelle des francophones de l'Ontario», séance sur *Les Franco-Ontariens (I) : culture et société* dans le cadre du Congrès de la Southwest Association for Canadian Studies, University of Southwestern Louisiana, Lafayette, É.U., 18-20 février 1993.
- «L'art et les femmes», Réseau socio-action des femmes francophones d'Ottawa-Carleton en collaboration avec le Mouvement d'implication francophone d'Orléans, le Centre culturel d'Orléans et la Fédération nationale des femmes canadiennes-françaises, au bénéfice de la Fondation Almanda Walker-Marchand, 6 mars 1993.
- «La poésie canadienne-française d'avant la Confédération», Société des écrivains canadiens, section Ottawa-Hull, 2 novembre 1995.

- «La recherche et les archives au CRCCF», Club Richelieu d'Ottawa, 12 mars 1996.

3. Entrevues accordées à la presse

- Murray Maltais, «Une première anthologie», *Le Droit*, 8 mai 1982, p. 31.
- Micheline Piché, «Pour que l'identité ontaroise prenne racine», *Femmes d'action*, juin-juillet 1987, vol. 16, n° 5, p. 7 et 38.
- Marc Haentjens, «Yolande Grisé : "Je pense beaucoup à l'avenir"», *Liaison*, automne 1987, n° 44, p. 28-30.
- Marie-Ève Pelletier, «La volonté d'apprendre sans cesse», *Le Droit*, 3 novembre 1990, p. A-10.
- France Pilon, «Politique culturelle globale pour francophones. Une première en Ontario», *Le Droit*, 3 août 1991, p. 12.
- Thomas LeBlanc, «Une ascension qui révolutionnera les arts d'ici», *La Rotonde*, 19 novembre 1991, p. 9.
- Serge Dion, «Plus que jamais!», *Le Droit*, 30 novembre 1991, p. A-7.
- France Pilon, «Pont du passé vers l'avenir depuis 35 ans», *Le Droit*, 5 avril 1993, p. 10.
- Pierre Allard, «Yolande Grisé, la toute première Ontaroise!», *Avec fierté!*, bulletin d'information de l'ACFO régionale d'Ottawa-Carleton, juin 1993, vol. 8, n° 1, p. 4.
- Joël-Denis Bellavance, «Les "derniers" Canadiens français», *Le Droit*, 30 avril 1994, p. 13; 10 mai 1994, p. 13.
- Marci McDonald, «A Community of Dreams», *Maclean's*, 1er juillet, n° spécial : *The Ties That Bind Canada*, 1994, p. 10-15.
- Marco Fortier, «Le réveil des Francos», *Le Droit*, 8 mars 1997, p. 10.

4. Entrevues/commentaires à la radio

À l'émission *Actuelles*, Radio Canada FM, sur le thème «Québec et Ontario français : mythes et réalités», du 2 au 6 janvier 1984.
- Sur «La littérature ontaroise», Radio-Canada FM, 30 avril 1984.
- Sur «Les "autres" littératures d'expression française en Amérique du Nord», Radio-Canada FM, 19 juillet 1984.
- À l'émission *Les Belles Heures*, à propos d'Hélène Brodeur, écrivaine de l'Ontario français, CBOF-AM, 7 août 1985.
- À l'émission *Controverse*, sur «Le Sommet de la francophonie de Paris», CFUO-FM, février 1986.
- À l'émission *Controverse*, sur «Les femmes et la civilisation», CFUO-FM, dans le cadre du Festival franco-ontarien, juin 1986.
- À l'émission *Réseau* avec Julie Garland, sur «La culture», CFUO-FM, 21 janvier 1988.

- À l'émission *Focus-Campus*, sur «Le 35ᵉ anniversaire du CRCCF de l'Université d'Ottawa», CHUO-FM, 2 février 1993.
- À l'émission *Tournée d'Amérique* avec Michel Picard, sur «Les trente-cinq ans du CRCCF à l'Université d'Ottawa», CBOF-FM, 6 février 1993.
- À l'émission *Tournée d'Amérique* avec Michel Picard, sur «Les États généraux de la recherche sur la francophonie à l'extérieur du Québec à Ottawa», CBOF-FM, 25 mars 1994.
- Avec Hélène Narayana sur «La situation de la recherche en milieu minoritaire d'expression française au Canada», Radio-Canada FM, Calgary, 13 juin 1994.
- À l'émission *CBOF-Bonjour* avec Mario Girard, sur «Le lancement annuel du CRCCF et le mandat du Centre à l'Université d'Ottawa», 4 mars 1997.
- Sur «Le Forum francophone de concertation 97» : «Partenaires et solidaires vers l'avenir» organisé par le Secrétariat aux affaires intergouvernementales canadiennes du ministère du Conseil exécutif, Gouvernement du Québec, l13-16 mars 1997, Québec : 1. avec Brigitte Bureau, SRC-Toronto, 15 mars 1997; 2. avec le réseau de Radio-Canada à Québec et en Gaspésie, 16 mars 1997; 3. avec France Beaudoin pour l'émission *Ontario 30*, SRC-Ontario, 17 mars 1997.

5. Entrevues/commentaires à la télévision et au cinéma

- À l'émission *À la pige* animée par Jean-Jacques Blais et réalisée par l'ACFO régionale d'Ottawa-Carleton, Télévision communautaire, 11 décembre 1986.
- Une émission sur le CRCCF dans le cadre de la série *Réseaux*, magazine des collèges et universités de l'Ontario, TVO, septembre 1987.
- À l'émission sur «Hors du Québec, point de salut?» dans la série *Le Lys et le Trillium*, TFO, 17 février 1987.
- À l'émission sur «Le Rapport *RSVP! Clefs en main* du Groupe de travail pour une politique culturelle pour les francophones de l'Ontario», dans la série *Le Lys et le Trillium*, TFO, 13 novembre 1991.
- Participation au film *Les Ontaroises* dans le cadre de la coproduction de la série *À la recherche de l'Homme invisible*, réalisée par Aquila productions et l'Office national du film (sous la direction de Fadel Saleh) en collaboration avec TVOntario et avec la participation de Téléfim Canada, 26 novembre 1991.
- À l'émission *Panorama* avec Monika Mérinat, sur «Les arts et la culture», TFO, 15 janvier 1992.
- Entretien avec Jacqueline Pelletier à l'émission *Panorama*, TFO, 16 novembre 1992.

INDEX ONOMASTIQUE

CRÉDITS PHOTOGRAPHIQUES

I   Photo Yolande Grisé, Sudbury, 1979. Coll. particulière de Yolande Grisé.

II   Photo A&M Records, CANO © Marcel Aymar, tous droits réservés. Coll. Université d'Ottawa, CRCCF.

III   Photo Janick Belleau, *Le Temps* (ACFO), 1980. Université d'Ottawa, CRCCF, Fonds «Les Éditions L'Interligne» (C86), Ph167-1363.

IV   Coll. particulière de Yolande Grisé.

V   Photo Jules Villemaire, Ottawa, [1987?]. Coll. particulière d'Hélène Brodeur.

VI   *Le Droit*, samedi 8 mai 1982 / *Des mots pour se connaître* (Fides, 1982). Coll. particulière de Yolande Grisé.

VII   Fédération des caisses populaires de l'Ontario. Collection particulière de Yolande Grisé.

VIII   Wawa Design. Université d'Ottawa, CRCCF, Fonds «Réjean-Robidoux» (P260), M125.03.

IX   Photo Université d'Ottawa, 1991. Archives de l'Université d'Ottawa, Fonds «Service d'audiovisuel et de reprographie», PHO101-91-034R1-8.

X   Université d'Ottawa, CRCCF, Fonds «Les Éditions L'Interligne» (C86), Ph167-22.

XI   Photo Paul Chiasson, *Le Droit*, Ottawa, 1980. Université d'Ottawa, CRCCF, Fonds «*Le Droit*» (C71), Ph92-4/050580ENT16.

XII   Photo Michel Lafleur, *Le Droit*, Ottawa, 1993. Université d'Ottawa, CRCCF, Fonds «*Le Droit*» (C71), Ph92-9/121093MME26.

XIII   Photo Richard Desmarais, Ottawa, [circa 1997]. Coll. particulière de Jacqueline Pelletier.

XIV   Université d'Ottawa, CRCCF, Fonds «Fédération culturelle canadienne-française» (C89), Ph182-104.

XV   Université d'Ottawa, CRCCF, Fonds «Robert-Gauthier» (P255), Ph183-8.

XVI   Université d'Ottawa, CRCCF, Fonds «Pro-Arts» (C129), Ph246-1/199.

TABLE DES MATIÈRES

435

Achevé d'imprimer
en novembre deux mille deux, sur les presses
de l'Imprimerie Gauvin, Hull, Québec